AF218732

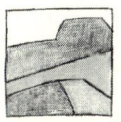

Editorial
PÁRAMO

Primera edición, marzo de 2021
© de los textos, sus autores
© de esta edición Editorial Páramo, 2021

Editorial Páramo - www.editorialparamo.com
comunicacion@editorialparamo.com
Valladolid, España
Diseño: Javier Campelo Bermejo
Edición y coordinación: Jorge González del Pozo
y Javier Campelo Bermejo

ISBN: 978-84-122927-1-8
Depósito Legal: DL VA 245-2021
Impreso en España – Printed in Spain

LAS CADENAS QUE AMAMOS

UNA PANORÁMICA SOBRE EL RETROCESO DE OCCIDENTE A TODOS LOS NIVELES

Jorge González del Pozo
Javier Campelo Bermejo

(editores)

LAS CADENAS QUE AMAMOS

Las cadenas que amamos

LAS CADENAS QUE AMAMOS

Este libro nace de la preocupación por unas derivas que nuestra época está adquiriendo; época en la que también cabe, además de las diferentes problemáticas que abordaremos a lo largo de estas páginas, la noción de "irrealidad". La irrealidad dominante, cual niebla que no deja ver más allá del perímetro individual, hay que entenderla como el estado ficticio provocado por la sobreinformación y el exceso abrumador de agentes de opinión —muchos de ellos sin crédito alguno— gracias a las redes sociales y a la compra-venta de la verdad. Es la verdad quien se postra al servicio de la economía *de alguien, de otro, de entes aparentemente amorfos y sin identidad*. La realidad se ve convertida en el fondo de la cuenca de un río —el río de las opiniones, de la palabrería, de la mentira y de la tergiversación, del humo que nos intoxica y todo lo cubre—, bajo sedimentos de pecina y lodo, confundida con otras mil realidades "posibles", dependientes de nuevos puntos de vista, prismas y grietas abiertas en los límites de la comunicación y del derecho, en las que termina diluyéndose.

La historia contemporánea de Occidente hoy se podría resumir en un retroceso a todos los niveles; económico, político, cultural, informativo e incluso de valores: Los gobernantes legislan para mantener y aumentar la grieta entre clase dominante y plebe y así afianzar su poder, apartándolo incluso de la posibilidad de crítica. De esta manera, las libertades individuales se ven recortadas por una censura disfrazada de bien común, de límites morales y de sensatez, consiguiendo incluso una pérdida total de empatía entre personas del mismo estrato bajo gracias a la falsa ilusión de pertenencia a la clase privilegiada.

El objetivo de esta publicación, al menos, debe ser comprender de una forma más amplia y profunda nuestro tiempo, para así animar al lector a guardar una distancia que permita el análisis de la realidad y el conocimiento de causas, de fines, de motivaciones o de objetivos. También esta obra busca poner su justo adjetivo a quienes, vendidos a la idea fundamental del dinero, aniquilan los valores antiguos que un día nos definieron e hicieron avanzar sin ponerlos en duda. Sin capacidad crítica no somos nada más que esclavos, números aleatorios en una fila de reses que se va incrementando exponencialmente y se dirige al matadero.

A diario nos encontramos con hitos y demarcaciones que guían nuestro camino hasta ciertos puntos de control establecidos. Etapas que, inconscientemente, hemos ido incluyendo en nuestra cotidianeidad y que pasan de ser una ayuda a una necesidad autoinfundada. Las comunicaciones, las redes sociales, nuestros gustos, nuestras ideas políticas y nuestra economía dependen de factores externos que se han instaurado en nuestras vidas de manera sutil pero constante y profunda, hasta convertirse en numerosas ocasiones en algo de lo que hoy resultaría casi imposible desprendernos. Estas necesidades creadas se han convertido en cadenas que, con el aspecto de mano amiga, nos mediatizan y controlan. Serpientes disfrazadas de cálida ropa de abrigo que poco a poco van estrechando su abrazo estrangulándonos sin delatarse y generando una asfixia, primero individual y después colectiva, que ahoga por constricción los movimientos y el dominio sobre la voluntad.

Los medios de comunicación ya no informan ni cuestionan el poder. Motivados por la posibilidad de venta, la adjudicación de una subvención o el ingreso de unos costes inflados provenientes de una campaña de propaganda institucional, resultan marionetas que se posicionan dependiendo de sus intereses económicos. Estrangulados y sin independencia, son un arma de confusión al servicio del poderoso. El mundo del entretenimiento ansía la lucha entre gladiadores con una opinión como arma. ¿Qué opinión es cierta? Eso poco importa.

De la misma forma, materias como la historia son producto de debate torticero entre facciones alentadas por un fin muy distinto al debatido. Los fines políticos y económicos destruyen la historia objetiva y tratan de alterar las derivas naturales del conocimiento. Mienten a veces por torpeza, a veces por fanatismo. Pero mienten también a veces por un sueldo. Esto provoca la ausencia de criterio y de base y, por tanto, el fin de la verdad, que se adaptará en cada momento a sus intereses. Es la *irrealidad* en su máxima expresión.

Las fianzas, disfrazadas de un falso bienestar económico y utilizando el miedo a los mercados y a la crisis, han desplazado los objetivos de igualdad, de respeto, de progreso, de interculturalidad, de cosmopolitismo. De esta forma, los factores que se utilizan son los económicos, en vez de ser los humanos, y ponerlos en duda hoy suena utópico, si no ridículo.

Derivado de lo anterior, observamos cómo la ecología y la naturaleza se relegan a un segundo plano, no se producen acuerdos entre naciones para su conservación, no se estudian soluciones a problemas que deberían ser primordiales —como el del cambio climático o la deforestación—, ni se dan paso a las posibles alternativas —como las energías renovables—, supeditando todo ello a intereses económicos de una minoría, perdiendo la noción de colectividad y, aún más preocupante, la de futuro.

En el campo cultural constatamos a diario una pérdida de valores debido a las modas impuestas por los medios de comunicación —en especial la televisión—, y por el desapego a la herencia cultural recibida o la falta de consideración a la cultura y a los oficios asociados a ella. El único valor de "lo nuevo", de "lo último", de "lo instantáneo", de "lo efímero" y la mala educación, inducen al ciudadano a consumir sin criterio productos que otrora jamás hubieran sido considerados artísticos o de valor cultural.

El retroceso como sociedad es reflejo de todo ello. La menor calidad de vida, la cada vez mayor ausencia de posibilidades, el aumento del coste de los productos, servicios, objetos, etc., el deterioro de los derechos de cada persona, el cada vez menor diálogo entre el pueblo y sus gobernantes… provocan que nuestros estados legislen como quien dirige una empresa, reduciendo al ciudadano al papel de trabajador en pos de un rédito económico —la única política para la clase dirigente—. Denostada la propia condición humana y relegada a un segundo plano, se ve forzada a aplicar un modelo de vida anti-natura y deshumanizado, basado en un neoliberalismo extremo. El capital es un tótem y su avance es primordial, todo sacrificio para que siga desarrollándose es necesario, incluido el de la propia vida.

La desconexión entre lo necesario, lo esencial y lo superfluo cada vez se amplía más dada la tendencia individual a encerrarse en uno mismo y dejar de conectarse y convivir con los semejantes, con los diferentes y con la sociedad en general. Se está produciendo una evolución similar a una adicción, en la que el nivel de tolerancia crece a medida que la necesidad de consumo y la falta de apego a la realidad del ciudadano medio actual —hiperconectado y aislado en la torre de marfil de su pantalla— aumenta. La satisfacción inmediata, la negación de cualquier realidad que no sea la conveniente a uno mismo y la mentalidad acomodaticia y aburguesada, hacen que las personas nos obsesionemos y creamos que disfrutamos de algo cuando la realidad es que aquello que creemos gozar es lo que nos lleva a encerrarnos cada vez más en nuestra propia trinchera tecnológica y consumista.

La comodidad ha devenido en apatía y la ausencia de respuesta social a la constante pérdida de derechos ha hecho que el sistema capitalista se torne omnipotente y el papel del ser humano sea cada vez más simbólico, cebando, consciente o inconscientemente, a un monstruo ya incontrolable.

El consumo promete satisfacción sin límites, solo los que impone el bolsillo, pero que nunca llegará a saciarse en un mercado que constantemente reinventa formas de seducir con un gasto y necesidad mayor. A su vez, este proceso fuerza a un comportamiento compulsivo, en una vorágine constante —transitoria y vacía—, una suerte de círculo vicioso de consumo que no tiene fin. De esta forma, el capitalismo, ofrecido a las comunidades globales como la gran salvación de la sociedad contemporánea, ha sido devastador para la cohesión social, el desarrollo personal y el avance colectivo hacia la mejoría del común de la población. La erradicación de la honestidad, la humildad y la solidaridad como valores fundamentales de una sociedad concienciada ha supuesto un daño que nace de las cadenas que amamos, de esas prácticas y gustos que están abocándonos a negar incluso la propia condición humana en favor de una falsa quimera, inexistente y, sobre todo, inalcanzable, como la que presenta el capitalismo en bandeja de plata: un objeto brillante y atractivo que de cerca esconde el yugo que no nos deja respirar.

La búsqueda de la felicidad —entreverada, fascinante, casi onírica...—, como la lucha de Tántalo por alcanzar las manzanas, se convierte en un reto imposible de culminar, se ha pervertido. El camino hacia esta, si es que existe o se puede entender como un objetivo, se torna completamente secundario, ya que el individuo está perdido en un sugerente envoltorio. Al confundir esos placeres superficiales con el destino hacia el que avanzar, queda atrapado sin voluntad en un juego de trileros que camufla los valores que conforman la sociedad para que solo se persigan anhelos tan nimios como insustanciales, de beneficios fastuosos que nunca retribuyen al bien común y solo engordan los estómagos de insaciables círculos elitistas que no tocan la tierra.

La última crisis, surgida a modo de virus físico, no informático, con la pandemia del COVID-19, reafirma la condición decadente de Occidente y alimenta la necesidad, debido al miedo, de un control más férreo legitimado por la amenaza vital que cada vez nos aísla más.[1] Solo con mentalidad crítica y con información no sesgada y compartida se podrá avanzar como sociedad; no parece que los poderes, los visibles y los más opacos, estén por la labor. Ahora más que nunca, la revolución es necesaria y ahora más que nunca, parece tan inviable.[2]

Pero la pérdida de libertad más preocupante es la relativa a la ética y la moral. El descontento de una parte de ciudadanos, su mala información y formación, el desconocimiento por la historia, el desinterés por el otro (el emigrante, el que muere en el mar, el que tiene aún menos, el vecino en riesgo de exclusión, la maltratada, el trabajador precario, etc.), la ausencia de empatía y una falsa conciencia de clase, si es que queda algo de ella, derivan en un aumento de nacionalismos y fascismos que parecían ya rescoldos de un tiempo pasado que hoy amenazan a las presuntas democracias.

La revolución no será televisada. Ni televisada, ni retransmitida, ni siquiera relatada. No, hoy todo indica que la revolución no será. ¿Cómo se ha llegado a esta situación? ¿Cuáles han sido los hitos o las etapas más reconocibles en nuestro retroceso? ¿Qué cabe esperar del futuro, en manos como estamos de agentes económicos deshumanizados?

Los editores

---

[1] Según Byung-Chul Han: https://elpais.com/ideas/2020-03-21/la-emergencia-viral-y-el-mundo-de-manana-byung-chul-han-el-filosofo-surcoreano-que-piensa-desde-berlin.html

[2] Una opinión al respecto, la de Yuval Noah Harari, por ejemplo en: https://elpais.com/cultura/2020-03-21/yuval-noah-harari-la-mejor-defensa-contra-los-patogenos-es-la-informacion.html

**LAS
INSTITUCIONES
SIRVEN
PARA
APLASTAR
LOS
DERECHOS
HUMANOS**

Ludwig van Beethoven

DERECHO, DESIGUALDADES Y TRANSFORMACIÓN SOCIAL: DERECHOS LABORALES V. *LEX MERCATORIA* EN TIEMPOS DE SINDEMIA

Adoración Guamán
Universitat de València

El Derecho tiene una relación ambivalente, si se quiere "reversible", con la producción y mantenimiento de las desigualdades. Si bien, por un lado, es evidente que los marcos normativos pasados y presentes coadyuvan, acentúan y permiten el aumento de las desigualdades sociales; por otro lado, los derechos humanos y de la naturaleza son elementos fundamentales para la lucha contra estas desigualdades y para la consecución de la justicia social y ambiental. Construcción de cadenas e instrumentos para la lucha y liberación de las mismas son por tanto las dos caras de Jano del Derecho, sobre las que versa el presente capítulo.

La primera parte de esta relación ambivalente puede ser explicada, desde la crítica jurídica, entendiendo la norma jurídica como una forma de mediatización o representación de las relaciones sociales típicas del modo de producción capitalista, concepto que debe ser actualizado para incluir las actuales exigencias del momento neoliberal. En otras palabras, la norma jurídica actúa como una palanca para permitir y para legitimar la reproducción de las relaciones de dominación económico-sociales. Si esto ocurre en todos los ámbitos del ordenamiento, o en todas las ramas del Derecho, en el momento actual es posible detectar un escenario especialmente apropiado para la construcción de estas cadenas, y este es el ámbito del comercio internacional y la protección de los intereses de las inversiones transnacionales, cuya regulación expansiva choca frontalmente con la protección y las garantías jurídicas de los derechos humanos y de la naturaleza, pero también con el propio funcionamiento de la democracia liberal.

En este marco, cobra pleno sentido el concepto de *Lex Mercatoria*, como un nuevo orden jurídico global que reinterpreta y formaliza el poder del capital transnacionalizado mediante un uso expansivo del derecho, fundamentalmente comercial y de protección de la inversión extranjera, pero no solo.[1]

[1] Hernández Zubizarreta, J. y Ramiro, P. (2016). *Contra la Lex Mercatoria* (Barcelona: Icaria); Guamán, A., González, G. (2018), *Empresas Transnacionales y Derechos Hu-*

De hecho, en el momento actual, es fundamental pensar este nuevo *código del capital global*[2] dentro del concepto más amplio de *autoritarismo de mercado*, entendido como momento de ruptura entre los mecanismos de democracia representativa y la toma de decisiones políticas en materia socio-económica y ambiental. Así, el poder de las instituciones financieras internacionales y la creciente autoridad de las Empresas Transnacionales (en adelante ETN), a través de la *captura corporativa,*[3] permiten explicar las razones actuales del derecho, *lato sensu,* en un sentido anti-popular, anti-social y en muchos casos contrario a los principios democráticos en términos ya no solo de legitimidad sino también procedimentales.

Frente a la extensión de la construcción jurídica de este modelo autoritario neoliberal, la ciencia crítica señala igualmente que el Derecho *debe ser* (y ha sido en distintos momentos históricos) un instrumento estratégico de efectiva alteración de las prácticas reales vigentes ca-

---

manos, Albacete, Bomarzo. "El término *Lex Mercatoria* no es en absoluto pacífico, ni en cuanto a su definición ni en cuanto a su contenido. Desde el punto de vista de la filosofía del derecho, López Ruiz ha definido esta *Lex* como 'un conjunto normativo disperso, con carácter supranacional, que goza de un alto grado de autonomía respecto a los ordenamientos jurídicos estatales, y que constituye un grupo de reglas adecuadas para la regulación de las relaciones económico-privadas internacionales, especialmente, de los contratos internacionales a los que se puede aplicar directamente en lugar de las disposiciones de los ordenamientos nacionales'. En ese sentido, por nueva *Lex Mercatoria* hoy se entiende un derecho creado por las grandes empresas transnacionales, las *law firms* y ciertas agencias privadas internacionales sin la mediación expresa del poder legislativo de los Estados, y formado por reglas destinadas a disciplinar de modo uniforme, más allá de la unidad política de los Estados, las relaciones comerciales y financieras que se establecen dentro de la unidad económica que constituye el mercado global", vid. López Ruiz, F., "El papel de la *societas mercatorum* en la creación normativa: la *Lex Mercatoria*", en CEFD, n.20 (2010). La definición que se sigue en este texto tiene, como se verá, carácter más amplio.

[2] Pistor, K. (2019) *The Code of Capital. How the Law Creates Wealth and Inequality,* Princeton University Press, Oxford

[3] El concepto de captura del Estado o captura corporativa ha sido definido por Oxfam como el "ejercicio de influencia abusiva por parte de una(s) élite(s) extractiva(s) —en favor de sus intereses y prioridades y en detrimento del interés general— sobre el ciclo de políticas públicas y los organismos del Estado (u otros de alcance regional o internacional), con efectos potenciales en la desigualdad (económica, política o social) y en el correcto desempeño de la democracia". Los estudios de Oxfam citan como ejemplo de captura los privilegios fiscales a las empresas hondureñas entre 1990-2016 o la situación de República Dominicana, país de la región donde se han reconocido más incentivos a empresas. Como señala el mismo informe, estos incentivos fiscales orientados a atraer la Inversión Extranjera Directa (IED) "campan en América Latina y el Caribe y minan la capacidad recaudatoria y redistributiva del impuesto sobre la renta a las empresas". Vid. Cañete, R. (2018). *Democracias capturadas: el gobierno de unos pocos,* Oxfam internacional.

paz de impulsar la construcción normativa de una sociedad más justa, democrática y comunitario-participativa. En este sentido, se parte de la idea del Derecho como un medio —una técnica— entre otros muchos a la hora de garantizar el resultado de las luchas e intereses sociales. La finalidad de garantizar las condiciones para una vida digna se enmarca en un uso específico del Derecho, que implica la introducción de "pautas extrañas" o, si se quiere, contra-hegemónicas, que sostienen las distintas vías de combate de las desigualdades sociales. En concreto, los derechos sociales, las construcciones jurídicas que sostienen la extensión de la vida digna y la construcción de la igualdad material, como la vivienda, la sanidad, la educación, los servicios sociales o el reconocimiento, son la muestra de vías jurídicas de lucha contra la desigualdad y por la justicia social y ambiental.

Para analizar estas dos dinámicas en continuo enfrentamiento, las siguientes páginas van a centrarse en un campo de estudio: el de las relaciones de trabajo en el mercado. En concreto, se toma como eje de análisis los derechos laborales a través del ejemplo de la industria textil, examinando cómo la conjugación de la extensión de las ETN y sus cadenas globales de valor (CGV), con los acuerdos de inversión y la actuación de las instituciones financieras provocan una carrera a la baja en el reconocimiento y protección de los derechos asociados al trabajo, tanto en los países donde se descentraliza la producción como en aquellos donde se produce su venta.

Con este objetivo, en el presente texto se tratará un estudio del caso concreto, tomando la evolución de estas CGV en el sector textil de Bangladesh como ejemplo paradigmático de interacción entre la *Lex Mercatoria* y los derechos laborales y de la incapacidad del derecho internacional del trabajo para dar respuesta a los retos planteados por la extensión de la cadenas globales descritas. En este relato se prestará especial atención al impacto de la sindemia provocada por la COVID-19. El cierre del capítulo se dedicará al análisis de las reacciones frente a esta realidad en el plano normativo; en concreto, de entre las experiencias jurídicas contra-hegemónicas, se va a relatar el proceso del llamado *Binding Treaty* así como distintas experiencias orientadas a responsabilizar a las ETN por la comisión de violaciones de derechos humanos, analizándose igualmente las posibles opciones de organizaciones como la OIT frente a la extensión del código global del capital.

1. Las relaciones de trabajo como campo de batalla: *Lex Mercatoria* v. Derecho Internacional del trabajo

La Organización Internacional del Trabajo (OIT) reconoció en su informe de 2020 sobre las perspectivas sociales y del empleo en el Mundo, que las condiciones de pobreza y desigualdad se amplían sin pausa y sin que el empleo y los mecanismos vinculados a la regulación del trabajo sean capaces de resolverlas. Más allá de los retos que plantea la inteligencia artificial y los otros escenarios de futuro, la Organización admitía que, para una buena parte de los 3300 millones de trabajadores/as en todo el mundo, tener un trabajo no implica una ruptura con la pobreza[4] y confirmaba la hipótesis, por otro lado nada novedosa, de que los mercados laborales no distribuyen bien los beneficios del crecimiento económico, poniendo en entredicho la propia dignidad de las personas que participan en ellos.

Evidentemente, la responsabilidad de esta situación tiene múltiples aristas que se derivan tanto de los planos de decisión regulatoria nacional e internacional como de los comportamientos de los agentes privados. Además, la llegada de la sindemia provocada por la COVID-19 ha agudizado la tendencia precarizadora, pero también, como veremos en las siguientes páginas, ha marcado un giro interesante, no solo en las normas laborales sino en el propio sentido común entorno al trabajo.

1.1. *Lex Mercatoria* v. Derecho Internacional del trabajo: una disputa con un siglo de vida

La política laboral del Fondo Monetario Internacional tiene una influencia mayor en el derecho del trabajo en el plano nacional que el propio derecho internacional del trabajo emanado de la OIT. Esta frase, que provocará una reacción como poco incrédula de más de

---

[4] En concreto, el informe señalaba que 2,000 millones, sobre un total de 3,300 millones de personas que conforman la población económicamente activa que existe en el planeta tienen empleos escasamente remunerados, inestables, precarios o en la economía informal. Es decir, casi 2 de cada 3 trabajadoras y trabajadores en el mundo trabajan bajo condiciones sumamente desfavorables. Destaca el informe que más de 470 millones de personas en todo el mundo carecen de un acceso adecuado al trabajo remunerado como tal o se les niega la oportunidad de trabajar el número de horas deseado. Vid. ILO (2020) *World Employment and Social Outlook: Trends 2020,* Disponible en: https://www.ilo.org/wcmsp5/groups/public/---dgreports/---dcomm/---publ/documents/publication/wcms_734455.pdf

un *iuslaboralista*, se demuestra cierta si se atiende a las dinámicas de invasión regulatoria en el ámbito laboral que han desplegado, desde los años 50, tanto el Fondo Monetario Internacional como el resto de instituciones financieras internacionales. Además, la introducción de materias relativas a los derechos laborales en los tratados de comercio e inversión y de nuevos mecanismos como la cooperación reguladora, son una tendencia al alza, que abre una enorme puerta de entrada de la *Lex Mercatoria* en el ámbito de los derechos sociales. Veamos estas dos cuestiones con detenimiento.

En 1944, 44 países industrializados firmaron los acuerdos de Bretton Woods, creándose tanto el Banco Internacional de Reconstrucción y Fomento (el BIRF, convertido posteriormente en el llamado grupo del Banco Mundial) como el FMI.[5] El apartado segundo del artículo primero del Convenio del FMI señala como uno de sus fines "facilitar la expansión y el crecimiento equilibrado del comercio internacional, contribuyendo así a alcanzar y mantener altos niveles de ocupación y de ingresos reales". Por su parte, el Convenio del BIRF incluyó una referencia al vínculo entre la inversión extranjera, el aumento de la productividad y la mejora del nivel de vida y de las condiciones de trabajo en sus territorios.

Este supuesto vínculo entre la promoción del comercio y la creación de empleo se convirtió desde aquel momento en el dogma que fundamentaría las negociaciones de los más importantes acuerdos de comercio e inversión. Asimismo, en paralelo, se apuntalaba el argumento de la unidad entre integración económica y desarrollo, que se consagró en el bien conocido artículo 117 del Tratado de Roma de 1957, donde se afirmó como base de la futura política social comunitaria que "la armonización de los sistemas sociales derivaría de la integración del mercado". El posterior desarrollo de tratados de comercio e inversión (como el NAFTA) y de experiencias de integración (como la UE) nos han enseñado que el libre comercio y la integración económica pueden producir un aumento de la riqueza pero en ningún caso implican la redistribución o la mejora del bienestar de las mayorías sociales, para conseguir esto es necesario una actuación política en este sentido.[6]

---

[5] Para un repaso a la evolución del FMI se remite a Ugarteche, O. (2018) *Arquitectura financiera internacional*, Akal, Madrid.

[6] Sobre esta cuestión se remite a la bibliografía reseñada en obras anteriores como las

Más allá de esta cuestión, el nuevo sistema mundial orientado a conseguir la gobernanza económica no incluyó ninguna mención que se pueda asimilar al compromiso que apenas dos meses antes, al aprobar la Constitución de la OIT, respecto del objetivo de justicia social. Sin embargo, la omisión de una referencia a la OIT o a las normas laborales no implicó una ausencia de actuación de las instituciones financieras en este ámbito.

Al contrario, como relata el Experto Independiente de Naciones Unidas,[7] Juan Pablo Bohoslavsky[8] la capacidad normativo/laboral del Fondo Monetario Internacional viene evidenciándose desde los años cincuenta. A modo de ejemplo el experto relata cómo en los años cincuenta el FMI pidió a la Argentina que controlara los aumentos salariales; en los años ochenta en el contexto de la crisis de la deuda mexicana el Fondo exigió la reducción del número de empleados públicos y de sus salarios, entre otras cosas. En los años noventa las recomendaciones del Fondo se multiplicaron, durante el bien conocido Consenso de Washington.[9] En Argentina, por ejemplo, el programa de ajuste es-

siguientes: Guamán, A. (2015) *TTIP: el asalto de las multinacionales a la democracia.* Akal, Madrid. Guamán, A. (2016) "Cláusulas laborales en los acuerdos de libre comercio de nueva generación: una especial referencia al contenido laboral del TPP, CETA y TTIP", *Estudios financieros. Revista de trabajo y seguridad social: Comentarios, casos prácticos: recursos humanos*, Nº. 398.

[7] Experto Independiente sobre las consecuencias de la deuda externa y las obligaciones financieras internacionales conexas de los Estados para el pleno goce de todos los derechos humanos, sobre todo los derechos económicos, sociales y culturales.

[8] Bohoslavsky, J.P. (2017) *Informe del Experto Independiente sobre las consecuencias de la deuda externa y las obligaciones financieras internacionales conexas de los Estados para el pleno goce de todos los derechos humanos, sobre todo los derechos económicos, sociales y culturales,* Consejo de Derechos Humanos, 34 Periodo de Sesiones, Naciones Unidas A/HRC/34/57. En su informe presentado al Consejo de Derechos Humanos en marzo de 2017, el relator afirmó textualmente que: "En muchos países desarrollados y países en desarrollo, las instituciones financieras multilaterales y regionales han promovido reformas de la legislación laboral en el marco de políticas de austeridad, en el supuesto de que ello impulsaría el crecimiento económico y prevendría las crisis de la deuda o contribuiría a superarlas. En muchos casos, esas instituciones han recomendado o insistido en que, como condición de sus préstamos, se flexibilice el mercado de trabajo mediante la desregulación, la reducción del sector público y la congelación o reducción de los salarios y los beneficios sociales relacionados con el trabajo con el fin de reducir el gasto público. Así pues, atendiendo a esas recomendaciones, muchos gobiernos nacionales han reducido o eliminado ciertos derechos laborales —a veces bajo fuertes presiones— con la esperanza de superar sus dificultades financieras".

[9] El llamado Consenso de Washington es considerado de manera generalizada como la primera y más acabada, hasta la llegada de su homólogo europeo, plasmación del modelo neoliberal. Sin embargo, diversos autores han afirmado de manera especialmente interesante que, en realidad, si hay una fecha que marca la emergencia del neoliberalismo como

tructural incluía la ampliación del período de prueba, y primacía de los acuerdos concertados a nivel de empresa sobre los acuerdos sectoriales. Algo similar se propuso en Costa de Marfil. Desde luego, no fueron casos aislados, ni se limitaron a los años noventa. Como relata el Informe Bohoslavsky, entre los años 1994 y 2007, el 50% de todos los programas de préstamo del FMI conllevaban condiciones laborales. Además, y en concreto, un tercio de las cartas de intención firmadas entre el FMI y estados entre 1998 y 2005 contenían compromisos de flexibilizar la regulación del mercado de trabajo.[10] Entre 2010 y 2015 se emprendieron reformas de ese tipo en 89 países.

En este periodo, la "política laboral del FMI" afectó además a 49 países en desarrollo pero se extendió significativamente al ámbito de la UE, durante el llamado Consenso de Bruselas.[11] Los paralelismos entre la estrategia seguida durante la aplicación del Consenso de Washington y aquellas "cartas de intención" y los Memoranda

fenómeno que marca un giro en la política económica global del siglo XX esa es el 11 de septiembre de 1971, con el golpe de Estado de Chile y el desencadenamiento de la ola de dictaduras cívico-militares en el Cono Sur en Latinoamérica y el Caribe, en el marco del Plan Cóndor. Vid. Puello-Socarrás, J.F. (2015), "Neoliberalismo, antineoliberalismo, nuevo neoliberalismo. Episodios y trayectorias económico-políticas suramericanas (1973-2015)", en Rojas, L., *Neoliberalismo en América Latina. Crisis, tendencias y alternativas*, Buenos Aires, CLACSO, Fundación Rosa Luxemburgo, BASE. Posteriormente, pasando de la intervención militar a la económica, el Consenso de Washington, en sus distintas etapas y manifestaciones, consolidó a lo largo de las décadas de los 80 y 90 las exigencias neoliberales a nivel regional en Latinoamérica. Este paso, de la violencia militar a la violencia económica, no puede hacernos olvidar una realidad que resume perfectamente Verónica Gago de la siguiente manera: "En América latina el neoliberalismo es un régimen de existencia de lo social y un modo del mando político instalado regionalmente a partir de las dictaduras, es decir, con la masacre estatal y paraestatal de la insurgencia popular y armada, y consolidado en las décadas siguientes a partir de gruesas reformas estructurales, según la lógica de ajuste de políticas globales". Gago, V., (2015) *La razón neoliberal,* Traficantes de Sueños. Madrid.

[10] Sobre estas reformas, subrayó Goldin que "en el plano específico de las relaciones de producción, aquella lógica tendió a concebir a las normas laborales como mera interferencia en la capacidad de ajuste de los mercados. En esa condición, se les imputó operar como factores de restricción a la competitividad de las empresas y a la inversión, se les estigmatizó como responsables del crecimiento de la informalidad, del desempleo y de la subocupación". Goldin, A., (2007) Los derechos sociales en el marco de las reformas laborales en América Latina, OIT. Disponible en: https://www.ilo.org/wcmsp5/groups/public/---dgreports/---inst/documents/publication/wcms_201137.pdf

[11] Por Consenso de Bruselas entendemos el periodo de ajuste impuesto a los Estados Miembros de la UE, fundamentalmente entre 2009 y 2015, en primer lugar desde la Troika y en segundo lugar desde las "Recomendaciones por país" y el "Semestre Europeo". Sobre esta cuestión se remite a la bibliografía y el desarrollo contenido en Guamán Hernández, A., Noguera Fernández, A. (2015), *Derechos sociales, integración económica y medidas de austeridad, la UE contra el constitucionalismo social*, Albacete, Bomarzo.

impuestos por la Troika en el posterior "Consenso de Bruselas", son más que evidentes. Así, la participación del FMI en la Troika y la firma de los "Memorándum de Entendimiento" con países como Grecia han dejado claro que, más allá de la voluntad del pueblo expresada en las urnas, existe una razón "superior" que prima a la hora de la toma de decisiones de carácter normativo.[12]

Este rápido repaso evidencia cómo la devaluación del trabajo, reduciendo los derechos laborales tanto individuales como colectivos, ha sido la tónica general diseñada e impulsada por las Instituciones Financieras. Aun reconociendo errores, en el caso de Grecia,[13] el FMI continúa imponiendo en la actualidad (véanse las cartas de intenciones firmadas en el año 2019 entre el Fondo y Ecuador[14]) el modelo laboral global de la desregulación. Sin embargo, es evidente que esta invasión del mundo de las normas del trabajo desde las Instituciones Financieras fomenta, o incluso provoca, una afectación clara de derechos establecidos en convenios fundamentales de la OIT, como los relativos a la libertad sindical y la negociación colectiva.

[12] De entre la amplia bibliografía sobre Grecia y el ajuste, a modo de ejemplo se señala la siguiente: Margot Salomon, E. (2015) "Of Austerity, Human Rights and International Institutions," *European Law Journal* 21, no 4; Koukiadaki, A. and Krestos, L., (2012) "Opening Pandora's Box: the sovereign debt crisis and labour market regulation in Greece", *Industrial Law Journal* 276; Salcedo, C., (2013) "Crisis Económica, medidas laborales y vulneración de la Carta Social Europea," *Revista Europea de Derechos Fundamentales* N. 22; Guamán Hernández, A, (2018) EU Austerity in Greece at the Cost of Human Rights?, International labor rights case law N. 4

[13] Es útil recordar el análisis del FMI respeto sus propios errores en Grecia: "*However, there were also notable failures. Market confidence was not restored, the banking system lost 30 percent of its deposits, and the economy encountered a muchdeeper- than-expected recession with exceptionally high unemployment. Public debt remained too high and eventually had to be restructured, with collateral damage for bank balance sheets that were also weakened by the recession. Competitiveness improved somewhat on the back of falling wages, but structural reforms stalled and productivity gains proved elusive. Given the danger of contagion, the report judges the program to have been a necessity, even though the Fund had misgivings about debt sustainability. There was, however, a tension between the need to support Greece and the concern that debt was not sustainable with high probability (a condition for exceptional access). In response, the exceptional access criterion was amended to lower the bar for debt sustainability in systemic cases. (...) There are also political economy lessons to be learned. Greece's recent experience demonstrates the importance of spreading the burden of adjustment across different strata of society in order to build support for a program. The obstacles encountered in implementing reforms also illustrate the critical importance of ownership of a program, a lesson that is common to the findings of many previous EPEs*". June 2013, IMF Country Report No. 13/156

[14] Guamán, A. (2020) "The corporate architecture of impunity: Lex Mercatoria, market authoritarianism and popular resistance", State of Power 2020, TNI. Disponible en: https://www.tni.org/en/stateofpower2020

Pero, como se señalaba en el inicio, la expansión de la *Lex Mercatoria* no solo tiene como protagonista a las instituciones, que impulsan los acuerdos señalados o los tratados de comercio e inversión, sino también a actores privados. Así, las empresas transnacionales son el sujeto que se beneficia de manera fundamental del desarrollo del Código del Capital y que, como ya señaló Gilpin[15] en 1987, han gobernado el mercado mundial desde los años sesenta y muy en particular desde 1973. Las implicaciones y repercusiones de esta dominación han generado uno de los más grandes debates dentro de la economía internacional tras la II Guerra Mundial, pero también dentro del campo de los derechos humanos y muy en particular dentro del derecho internacional (y laboral) de los derechos humanos. En concreto, el debate, incesante desde los años setenta, se refiere al impacto que la actividad de estas empresas, a través de sus cadenas de valor, generan sobre estos derechos y a la incapacidad del Derecho (internacional, pero también nacional) para darle una solución.[16]

El crecimiento de la industria mundial está profundamente relacionado con la expansión de estas cadenas. De hecho, en el año 2019, más de dos tercios del comercio mundial se produjo a través de las mismas, en estructuras en las que la producción cruza al menos una frontera, y normalmente muchas fronteras, antes del ensamblaje final, alcanzando alrededor del 80 por ciento del comercio mundial.[17] No es

---

[15] Gilpin, R., (1987) *The Political Economics of International Relations,* Princeton University Press. Princeton. New Jersey.

[16] Para un recorrido sobre esta cuestión y para una recopilación de la bibliografía de referencia se remite a: Guamán, A, (2018) "Del Documento de Elementos al Draft 0: apuntes jurídicos respecto del posible contenido del Proyecto de Instrumento Vinculante sobre empresas transnacionales y otras empresas con respecto a los derechos humanos" Revista de Direito Internacional. Nº 15; Guamán Hernández, A. (2018) "Diligencia debida en derechos humanos y empresas transnacionales: de la ley francesa a un instrumento internacional jurídicamente vinculante sobre empresas y derechos humanos", Lex Social Nº8; Guamán Hernández, A. (2018) "Empresas transnacionales y derechos humanos: acerca de la necesidad y la posibilidad de la adopción de un Instrumento Jurídicamente Vinculante (Binding Treaty)" Jueces para la Democracia, N. 92.

[17] Global Value Chain Development Report (2019) https://www.oecd.org/dev/Global-Value-Chain-Development-Report-2019-Technological-Innovation-Supply-Chain-Trade-and-Workers-in-a-Globalized-World.pdf. Según los datos de la UNCTAD las 100 primeras empresas multinacionales del mundo tienen, en promedio, más de 500 filiales en más de 50 países. Su estructura de propiedad posee 7 niveles jerárquicos (es decir, los eslabones de propiedad con las filiales pueden cruzar hasta 6 fronteras), unas 20 sociedades de cartera que presentan filiales en múltiples jurisdicciones, y casi 70 entidades en centros de inversión extraterritoriales. UNCTAD (2016) *Informe sobre las inversiones en el mundo 2016. Nacionalidad de los inversores: retos para la formulación de políticas*

posible negar que el surgimiento de cadenas de valor globales ha ofrecido a los países en desarrollo nuevas oportunidades para integrarse en la economía global con un impacto crucial en el empleo. Sin embargo, los principales estudios sobre la cuestión también reconocen que, a pesar de los beneficios en materia de comercio e inversión, incluso la cantidad de puestos de trabajo creados, este fenómeno ha contribuido a efectos distributivos que hacen que "los beneficios del comercio no siempre se hayan acumulado para todos".[18]

De hecho, la estrategia de estructurar la producción a lo largo de largas cadenas de valor apunta a otros objetivos difícilmente compatibles con la promoción del trabajo decente. La estructura de las CGV permite a las ETN desplazar a la baja costos, riesgos, obligaciones y responsabilidades, al tiempo que concentra los principales beneficios en la empresa matriz.[19] También permite a las ETN eludir las normas estatales, incluyendo los convenios colectivos, aprovechar las diferencias en los estándares laborales y las condiciones de empleo y así, la estrategia de *dumping* de derechos sociales, ambientales y humanos puede ser utilizada por las empresas para reducir los costos sociales (laborales) o ambientales para aumentar sus ganancias.

En concreto, es posible afirmar que la dinámica de comportamiento de las ETN persigue dos objetivos fundamentales: eludir y/o evadir el poder sancionatorio del Estado, basado en la territorialidad del aparato judicial e incapaz de someter a la justicia a las empresas matrices por actos cometidos a lo largo de sus enormes cadenas de producción. Esta estrategia no solo libera a las ETN de la legislación nacional, sino que también permite a las empresas matrices evitar las obligaciones que pueden derivarse de las actividades de los sindicatos, especialmente los convenios colectivos; y en segundo lugar situar a los

---

[18] OECD (2019) Global value chain development report. https://www.oecd.org/dev/Global-Value-Chain-Development-Report-2019-Technological-Innovation-Supply-Chain-Trade-and-Workers-in-a-Globalized-World.pdf; ILO, Report IV. *Decent work in global supply chains*, International Labour Conference 105th Session, 2016

[19] Guamán Hernández, A., Luque González, A. (2019) "Cadenas de suministro, Derechos Humanos, Empresas Transnacionales e industria textil: de los AMI a un Instrumento Internacional Jurídicamente Vinculante" Cuadernos de relaciones laborales, Vol. 37, Nº 2, 2019 (Ejemplar dedicado a: Digitalización, robotización, trabajo y vida), págs. 393-418; Guamán, A., González, G., (2018) Empresas Transnacionales y Derechos Humanos. Bomarzo, Albacete; Guamán, A. (2020) "The corporate architecture of impunity: Lex Mercatoria, market authoritarianism and popular resistance", State of Power 2020, TNI. Disponible en: https://www.tni.org/en/stateofpower2020

estados, especialmente a los más débiles, en una permanente carrera a la baja para competir en la atracción de la inversión extranjera. Si a estos fenómenos se les suma la captura corporativa, a la que también nos referirmos posteriormente, la predicción de la disolución de la capacidad del Estado para respetar, promover y proteger los derechos humanos (incluidos los laborales) está servida. Algunos académicos han descrito el fenómeno y la imposibilidad actual de regular las CGV (por lo tanto, las actividades de las empresas transnacionales) como un "déficit de gobernabilidad".[20]

Por añadidura, y como punto crucial, en la mayoría de los casos la producción se subcontrata a un gran número de pequeñas y medianas empresas, generalmente ubicadas en zonas francas o zonas económicas especiales de países en desarrollo. Estas zonas ofrecen "incentivos fiscales, exención de aranceles y aranceles aduaneros; regulaciones favorables a las empresas con respecto al acceso a la tierra, permisos y licencias o reglas de empleo; y simplificación y facilitación administrativa". Como ha señalado la Conferencia de las Naciones Unidas sobre Comercio y Desarrollo (UNCTAD), "estamos viendo un crecimiento explosivo en el uso de las zonas económicas especiales (ZEE) como instrumentos de política clave para la atracción de inversiones para el desarrollo industrial". Según esta organización, hay unas 5.400 zonas en 147 economías en la actualidad, en comparación con unas 4.000 hace cinco años, y hay más de 500 nuevas zonas económicas especiales en proceso.

Resumiendo la cuestión, es importante remarcar que las prácticas de descentralización y desterritorialización han ahondado en la división internacional del trabajo, forzando la competencia reguladora entre Estados y desatando una carrera a la baja, funcional al dumping social y a la opacidad e impunidad de las actividades de las ETN. No se puede negar que el crecimiento de las CGV ha ofrecido a los países en desarrollo nuevas oportunidades para integrarse en la economía global con un impacto en el empleo. Sin embargo, los principales estudios sobre la cuestión también reconocen que, a pesar de los beneficios relacionados con el comercio y la inversión, incluso de la cantidad de empleos creados, este fenómeno no ha contribuido a la redistribución de la riqueza y ha tenido un impacto negativo en la generación de

---

[20] ILO, *Workplace compliance in global supply chains* (2016) Sectoral Policies Department, Geneva: ILO, 2016.

empleo digno limitando la capacidad para controlar el respeto de las normas del trabajo[21] e incitando a la reducción de estándares laborales.[22] Si a esto sumamos los resultados de los análisis de Oxfam sobre desigualdad,[23] los índices de esclavitud moderna[24] o los impunes crímenes de diversas empresas transnacionales contra los derechos humanos y la naturaleza,[25] el panorama pre COVID-19 en términos de trabajo y bienestar (o mera supervivencia) no podía ser más complejo.

1.2. EL IMPACTO DEL COVID EN LOS DERECHOS LABORALES: UNA CRISIS QUE SE ASIENTA SOBRE OTRA

El estudio del vínculo entre la regulación jurídica del fenómeno del trabajo asalariado y las crisis del sistema económico capitalista ha sido un tema recurrente en la doctrina laboralista, desde el mismo nacimiento del derecho del trabajo.[26] La crisis económica ha tenido un

[21] Sobre esta amplísima cuestión se remite a: Guamán Hernández, A., Luque González, A. (2019) "Cadenas de suministro, Derechos Humanos, Empresas Transnacionales e industria textil: de los AMI a un Instrumento Internacional Jurídicamente Vinculante" Cuadernos de relaciones laborales, Vol. 37, Nº 2, 2019 (Ejemplar dedicado a: Digitalización, robotización, trabajo y vida), págs. 393-418; Guamán, A., González, G., (2018) Empresas Transnacionales y Derechos Humanos. Bomarzo, Albacete; Guamán, A. (2020) "The corporate architecture of impunity: Lex Mercatoria, market authoritarianism and popular resistance", State of Power 2020, TNI. Available at: https://www.tni.org/en/stateofpower2020

[22] OIT (2016) *El trabajo decente en las cadenas mundiales de suministro,* Conferencia Internacional del Trabajo, 105.ª reunión, Informe IV.

[23] Oxfam (2020) *Tiempo para el cuidado El trabajo de cuidados y la crisis global de desigualdad.* Disponible en: https://oxfamilibrary.openrepository.com/bitstream/handle/10546/620928/bp-time-to-care-inequality-200120-es.pdf

[24] Se estima que 40,3 millones de personas fueron víctimas de la esclavitud moderna en 2016. Esta cifra incluye 24,9 millones en trabajo forzoso y 15,4 millones en matrimonio forzoso. De los 24,9 millones de personas atrapadas en el trabajo forzoso, 16 millones son explotadas en el sector privado, por ejemplo, en el trabajo doméstico, la industria de la construcción o la agricultura; 4,8 millones de personas son víctimas de la explotación sexual forzosa; y 4 millones de personas se encuentran en situación de trabajo forzoso impuesto por el Estado. International Labour Office (2017) *Global estimates of modern slavery: Forced labour and forced marriage,* Geneva. Disponible en: http://www.ilo.org/wcmsp5/groups/public/---dgreports/---dcomm/documents/publication/wcms_575479.pdf

[25] Sobre esta cuestión se remite a la doctrina, jurisprudencia y bibliografía citada en: Guamán Hernández, A. (2019) "Derechos humanos y empresas transnacionales: las debilidades del tercer pilar derivadas de las normas de promoción de inversiones. El caso Chevron como paradigma de la necesidad del Binding Treaty", Cuadernos electrónicos de filosofía del derecho, Nº. 39.

[26] En general sobre esta cuestión vid. Romagnoli, U., "Libres propos sur les rapports entre économie et droit du travail", en Jeammaud, A., (dir.), *Le Droit du travail confronté à*

innegable impacto en la conformación, maduración e incluso en la destrucción del mismo. De hecho, la crisis económica y sus secuelas inmediatas en el plano laboral, el desempleo y la reducción salarial, han sido argumentos que han estado presentes en la justificación de las reformas laborales de mayor calado hasta nuestros días.

La sindemia del coronavirus, que ha marcado el año 2020 y marcará probablemente los sucesivos, está dejando un saldo evidentemente brutal en el ámbito sanitario pero también en el económico/laboral, afectando de manera grave a los ingresos y así a las capacidades de la ciudadanía para vivir vidas dignas. Sobre un tejido laboral tremendamente afectado, los datos actuales indican una afectación sobre el empleo global y sin precedentes. Según los análisis de la OIT,[27] en el segundo trimestre de 2020 se habría alcanzado una reducción de horas de trabajo de alrededor del 17,3 por ciento (equivalente a 495 millones de empleos a tiempo completo). Estas previsiones se incrementan en los países de ingreso mediano bajo, donde el porcentaje de horas perdidas alcanza el 23,3 por ciento (240 millones de empleos equivalentes a tiempo completo) para el mismo trimestre, las previsiones para el final del año han empeorado conforme ha ido evolucionando la expansión del virus y su gestión.

Por sectores, los más afectados son los servicios de alojamiento y de servicio de comidas, las industrias manufactureras, el comercio al por mayor y al por menor y las actividades inmobiliarias y actividades administrativas y comerciales. Estos sectores dan empleo a 1250 millones de personas en todo el mundo, es decir, al 38% casi de la fuerza de trabajo mundial. Se trata de sectores intensivos en mano de obra y con altos índices de precariedad laboral/salarial e informalidad. En otras palabras, se trata de trabajadoras/es sin capacidad económica para hacer frente a un descenso drástico de ingresos sin caer en una grave situación de vulnerabilidad. En particular, las personas con relaciones laborales informales, alrededor de 2000 millones según la OIT y la mayoría de ellas en países emergentes y en desarrollo, corren el serio peligro[28] de tener que elegir entre el contagio o la búsqueda de

l'économie, Dalloz, París, 2005.

[27] OIT, septiembre 2020, Observatorio de la OIT — sexta edición: El COVID-19 y el mundo del trabajo. Estimaciones actualizadas y análisis. Disponible en: https://www.ilo.org/wcmsp5/groups/public/@dgreports/@dcomm/documents/briefingnote/wcms_755917.pdf

[28] Señalaba la versión segunda del informe que estamos citando (publicada en abril del 2020) lo siguiente: "La pandemia derivada del COVID-19 ya está afectando a millones

sustento para sus familias. De hecho, la cuantificación de las pérdidas en materia salarial arroja unos datos terribles, la OIT ha estimado la pérdida de ingresos a escala mundial a lo largo de los tres primeros trimestres de 2020, sin contabilizar las medidas de estímulo. Según estos cálculos, las pérdidas alcanzan el 0,7 por ciento (con respecto al mismo periodo de 2019), es decir, unos 3,5 billones de dólares, lo que equivale al 5,5 por ciento del PIB mundial para los tres primeros trimestres de 2019. De manera paralela a la pérdida de horas, la reducción de ingresos es más grave en los países de ingreso mediano bajo, donde alcanza el 15,1 por ciento.

El escenario que ya era de particular gravedad para los trabajadores más vulnerables del planeta y sobre ellas y ellos ha impactado especialmente la crisis del coronavirus. Esto se debe a varios factores que se combinan tradicionalmente en las economías periféricas pero que se han comenzado a extender hacia las centrales: la existencia de un sector informal más amplio y un sector público más reducido, las dificultades para realizar teletrabajo y los escasos recursos (o disposición) que los gobiernos destinan a establecer medidas de compensación de ingresos.

Desde el inicio de la sindemia, la OIT, al igual que otras organizaciones internacionales, avisó de que la gravedad de los datos de impacto social iba a depender en gran medida de las decisiones de política pública en términos de garantía de derechos sociales que se adoptasen para mitigar sus repercusiones. Evidentemente la crisis tiene una repercusión global y transversal pero, como también remarca la OIT, los colectivos precarizados son, como ocurre en cada crisis, los más afectados. Entre estos colectivos se encuentran, sin duda, las trabajadoras del sector del textil que desde el Sur Global tejen la ropa que abastece, en particular, al conjunto de las economías centrales. La afectación a los derechos de estas trabajadoras tiene una repercusión

---

de trabajadores informales. En la India, Nigeria y Brasil, el número de trabajadores de la economía informal afectados por la cuarentena y otras medidas de confinamiento es sustancial (gráfico 3). En la India, donde casi el 90 por ciento de la población trabaja en la economía informal, alrededor de 400 millones de esos trabajadores corren riesgo de ver agravada su situación de pobreza durante la crisis. Las actuales medidas de confinamiento en la India, situadas en el extremo más elevado del índice de rigurosidad de la respuesta de los gobiernos al COVID-19, de la Universidad de Oxford, han perjudicado apreciablemente a estos trabajadores, que se han visto obligados a regresar a las zonas rurales de las que proceden". Disponible en: https://www.ilo.org/global/about-the-ilo/WCMS_740981/lang--es/index.htm

tanto local como global, la falta de condiciones de trabajo dignas, de seguridad y de salud y los salarios de miseria no solo repercute en la vida de ellas y de sus familias, sino que, indirectamente, influye en el conjunto de los salarios y de las condiciones de trabajo de la industria en cuestión.

1.3. La industria de la moda y el caso de Bangladesh: paradigmas del enfrentamiento entre la extensión de las CGV y los derechos humanos

La industria mundial de la confección emplea hasta 75 millones de personas, la mayoría de ellas mujeres. El comercio relacionado con la confección asciende a más de 2,86 billones de euros a nivel mundial. Como ha señalado la Comisión Europea,[29] la UE es el principal destino de las importaciones debido al tamaño del mercado combinado con las altas tasas de consumo per cápita. Los principales exportadores de ropa de países no pertenecientes a la UE en 2019 fueron, en orden descendente, China (27.000 millones de euros, o el 32% del total de prendas extracomunitarias), Bangladesh (16.000 millones de euros, 19%) y Turquía (10.000 millones de euros, 12%), seguida de India (5000 millones de euros, 6%), Camboya (4000 millones de euros, 5%), Vietnam (más de 3000 millones de euros, 4%), Marruecos y Pakistán (ambos 3000 millones de euros, 3%).

El 24 de abril de 2013 se desplomó en Daca (Bangladesh) un edificio de ocho plantas, llamado Rana Plaza, provocando 1.129 fallecidos, la mayoría, obreras textiles de grandes marcas internacionales de moda.[30] El edificio estaba construido para albergar un centro comercial y no las cinco fábricas de ropa que radicaban en él, por lo que el uso inadecuado provocó el deterioro rápido de la infraestructura. Los

---

[29] European Commission, *Sustainable garment value chains through EU development action*. Commission Staff Working Document24.4.2017 SWD (2017) 147 final, Brussels, 2017. https://www.ecb.europa.eu/pub/pdf/scpwps/ecbwp1677.pdf

[30] Sobre este caso se remite a la abundante información disponible en: https://cleanclothes. org/ua/2013/rana-plaza y el resto de informes de la Campaña; también la OIT ha evacuado multitud de informes, fundamentalmente en el marco de la Campaña "Improving Working Conditions in the Ready-Made Garment Sector", financiada por Canadá, Holanda y Reino Unido y lanzada en Octubre de 2013. Desde el punto de vista académico se remite a Reinecke, J., Donaghey, J., (2015) "After Rana Plaza: Building coalitional power for labour rights between unions and (consumption-based) social movement organisations", Organization, 22, N°. 5.

desperfectos y el peligro de derrumbe antes de la catástrofe eran evidentes pero, a pesar de las protestas de los trabajadores, los directivos de las fábricas se negaron a interrumpir el trabajo con la connivencia de los responsables políticos municipales.

Como en otros muchos casos, el principal cliente de la empresa local era una o varias empresas radicadas en un país del Norte que desarrollaban una actividad transnacional o una ETN, en cuya cadenas globales de valor se inserta la empresa (subcontratista o proveedora) de Bangladesh. En concreto, las empresas radicadas en el Rana Plaza producían para firmas tan conocidas como Benetton, El Corte Inglés, Loblaw, Primark y Walmart. Estas matrices habían anunciado su compromiso de vigilar que sus proveedores respetaran determinados estándares relativos a la seguridad y salud de sus trabajadores. Pese a este compromiso, y a las auditorías que se habían llevado a cabo, el derrumbe ocurrió y ninguna de las personas físicas o jurídicas que se benefician de las ganancias derivadas de la reducción de los estándares laborales y de seguridad (las matrices) ha sido condenada por los hechos.

El ejemplo del Rana Plaza es uno de tantos casos que nos permite constatar dos realidades que enmarcan la relación entre las ETN y los derechos humanos: las empresas transnacionales violan los derechos humanos a través de las actividades realizadas a lo largo de sus cadenas globales de producción; y la gran mayoría de violaciones de este tipo se han saldado o bien con la impunidad de la empresa transnacional implicada y la indefensión de las víctimas, o bien con una reparación económica en mediación privada, evitando la actuación de los tribunales y las condenas a los culpables.[31]

Como se señalaba en el apartado anterior, ese comportamiento empresarial viene permitido, o impulsado, por un amplio conjunto de normas e instituciones, nacionales e internacionales, establecidas a la medida de las necesidades del capital transnacional. Tratados de comercio e inversión, memorándums de entendimiento entre las Instituciones Financieras Internacionales y los Estados o reformas de las normas laborales, fiscales o ambientales para atraer la inversión

---

[31] En este sentido vid. Informe del Alto Comisionado de las Naciones Unidas para los Derechos Humanos, titulado "Mejorar la rendición de cuentas y el acceso a las reparaciones para las víctimas de violaciones de los derechos humanos relacionadas con actividades empresariales", A/HRC/32/19, de 16 de mayo de 2016. Informe de la Relatora Especial sobre las formas contemporáneas de la esclavitud, incluidas sus causas y consecuencias, A/HRC/30/35, de 8 de julio de 2015

extranjera, conforman una armadura jurídica que les proporciona no solo impunidad sino también un creciente poder político.

En este sentido y siguiendo con el ejemplo del Rana Plaza debería recordarse que la causa del derrumbe se vincula con el modelo de "desarrollo" de Bangladesh y no solo con determinadas empresas transnacionales. De hecho, la literatura especializada en este país nos demuestra que el desarrollo económico en Bangladesh ha seguido una trayectoria neoliberal desde la imposición de políticas de ajuste estructural durante la década de 1980, evidentemente impulsadas por el Fondo Monetario Internacional.[32] La inserción del país en cadenas de valor mundiales, la promoción de Zonas Francas de Exportación y el apoyo a la expansión del sector de la confección de prendas de vestir (el conocido como Ready Made Garment), junto con el mantenimiento de salarios miserables y bajos estándares de derechos laborales, han sido un instrumento para lograr este "desarrollo", que beneficia fundamentalmente a una limitada élite, nacional e internacional.[33]

2. Un Tratado frente a la *Lex Mercatoria*: el proceso hacia Binding Treaty

La situación descrita en los párrafos anteriores, aun cuando ha ido empeorando, no es ni una novedad ni una gran desconocida. Al contrario, desde la década de los años setenta del siglo pasado, la necesidad de controlar la actuación de las empresas transnacionales para asegurar el necesario respeto de los derechos humanos y de la naturaleza ha estado presente en los debates político-sociales[34] y sindicales,

---

[32] Vid Saxena, S., Labowitz, S. (2015) Monitoring working conditions at factories won't stop future tragedies, Contributed to the globe and mail, disponible en: https://www.theglobeandmail.com/report-on-business/rob-commentary/monitoring-working-conditions-at-factories-wont-stop-future-tragedies/article25898737/

[33] Como indican Banerjee y Alamgir, hacia finales de los años 70: *"the country's military regime, introduced large-scale political and economic reforms and launched major infrastructure projects. A key element in the country's industrial policy was private sector development and export-oriented growth and as a result the RMG sector grew rapidly over the next few decades"*. Banerjee, S. B. and Alamgir, F. (2018). *Contested Compliance Regimes in Global*, Production Networks: Insights from the Bangladesh Garment Industry. Human Relations. Available at: https://openaccess.city.ac.uk/id/eprint/19471/1/HRfinal.pdf

[34] Autores como Esteve nos recuerdan que tanto el golpe contra Salvador Allende en Chile (1973) o como el anterior contra Jacobo Arbenz en Guatemala (1954) no se habrían llevado a cabo sin la intervención de empresas transnacionales como la United Fruit Company

y ha transitado a la esfera de la regulación tanto a nivel nacional como internacional. Sin embargo, aún hoy en día, el peso de este tipo de iniciativas sigue recayendo en actuaciones que se han mantenido en el plano de las directrices y principios no vinculantes, sin que el Derecho haya tomado realmente cartas en el asunto.

Como se ha señalado en otras contribuciones anteriores,[35] la adopción y actualización de todos estos textos de carácter voluntario supone un innegable proceso. Sin embargo, los ejemplos señalados evidencian que no existen todavía mecanismos que garanticen el adecuado cumplimiento del deber de respeto de los derechos humanos a lo largo de las actividades transnacionales de las empresas y que proporcionen un marco general vinculante para permitir la adecuada protección de los derechos humanos (incluyendo evidentemente los laborales) y la garantía del derecho al acceso a la justicia y a la reparación.

Como respuesta a esta necesidad y espoleados por la enorme presión de la sociedad civil organizada y las asociaciones de víctimas, a lo largo de las últimas décadas se han realizado numerosos esfuerzos por la comunidad internacional y por distintos estados orientados a la consecución de sistemas internacionales de responsabilidad y rendición de cuentas. En concreto, diversas iniciativas en el ámbito nacional e internacional que apuntan ya a la posibilidad, jurídica y política, de conseguir una normativa vinculante a que impida la impunidad de las ETN y asegure que sus actividades respeten los derechos humanos. En este sentido, las experiencias de Francia o del Reino Unido, así como las distintas iniciativas aprobadas en el Parlamento Europeo son elementos que deben ser puestos en valor.

Pero, sin duda, la propuesta más ambiciosa respecto de la regulación de la relación entre empresas y derechos humanos, por cuanto transita

y la International Telephone and Telegraph. (Vid. Esteve, J.E., "Los Principios Rectores sobre las empresas transnacionales y los derechos humanos en el marco de las Naciones Unidas para 'proteger, respetar y remediar': ¿hacia la responsabilidad de las corporaciones o la complacencia institucional?", Anuario Español de derecho internacional, N°27, 2011. Del mismo autor, vid: "La estrecha interdependencia entre la criminalidad de las empresas transnacionales y las violaciones al derecho internacional de los derechos humanos y del medio ambiente: lecciones del caso Bhopal", Revista electrónica de estudios internacionales (REEI), N°. 32. 2016). Para un recorrido por un amplio conjunto de violaciones de los derechos humanos cometidos por las empresas transnacionales se remite a Gómez, F. "Empresas transnacionales y derechos humanos: desarrollos recientes", en Lan Harremanak Especial/Ale Berezia, 2006.

[35] Se remite a la doctrina recogida en Guamán, A., "Derechos Humanos y empresas transnacionales, la necesidad de un instrumento internacional", RDS, N° 80, 2018.

de las iniciativas de carácter voluntario a la apuesta por una norma vinculante, es el llamado *Binding Treaty*, o "Instrumento jurídicamente vinculante para regular las actividades de las empresas transnacionales y otras empresas en el Derecho Internacional de los derechos humanos"(IJV).[36] Esta propuesta, que nació con la Resolución 26/9, adoptada por el Consejo de derechos humanos de Naciones Unidas el 26 de junio de 2014, está siendo desarrollada por un grupo de trabajo intergubernamental de composición abierta sobre las empresas transnacionales ETN y otras empresas con respecto a los derechos humanos, cuyo mandato es la elaboración de ese instrumento y que se reúne cada año en Ginebra.[37]

El grupo de trabajo (OEIGWG por sus siglas en inglés), presidido desde su creación por Ecuador, ha celebrado seis sesiones en Ginebra. Es imposible resumir las vicisitudes por las que ha transitado el grupo de trabajo a lo largo de estas cinco rondas de negociación altamente controvertidas. Sin duda, las notas más característica de los debates han sido fundamentalmente tres:

---

[36] Resolución A/HRC/RES/26/9 "Elaboración de un instrumento internacional jurídicamente vinculante sobre las empresas transnacionales y otras empresas con respecto a los derechos humanos": adoptada con votación en el Consejo de derechos humanos (CDH) de las Naciones Unidas el 26 de junio de 2014. Disponible en https://documents-dds-ny.un.org/doc/UNDOC/GEN/G14/082/55/PDF/G1408255.pdf?OpenElement

[37] Sobre el contenido y posibilidad de esta propuesta, hay ya un conjunto creciente de doctrina, entre la que destacan: De Schutter, O., "The Challenge of Imposing Human Rights Norms on Corporate Actors" en: De Schutter, O., (Ed.), Transnational Corporations and Human Rights, Editorial Hart Publishing, Oxford and Portland, Oregon. 2006. De Schutter, O., *The "Elements for the draft legally binding instrument on transnational corporations and other business enterprises with respect to human rights": A Comment*, 23 October 2017. Disponible en https://www.business-humanrights.org/sites/default/files/documents/ElementsTBHR-De%20Schuttercomments23.10.2017.pdf. Consultado el 10 oct. 2017. De Schutter, O., "Towards a New Treaty on Business and Human Rights". Business and Human Rights Journal, 1, 2016. Deva, S., Bilchitz, D. (Eds.). *Building a Treaty on Business and Human Rights. Context and Contours*. Cambridge University Press. Cambridge. 2017. Deva, S., "Treating human rights lightly: A critique of the consensus rhetoric and the language employed by the Guiding Principles". In Deva, S., Bilchitz, D., (Eds.). Human Rights Obligations of Business: Beyond the Corporate Responsibility to Respect?. Cambridge University Press. Cambridge. 2013. Cantú, H. (Coord.) *Derechos Humanos y Empresas: Reflexiones desde América Latina*. Instituto Interamericano de Derechos Humanos, Costa Rica. 2017. Özden, M. *Impunidad de Empresas Transnacionales*, CETIM, Ginebra, 2017. Robé, J.P., Lyon-Caen, A., Vernac, S., (dir.) Multinationals and the constitutionalisation of the World Power System, Routlege. 2016. Guamán, A., González, G., *Empresas Transnacionales y Derechos Humanos*, Bomarzo, Albacete, 2018. Guamán, A., "Derechos Humanos y empresas transnacionales, la necesidad de un instrumento internacional", RDS, N° 80, 2018.

En primer lugar, la permanente oposición de la Unión Europea, que mantuvo desde el inicio una actitud de oposición al futuro tratado, llegando a obstaculizar las negociaciones en distintas sesiones. Esta actuación ha conducido a una implicación cada vez mayor del Parlamento Europeo y de un creciente grupo de europarlamentarias/os, favorables a la regulación propuesta.

La segunda de las notas características de los debates ha sido el alineamiento de una mayoría de países que conforman el G77, en particular el Grupo Africano, con la propuesta sostenida por Ecuador con Sudáfrica como principal aliado.

La tercera cuestión que ha marcado los debates ha sido la participación de la sociedad civil. La propuesta de Ecuador y Sudáfrica recogió el testigo de la larga lucha por normas vinculantes que acaben con la impunidad de las transnacionales y que se ha desarrollado desde diversas organizaciones y plataformas, muy en concreto, la lucha por el Binding Treaty está siendo sostenida por la Alianza por el Tratado y de la Campaña Global para Desmantelar el Poder Corporativo y Poner Fin a la Impunidad (Campaña Global).[38]

El sentido del proceso de la 26/9 es, al menos desde la óptica de las organizaciones de la sociedad civil que lo impulsaron, es la "regulación de las actividades de las empresas transnacionales y otras empresas en el derecho internacional de los derechos humanos". En este sentido, se pretende impulsar un uso contra-hegemónico del Derecho, un texto normativo protagonizado por la sociedad civil, las afectadas, las organizaciones sociales y en definitiva todo el conjunto de miles de personas movilizadas desde hace décadas frente a la *Lex Mercatoria*.

La sexta sesión de trabajo, celebrada en octubre del 2020, demostró que, pese a la sindemia, las organizaciones sociales han seguido impulsando y vigilando el proceso hacia el tratado vinculante. Cada nuevo borrador presentado para la negociación implica un nuevo retroceso en las metas y objetivos iniciales, evidenciando la debilidad actual de un

---

[38] Sobre esta cuestión se remite al análisis de las sesiones y de la historia de luchas y movilizaciones que ha hecho posible que el Binding Treaty comience a debatirse, que abordamos en Guamán, A., González, G., *Empresas Transnacionales y Derechos Humanos*, Bomarzo, Albacete, 2018. Para un análisis de la tercera sesión en concreto se remite a: Seitz, K., *One step further towards global regulation of business. Report of the third session of the UN working group on a binding instrument on transnational corporations and other business enterprises with respect to human rights ("treaty")*. Rosa Luxemburg Stiftung, GPF, 2018.

grupo que es particularmente sensible a la geopolítica mundial y latinoamericana en particular. Sin embargo, más allá de cual sea el resultado, el proceso del Bindig Treaty, observado desde el prisma de la dualidad del Derecho a la que aludía en la introducción, demuestra cómo los proyectos más transformadores (y obligar a las ETN al respeto de los derechos humanos en cualquier lugar del mundo, lo es) pueden llegar hasta el mismo Consejo de Derechos Humanos de Naciones Unidas. Así, y pase lo que pase en el actual proceso de negociación, el camino hacia el Binding ya ha sido una victoria y ha abierto puertas para la transformación del derecho internacional de los derechos humanos.

3. CONCLUSIONES

La COVID-19 nos ha golpeado en una realidad económica, social y laboral ya muy degradada, con la precariedad instalada como norma vital y con economías enormemente dependientes del comercio, la inversión extranjera y el trabajo en condiciones de miseria. La OIT se pronunció temprana y claramente[39] respecto de los lineamientos que deben seguir las políticas públicas en materia laboral (social *lato sensu*) para responder adecuadamente frente a esta situación: estimular la economía y el empleo; apoyar a las empresas, el empleo y los ingresos; proteger a los trabajadores en el lugar de trabajo; buscar soluciones mediante el diálogo social. La evolución de la sindemia le hizo además remarcar la extrema urgencia de medidas que vayan más allá, afirmando que "en los países con alto nivel de informalidad, se necesitan medidas específicas, entre otras cosas, transferencias en efectivo que ayuden a los más afectados por el confinamiento y por la reconversión de la producción, y que proporcionen empleo alternativo (por ejemplo, en la fabricación de equipos de protección personal)".

Por su parte, la institución rectora de la *Lex Mercatoria* también reaccionó frente a la pandemia. El FMI publicó sus las perspectivas de crecimiento mundial para el 2020, anunciando que nos enfrentamos a "como mínimo una recesión tan aguda como durante la crisis financiera mundial o peor, pero esperamos una recuperación en 2021".[40]

[39] OIT, 7 abril 2020, Observatorio de la OIT — segunda edición. Op. Cit.

[40] FMI (23 de marzo de 2020) *Declaración de la Directora Gerente del FMI Kristalina Georgieva tras una conversación ministerial del G-20 sobre la emergencia del coronavirus*. Disponible en: https://www.imf.org/es/News/Articles/2020/03/23/pr2098-imf-mana-

El FMI coincide con la OIT al respaldar las medidas fiscales extraordinarias para dar apoyo a los sistemas sanitarios y a los trabajadores y empresas afectados; incluso la decisión de los principales bancos centrales es flexibilizar la política monetaria. Sin embargo, en lo relativo a su actuación el Fondo se mantiene en la línea de crisis anteriores. Como regla general se refuerzan sus programas de financiación, sin señalar una posible rebaja de las condicionalidades ya comentadas. En concreto, respecto del pago de la deuda, principal problema para un buen número de países que condiciona sus posibilidades para desarrollar políticas públicas, el Fondo anunciaba un "alivio" para los 25 países más pobres, que no consiste ni en una condonación ni en una renegociación sino en la recolecta de países más ricos para sufragar la deuda en lugar de los pobres por seis meses.

La distinta reacción normativo-laboral llevada a cabo por gobiernos e instituciones está condicionando y sin duda va a marcar el futuro de las mayorías sociales en el corto y medio plazo, pero las consecuencias de esta pandemia en relación con el Trabajo también deben apreciarse en relación con el imaginario social y los cambios en el "sentido común sobre el Trabajo". De hecho, es ya posible afirmar que en estos meses el Trabajo en sentido amplio ha recuperado una parte de su valor central.

Así, han cobrado entidad propia distintas realidades, denunciadas durante décadas por los movimientos sociales y los sindicatos: la importancia de la salud y del personal sanitario, la importancia de los cuidados y del personal que cuida; la precarización de los trabajos asalariados relativos al cuidado y la invisibilidad del trabajo de cuidados no remunerado; la falta de mano de obra en sectores fundamentales para la vida, como la agricultura, si se obtura la entrada de personas migrantes; la falta de abastecimiento de bienes de consumo de primera necesidad (como material sanitario), al cortarse los nexos de las cadenas globales de producción; la necesidad de una fuerte intervención pública en la economía para sostener el trabajo y las estructuras de producción, que no ha supuesto un cheque en blanco para enjugar las pérdidas empresariales sino que, con carácter general, ha exigido de las empresas un comportamiento responsable con el empleo; la conciencia de la terrible situación de las personas cuya vida está vincu-

---

ging-director-statement-following-a-g20-ministerial-call-on-the-coronavirus-emergency lada a la producción para las CGV y que se han visto dejadas caer por las ETN que, en sus países de origen se han apresurado a pedir ayudas públicas aduciendo pérdidas; la evidencia de la crisis climática y la emergencia ecológica unidas a la conciencia de la directa vinculación entre estas y las actividades de producción habituales...

Independientemente del signo de los distintos ejecutivos y sus políticas de contención y gestión de la pandemia, la evidencia de las realidades antedichas abre ahora una ventana de oportunidad para impulsar reformas laborales en sentido dignificador, para reconstruir un derecho del trabajo respetuoso con la vida, la dignidad humana y los derechos de la naturaleza. Pero no solo eso, diversos axiomas construidos al calor de la crítica a las carencias del estado social de posguerra deben ser ahora retomados a efectos de plantear una alternativa que no repita los errores y que se plantee como una opción viable para el bienestar de las mayorías sociales y de nuestras generaciones futuras. En este sentido, es imprescindible la puesta sobre la mesa de principios como: la defensa del reconocimiento, dignificación y corresponsabilidad en el trabajo de cuidados, eliminando la división sexual del trabajo; el respeto de los derechos de la naturaleza y la lucha contra el extractivismo socio-ambiental, especialmente en los países del Sur Global; la importancia del diálogo social como herramienta para fraguar consensos y la necesidad de extenderlo a todos los eslabones de las cadenas globales de valor; la impostergable necesidad de responsabilizar de manera directa a las ETN por los crímenes cometidos contra los derechos humanos así como el establecimiento de obligaciones laborales mínimas a cumplir en todos sus eslabones; la erradicación de la esclavitud moderna, incluyendo la sobre-explotación del trabajo agrícola mediante mano de obra extranjera en las economías centrales.

Una parte de la batalla por el sentido común, parte primera y fundamental para el cambio de modelo que permita el avance hacia una realidad (otra) basada en la justicia social y ecológica, está dada. El reconocimiento de nuestra co-dependencia, ecodependencia y vulnerabilidad ha venido ligado al reconocimiento del Trabajo (*lato sensu*) como elemento central, un trabajo que, dado su valor esencial, debe ser digno, de calidad y centrado en el abastecimiento y sostén de la vida.

Banerjee, S. B. and Alamgir, F. (2018). *Contested Compliance Regimes in Global*, Production Networks: Insights from the Bangladesh Garment Industry. Human Relations. Available at: https://openaccess.city.ac.uk/id/eprint/19471/1/HRfinal.pdf

Bohoslavsky, J.P. (2017) *Informe del Experto Independiente sobre las consecuencias de la deuda externa y las obligaciones financieras internacionales conexas de los Estados para el pleno goce de todos los derechos humanos, sobre todo los derechos económicos, sociales y culturales*, Consejo de Derechos Humanos, 34 Periodo de Sesiones, Naciones Unidas A/HRC/34/57.

Cantú, H. (Coord.). (2017) *Derechos Humanos y Empresas: Reflexiones desde América Latina*. Instituto Interamericano de Derechos Humanos, Costa Rica.

Cañete, R. (2018) *Democracias capturadas: el gobierno de unos pocos*, Oxfam internacional.

De Schutter, O. (2006) "The Challenge of Imposing Human Rights Norms on Corporate Actors" en: De Schutter, O., (Ed.), Transnational Corporations and Human Rights, Editorial Hart Publishing, Oxford and Portland, Oregon.

—. (2017) *The "Elements for the draft legally binding instrument on transnational corporations and other business enterprises with respect to human rights": A Comment*, 23 October 2017. Disponible en https://www.business-humanrights.org/sites/default/files/documents/ElementsTBHR-De%20Schuttercomments23.10.2017.pdf

—. (2017) "Towards a New Treaty on Business and Human Rights". Business and Human Rights Journal, 1, 2016. Deva, S., Bilchitz, D. (Eds.). *Building a Treaty on Business and Human Rights. Context and Contours*. Cambridge University Press. Cambridge.

Deva, S. (2013) "Treating human rights lightly: A critique of the consensus rhetoric and the language employed by the Guiding Principles". In Deva, S., Bilchitz, D., (Eds.). Human Rights Obligations of Business: Beyond the Corporate Responsibility to Respect?. Cambridge University Press. Cambridge.

Esteve, J.E. (2011) "Los Principios Rectores sobre las empresas transnacionales y los derechos humanos en el marco de las Naciones Unidas para 'proteger, respetar y remediar': ¿hacia la responsabilidad de las corporaciones o la complacencia institucional?", Anuario Español de derecho internacional, N°27.

—. (2016) "La estrecha interdependencia entre la criminalidad de las empresas transnacionales y las violaciones al derecho internacional de los derechos humanos y del medio ambiente: lecciones del caso Bhopal", Revista electrónica de estudios internacionales (REEI), N°. 32.

European Commission, *Sustainable garment value chains through EU development action*. Commission Staff Working Document24.4.2017 SWD (2017) 147 final, Brussels, 2017. https://www.ecb.europa.eu/pub/pdf/scpwps/ecbwp1677.pdf

FMI. (23 de marzo de 2020) *Declaración de la Directora Gerente del FMI Kristalina Georgieva tras una conversación ministerial del G-20 sobre la emergencia del coronavirus*. Disponible en: https://www.imf.org/es/News/Articles/2020/03/23/pr2098-imf-managing-director-statement-following-a-g20-ministerial-call-on-the-coronavirus-emergency

Gago, V. (2015) *La razón neoliberal*, Traficantes de Sueños. Madrid.

Gilpin, R. (1987) *The Political Economics of International Relations*, Princeton University Press. Princeton. New Jersey

Global Value Chain Development Report. (2019) https://www.oecd.org/dev/Global-Value-Chain-Development-Report-2019-Technological-Innovation-Supply-Chain-Trade-and-Workers-in-a-Globalized-World.pdf

Goldin, A. (2007) Los derechos sociales en el marco de las reformas laborales en América Latina, OIT. Disponible en: https://www.ilo.org/wcmsp5/groups/public/---dgreports/---inst/documents/publication/wcms_201137.pdf

Guamán Hernández, A. y González, G. (2018), *Empresas Transnacionales y Derechos Humanos*, Albacete, Bomarzo

Guamán Hernández, A. y Luque González, A. (2019) "Cadenas de suministro, Derechos Humanos, Empresas Transnacionales e industria textil: de los AMI a un Instrumento Internacional Jurídicamente Vinculante" Cuadernos de relaciones laborales, Vol. 37, N° 2, 2019 (Ejemplar dedicado a: Digitalización, robotización, trabajo y vida), págs. 393-418

Guamán Hernández, A. y Noguera Fernández, A. (2015), *Derechos sociales, integración económica y medidas de austeridad, la UE contra el constitucionalismo social*, Albacete, Bomarzo.

Guamán Hernández, A. (2015) *TTIP: el asalto de las multinacionales a la democracia*. Akal, Madrid.

—. (2016) "Cláusulas laborales en los acuerdos de libre comercio de nueva generación: una especial referencia al contenido laboral del TPP, CETA y TTIP", *Estudios financieros. Revista de trabajo y seguridad social: Comentarios, casos prácticos: recursos humanos*, N°. 398.

—. (2018) "Del Documento de Elementos al Draft 0: apuntes jurídicos respecto del posible contenido del Proyecto de Instrumento Vinculante sobre empresas transnacionales y otras empresas con respecto a los derechos humanos" Revista de Direito Internacional. N° 15

—. (2018) "Diligencia debida en derechos humanos y empresas transnacionales: de la ley francesa a un instrumento internacional jurídicamente vinculante sobre empresas y derechos humanos", Lex Social N°8

—. (2018) "Empresas transnacionales y derechos humanos: acerca de la necesidad y la posibilidad de la adopción de un Instrumento Jurídicamente Vinculante (Binding Treaty)" Jueces para la Democracia, N. 92.

—. (2019) "Derechos humanos y empresas transnacionales: las debilidades del tercer pilar derivadas de las normas de promoción de inversiones. El caso Chevron como paradigma de la necesidad del Binding Treaty", Cuadernos electrónicos de filosofía del derecho, N°. 39

—. (2018) EU Austerity in Greece at the Cost of Human Rights?, International labor rights case law N. 4

—. (2020) "The corporate architecture of impunity: Lex Mercatoria, market authoritarianism and popular resistance", State of Power 2020, TNI. Disponible en: https://www.tni.org/en/stateofpower2020

Hernández Zubizarreta, J. y Ramiro, P. (2016). *Contra la Lex Mercatoria* (Barcelona: Icaria)

https://cleanclothes.org/ua/2013/rana-plaza

ILO. (2020). *World Employment and Social Outlook: Trends 2020*, Disponible en: https://www.ilo.org/wcmsp5/groups/public/---dgreports/---dcomm/---publ/documents/publication/wcms_734455.pdf

—. (2016) *Workplace compliance in global supply chains*, Sectoral Policies Department, Geneva: ILO, 2016.

—. (2017) *Global estimates of modern slavery: Forced labour and forced marriage*, Geneva. Disponible en: http://www.ilo.org/wcmsp5/groups/public/---dgreports/---dcomm/documents/publication/wcms_575479.pdf

Koukiadaki, A. and Krestos, L. (2012) "Opening Pandora's Box: the sovereign debt crisis and labour market regulation in Greece", *Industrial Law Journal* 276

López Ruiz, F. (2010), "El papel de la *societas mercatorum* en la creación normativa: la *Lex Mercatoria*", en CEFD, n.20.

Margot Salomon, E. (2015) "Of Austerity, Human Rights and International Institutions," *European Law Journal* 21, no 4

OECD. (2019) Global value chain development report. https://www.oecd.org/dev/Global-Value-Chain-Development-Report-2019-Technological-Innovation-Supply-Chain-Trade-and-Workers-in-a-Globalized-World.pdf; ILO, Report IV. *Decent work in global supply chains*, International Labour Conference 105th Session, 2016

OIT, septiembre 2020, Observatorio de la OIT — sexta edición: El COVID-19 y el mundo del trabajo. Estimaciones actualizadas y análisis. Disponible en: https://www.ilo.org/wcmsp5/groups/public/@dgreports/@dcomm/documents/briefingnote/wcms_755917.pdf

Oxfam. (2020) *Tiempo para el cuidado El trabajo de cuidados y la crisis global de desigualdad.* Disponible en: https://oxfamilibrary.openrepository.com/bitstream/handle/10546/620928/bp-time-to-care-inequality-200120-es.pdf

Özden, M. (2017), *Impunidad de Empresas Transnacionales*, CETIM, Ginebra.

Pistor, K. (2019), *The Code of Capital. How the Law Creates Wealth and Inequality*, Princeton University Press, Oxford

Puello-Socarrás, J.F. (2015), "Neoliberalismo, antineoliberalismo, nuevo neoliberalismo. Episodios y trayectorias económico-políticas suramericanas (1973-2015)", en Rojas, L., *Neoliberalismo en América Latina. Crisis, tendencias y alternativas*, Buenos Aires, CLACSO, Fundación Rosa Luxemburgo, BASE

Reinecke, J. Donaghey, J. (2015) "After Rana Plaza: Building coalitional power for labour rights between unions and (consumption-based) social movement organisations", Organization, 22, N°. 5.

Robé, J.P., Lyon-Caen, A., Vernac, S., (dir.). (2016) *Multinationals and the constitutionalisation of the World Power System*, Routlege.

Romagnoli, U. (2005) "Libres propos sur les rapports entre économie et droit du travail", en Jeammaud, A., (dir.), *Le Droit du travail confronté à l'économie*, Dalloz, París.

Saxena, S. y Labowitz, S. (2015) Monitoring working conditions at factories won't stop future tragedies, Contributed to the globe and mail, disponible en: https://www.theglobeandmail.com/report-on-business/rob-commentary/monitoring-working-conditions-at-factories-wont-stop-future-tragedies/article25898737/

Salcedo, C. (2013) "Crisis Económica, medidas laborales y vulneración de la Carta Social Europea," *Revista Europea de Derechos Fundamentales* N. 22

Seitz, K. (2018) *One step further towards global regulation of business. Report of the third session of the UN working group on a binding instrument on transnational corporations and other business enterprises with respect to human rights ("treaty")*. Rosa Luxemburg Stiftung, GPF.

Ugarteche, O. (2018) *Arquitectura financiera internacional*, Akal, Madrid.

UNCTAD. (2016) *Informe sobre las inversiones en el mundo 2016. Nacionalidad de los inversores: retos para la formulación de políticas*

LA INVISIBLE GEOGRAFÍA DE LOS DERECHOS HUMANOS

José Juan Bas Soria
Universidad de Valencia

El estallido en la primavera de 2020 de un brote vírico (COVID-19) que ha alcanzado la dimensión de pandemia, ha puesto de manifiesto que el mundo red de la globalización también alcanza a la propagación de las enfermedades. No es un fenómeno nuevo: la Plaga de Justiniano se cobró 25 millones de vidas entre los siglos VI y VIII; y en el siglo XIV la gran epidemia de peste acabó con el 60 por ciento de la población europea. Lo que sí es nuevo en este caso es la rapidez con la que se ha expandido la epidemia y su carácter universal: en apenas dos meses había alcanzado escala mundial. Ello ha permitido, entre otras cosas, analizar y comparar tanto las cifras de contagios y víctimas, como las medidas que se han adoptado en cada país para luchar contra la pandemia.

En estas comparaciones, se ha señalado por algún autor que Asia ha controlado mejor que Europa la pandemia, como por ejemplo Byung-Chul Han en su artículo "La emergencia viral y el mundo del mañana", en el que el filósofo surcoreano mantenía que la tradición confuciana favorece que las sociedades asiáticas no recelen de las intromisiones que las autoridades puedan realizar sobre los ámbitos de la intimidad personal y familiar, especialmente bajo la forma de vigilancia digital. El control digital permitiría una mayor observancia del confinamiento personal, que sería benévolamente aceptado en las sociedades asiáticas a cambio de una mayor efectividad en la lucha contra la epidemia. Coincidencia o no, a los pocos días de publicarse ese artículo tanto el Gobierno de España como ciertos gobiernos regionales adoptaban estrategias de control agregado de movimientos de personas a través del análisis de Big Data; estrategias que fueron inmediatamente contestadas en las redes sociales (muchas de ellas alentadas por la oposición al Gobierno) tachándolas de intromisión en la esfera de la libertad personal.

En definitiva, estas observaciones ponen de manifiesto que al discurso de los derechos humanos, que había sido capaz de ofrecer un proyecto de vocación universal, parecen estar saliéndole contradictores. ¿Tienen hoy los derechos humanos el mismo significado y valor que históricamente han tenido? Este es, escuetamente, el análisis que se recoge en este artículo.

LOS DERECHOS HUMANOS: DE LA UNIVERSALIDAD A SU CUESTIONAMIENTO

Ciertamente, la idea de que occidente y el mundo asiático no comparten un mismo orden de valores no es nueva; en 1776, el filósofo estadounidense Thomas Paine afirmaba en su ensayo *Common sense* que Asia había expulsado desde hacía mucho tiempo la libertad. Es cierto que Europa (o, más propiamente, la sociedad occidental) tuvo su Ilustración, su revolución francesa y su revolución americana (o revoluciones, si contamos los procesos de independencia iberoamericanos). Ni Asia ni África tuvieron su Ilustración o sus revoluciones liberales; carecieron de un siglo de las luces que situara a los derechos humanos en el pórtico de la noción de democracia. Desde los inicios del constitucionalismo, las ideas de Democracia-Derechos Humanos-Constitución formaron un trinomio inescindible; en 1798 la Asamblea nacional francesa adoptó la Declaración de los Derechos del Hombre y del Ciudadano, cuyo artículo 16 proclamaba que "una sociedad en la que la garantía de los derechos no está asegurada, ni la separación de poderes determinada, no tiene Constitución".

La historia de la democracia moderna está indisolublemente unida a dos aspiraciones sociales: la de un pueblo de ver reconocidos sus derechos básicos, y el deseo de dotarse de sus propias instituciones políticas y, en definitiva, de gobernarse por sí mismo. Desde finales del siglo XVIII invadió Europa una verdadera fiebre constitucional, que eleva cada constitución a la categoría de "catecismo del género humano" y Thomas Paine llegaría a defender que, como la Biblia, debería la Constitución estar presente en cada casa.

Por ello, la idea de la universalización de los derechos humanos ha sido una aspiración recurrente en los procesos de construcción democrática. La Carta de Naciones Unidas menciona hasta siete veces la expresión "derechos humanos", a los que considera consustanciales a toda persona. Y el mundo occidental ha sido un claro impulsor de los mismos; la política exterior estadounidense o la acción exterior de la Unión Europea han practicado (al menos teóricamente) una diplomacia de los derechos humanos, procurando su expansión y su observancia a un nivel universal. De hecho, una de las condiciones exigibles para ingresar a la UE (los llamados "criterios de Copenhague") es el respeto a los derechos humanos. En el año 2012 el Consejo de la UE adoptó su "Marco Estratégico sobre Derechos Humanos" en el cual la promoción de los mismos se integra como hilo conductor en todas las políticas interiores y exteriores de la Unión. Y una de las condicionalidades de la política de cooperación al desarrollo de la UE es la iniciativa *everything but arms* (financiar todo menos armas).

Sin embargo, el auge económico y geoestratégico de la región Asia-Pacífico que tiene lugar desde las últimas décadas del siglo XX arroja sombras sobre este ideario. Aunque el tema se venía barruntando tiempo antes, su explicitación tuvo lugar durante la Conferencia Mundial sobre Derechos Humanos celebrada en Viena en 1993 bajo el auspicio de Naciones Unidas. El principal punto de desacuerdo de la conferencia se refería, precisamente, a la posibilidad de defender el carácter universal de los derechos humanos. La República Popular China lideró la posición que defendía el relativismo de la noción: los derechos humanos serían, según esta opinión, un concepto eurocéntrico, que debería ser redefinido y reinterpretado de acuerdo con los diferentes órdenes de valores de los Estados y culturas no europeos; Siria, Irán y varios países del sudeste asiático secundaron esta posición.

Detrás de esta idea latían planteamientos teóricos (más tarde volveremos sobre ellos) pero también criterios de oportunismo político. Por una parte, desde los acontecimientos de Tian An Men de 1989, los Estados Unidos estaban presionando a China para que mejorase el nivel de respeto de los derechos humanos, bajo amenaza de retirarle la condición de "nación más favorecida" a efectos comerciales. Desde la otra parte, los países asiáticos acusaban de cinismo a Europa y Estados Unidos, que se lavaban las manos frente al exterminio del colectivo musulmán en el conflicto de la antigua Yugoslavia. Los derechos humanos se convertían, así, en leitmotiv de un nuevo choque de civilizaciones cruzado por mutuas acusaciones: el mundo oriental censuraba que Europa y Estados Unidos estaban utilizando los derechos humanos como subterfugio para intentar mantener una hegemonía política y económica que estaban perdiendo merced al auge de Asia-Pacífico. En el otro lado, desde occidente se censuraba que la defensa del relativismo cultural respecto a los derechos humanos era una simple excusa (especialmente de China) para seguir manteniendo impunes las reiteradas violaciones de los mismos.

La cuestión se contamina cuando unos pretendidos valores asiáticos se convierten en referente ético en occidente. El presidente de la cadena de supermercados Mercadona animaba en unas declaraciones públicas en el año 2012 (cuando más se dejaban sentir los efectos de la crisis financiera) a que la sociedad española operase un "cambio de actitud" y a adoptar la cultura del esfuerzo y el trabajo, a imitación de "la cultura del esfuerzo con la que trabajan los 7.000 bazares chinos que hay en España"; establecimientos que no destacan por su respeto a las leyes laborales.

Generalmente, los pronósticos occidentales sobre el mundo asiático, y específicamente sobre China, no suelen acertar. En sus *Ensayos de sociología y religión*, Max Weber dejaba constancia de la dificultad de que el capitalismo arraigase en China, pues el pensamiento confuciano era incapaz de generar una conexión semejante a la que se produjo entre la ética protestante y el espíritu capitalista; sin embargo, el capitalismo, y en su versión más feroz, ha arraigado en China. Estos mismos errores de pronóstico se han ido repitiendo hasta el presente. Así, a finales del siglo XX, cuando el crecimiento económico chino comenzó a asombrar al mundo occidental, se afirmó que el previsible surgimiento de una clase media difícilmente podría frenar las reivindicaciones de mayores derechos y libertades del pueblo chino y su transición a la democracia. Igualmente, unas décadas más tarde, el desarrollo de las redes sociales a través de internet se percibió como una fuente de democratización de las sociedades asiáticas. Lo cierto es que, cuando comienza la tercera década del siglo XXI, China ha conseguido consolidar un sistema político-económico en el que coexisten las manifestaciones más crudas del capitalismo con una observancia muy baja del respeto a las libertades y a los derechos fundamentales y con un hiperdesarrollo tecnológico que somete la interconexión social a un férreo control. La comunicación mediante el teléfono móvil se hace a través de una aplicación propia (WeChat) y la navegación por internet mediante los propios motores de búsqueda (Baidu); los mundos de Google, Whatsapp, Facebook, Instagram, Twitter, Zoom,… son ajenos a la cotidianidad tecnológica china. Este modelo, asentado sobre un orden de valores propio (el orden confuciano, del que luego se tratará) se ha convertido, bajo la mirada de ciertos grupos empresariales o políticos, en motivo de admiración en Occidente. Y el orden de valores que representa el mundo asiático se erige en una alternativa conceptual atractiva (en su proyección política, social y económica) al discurso occidental de los Derechos Humanos. La representación de la democracia como punto de llegada o destino final de la evolución política de todos los países (la tesis del "fin de la Historia") resulta, hoy día, sumamente cuestionable.

¿Fin del sueño democrático?

En el año 2004, Jeremy Rifkin escribía su obra *El sueño europeo*, en la cual contraponía la cosmovisión americana y la europea como dos ideas diametralmente opuestas sobre la libertad y la seguridad: los estadounidenses defenderían una definición negativa de ambas, asociadas a la autonomía y a la exclusividad; mientras que la concepción europea iría unida a la interrelación social y a la inclusividad. En su opinión, el nuevo sueño europeo no postula ni la exclusividad ni la primacía de lo económico (valores que encarnan, a su juicio, el "sueño americano"), sino el acceso a una multiplicidad de relaciones de interdependencia con otras personas, lo que lleva a primar valores como la calidad de vida, el desarrollo sostenible, la protección social o la defensa de la salud; y la mejor encarnación de ese sueño vendría representada por la Unión Europea, a la que califica de primer experimento de gobierno en un mundo en metamorfosis, donde lo geográfico deja paso a lo planetario.

En los más de quince años que han transcurrido desde la publicación del libro de Rifkin, la Unión Europea ha atravesado una crisis financiera de proporciones inmensas, ha experimentado el abandono de uno de sus socios de mayor peso político y económico y se encuentra inmersa en una crisis sanitaria sin precedentes y con unas implicaciones sociales y económicas de alcance todavía desconocido: ¿puede, a fecha actual, seguir hablándose del sueño europeo?

Detrás del sueño europeo, y detrás del proceso fundacional de la Unión Europea, ha existido siempre un anhelo democrático y un deseo de extender este modelo al más amplio ámbito. La historia de Europa ha sido durante dos siglos una historia de éxito. Los principios de coexistencia entre los Estados pactados en la paz de Westfalia de 1648 constituyeron los cimientos de la sociedad internacional, primero extendidos desde Europa hasta suelo americano y más tarde con aspiración de darles validez universal tras su incorporación a la Carta de Naciones Unidas; y este sistema de Estados soberanos pudo alumbrar un ciclo revolucionario que cristalizó en las modernas democracias. En su conjunto, Europa supo conformar un imaginario colectivo en el cual la idea de "cultura política occidental" se identifica inmediatamente con el ideario democrático, y se aspira a su implantación con carácter global. A esa aspiración la denominó Francis Fukuyama (1992) "el fin de la Historia", y se plasmaba en la idea del "nuevo orden mundial" que expresó el presidente Bush en su discurso de 1991 tras la primera guerra del Golfo.

Pero este proceso parece haber tocado a su fin. En la actualidad, prácticamente nadie cree ya en el fin de la historia y resulta difícil sostener que la democracia es la estación de llegada en la evolución política de los Estados. Los años venideros abren un escenario incierto en los que resultaría muy aventurado afirmar que la democracia experimente un progreso global; antes se afirmaría lo contrario, pues incluso en suelo Europeo los últimos años han visto el auge electoral de partidos que defienden modelos de sociedad no democráticos. Con razón se ha acuñado la expresión de *democracias iliberales* para definir modelos democráticos de perfil bajo, en los cuales a través de elecciones libres acceden al poder fuerzas políticas poco respetuosas con los principios constitucionales.[1]

En este contexto, el mundo occidental cada vez con mayor transparencia está renunciando a ejercer de guía en el camino de la democracia, y cada vez es menor la convicción con la que se denuncian las violaciones de los derechos humanos o las rupturas en los procesos de transición democrática.[2] En el año 1998 se adoptó el tratado fundacional de la Corte Penal Internacional, con sede en la Haya, y que entró en funcionamiento en 2002, tras la ratificación de sesenta Estados, con la

---

[1] Se ha señalado en este sentido, incluso a Estados que son miembros de la Unión Europea. La adhesión a la Unión Europea del llamado grupo de Visegrado (Polonia, República Checa, Eslovaquia y Hungría) generó reticencias sobre el proceso de integración, que se veía más como un balance de pérdidas y ganancias (esencialmente económicas) que como un verdadero deseo de sumarse al proyecto europeo. La deriva política de Polonia durante el mandato de los hermanos Kaczynski (2005-2010) o el régimen actual de Hungría con Viktor Orbán representan situaciones de declive democrático cercanas a las llamadas democracias iliberales.

[2] La escasa repercusión, en términos de relaciones internacionales, del asesinato del periodista saudí Jamal Khashoggi en el consulado de Estambul (no olvidemos que la institución consular nació para proteger a sus propios nacionales en el exterior) es un ejemplo reciente suficientemente ilustrativo

finalidad de perseguir y juzgar los crímenes internacionales de mayor gravedad. Después de dos décadas, la competencia de la Corte no ha sido aún reconocida por Estados como Rusia, Estados Unidos, China, India, Irak o Israel. Tres de los cinco miembros permanentes del Consejo de Seguridad de Naciones Unidas aún no han aceptado la competencia del Tribunal, circunstancia especialmente llamativa si se tiene en cuenta que la creación del Tribunal es una iniciativa de las propias Naciones Unidas. El resultado es el previsible (y se parece mucho al debate sobre los derechos humanos que se produjo en la Conferencia de 1993): algunos países acusan a occidente de hipocresía y entienden que el Tribunal se ha concentrado en investigar un determinado espacio geopolítico (África), mientras que renuncia a abordar los crímenes internacionales que se producen en otros ámbitos. En el año 2019 el Tribunal ha rechazado investigar los crímenes que pudieran haberse cometido durante la guerra de Afganistán, generando una creciente indignación entre los países africanos. Desde 2002, Burundi, Gambia, Sudáfrica, Namibia, Uganda, Chad o Yibuti se han retirado del Tribunal o han anunciado su retirada. Y lo cierto es que, en sus casi veinte años de historia, el Tribunal sólo ha condenado en firme por crímenes de guerra o de lesa humanidad a los dirigentes de grupos guerrilleros de la República Democrática del Congo Thomas Lubanga , Germain Katanga y Bosco Ntaganda, y al yihadista Ahmad Al Mahdi, de Mali.

La democracia levanta fronteras

El mundo occidental parece conformarse con levantar fronteras y replegarse en su territorio, que se asemeja al papel protector del castillo en el mundo medieval. Esta situación ya fue anticipada, de forma pesimista, por Robert Kaplan al entender que los procesos de expolio y sobreexplotación de los recursos naturales, el crecimiento demográfico o la expansión urbana conducirían a un progresivo debilitamiento de los países del tercer mundo y a la conformación del mundo en dos zonas: una zona de seguridad, habitada por una población bien alimentada, saludable y con altos niveles tecnológicos; y una inmensa zona de caos condenada a una vida pobre, violenta, desagradable y corta; ambas zonas estarán sujetas a las tensiones medioambientales, climáticas, de salud o de seguridad, pero la primera podrá dominarlas, mientras que la segunda no.

En este contexto, las fronteras adquieren una importancia decisiva en la conformación de estos dos mundos. Históricamente, la frontera no ha sido siempre una barrera: ha tenido la doble naturaleza de línea (divisoria de los Estados) y de zona, y en este segundo aspecto en su entorno prosperaron las culturas de frontera, de intercambio recíproco y mutuo enriquecimiento. En la actualidad, la frontera adquiere una dualidad distinta, la frontera es física y simbólica (Tomke Lask y Yves Winkin, 1995); la frontera refuerza la identidad propia frente a los otros, que están fuera de ella, y permite visualizar el imaginario de espacios de seguridad.

La concepción de la frontera que aporta la modernidad, tal como la enunció Turner, simbolizaba el avance de la civilización y el progreso sobre territorios salvajes, y tenía mucho que ver con el proceso de universalización de los valores democráticos, como refleja la litografía de Croffut sobre el "progreso americano", representado como una mujer blanca que guía a los colonos hacia los espacios inexplorados del oeste. En el presente, en cambio, se despoja la frontera de toda connotación civilizatoria, y adquiere el carácter de muro separador y protector de las zonas de orden, frente a las zonas de caos exterior.

Uno de los ejemplos más claros lo representa la delimitación de la zona Schengen: un territorio sin fronteras interiores, pero sin embargo reforzado en su frontera exterior con un doble sistema de vigilancia: las fuerzas policiales estatales y la Agencia Europea de la Guardia de Fronteras y Costas (FRONTEX). Un espacio creado para la libre circulación de personas se convierte en un espacio de seguridad y de restricción, y ello se manifiesta de manera especialmente intensa en la orilla sur, en el espacio euromediterráneo, que pasa de ser punto de encuentro de tres culturas (las religiones del Libro) a una zona militarizada que actúa como destacamento defensivo frente a una población a la que se considera sumida en la barbarie y portadora de elementos nocivos para la seguridad europea (criminalidad, enfermedades, sospechas de terrorismo) y que, además, está expoliando las estructuras del bienestar europeo: los argumentos recurrentes de la derecha radical. Europa se desentiende de lo que ocurra en el exterior de esa frontera y del destino de las personas que fracasan en su intento de cruzarla.

Estas consideraciones son igualmente predicables respecto de la frontera entre Estados Unidos y México. Los 3.500 kilómetros que separan Tijuana de Matamoros engendraron históricamente una cultura de frontera que ha sido signo de identidad cultural del sur estadounidense y de los estados norteños mexicanos. La intención de separar mundos cultural, social y económicamente vinculados (la cultura tex-mex, el vínculo lingüístico del castellano, o la economía de la maquila) no conduce sino a historias personales, familiares o colectivas de desarraigo y a la polarización de esos dos mundos de los que hablaba Kaplan. Estas dinámicas conforman un mundo en el cual occidente renuncia a su misión civilizatoria, encarnada en el ideario universalista de los derechos humanos, y prefiere autoinmunizarse levantando muros frente a un Sur que es percibido en el imaginario colectivo como una inmensa zona de caos, carente en muchos casos de estructuras eficaces para imponer un orden social (los llamados Estados fallidos) y sin que existan mecanismos internacionales capaces de prevenir o evitar violaciones en masa de los derechos fundamentales.

LAS FRONTERAS INVISIBLES

La reconstrucción de la idea de frontera repliega a los países occidentales en su propio mundo cerrado, pero no impide que dentro de ese "territorio de orden" existan, junto a las fronteras visibles, otras fronteras invisibles, erigidas en el seno mismo de las democracias occidentales.

Esas fronteras invisibles abarcan, en primer lugar, a las personas que han podido cruzar las fronteras y permanecen en una situación que en unos casos se califica de irregular o, en otros casos, abiertamente de ilegal. Las economías occidentales difícilmente se podrían sostener sin ese colectivo invisible de sujetos sin derechos que ocupan los empleos despreciados por los trabajadores nacionales, pero que son utilizados como moneda de cambio cuando las circunstancias se vuelven difíciles. Como dijo Max Frisch, "queríamos mano de obra, pero vinieron personas".

Enfocar la inmigración irregular como problema de orden público es una manifiesta muestra de hipocresía colectiva. Son personas que viven en nuestro entorno, a quienes vemos e incluso a veces hasta les damos ocupación, y aplicarles el calificativo de clandestino es un cinismo intolerable. No obstante, ya se trate de Trump en Estados Unidos, Bolsonaro en Brasil o Salvini en Italia, el recurso al inmigrante criminalizado encuentra eco inmediato en una parte de la sociedad que se siente agraviada pero no sabe muy bien a quién culpabilizar.

Nuestras sociedades no encuentran reparos en convivir con esas fronteras invisibles que se erigen en su seno, y que excluyen del disfrute de los derechos básicos a amplios grupos sociales. En los Estados Unidos, la expansión del coronavirus durante los primeros meses arrojaba datos esclarecedores: aproximadamente el 70 por ciento de los fallecidos eran de raza afroamericana.

Desde luego, esta constatación no es nueva. En los años 80 del siglo XX, surgió en los Estados Unidos un movimiento llamado Justicia medioambiental, que entendía que las cargas y los beneficios medioambientales no están equitativamente repartidos en las sociedades actuales, y que detrás de esas injusticias laten discriminaciones basadas en la raza, el género o las circunstancias socioeconómicas. Es constatable que junto a un vertedero o una industria altamente contaminante habrá, casi con seguridad, un barrio de inmigrantes o de población de bajos ingresos; al contrario, una gran zona verde atrae a vecindarios de altas rentas.

La reacción del presidente Trump ante el anuncio de las cifras de muertes por el COVID-19 fue de lamento y compasión. Y es que existe en los Estados Unidos una larga tradición de racismo sanitario ante la población negra. Una obra de Frederick Hoffman de 1893, estudio de referencia durante la primera mitad del siglo XX, acuñó la idea de la raza moribunda, dando crédito a la idea de que la población negra había desterrado las virtudes adquiridas durante el régimen de esclavitud y se abandonaba a su tendencia natural hacia la desintegración psicológica y a la inmoralidad, de las que la tuberculosis y la sífilis eran consecuencias inevitables que la conducirían inexorablemente a su gradual extinción.

No nos extrañen estas ideas. En una fecha no tan lejana como 2009, la prensa española daba noticia de un estudio del Ministerio de Sanidad sobre la población gitana que revela que "los gitanos tienen peor salud que el resto de sus compatriotas". El estudio ponía de manifiesto datos como que los hombres gitanos padecen, en un porcentaje mayor, colesterol elevado, asma, bronquitis, enfermedades mentales, problemas circulatorios y hernias; las mujeres gitanas padecen más úlceras de estómago, alergias, depresión y enfermedades mentales; y los niños gitanos sufren más asma, bronquitis, enfisemas y jaquecas que los de la población general. El informe focaliza claramente estas diferencias en los estilos de vida: el porcentaje de gitanos que fuma es casi el doble que el de la población general y los jóvenes gitanos empiezan a fumar tres años antes que el resto de la población; y en cuanto al consumo de alcohol, el porcentaje de gitanos que beben entre los 16 y 24 años supera en 16 puntos al de los jóvenes de la población general de la misma edad y además empiezan a beber alcohol dos años antes que el resto.

Resulta así que la desprotección de ciertos colectivos se achaca no tanto a las deficiencias de una regulación de esos derechos o a la mala gestión pública, sino que directamente se culpabiliza a la propia víctima. Uno de los últimos episodios de este discurso lo ha protagonizado Alex Azar, Secretario de Salud del Gobierno Trump, cuando ha achacado el alto número de muertes causadas por el coronavirus a la mala salud de los grupos minoritarios, especialmente hispanos y afroamericanos, fruto de sus hábitos poco saludables.

Asumimos, pues, que convivimos con fronteras invisibles que dibujan, también en el interior de nuestras sociedades, zonas de caos, territorios sin orden y en los que los derechos básicos para algunas personas (derechos como la salud, el disfrutar de una vivienda digna, acceder al empleo o a una formación adecuada) tienen escasa vigencia. Nos resignamos a una convivencia segmentada, diseñada sobre espacios separados por barreras invisibles pero muy reales, que se sostienen gracias a su aceptación colectiva como *mal necesario*.

El auge de las nuevas tecnologías pareció abrir una ventana para la mejora del bienestar general y podría haber servido para avanzar en desvanecer estas líneas de separación, pero parece estar sirviendo justo para la finalidad contraria. El desarrollo de internet ha generado nuevas modalidades de trabajo que se amparan bajo un nombre benévolo: la *economía colaborativa*, que permite movilizar recursos ociosos sobre la base de redes de individuos y colectivos interconectados. Se arguye que este nuevo modelo representa una economía de iguales (*peer economy*) y que rompe con el modelo jerárquico y centralizado de la economía de empresa; pero lo cierto es que bajo la ficción de la igualdad está haciendo surgir nuevas formas de prestación de servicios presididas por la desprotección y la pérdida de los derechos laborales históricamente conquistados. El caso de los llamados *riders*, repartidores a domicilio con su propia bicicleta, patín o motocicleta, es paradigmático. Son sujetos a quienes abrimos la puerta para que nos entreguen el producto comprado en una tienda web o la comida que hemos encargado por una aplicación móvil, pero son sujetos invisibles a los que preferimos no mirar, conscientes de la situación de explotación que padecen. Durante el estado de alarma creado por la pandemia del COVID-19 la venta a través de internet ha tenido un auge espectacular (Amazon anunció la creación de 75.000 nuevos empleos para absorber el crecimiento de la demanda) sin embargo, el colectivo de los repartidores padeció una reducción del precio que reciben por cada entrega, situándose por debajo del euro.

Son muchas las voces que han vaticinado que la crisis provocada por la pandemia se va a saldar con una devaluación democrática, y que marca una tendencia que se consolidará en los próximos años. Curiosamente parece surgir una especie de *neomilenarismo* adornado con altas dosis de exageración y catastrofismo (oposición a las medidas de higiene colectiva, teorías conspirativas, movimientos antivacunas, acusaciones a grandes corporaciones, y un largo etcétera) que, en último término, no hace sino profundizar en el recorte de las libertades y derechos de las personas,

El territorio desigual de las ciudades

En este proceso de "retraimiento interno" de los derechos juega un papel fundamental la ciudad, que es la estructura de convivencia social más representativa del siglo XXI. Efectivamente, a comienzos de este siglo se calcula que la población que en la Tierra vivía en ciudades pasó a ser mayor que la que vivía en el medio rural. Ahora bien, este proceso no ha venido a impulsos del mundo occidental: ha sido el desarrollo de las megaurbes de extremo oriente, de algunas partes de África o de Sudamérica el que ha desequilibrado la balanza en favor del medio urbano. El paradigma urbano actual ya no es la ciudad europea o estadounidense; es la megaurbe del Sur.

La ciudad, en estos nuevos espacios, se muestra caótica, segregada y fuente de conflictos sociales, económicos y culturales, de los que constituyen un ejemplo recurrente las favelas brasileñas. Por el contrario, la ciudad europea se ha mostrado tradicionalmente como un espacio de integración y de convivencia, la forma espacial más eficiente para asignar derechos y responsabilidades sociales. Organizada mediante espacios institucionalizados de convivencia (la plaza, el mercado, el foro, incluso la iglesia) posibilitaba la formación de una comunidad que servía de célula básica de la convivencia. Volviendo a la distinción de Kaplan, la ciudad occidental representaba la "zona de orden", mientras que las nuevas megaurbes ejemplifican las "zonas de caos" (incluso en la planificación urbana de China no dejamos de percibir un elemento de caos: las imágenes de los mercados de Wuhan, origen de la pandemia de coronavirus, fueron lo bastante elocuentes).

Sin embargo, la ciudad occidental ha ido perdiendo su papel integrador y su función de provisión de bienestar. Ya en 1968 Henri Lefebvre denunciaba esta situación en su "Derecho a la ciudad" como reivindicación del proceso de reapropiación de los espacios ciudadanos frente a la sobrecarga urbana derivada del sistema capitalista (especulación, contaminación, privatización del espacio público, mercantilización, masificación turística, tematización de los centros urbanos,....), tradición que ha tenido continuidad en urbanistas de la postmodernidad como Harvey, Soja o Alessandri, y la defensa del concepto de "justicia espacial".

La ciudad occidental está encerrada en una contradicción inexorable: es, por un lado, la estructura más eficiente para la distribución de ciertos bienes colectivos (energía, transporte, servicios públicos cultura, entretenimiento, prestaciones sociales en especie,....) pero representa, al mismo tiempo, un modelo de sobrecarga de las capacidades tanto del medio urbano como del medio periurbano por encima de unos límites razonables, modelo al que se ha denominado "estilo de vida atlántico" (Katriona H. McGlade, 2016).

La sobrecarga urbana convierte a la ciudad en espacio non grato para gran parte de sus habitantes, que prefieren instalarse en las periferias urbanas, entornos que se perciben más saludables y sin los peligros asociados a la ciudad (delincuencia, inmigración, contaminación, ausencia de espacios naturales, sobreexplotación turística, falta de equipamientos,....). Este modelo, de origen estadounidense, se ha instalado ya en nuestro paisaje periurbano y modifica la fisonomía urbana, que relega las ciudades a meros contenedores de oficinas, turismo y enclaves degradados de población inmigrante o de bajos ingresos, mientras las clases medias huyen hacia los espacios suburbanos de nueva urbanización.

En la búsqueda de un modelo idealizado de vida se aspira a encontrar entornos suburbanos que protejan a sus habitantes de los riesgos que encarna la ciudad; en este proceso, el mercado crea el producto ideal: las urbanizaciones privadas. Actualmente, se estima que un 20% de la población estadounidense habita en urbanizaciones privadas (CIDs, acrónimo de Common Interest Developments); en zonas de gran concentración demográfica (caso de California) este porcentaje alcanza el 35%, y esta tendencia está asentándose también en suelo europeo.

Se han descrito estos nuevos entornos como bastiones de la clase media blanca, que ofrecen homogeneidad racial, seguridad y control así como una revalorización económica de los inmuebles; a cambio, tienen que sujetarse a una serie de reglas y limitaciones impuestas por los órganos de gobierno de estas comunidades, que se erigen, así, en verdaderos gobiernos privados.

La clase media que habita estos nuevos suburbios es poco sensible a las políticas sociales y a la crítica política basada en la provisión de servicios públicos universales y en su eficacia. El habitante de estos enclaves suburbanos se considera *contribuyente* antes que *ciudadano*, y esta transformación supone la desvalorización de uno de los elementos esenciales de la convivencia: la democracia local. Estos "contribuyentes" entienden que el pago de sus impuestos deber revertir en servicios concretos que les beneficien, con preferencia a inversiones en el bienestar común. Por eso, el proceso de suburbanización conduce irremisiblemente a dos consecuencias perniciosas: la desaparición de los espacios públicos y la aparición de modos de gobierno privado.

La suburbanización propicia el surgimiento de formas de gobernanza que claramente se pueden calificar de gobiernos privados. El habitante de los suburbios, antes que servicios públicos universales prefiere las bajadas de impuestos o la subvención de unos servicios privados (educación, sanidad,...) cuyo acceso esté restringido para ciertos grupos sociales (básicamente los inmigrantes o las familias de menor renta) cuya ubicación natural está en los degradados núcleos urbanos. En sus intereses electorales prima la provisión de la seguridad y la idea de que el mejor ayuntamiento es el que no existe. El discurso de la izquierda no sólo no cala en este electorado, sino que le produce rechazo, por todo lo que significa de un modelo de gobierno local del que, precisamente, huye.

Esta situación, que ahora asoma en el contexto europeo, está realmente consolidada en Estados Unidos. Robert Reich, Secretario de Empleo con Clinton, denominó a este proceso la "secesión de los triunfadores" (*seccession of successful*): las comunidades privadas (CIDs) compiten por atraer hacia ellas a los individuos más prósperos, y ese proceso conlleva un efecto de exclusión y de discriminación social. En la actualidad, la estrategia de la grandes empresas inmobiliarias presenta la compra de una residencia, no como la adquisición de un valor, sino como el acceso a un determinado modo de vida, que no es otro, lógicamente, que el *american way of life*.

Este proceso conduce a la consolidación de un fenómeno que, en terminología acuñada por los urbanistas, se denomina *positive ghettoism*: las empresas responsables del mercado inmobiliario tienen que convencer a la clase media de que invertir en bienes residenciales es una inversión segura y rentable, y para ello nada mejor que representar en la idea de los "suburbia" una "utopía burguesa", como ha denominado Robert Fishman (1989) a la fantasía arcadiana en la que la familia nuclear se aparta del ambiente hostil e insalubre de la ciudad y es colocada en un entorno purificador de contacto con la naturaleza, creando una comunidad homogénea, segura y alejada del caos urbano.

Robert Putnam (2016) ha argumentado que en Estados Unidos se están produciendo líneas de división entre los diferentes grupos sociales que están privando de oportunidades reales de promoción social a los grupos más desfavorecidos, siendo éste un fenómeno relativamente reciente (desde comienzos de este siglo) y que, probablemente, no haya que circunscribirlo de manera exclusiva al territorio americano. La división que se produce en aspectos tales como el lugar en el que vivimos, el colegio en el que se educan nuestros hijos, la Iglesia a la que asistimos, los lugares de ocio... está generando una especie de segregación relacional que permite que los grupos sociales mejor situados accedan a redes de relación social (lo que Putnam denomina "capital social") que les ofrezcan mejores oportunidades de promoción, mientras que los grupos más desfavorecidos se ven constreñidos a redes sociales muy limitadas y que cercenan sus posibilidades reales de mejora. Las familias con mayores recursos están invirtiendo más en capital social (viviendas en vecindarios cohesionados, cenas familiares, reuniones con amigos, actividades colectivas, acceso a bienes culturales,...) y el "sueño americano" se convierte en pura utopía para un amplio colectivo de personas para las cuales la igualdad de oportunidades es simplemente retórica.

Las nuevas ciudades, verdaderas "ciudades instantáneas" (*instant cities*, en terminología acuñada por Theodore Roszak), cada una de ellas habitada por varias decenas de miles de personas, se instalan en las periferias de las ciudades, sobre suelo estéril, carentes de centro social o político y cuyo único espacio público es el centro comercial (el Mall), un enorme espacio de titularidad privada y gobernado con criterios estrictamente mercantiles.

Los espacios públicos donde la ciudadanía puede manifestar públicamente sus opiniones (entre ellas, sus opciones políticas) se reducen notablemente. La vida social se desenvuelve en grandes centros comerciales que proveen todos los recursos necesarios para el desarrollo de las relaciones sociales (bares, tiendas, cines, teatros, discotecas, actividades deportivas...). Nuestras vidas se desarrollan de manera creciente en estos nuevos "espacios públicos privados" en los que no es extraño que una familia pase gran parte de sus fines de semana. Son "espacios seguros", tanto por el público que acude como por los servicios de vigilancia privada con que cuentan.

Los gestores de estos centros no tienen especial interés en que la atención del ciudadano-cliente se distraiga del objetivo principal (consumir, comprar, gastar); consecuentemente, el uso de estos espacios para actividades de expresión pública o de convivencia vecinal se sujeta a restricciones, pues el propietario no pretende fomentar lazos comunitarios, sino obtener beneficios. Conforme nuestra vida social se transforma, el ciudadano se convierte, cada vez más, en consumidor.

¿Hasta dónde alcanza esta transformación? El Tribunal Supremo de California hubo de plantearse el tema en el año 1968 (en el asunto *Logan Valley Plaza*), estableciendo la doctrina de que el derecho a expresarse libremente en el interior de un centro comercial está amparado por la libertad de expresión (Primera enmienda de la Constitución), ya que entendió que el centro comercial suple las funciones sociales y cívicas que en el pasado cumplía el ágora en las ciudades, y por ello estos "espacios sociales privatizados" deben consentir las manifestaciones públicas, incluso de carácter político, que en ellos puedan tener lugar. Sin embargo, en un asunto posterior (*Pruneyard Shopping Center, 1979*) el Tribunal Supremo sostuvo que las manifestaciones públicas realizadas dentro de un centro comercial no tienen amparo en la Primera Enmienda, pero a su vez el propietario del centro no puede prohibirlas u oponerse a ellas amparándose en el derecho de autodefensa de la Quinta Enmienda, puesto que en tales casos no hay, propiamente, un atentado contra su propiedad. El asunto quedó, así, en tierra de nadie.

El hecho es, en definitiva, que queda al arbitrio de un sujeto privado (el propietario del centro comercial) definir *quién* puede acceder al centro y *qué* actividades puede realizar; circunstancia que se vuelve extremadamente grave cuando el centro comercial es, de hecho, el único centro urbano (como así sucede en estas "nuevas ciudades"). Como señaló Paul Hirst, estos nuevos espacios de convivencia sustituyen la moral pública por una "moral suburbana forzosa", sometida a derechos de admisión, vigilancia y seguridad privada, cámaras de vigilancia, etc. ¿Podría, en un contexto europeo, alegarse una vulneración de nuestros derechos fundamentales? La respuesta es difícil, mas en cualquier caso debe llevar a la reflexión de que parece irremediable que, en un futuro, debamos acostumbrarnos a ser regidos por formas de gobierno puramente privadas. Urbanizaciones privadas o centros comerciales privados representan la invasión de la economía de mercado en los pliegues interiores más profundos de la convivencia social.

Sin embargo, bajo la convicción de que las formas institucionalizadas de poder público son incapaces de afrontar una defensa adecuada de sus intereses, las clases medias se resguardan en estos espacios, levantando fronteras invisibles que les separen del mundo bárbaro exterior; porque los "nuevos bárbaros" han cruzado nuestras fronteras políticas, representados en inmigrantes, grupos minoritarios, colectivos de rentas bajas, marginados sociales y todos los colectivos que entrañan un peligro para el orden social que se quiere preservar.

Autores como Eco, Bull o más recientemente Kratochwill han descrito nuestro presente histórico como *neomedievalismo*, uno de cuyos rasgos sería la desintegración del poder público y el auge de formas de gobierno privado. Uno de los logros más importantes de la modernidad es el Estado de Derecho, es decir, el principio según el cual todos los poderes públicos quedan sujetos a las leyes; es la principal garantía de que los derechos ciudadanos quedan protegidos y de que el poder no se ejerce arbitraria o abusivamente. Fue una conquista de la Edad Moderna, que ponía fin a la confusión entre lo público y lo privado que caracterizó a la Edad media europea.

Pero el auge de poderes puramente privados y no sujetos a control es un fenómeno que se observa tanto a nivel macro (el poder de las empresas multinacionales o de los grandes lobbys) como, especialmente, a nivel micro, en nuestras redes de convivencia más próximas.

Los nuevas comunidades que van surgiendo por el espacio periurbano, convencidas de que los gobiernos locales no tienen ni interés ni capacidad financiera para afrontar la administración de sus demandas, optan por dotarse de los propios órganos de gobierno regidos por profesionales a los que se atribuyen poderes inmensos, creando unas reglas de convivencia que exceden con mucho de lo que serían las normales relaciones de vecindad, ya que su objetivo primordial es garantizar una inversión mediante el aseguramiento de un determinado estilo de vida y cerrar las puertas a futuros vecinos indeseables.

El tema ha adquirido tintes de pesadilla en Estados Unidos, y está empezando a arraigar en suelo europeo. Evan McKenzie, en su obra *Privatopia*, explica cómo estas regulaciones, al enfatizar la protección de los valores de la propiedad sobre consideraciones de privacidad individual y de libertad, han generado una especie de hostilidad social que invade estas comunidades, cuyo ideal de armonía social queda ya abiertamente preterido. Hay comunidades que prohíben la manifestación de signos políticos, prohíben la distribución de periódicos e impiden taxativamente cualquier tipo de encuentro o reunión en las zonas comunes con fines políticos. El sociólogo Ralph Meyer ha acuñado la expresión de "síndrome del dictador" para explicar un tipo de actitud que se ha abierto camino entre los propietarios de las comunidades residenciales. Los ejemplos se multiplican. En Ashland (Massachusetts) un veterano de guerra no pudo izar la bandera en su jardín, porque así lo prohíben las normas de la comunidad. En Rancho Fairbanks (California), la superación del límite de velocidad puede llevar a la privación del permiso de conducción dentro de la urbanización (sanción que, obviamente, es impuesta por la comunidad de propietarios). En Boca Ratón, Florida, una propietaria debía sacrificar a su perro, pues este pesaba más de los 15 kilos que, como talla máxima, fijaban las reglas comunes.

Las reglas de comunidad, en ocasiones, llegan a invadir la esfera de la intimidad personal. En Santa Ana (California), una mujer fue acusada de haber estado "besándose y cometiendo actos inmorales en su coche", y se le advirtió que a la próxima ocasión sería multada. En Monroe, New Jersey, un matrimonio fue demandado ante los tribunales porque la mujer, de 45 años, era tres años más joven que la edad mínima permitida a los residentes; la asociación ganó el juicio, y la sentencia obligó al propietario a vender la casa, alquilarla o divorciarse.

El resultado es que estas organizaciones se contemplan de manera creciente como verdaderos gobiernos, que sustituyen a los gobiernos locales por esta forma de gobernanza privada que, como denuncian juristas y politólogos, carece de elementos democráticos tanto en su formación como en el control de su actividad y que puede, por ello, libremente interferir en la esfera de los derechos de la ciudadanía. El Tribunal de Apelación de California no ha dudado en calificarlos de "entidades cuasi gubernamentales, con poderes, deberes y responsabilidades paralelos a los de los Ayuntamientos", y en el asunto *Laguna Publishing Company vs. Golden Rain Foundation* juzgó la prohibición que la urbanización Leisure World había impuesto de distribuir cualquier prensa excepto la que publicaba la misma comunidad (Leisure World News). Un periódico competidor impugnó la medida como inconstitucional, y el tribunal adoptó una decisión poco clarificadora: por una parte entendió que la empresa administradora de la comunidad podía ejercer los derechos de propietario de la misma y decidir que ningún periódico se repartiese en su interior; ahora bien, una vez decidía que un periódico pudiese ser repartido en la comunidad, no podía prohibir que los restantes periódicos también pudiesen ser distribuidos en ella.

EL INCOMPLETO PROCESO DE CONFORMACIÓN DE LOS DERECHOS HUMANOS

En esta reflexión sobre la incierta situación de los derechos humanos en el momento presente, hay que considerar otro elemento que no es baladí. Ciertamente, la cultura occidental comenzó a exportar los derechos humanos cuando todavía no había completado el proceso de su definición y reconocimiento. Desde la segunda mitad del siglo XX el proceso de aparición de nuevos derechos vinculados a la dignidad de la condición humana ha sido incesante, y en muchos casos distan mucho de estar plenamente perfilados. Karel Vasak popularizó la idea de las tres generaciones de derechos humanos, que daría entrada a los derechos sociales y a los derechos basados en la solidaridad. Unos y otros no tienen en los textos constitucionales, ni mucho menos, el nivel de desarrollo y protección del que gozan los derechos y libertades clásicos, lo que proporciona argumentos a quienes sostienen que detrás del modelo occidental de los derechos humanos late una visión eurocéntrica, focalizada en un liberalismo individualista que casa mal con otras visiones culturales.

Basta la lectura de la Constitución española para verificar que derechos como el medio ambiente, la vivienda, el acceso a pensiones dignas o a la salud, ni siquiera merecen el calificativo de derecho fundamental, sino que son "principios rectores de la política económica y social" y, como tales, reciben una protección jurídica inferior, no pudiendo siquiera ser invocados ante los jueces y tribunales en base exclusivamente al precepto constitucional que los reconoce, sino que necesitan apoyarse en una ley de desarrollo. Ley que, invariablemente, castrará su eficacia en base a razones presupuestarias o de prevalencia de otros derechos.

Un caso palmario es el del derecho al medio ambiente. Un derecho que surge en los años 70 del siglo XX, merced a la concurrencia de ciertas circunstancias: las primeras manifestaciones antinucleares, la publicación en 1972 del primer informe al Club de Roma sobre los límites del crecimiento (conocido como *Informe Meadows*), la convocatoria de la Primera cumbre sobre la Tierra (Estocolmo, 1972) o la publicación *de Small is Beautiful*, de Fritz Schumacher, que constituye el resumen de la crítica medioambiental a la sociedad industrial. Actualmente, resulta difícil negar que el derecho a un medio ambiente adecuado es un derecho humano primario y necesario para el desarrollo de cualquier proyecto vital; sin embargo, sigue estando formulado deficientemente por las constituciones europeas (cuando lo mencionan) y ello ha llevado a que hayan tenido que ser los tribunales de justicia quienes se hayan preocupado de darle eficacia a este derecho, por la vía de incardinarlo dentro de otros derechos clásicos: concretamente, dentro de la protección del derecho a la vida y la protección de la intimidad personal y familiar. El Tribunal Europeo de Derechos Humanos ha sido pionero en este proceso: un asunto que se cita reiteradamente concierne a una sentencia del año 1994 que reconoce una violación de los derechos fundamentales de una vecina de Lorca (Murcia) que sufría el impacto de una industria de tratamiento de residuos instalada en su vecindario. El caso (*asunto López Ostra*) se singulariza por tres circunstancias llamativas: primero, que la industria (cuyas emisiones nocivas estaban causando problemas de salud a los vecinos) se instaló sin autorización administrativa; segundo, que esa misma industria estaba recibiendo subvenciones públicas; y tercero, que la demandante obtuvo protección del Tribunal de Estrasburgo después de que la justicia española (Tribunal Constitucional incluido) le denegase el amparo de sus derechos.

Sirvan las líneas anteriores como ejemplo del inconcluso edificio de los derechos humanos, y seguramente muchas de las críticas que provienen de otras culturas no europeas encuentran en ello su justificación. Sin movernos en el derecho al medio ambiente, es llamativo comprobar hasta dónde han llevado este derecho algunas de las Constituciones que en el siglo XXI se han promulgado fuera del ámbito europeo.

Las recientes constituciones de Ecuador, de Bolivia y de Venezuela han introducido nuevos enfoques del derecho al medio ambiente. Bajo el título de "buen vivir" (idea que proviene del aymara *suma qamaña*) engloban tanto los derechos ligados al bienestar social como los centrados en la idea de solidaridad; este "régimen del buen vivir" genera toda una nueva narrativa constitucional, en la que aparecen el reconocimiento de los derechos de la Madre Tierra (*Pachamama*, a la que se considera verdadero sujeto jurídico), la creación de tribunales agroambientales, el reconocimiento de la autonomía indígena originaria campesina, o la declaración de un Estado (Ecuador) como territorio libre de cultivos o semillas transgénicas, por sólo citar unos ejemplos. Detrás de este ecocentrismo late una mezcla de cultura popular, sabiduría ancestral y compromiso medioambiental con fuerte matiz premoderno, y probablemente haya otros modos de otorgar un (necesario) valor ético y simbólico a la naturaleza, sin incurrir en una suerte de cosmovisión pagana. Ahora bien, estas nuevas realidades constitucionales ¿no están ofreciendo también una visión, igualmente válida, del mundo de los derechos fundamentales? De nuevo habría que preguntarse si detrás de estas nuevas construcciones no hay una constatación de nuestro fracaso a la hora de, por ejemplo, ofrecer una alternativa creíble para la preservación del medio natural, o para la protección de las minorías. Y, otra vez, preguntarnos si nuestra empresa de exportar la democracia no ha chocado con nuestra propia hipocresía.

Estas nuevas narrativas constitucionales tienen un gran poder de transformación y de movilización, y no deben desdeñarse con argumentos que trivialicen su valor comparándolas con la construcción histórica de los derechos humanos. El movimiento bolivariano que arraigó en varios países sudamericanos desde finales del siglo XX hiló su discurso en torno al agravio territorial y a la defensa del entorno natural que mezclaba adecuadamente las protestas por la depredación de las tierras indígenas, la reivindicación de los derechos sobre el suelo de las poblaciones indias y la idealización de un pasado mitificado, todo lo cual cristalizó en las movilizaciones organizadas por la CONAIE y por la Federación Shuar-Ashuar que germinaron en la instalación de gobiernos inspirados en el ideario indigenista.

CIUDADANÍA EN LA NUEVA NORMALIDAD

Afirma Pisarello (2012) que la democracia está inmersa en la contradicción de aspirar a ser el único régimen político dotado de plena legitimidad, pero en cambio su arquitectura básica está en crisis (distorsiones del sistema electoral, control de los medios de comunicación en pocas manos, exclusión de los grupos minoritarios de la vida política, recorte de la eficacia de los derechos fundamentales…).

Como a lo largo de este trabajo se ha intentado mostrar, la democracia ha ido recluyéndose en sus propias fronteras interiores, ha ido creando muros que preservasen su zona de seguridad, en lugar de intentar crear entornos globales seguros. En este proceso, los grandes perdedores han sido los derechos humanos, devaluados incluso dentro de nuestras propias sociedades, que prefieren renunciar a ellos a cambio de obtener orden y protección frente al caos.

Pero el caos, finalmente, se ha abierto paso en nuestro presente bajo la forma de una pandemia que ha provocado el mayor confinamiento colectivo de la humanidad, con severas restricciones de las libertades personales y con un difícil entendimiento entre las exigencias de un sistema capitalista que se niega a poner el freno, y las necesidades de proteger la salud de la población. En esta pugna resulta difícil saber quién ganará; pero es seguro que los grandes perdedores van a ser los derechos de las personas. Ya se trate de ciudadanos confinados, o de trabajadores obligados a prestar sus servicios sin adecuadas garantías de salud, o de personas que trabajan desde sus casas sin sujeción a horarios y sin restricciones a que su intimidad y su vida privada se vea invadida, o de grandes colectivos de personas que no disfrutan de una asistencia sanitaria digna, lo cierto es que de esta situación salen dañados nuestros derechos.

Con un lenguaje digno de figurar en el mundo imaginado por George Orwell, se nos invita a entrar en la "Nueva normalidad" (la expresión ya aparece incluso en textos legales) en la que, con certeza, habrá que asumir limitaciones que afectarán a nuestra vida cotidiana. En esta "Nueva normalidad" se apela al comportamiento cívico y a la auto responsabilidad, pero está por ver qué nivel de lesión de nuestros derechos puede acarrear y vamos a tolerar. En el curso de la crisis sanitaria, el gobierno español ha aprobado la regulación del ingreso mínimo vital, aunque con la oposición de las fuerzas políticas que jalean un patriotismo de banderas pero que no tienen reparos en consentir que haya una parte de la ciudadanía sin recursos suficientes para subsistir, y que abiertamente apuestan por la reapertura de la economía antes que por la protección de la salud.

En esta Nueva Normalidad aparece un rol nuevo, entre lo social y lo laboral: el "rastreador", encargado de escudriñar en los contactos personales mantenidos por un contagiado durante la fase de incubación; resulta evidente que muchos de estos rastreos conducirán a situaciones, cuanto menos, conflictivas. Igualmente, surgen aplicaciones para el móvil que nos van a avisar de la presencia cercana de un contagiado, como la campanilla que en la Edad Media se les daba a los apestados a modo de aviso.

El proyecto de levantar muros que nos protegiesen frente a la anarquía exterior ha fracasado. A la hora de cerrar estas líneas, Estados Unidos está envuelto en unos conflictos sociales que recuerdan, como ha señalado el ex-presidente Obama, a las luchas de los derechos civiles de los años 60. Estas luchas prueban hasta qué punto estábamos alejados de las contradicciones que bullen en nuestras sociedades, e intentábamos preservar nuestra esfera de derechos simplemente creando "espacios higiénicos" y no contaminados, que nos alejasen de la barbarie exterior. O, al menos, así ha sido hasta el estallido de la pandemia por coronavirus de 2020.

Las primeras noticias que se recibieron de China se acogieron sin excesiva alarma: no eran más que disturbios más allá de nuestras murallas. Pero apenas tres meses después, la expansión del virus por todo el planeta nos ha hecho ser conscientes de la debilidad de las barreras que creíamos sólidas e infranqueables. Desde la conciencia de nuestra vulnerabilidad, miramos con otros ojos al mundo. Aceptamos con mayor o menor resignación que existen otras narrativas que hasta ahora habíamos desdeñado. Y una de ellas se resigna a pensar que a lo mejor nuestro discurso de defensa de los derechos humanos está obsoleto y que hay que buscar otras alternativas.

Japón, Corea y, con mayores reservas, China, han representado los modelos de éxito en la lucha contra el coronavirus. En el otro extremo, Europa, Estados Unidos o Brasil ostentan los más grandes fracasos medidos en número de contagios y fallecimientos. Incurriendo en un reduccionismo nada recomendable, algunos comentaristas (como el citado al comienzo de este capítulo) cifran ese éxito en la aceptación ciudadana de las medidas de contención y control social, posible en Asia gracias al peso de una tradición que descansa en un orden de valores inspirado en la filosofía confuciana y alejado de nuestra tradición liberal.

Desde los valores confucianos, la sociedad es contemplada como un orden jerárquico en el que se enfatizan las relaciones de interdependencia, ofreciendo un modelo de relación social inspirado en la relación paterno-filial; en este modelo, cada persona conoce el lugar que ocupa en la sociedad, y lo que se espera de ella. En la relación de los ciudadanos con el poder (traslación del orden relacional del emperador con sus súbditos instaurado desde el siglo II) se espera del ciudadano (hijo) respeto y obediencia al emperador (padre), y éste a su vez debe ser ejemplo de virtud para el hijo (Michael D. Barr 2000). Esta concepción, perfectamente rastreable en los escritos del ex primer ministro de Singapur Lee Kwan Yew, origina un modelo político basado en una organización estatal fuerte y estable, autoritaria y paternalista. Este modelo propicia una deconstrucción de los rasgos con que tradicionalmente se ha dotado a la democracia: los derechos humanos y las libertades públicas; ello explica que desde el punto de vista de políticos como Lee Kwan Yew pueda defenderse la existencia de democracias iliberales, democracias desprovistas de un sistema de reconocimiento y protección de los derechos y libertades que el mundo occidental había venido defendiendo desde la Ilustración como parte inseparable de la democracia. De ahí que en 1993 el primer ministro chino Li Peng defendiese que debe dejarse que cada país defina su propio concepto de los derechos humanos y sus propias vías para la democracia.

Con el debilitamiento y la relativización del discurso de los derechos humanos, estas ideas están empezando a tener un reflejo importante incluso en el orden legal, y como antes se ha señalado, son narrativas con un enorme poder transformador. En el año 2014 un documento oficial del gobierno chino abordaba la implantación de un sistema de crédito social que debería estar operativo en 2020, y que descansa en una idea claramente confuciana: crear un sistema de premios y castigos vinculado al buen o mal comportamiento de los ciudadanos.

Es difícil saber hasta qué punto son ciertas las intenciones de este proyecto, cuyo concreto contenido no es público todavía. La polémica la inició un discurso del vicepresidente Mike Pence en el Hudson Institute, en el que sostenía que el gobierno chino está usando un complejo algoritmo para recopilar toda la información concerniente a la vida personal de cada ciudadano y aplicarle, en consecuencia, ventajas o desventajas en su vida privada. Otros comentaristas se alejan, en cambio, de esta visión distópica, y entienden que se trata de una fórmula que tiene sus raíces en un sistema de valores ampliamente compartido por la sociedad asiática. Lo cierto es que el programa está siendo ya ensayado en algunos ámbitos y las noticias que se reciben son, como poco, preocupantes. Nueve millones de personas han sido ya excluidas de poder comprar billetes de avión, y tres millones de personas no pueden comprar billetes de tren en primera clase; se les achacan conductas como arrojar papeles al suelo en estaciones o aeropuertos o fumar en zonas de no fumadores. Otros comportamientos como la compra on-line de artículos frívolos, jugar demasiadas horas a videojuegos o participar activamente en determinadas redes sociales conllevan como penalización la reducción de la velocidad de acceso a internet. La comisión de algunos delitos, como el fraude, la falsificación o la malversación implican, además de las penas, una serie de sanciones sociales como el no poder acceder a determinados empleos o incluso que los hijos no puedan ingresar en ciertas instituciones de enseñanza de prestigio o en la educación universitaria. La posesión de animales domésticos es también fuente de crédito social, y el no portar al animal con correa o no limpiar sus excrementos puede conllevar incluso la confiscación del animal.

El sistema de crédito social está previsto que se concrete en dos listas, una lista negra de ciudadanos que han defraudado la confianza social (y que sufrirán las sanciones sociales correspondientes) y una lista roja que consignará los ciudadanos de comportamiento ejemplar, que podrán acceder a ventajas como los viajes de turismo al extranjero, ingresar en las instituciones académicas de prestigio o acceder a los mejores empleos.

Por muy criticadas que sean estas medidas, hay que insistir en que se trata de discursos con un potencial alto, y que calan en el imaginario colectivo. A raíz de las protestas en suelo estadounidense, Trump ha anunciado su intención de incluir a los movimientos antifascistas dentro de las organizaciones terroristas, y ello aunque se le recuerde que el derecho de reunión está garantizado por la primera enmienda constitucional; no deja de ser su peculiar visión de crear listas negras de ciudadanos que no se comportan conforme a un orden de valores que, como él mismo reconoce, está antes en la Biblia que en la Constitución.

La prensa estadounidense cuenta que el presidente Trump celebra reuniones semanales con una organización denominada Capitol Ministries, dedicada a la misión de evangelizar a la clase política. A estos encuentros acude la plana mayor del Ejecutivo, entre otros el vicepresidente Pence o el secretario de Estado Pompeo. El objetivo no es otro que adoctrinar a la clase política sobre temas como la inmigración, la homosexualidad o el aborto, o argumentar que la omnipotencia de Dios nos defenderá frente al cambio climático. Como afirman estos grupos, ya está escrito en la Carta de san Pablo a los romanos: "pórtate bien, y la autoridad te aprobará, porque está al servicio de Dios para tu bien".

Daron Acemoğlu y James A. Robinson (2019) han roto el mito occidental de que la libertad es un estadio al que se llega tras un periodo ilustrado en el que el Estado se dota de instituciones estables; por el contrario, estos autores han acuñado la imagen del pasillo estrecho (*the narrow corridor*), entendiendo que la libertad se consigue y se mantiene sólo si se da una situación de equilibrio que se mueve en el estrecho espacio que existe entre un Estado que no es tan débil que no puede dispensar una protección a los derechos de sus ciudadanos, ni tampoco tan fuerte como para convertirse en despótico.

Los derechos humanos han suministrado un discurso capaz de posicionar a los Estados en ese estrecho pasillo del equilibrio que hace surgir la libertad. La devaluación de este discurso, como se ha intentado ilustrar a lo largo de este ensayo, tiene en gran parte su causa en las propias sociedades democráticas que no han sabido defenderlo con convicción, y que incluso han convertido a los derechos humanos en moneda de cambio en foros y negociaciones internacionales. Junto a ello, hay una responsabilidad individual de cada persona en su defensa y reivindicación. El riesgo de no hacerlo hace surgir nuevas narrativas que nos sitúan en escenarios poco cómodos para que los valores derivados de la dignidad humana se desarrollen y evolucionen hacia ámbitos más amplios (salud, vivienda, medio ambiente, justicia climática,…). De no hacerlo así, estas nuevas lecturas nos pueden sacar del estrecho pasillo en el que, como dice nuestra Constitución, se dan las condiciones para que la libertad y la igualdad sean reales y efectivas.

OBRAS CITADAS

Acemoğlu, Daron y Robinson, James A. *The Narrow Corridor: States, Societies, and the Fate of Liberty*. Nueva York: Penguin Press, 2019.

Barr, Michael D. "Lee Kwan Yew and the Asian values debate". *Asian Studies Review*. Volumen 4, número 3. Septiembre 2000.

Byung-Chul Han. "La emergencia viral y el mundo de mañana". El País, edición de 22 de marzo de 2020. https://elpais.com/ideas/2020-03-21/la-emergencia-viral-y-el-mundo-de-manana-byung-chul-han-el-filosofo-surcoreano-que-piensa-desde-berlin.html

Fishman, Robert. *Bourgeois Utopias: The Rise And Fall Of Suburbia*. New York: Basic Books, 1989. Impreso.

Fukuyama, Francis. *El fin de la Historia y el último hombre*. Barcelona: Planeta, 1992. Impreso.

Kaplan, Robert D. *The comming anarchy. Shattering the dreams of the post cold war*. New York: Random House, 2001. Impreso.

Lask, Tomke y Winkin, Yves. "Avant-propos: frontières visibles/frontières invisibles". *Quaderni*, n°27. Otoño 1995. Penser la frontière: 59-64. Impreso.

McGlade, Katriona H., et al. "Human Environmental Dynamics and Responses in The Atlantic Space", en: Bacaria, Jordi. y Tarragona, Laia. (eds.): *Atlantic Future. Shaping a New Hemisphere for the 21st century: Africa, Europe and the Americas*. Barcelona: CIDOB, 2016. Impreso.

McKenzie, Evan. 1994. Privatopia: Homeowner Associations and the Rise of Residential Private Government. New Haven: Yale University Press, 1994.

Pernthaler, Peter. *Allgemeine Staatslehre und Verfassungslehre*. Viena: Springer, 1986.

Pisarello, G. *Un largo Termidor. Historia y crítica del constitucionalismo antidemocrático*. Quito: CEDEC, 2012.

Putnam, Robert D. *Our Kids: The American Dream in Crisis*. New York: Simon & Schuster, 2016.

Rifkin, Jeremy. *El sueño europeo. Cómo la visión europea del futuro está eclipsando el sueño americano*. Barcelona: Paidos, 2004. Impreso.

Zakaria, Fareed. "The Rise of Illiberal Democracy". *Foreign Affairs*. Nov/Dic 1997; 76, 6.

¿UNA PROMESA VACÍA? LA ILUSIÓN DE "LOS DERECHOS" EN EL SISTEMA MIGRATORIO DE LOS ESTADOS UNIDOS

Maya Pagni Barak
University of Michigan-Dearborn[1]

El sistema judicial migratorio de los Estados Unidos representa un escenario ideal para reexaminar la promesa del reconocimiento de Derechos Humanos. Cada año, cientos de miles de inmigrantes son procesados a través de este sistema. En la mayoría de casos, estas personas son deportadas, lo que no es de ninguna manera sorprendente considerando que la inmensa mayoría de los inmigrantes que tienen que enfrentarse al proceso de deportación no cumple con los requisitos para acceder a alguna causa que pudiera permitirles permanecer en los Estados Unidos. Inclusive, aquellos inmigrantes que se encuentran dentro de una causa de exclusión de deportación muchas veces tienen que enfrentar muchos obstáculos en la ardua batalla legal que implica permanecer en los Estados Unidos. La mayoría de estas personas no cuenta con recursos económicos ni acceso a asesoría legal. A esto se suma que gran parte debe afrontar la barrera adicional que representa el idioma, junto con las diferencias culturales, así de género, clase y raza. El gobierno de Estados Unidos ha deportado a 3,156.372 personas desde el año 2000 (Anónimo [2020 TRAC]). Para muchas personas inmigrantes, la deportación significa dejar a su familia, sus posesiones y su profesión de manera definitiva. Para quienes llegaron a los Estados Unidos cuando eran menores de edad, el hecho de ser deportados significa tener que dejar el único país que han conocido. Para algunos inmigrantes que llegan a los Estados Unidos escapando de la violencia de sus países, la deportación puede significar la muerte.

Generalmente, se señala que el sistema migratorio de los Estados Unidos —específicamente la Oficina Ejecutiva para la Revisión de Inmigración (corte de inmigración)— está plagado de problemas relacionados con el proceso que necesitan ser reformados. En parte esto se debe a que la inmigración es considerada como un asunto civil por lo que las garantías constitucionales que se otorgan a quienes son

---

[1] La Dra. Maya Pagni Barak es profesora asociada del departamento de Criminología y Justicia Criminal y afiliada del Programa de Estudios de Género en la Universidad de Michigan-Dearborn.

acusados de cometer un crimen no se otorgan a los inmigrantes, que tienen que enfrentarse con un proceso de deportación sin importar su estatus migratorio. La creencia de que las injusticias del sistema migratorio estadounidense deberían ser resueltas a través del reconocimiento de derechos adicionales también obedece a la "política de derechos" predominante en la conciencia jurídica de los Estados Unidos y que predomina en las disputas relacionadas con temas de discriminación, desigualdad e injusticia social (Scheingold). Bajo este esquema, tanto activistas como abogados y académicos han concentrado sus esfuerzos en demandar el efectivo cumplimento del *debido proceso legal* (proceso legal),[2] en la corte migratoria. Esto ha incluido demandas por el derecho de las personas inmigrantes en estado de indigencia a contar con un abogado de oficio, así como la eliminación de la detención obligatoria. Sin embargo, la movilización de estos actores en torno a los derechos mencionados —especialmente si estos están pensados en el marco del sistema de justicia criminal— podría ser contraproducente.

En este capítulo, tomo distancia de la posición predominante que señala que los problemas del sistema migratorio de los Estados Unidos pueden ser resueltos a través del otorgamiento de garantías propias del proceso legal. En la primera parte, retomamos los debates en torno al poder —y el mito— de los derechos en Estados Unidos. Luego, ofrezco un panorama general del sistema migratorio estadounidense, específicamente del proceso ante la Corte Migratoria. En la sección siguiente, analizo algunos casos sobre defensa al indigente y de libertad bajo fianza con el fin de demostrar que los esfuerzos centrados en la expansión de derechos vinculados al proceso legal son promesas vacías de una transformación real del sistema migratorio. Finalmente, critico esta posición en tanto contribuye a reforzar la ilusión de la existencia de justicia del sistema al mismo tiempo que legitima el incremento de mecanismos de represión y control social. En cambio,

---

[2] El debido proceso legal —a veces llamada el *debido proceso, proceso penal,* o *debido proceso penal*— refiere a los derechos legales que poseen personas enfrente el poder del estado que estan grantizadas por ley. El enfoque de debido proceso se base en la justicia procedimental (por ejemplo, las reglas del corte criminal) y no en una justicia sustantiva (por ejemplo, el resultado de un juicio penal como un veredicto de culpabilidad o inocencia). Normalmente el debido proceso debe funcionar como un límite del poder estatal. Por mas información sobre el debido proceso en un contexto mundial, ver: Caro Coria; Fundación Para El Debido Proceso, López.

se deberían dirigir mayores esfuerzos a demandar reformas capaces de garantizar un sistema de justicia que esté al servicio del bienestar colectivo y la dignidad humana.

El mito de los derechos

En la obra *The Politics of Rights: Lawyers, Public Policy, and Political Change*, publicada en 1974, Scheingold desató discusiones muy activas en torno al valor de los derechos y la movilización legal, que se mantienen vigentes en la actualidad. En este libro, Scheingold presenta el "mito de los derechos" como un marco conceptual que identifica a los derechos legalmente reconocidos dentro del sistema jurídico como parte de una ideología y un discurso político. Explica que "los norteamericanos generalmente creen que el litigio es capaz de dar lugar a una declaración de derechos por parte de los jueces, y que esto conlleva a su vez la realización de esos derechos, todo lo cual es considerado como 'equivalente a un cambio verdadero'" (9). Para Scheingold esta creencia refleja la constitucionalidad Americana —la conciencia sobre los derechos esta codificada en la Constitución de los Estados Unidos y en su Carta de Derechos *(Bill of Rights)*—. El mito de los derechos nace, se nutre y se sostiene a partir de esta retórica. Se fomenta así una política de derechos que sienta precedente en los litigios y en el uso de mecanismos judiciales para resolver problemas sociales. Ahora, si bien la creencia en los derechos moldea el comportamiento ciudadano en casi todos los contextos, esto es especialmente visible en casos relacionadas con temas de discriminación, desigualdad genérica e injusticia legal y social. Estos casos se politizan con la esperanza de alcanzar lo que el mito de derechos promueve: el cambio social anhelado. Entonces una *demanda* por vivienda se convierte en el *derecho* a la vivienda que a su vez se equipara a adquirir una vivienda. Así, se canaliza el caso a través del sistema judicial en busca de una *reparación* alejándose de otras formas potencialmente capaces de acción social.

Si el mito fuera capaz de cosechar los frutos que cultiva, no habría mayor problema, sin embargo, Scheingold señala que el litigio frecuentemente fracasa en la tarea de provocar una declaración de derechos. El autor enfatiza además que, aun cuando el litigio tiene éxito, este no tienen la capacidad de garantizar la realización de ese derecho a través de mecanismos adecuados de supervisión y ejecución.[3] Un ejemplo de esto es el caso de *Brown v. Board of Education*, que es solo uno de muchos casos revolucionarios en materia de derechos civiles del siglo XX, y al cual generalmente se le atribuye el haber eliminado la segregación racial en el sistema educativo en Estados Unidos. Lo que es menos estudiado, sin embargo, es que se requirieron múltiples demandas y décadas de movilización social sostenida antes de que las escuelas fueran finalmente de-segregadas (cf. Rosenberg).

De modo similar en 1973 *Roe v. Wade* estableció el derecho al aborto, sin embargo esta decisión ha sido desafiada incansablemente por activistas, legisladores y políticos. Tal es el caso que 31 estados mantienen leyes que restringen el derecho de las mujeres a acceder al aborto. Recientemente, en 2019, seis estados aprobaron leyes que prohíben el aborto —sin excepción en casos de violación o incesto— criminalizando además a quienes proveen este servicio.[4] Otros derechos protegidos a nivel federal como el del salario mínimo y aquellos relacionados con estándares de salud y seguridad social son violados sistemáticamente en los Estados Unidos. Esto es especialmente común en los casos en que los derechos que se violan son de personas pertenecientes a grupos marginados como discapacitados,[5] indocumentados[6] o mujeres no blancas.[7] La incapacidad del estado —o su falta de voluntad— de garantizar derechos reconocidos por la ley siembra muchas dudas acerca de los alcances reales de estos derechos y amenaza la legitimidad del sistema legal en general.

Scheingold reconoce que la "noción" de derechos es poderosa, aunque sea muchas veces únicamente de manera simbólica. El solo hecho de reclamar un derecho puede ser empoderar y servir como una herramienta funcional de movilización social.[8] A través del litigio, la demanda de derechos puede servir para dirigir la opinión pública sobre hechos injustos. Además, estas demandas tienen la capacidad de

---

[3] Ver además, Rosenberg.

[4] A ver mas informacion visita sitio de web de Planificación Familiar: www.plannedparenthoodaction.org/issues/abortion.

[5] Ver, Engel y Munger.

[6] Ver, Ackerman y Furman; además, Kubrin et al.

[7] Ver, Crenshaw, especialmente en asuntos de identidad interseccional.

[8] Ver también, Epp; McCann.

conceder —al menos temporalmente— legitimidad a los reclamos de diversos grupos, y en muchos casos puede extender esta legitimidad a dichos grupos.[9] Más importante aún, la demanda de derechos es capaz de impulsar la acción colectiva. Al respecto, Scheingold concluye que "el litigio es más útil para promover el cambio social cuando es utilizado como agente para la movilización política que cuando es utilizado de manera convencional —esto es como medio para afirmar y realizar derechos" (9). A través de la movilización social, las coaliciones de votantes y políticos se reorganizan y sus prioridades políticas se actualizan, lo que puede llevar potencialmente al cambio social.

No obstante, la declaración de derechos —ya sea por parte de los jueces o los legisladores— no puede ser equiparada como cambios significativos dentro del sistema. Los derechos requieren la conciencia de que esos derechos existen, en caso contrario estos no pueden ser demandados. Los derechos requieren respeto, y esto no será posible si quienes son responsables de garantizar que estos sean respetados no comprender su valor. Además, los derechos requieren recursos, que requieren mecanismos que garanticen su cumplimiento (y financiación). Finalmente, los derechos tienen tanto poder como el que el sistema legal donde operan lo permita. En este sentido, Scheingold señala que es poco probable que la declaración de derechos ¿humanos? sea la vía más óptima para concretar los cambios sociales necesarios para garantizar sociedades más justas. Los enfoques centrados en el reconocimiento de derechos como vía para generar cambios sociales pueden resultar entonces poco fructíferos. Podemos así encontrarnos con mayor número de derechos reconocidos difíciles de garantizar o, peor aún, que estos nuevos reconocimientos puedan contribuir a enmascarar la persistencia de desigualdades e injusticias dentro del sistema judicial.

La ilusión del proceso legal y los derechos migratorios

La Constitución de los Estados Unidos garantiza la misma protección a ciudadanos nativos como a inmigrantes, sin importar su estatus migratorio. La Corte Suprema, sin embargo, ha sostenido que los asuntos migratorios, incluidos los relativos a deportaciones y detenciones,

[9] Ver también, Felstiner, Able, y Sarat.

pertenecen al ámbito civil y por tanto no se benefician de las protecciones relativas al proceso legal que provienen en el caso de procedimientos criminales. Esto incluye el derecho a un abogado de oficio para personas que no cuenten con los medios para contratar un defensor. Otras protecciones constitucionales que no se aplican en el caso de asuntos migratorios son aquellas relacionadas con la invalidez de la confesión de culpabilidad, un juicio por jurado, la prohibición de leyes *ex post facto* (retroactivas) y la prohibición de sanciones inusuales o que involucren actos de crueldad (cf. Torrey). De igual modo, las normas relacionadas a la evidencia dentro del sistema criminal de justicia generalmente están ausentes en los procesos de deportación (cf. Johnson et al.). En la práctica esto implica que una evidencia obtenida sin que medie una orden judicial o que contravenga los principios plasmados en el caso *Miranda v. Arizona* pueda ser admitida en estos procesos, con la única excepción de aquella que involucre violaciones flagrantes a la Cuarta Enmienda.[10] No obstante, dentro de las cortes de inmigración, las personas migrantes tienen derecho a presentar evidencias, a repreguntar a los testigos en el proceso, a presentar fianzas de apelación y a apelar decisiones de deportación, así como a acceder a algunas de las protecciones establecidas en la Quinta Enmienda.[11] Entre estas protecciones, las personas inmigrantes tienen el derecho a un proceso de deportación justo (cf. Torrey).

La deportación y la Corte de Inmigración en Estados Unidos

Los procesamientos migratorios en los Estados Unidos están a cargo de múltiples agencias estatales. El hoy extinto Servicio de Inmigración y Naturalización, establecido en 1933, estaba a cargo todos los asuntos migratorios. Inicialmente como parte del Departamento de

[10] La Cuarta Enmienda protege contra de búsqueda y captura ilegal por el gobierno (e.g. detención arbitraria o vigilancia sin una orden judicial). Por una explicación de la aplicabilidad de la Cuarta Enmienda en la corte de inmigración, ver además a Chacón.

[11] La Quinta Enmienda garantiza multiples derechos, incluyendo: el derecho a un "grand jury," o un jurado especial que decide si acusar o no, formalmente, a alguien de los cargos criminales; el derecho en contra de "double jeopardy," o el acto de enjuiciar a alguien dos veces por el mismo delito; y el derecho en contra de autoincriminación. También, la Quinta Enmienda require el proceso legal sea parte de cualquiera audiencia o tribunal que puede negar a un ciudadano "la vida, la libertad o la propiedad." Por una explicación de la aplicabilidad del Cuarta Enmienda en la corte de inmigración, ver además a Johnson et al.

Trabajo y luego como parte del Departamento de Justicia, el Servicio de Inmigración y Naturalización procesaba solicitudes de visas, supervisaba asuntos migratorios —tales como permanencias después de la expiración del visado e ingresos ilegales al país— y llevaba conflictos migratorios ante la corte. En el año 2003, esta agencia fue desmantelada y reestructurada en tres agencias distintas a cargo del entonces recientemente creado Departamento de Seguridad Nacional: 1) Ciudadanía en los Estados Unidos y Servicios de Inmigración, encargada de casos de inmigración legal dentro del país; 2) Aduanas y Protección de la Frontera de los Estados Unidos, encargada de monitorear y procesar el desplazamiento de personas y bienes a través de las fronteras; y 3) Ejecución de las Normas de Aduanas e Inmigración de los Estados Unidos, a cargo de ejecutar las regulaciones federales sobre inmigración, investigar desplazamientos ilegales de personas y bienes, y prevenir actos de terrorismo en el interior del país.

La Oficina Ejecutiva para la Revisión de Inmigración fue establecida como órgano independiente dentro del Departamento de Justicia en 1983 y permaneció así a pesar de la reestructuración de 2003. La corte de inmigración es el brazo judicial del Sistema de Inmigración y es responsable de resolver cientos de miles de casos anualmente a través la interpretación y administración de la ley federal de inmigración. La corte de inmigración esta compuesta por 63 salas y 400 jueces. Estas salas son tribunales de primera instancia encargadas de interpretar y aplicar la normativa migratoria federal (cf. Marks). Se encargan de conocer una gran variedad de procesamientos, apelaciones y audiencias administrativas de las cuales la gran mayoría corresponden a audiencias de deportación. Así, estas salas reciben cientos de miles de casos cada año. Actualmente, estos juzgados presentan un retraso equivalente a 1,129.890 casos que se encuentran pendientes de resolución. (Anónimo [2020 TRAC])

Existen diversos "casos especiales" de deportación en los cuales se garantizan menos derechos que en los procesos "estándar" de deportación. Por ejemplo, ciertas clases de inmigrantes, como aquellos convictos por algunos tipos de crímenes mayores, pueden estar sujetos a deportación administrativa por parte de una oficina de inmigración, procesos expeditivos o deportaciones judiciales en caso de ser vinculados con crímenes federales al momento de emitir sentencia o una deportación judicial relacionada con una condena por un delito federal.[12] Las personas sospechosas de terrorismo también son sujetas a procesos especiales de deportación que no son llevados a cabo por la corte de inmigración, sino por la corte especial de deportación terrorista.[13] Generalmente, sin embargo, los procesos de deportación se realizan en la corte de inmigración, la cual recibe cerca de 250.000 casos al año. (EOIR, [2019])

Las personas inmigrantes que afrontan procesos de deportación frecuentemente son detenidas durante todo el tiempo que dura el proceso. Estos procesos pueden durar varios meses y en situaciones excepcionales pueden prolongarse años (cf. Ryo; *Jennings v. Rodriguez*). Se ha llegado a afirmar que la detención migratoria equivale a "una detención criminal pero sin las protecciones constitucionales" (Torrey 880). Algunos inmigrantes podrían ser liberados bajo fianza, sin embargo, en estos procesos no existe el derecho constitucional a ser liberado bajo fianza. En los casos en que la libertad bajo fianza es posible, la decisión es dejada a la discrecionalidad de los jueces de inmigración, quienes evalúan el riesgo potencial de peligrosidad y el riesgo de fuga en el caso concreto (cf. Ryo). Los jueces están llamados a considerar la capacidad de pago de las personas acusadas al momento de establecer el monto de la fianza, sin embargo los jueces de inmigración no están obligados a considerar las circunstancias financieras de las personas inmigrantes en el momento de establecer la fianza (cf. Pepper). Por ello, no es inusual que las personas inmigrantes a las que se les ha concedido el derecho de fianza, permanezcan en detención por carecer de los medios para pagarla. (op. cit.)

La lista de individuos que son sujetos a detención obligatoria se ha incrementado en las últimas décadas, en especial tras la aprobación de la Ley Anti-Terrorismo y de Pena de Muerte Efectiva (AEDPA) y la Reforma de la ley de Inmigración Ilegal y de Responsabilidad del Inmigrante (1996). En la actualidad, la detención obligatoria a cualquier persona que: 1) hubiera cometido un "crimen que implique bajeza moral"; 2) tenga dos o más antecedentes penales; 3) sea sospechoso según el Departamento de Seguridad Nacional de ser traficante de drogas; 4) hubiera cometido delitos relacionadas con prostitución; 4) hubiera cometido delitos relacionados con el lavado de dinero; 5) hubiera cometido "delito agravado" que bajo la ley federal de inmigración incluya

---

[12] Ver, Palmer, Yale-Loehr y Cronin.

[13] Ver, Johnson et al.

condenas por faltas leves; 6) hubiera cometido delitos relacionados con el tráfico de drogas; 7) hubiera cometido delitos relacionados con el uso de armas de fuego; o 8) sea sospechosa para el Departamento de Seguridad Nacional de estar involucrada con actividades terroristas (cf. Torrey). Dado que la detención migratoria es considerada una reclusión civil y por tanto no tiene categoría de sanción, las personas detenidas no cuentan con las mismas protecciones ni derechos otorgados en los casos de encarcelamiento por asuntos penales.

Los inmigrantes no tienen derecho a audiencias en persona en salas donde hay equipos de videoconferencia. Esta tecnología se utiliza normalmente, en vez de trasladar a los inmigrantes detenidos a las cortes de inmigración para las audiencias de deportación. Asimismo, se utiliza cuando tiene que reemplazarse al juez por alguna causa y para la comparecencia esporádica de algún abogado. El Cuarto Circuito ha reconocido que un testimonio por video conferencia no es capaz de reflejar las emociones de la misma manera que un testimonio presencial, en tal sentido el Cuarto y Séptimo Circuito han reconocido que la comparecencia vía video conferencia no es equivalente a la comparecencia física y puede ser perjudicial para el caso de la persona en cuestión (*Thornton v. Snyder*; *Rusu v. INS*). Sin embargo, las salas del Circuito aún no se pronuncian sobre si este mecanismo prive efectivamente a las personas inmigrantes de la oportunidad de presentar sus casos de manera plena y justa ante la Corte de Inmigración (*Rusu v. INS*).

Es complicado establecer cuánto de difundidas se encuentran las videoconferencias dentro de Sistema Judicial Migratorio, dado que los documentos oficiales sobre el uso de estas tecnologías por lo general no están abiertos al público. Sin embargo, a mediados de la década del 2000, la mayoría de las salas de la corte de inmigración había sido equipada para tal fin (cf. Walsh y Walsh). El equipamiento generalizado de esta tecnología, junto con un incremento en el número de casos recibidos por la corte (cf. Ryo) y el aumento de detenciones (cf. DeStefano) sugieren que las videoconferencias en la corte serían el mecanismo predominante.

Los procesos de deportación están divididos en audiencias iniciales y audiencias de mérito. Las primeras equivalen a audiencias preliminares y en ellas se lleva a cabo la presentación de alegatos, programaciones, procedencia de fianza y asuntos relacionados con asesorar a la persona inmigrante sobre sus derechos y explicarle los cargos de los cuales se le acusa. Esto mismo tiene lugar cuando se ha decidido sobre la deportación de una persona; si esta decisión es apelada, el juez puede programar una audiencia adicional sobre el asunto de la deportación. Las audiencias iniciales se programan en grupo, denominado "Calendario Maestro", en el cual se realizan audiencias múltiples a lo largo de un solo día. Por ejemplo, no es inusual que una jueza o juez pueda completar dos docenas de audiencias antes de la hora de comer.

El inglés es el idioma oficial en la corte de inmigración de los Estados Unidos. Si las personas que se presentan ante la corte no están en condiciones de "entender plenamente y participar en los procesos de deportación", la corte proporcionará un intérprete. El servicio de interpretación es contratado directamente por la corte de inmigración o es subcontratado a través de una empresa dedicada a esta labor. La mayoría de salas migratorias cuenta con intérpretes para ambos idiomas (castellano e inglés) dentro de su *staff* de empleados y utilizan interpretación telefónica para todos los demás idiomas. Todas las personas encargadas del servicio de interpretación declaran bajo juramento "interpretar y traducir adecuadamente", y son supervisados por la Unidad de Servicios del Idioma de la EOIR, encargada de implementar programas de garantía de calidad (4). A pesar de estas medidas, se observan errores en la interpretación durante las audiencias de deportación, tal como sucede en procesos de materia civil y penal (cf. Angermeyer).[14]

Durante una audiencia de deportación el gobierno está representado por un abogado del Servicio de Inmigración y Control de Aduanas. Es responsabilidad de este abogado establecer la extranjería y deportabilidad de la persona inmigrante. Generalmente, la persona es sujeta a deportación si ingresó a los Estados Unidos sin autorización, excedió el tiempo de permanencia permitido o fue encontrada culpable de cierto tipo de delitos. No existe el derecho a un abogado de oficio en la corte de inmigración. Si bien tienen el derecho de contar con un abogado reconocido en la Quinta Enmienda, la falta de este no se considera una violación al proceso legal (*Aguilera-Enriquez v. INS*). Entonces en caso de no poder contratar a un abogado o acceder a defensa legal *pro-bono*,[15] las personas deben defenderse por sí mismas sin representación legal.

[14] Ver también, Bowels.

[15] El termino "pro bono" significa servicios legales gratuites de un abogado privado or organización legal (no incluye defensa al indigente).

Muchos estudios académicos han destacado las dificultades a las que se enfrentan las personas inmigrantes para obtener asesoría legal. Entre 2007 y 2013 el 37% de todos los procesos de deportación y solo el 14% de todos las personas inmigrantes que son detenidas pudieron acceder a la representación legal (cf. Eagly y Shafer). De igual manera, también se han destacado las dificultades de obtener una representación legal de calidad en el contexto migratorio.[16] Esto es de especial importancia considerando que aquellas personas inmigrantes que cuentan con representación legal tienen muchas más probabilidades de no ser deportadas que aquellas que no cuentan con este servicio.[17]

La responsabilidad recae en el inmigrante, en el caso de que decida impugnar su deportación, ya que deberá demostrar que puede ser seleccionada para su permiso de estancia. Por el contrario, incluso si los inmigrantes son seleccionados para este permiso de estancia, pueden decidir abandonar voluntariamente los Estados Unidos, para evitar posibles consecuencias negativas; en caso de no proliferar su proceso, las personas inmigrantes pueden elegir abandonar los Estados Unidos voluntariamente. Además, los jueces migratorios tienen la obligación de informar de cualquier causa de exclusión para la deportación.[18] De no existir peticiones de exclusión, la orden de deportación o de terminación del proceso tendrá lugar en la audiencia inicial. Las peticiones de exclusión se examinan en las audiencias individuales de mérito, por lo que la decisión de conceder o denegar la exclusión (y proceder a la deportación) tiene lugar en esta etapa.

Entre los mecanismos más comunes de solicitar la exclusión o detener la deportación figuran: el ajuste de estatus migratorio, concesión de asilo y suspensión de exclusión, cancelación, mociones de reapertura o reconsideración, suspensión de la deportación. Estados Unidos es parte de la Convención de Naciones Unidas contra la Tortura, y por tanto la exclusión para la deportación puede ser concedida a personas en riesgo de sufrir tortura ya sea por acción u omisión del gobierno de sus países de origen.[19] Otras forma de exclusión son concedidas a personas originarias de países de la antigua Unión Soviética, o de

[16] Ver también, Abel; Ardalan; Barnes; Markowitz; Mellinger; Zatz and Rodriguez.

[17] Ver también, Eagly and Shafer; Miller, Keith and Holmes; Stave et al.

[18] Ver, Johnson et al.

[19] Ver, Johnson et al.

países que recientemente experimentaron desastres naturales, o que son víctimas de diferentes crímenes en su contra. Los jueces están obligados a interpretar los términos de la deportación a favor de la persona inmigrante, sin embargo la decisión de deportación sigue siendo discrecional (op cit.). Por lo general, menos de un cuarto de casos termina en alguna forma de exclusión, permitiendo la permanencia de las personas en Estados Unidos. No obstante, esto varía dependiendo de la sala y de los jueces (cf. Ramji-Nogales et al.). Si las personas no comparecen a alguna de las audiencias programadas durante el proceso de deportación, el juez puede —y frecuentemente lo hace— ordenar sus deportaciones.

La Junta de Apelaciones de Inmigración tiene competencia en decidir en la mayoría de casos de deportación. En los últimos diez años ha recibido aproximadamente entre 30.000 y 40.000 casos por año, siendo la mayor parte de estos casos apelaciones a decisiones judiciales (EOIR, [2015]). Aunque estos casos eran originalmente sujetos a revisión por parte de un panel de cinco jueces de inmigración, debido a las reformas implementadas por los Fiscales Generales Janet Reno y John Ashcroft, actualmente las apelaciones que llegan a la Junta de Apelaciones de Inmigración son revisadas por un solo juez. Además, en los caso en que los jueces revisores ratifiquen las decisiones apeladas, no están obligados a justificar por escrito esta decisión (cf. Neuman).

Algunas sentencias son candidatas para apelación —tales como aquellas que involucran asuntos constitucionales o de legalidad— sin embargo esta posibilidad fue severamente limitada por la legislación federal aprobada durante la década de los '90 (cf. Johnson et al.). Desde entonces, las decisiones sobre asuntos de deportación, entre otras, no acceden a la revisión judicial. A pesar de estas restricciones, existen casos excepcionales en que algunas apelaciones en temas migratorios logran acceder a la Corte Suprema.

Soluciones inspiradas en las cortes criminales: Defensa al indigente y Fianza en efectivo

La Corte Suprema ha establecido que los asuntos migratorios son de naturaleza civil y por tanto no se aplican las protecciones del proceso legal garantizadas en el sistema criminal. Sin embargo, esto no ha impedido que se organicen esfuerzos demandando tales garantías por parte del activismo legal y político.[20] En 2013, el Proyecto para la Unidad de la Familias Inmigrantes en Nueva York (Immigrant Family Unity Project), que ofrece servicios de representación legal gratuita, fue el primer programa piloto sobre defensa al indigente para las personas involucradas en procesos de deportación.[21] Esta iniciativa fue replicada por la Defensoría Pública del Condado de la Alameda, que desarrolló el primer proyecto en el estado de California sobre la defensoría pública de las personas inmigrantes en 2014. Muchos proyectos similares han sido replicados a lo largo del país, incluyendo aquellos organizados de manera independiente en once estados que conforman el Instituto Vera de Justicia de la Red de Ciudades Seguras.[22]

Otros esfuerzos se han dirigido, sin éxito, contra las prácticas de detención de inmigrantes. En los últimos años la Corte Suprema ha frenado acciones en contra del uso de la detención indefinida (*Jennings v. Rodriguez*) y el uso de la detención mandatoria en contra de inmigrantes que han cometido delitos, incluidos aquellos que son elegibles para el alivio de la deportación (*Nielsen v. Preap*). En el año 2017, el Noveno Circuito de Cortes de Apelación ratificó una orden preliminar emitida por una corte inferior que declaró fundada la demanda presentada por la Unión Americana para las Libertades Civiles requiriendo que el juez migratorio considerase las condiciones económicas de la persona inmigrante al momento de establecer el monto de la fianza (*Hernandez v. Sessions*). Esta decisión, sin embargo, solo se aplica a jueces migratorios operando bajo la jurisdicción del Noveno Circuito, que incluye los estado de Alaska, Arizona, California, Hawai, Idaho, Montana, Nevada, Oregón y Washington. Por su parte, la Corte Suprema, a través de su pronunciamiento en el caso de *Jennings* y *Nielsen* como en varios otros, ha establecido un evidente sentimiento anti-inmigrante entre la actual mayoría de miembros de la Corte. Bajo estas condiciones, es poco probable que la decisión del Noveno Circuito en el caso de *Hernandez v. Sessions*, que establece como requisito considerar las condiciones económicas de las personas inmigrantes al momento de establecer el monto de la fianza, pueda resistir una impugnación del Tribunal Supremo.

[20] Ver también, Adams; Eagly; Fennell; Kagan.

[21] Ver, The Bronx Defenders: www.bronxdefenders.org/programs/new-york-immigrant-family-unity-project/.

[22] Ver, Chan.

Es necesario que las personas inmigrantes puedan acceder a las protecciones relativas al proceso legal, entre las cuales se encuentra el derecho de defensa al indigente. El hecho de que las personas que afrontan un proceso de deportación tengan que defenderse ellas mismas si no cuentan con los recursos para contratar un abogado no hace sino demostrar las inconsistencias que gobiernan el sistema de inmigración de los Estados Unidos. En este sentido, se espera que estas personas puedan moverse dentro de un sistema legal extranjero y en un idioma que muchas veces no dominan. Nuevamente, no es sorprendente que muchos inmigrantes obtengan mejores resultados si cuentan con asesoría legal profesional. Tampoco existen provisiones específicas para la defensa legal de menores de edad. Y, aunque es infrecuente, existen casos de niñas y niños entre 2 y 3 años que se han representado ellos mismos ante la corte.[23]

La detención obligatoria de personas por asuntos civiles es igualmente problemática. Las instalaciones de los centros de detención de inmigrantes son diseñadas a partir de las cárceles de Estados Unidos. En muchos casos, los centros de detención y las cárceles son los mismos debido a que el gobierno federal subcontrata instalaciones estatales y privadas para retener a las personas inmigrantes que son detenidas.[24] Bajo este esquema de subcontratación, las personas inmigrantes detenidas son ubicadas junto con la población general, por lo que son tratados como criminales convictos que están cumpliendo una pena (National Immigrant Justice Center and Physicians for Human Rights). Diferentes abusos, problemas de salud y seguridad y otras violaciones de derechos humanos en estos centros de detención han sido ampliamente documentados.[25] Al contrario de lo que asume el Gobierno de Estados Unidos, la mayoría de estos inmigrantes no representa "riesgo de fuga" puesto que comparecen antes en la Corte para la audiencia de deportación. (Office of Inspector General [2015])

Las prácticas de detención han sido objeto de un nuevo escrutinio a partir de la política de separación familiar implementada durante el gobierno de Trump. Bajo esta política iniciada en 2018 (aunque existen indicios de haber iniciado en 2017), 2.600 menores de edad —algunos de tan solo meses de edad— fueron separados de sus pa-

---

[23] Ver también, Huynh; Jewett and Luthra.

[24] Ver, Ackerman and Furman; Schriro.

[25] Ver también, Little; Marouf.

dres cuando intentaban cruzar la frontera hacia los Estados Unidos (Office of Inspector General [2019]). Los adultos fueron retenidos en detención obligatoria mientras que sus hijas e hijos fueron trasladados a la Oficina de Realojamiento de Refugiados y retenidos en albergues temporales mientras eran procesados para su deportación.

Diversas investigaciones realizadas de manera independiente por periodistas y políticos encontraron que las instalaciones utilizadas para albergar a inmigrantes menores de edad —que en esencia constituían otra forma de detención— no cumplían con las necesidades básicas de salud, higiene y seguridad (cf. Stieb), mucho menos garantizaban el cuidado y supervisión necesarios por parte de personas responsables para tal fin (cf. Schults and Schwab). Reportes sobre abusos físicos, psicológicos y sexuales (cf. Gonzales), algunos de los cuales se hicieron en represalia a los reclamos de algunos menores de edad contra las precarias condiciones de los albergues (cf. Soboroff and Ainsley), también han salido a la luz. Indicando un inadecuado registro de los casos, el gobierno ha admitido su incapacidad para reunir a muchos menores de edad con sus padres porque no puede comprobar la identidad de estos últimos. (Office of Inspector General)

La creencia de que expandir los derechos de los inmigrantes que se enfrentan a un proceso de deportación incrementará sus posibilidades y mejorará su experiencia dentro del sistema de inmigración se fundamenta en el mito de derechos al que hicimos alusión en la primera parte de este capítulo. Más problemático aún es demandar derechos procedimentales utilizando como modelo los derechos reconocidos dentro del sistema de justicia criminal. En innegable que las garantías del derecho en el proceso legal —tales como el derecho de los acusados a conocer las pruebas en su contra y las pruebas de su inocencia, acceso a representación legal y un juicio rápido— contribuyen a equilibrar el terreno en disputa entre las personas acusadas y el estado, sin embargo, hacen poco por abordar las injusticias estructurales inherentes al sistema de justicia criminal de los Estados Unidos. El sistema de justicia criminal fue construido sobre los legados de una sociedad esclavista, en la cual la discriminación racial era legal; además tiene una enorme influencia del neoliberalismo capitalista. Las violaciones de derechos han sido ampliamente documentadas tanto por parte de la policía, de las cortes de justicia, como en los centros penitenciarios. Las protecciones al proceso legal reconocidas constitucionalmente no han bastado para proteger a las comunidades no blancas y otros grupos marginados de la privación de sus derechos,[26] encarcelamiento masivo,[27] excesivo control policial[28] y condenas injustas.[29]

Diversos pronunciamientos del Tribunal Supremo han interpretado que el derecho a un abogado en el sistema de justicia criminal se derive de las protecciones reconocidas por la Sexta y Decimocuarta Enmiendas. *Gideon v. Wainwright* es probablemente la decisión más relevante del Tribunal en este sentido; en este caso el Tribunal estableció el derecho a contar con un abogado de oficio en caso de que las personas acusadas no pudieran contratar uno. En los Estados Unidos, la defensa al indigente se ofrece de dos maneras: a través del defensor público o a través de la asignación de un abogado por parte de la corte y pagado por el estado.

Sin embargo, el sistema de defensa al indigente esta notoriamente infravalorado en términos de financiación, considerando la excesiva carga de casos que manejan los defensores públicos (cf. Drinan 2010). Tal como explica la Sindicato por las Libertades Civiles Americanas, "el acceso a un abogado significa poco si este carece de tiempo, recursos o habilidades para llevar a cabo una defensa efectiva". No es poco común que las personas en estos casos decidan no ejercer su derecho a un abogado cuando son detenidas e interrogadas por la policía (cf. Kassin and Norwick). Jóvenes, personas con enfermedades mentales, aquellas que no cuentan con experiencia previa en el sistema de justicia criminal o que son inocentes son más susceptibles de no utilizar los servicios de un abogado debido a una falta de comprensión de sus derechos, lo cual lleva a falsas confesiones de culpabilidad y acuerdos desfavorables (op. cit.).

La práctica de la fianza en el sistema de justicia criminal está igualmente plagada de problemas. Aun cuando no existe un derecho constitucional a la libertad condicional o a fianzas para personas imputadas con delitos penales, la Octava Enmienda protege a las personas acusadas de "fianzas excesivas", o fianzas cuyos montos superen el necesario para obligar a las personas a comparecer a su audiencia criminal. Con anterioridad a 1980, se entendía que esta Enmienda incluía el

---

[26] Por ejemplo, ver Mauer and Chesney-Lind.

[27] Por ejemplo, ver Alexander.

[28] Por ejemplo, ver Forman; Golash-Boza.

[29] Por ejemplo, ver Gross, Possley, and Stephens.

derecho a fianza (cf. Verrilli), sin embargo, esto cambió con la aprobación de leyes federales que establecieron como obligatoria la prisión preventiva para personas acusadas de delitos graves por considerar que representaban un riesgo para la comunidad (The Bail Reform Act of 1984). En *United States v. Salerno*, el Tribunal Supremo ratificó la constitucionalidad de la detención preventiva por considerar que no violaba la garantía al proceso legal reconocida en la Quinta Enmienda, ni la protección contra fianzas excesivas reconocida en la Octava Enmienda.[30]

A pesar de ello y debido a que la gran mayoría de cargos criminales en los Estados Unidos son por delitos menos serios, frecuentemente se aplica la fianza en lugar de la detención preventiva. Uno de los aspectos más criticados del sistema de fianza es el hecho de que impacta desproporcionadamente en las personas negras y en situación de pobreza (cf. Woods y Allen-Kyle). Aunque el establecimiento del monto de la fianza se establece de acuerdo a las circunstancias de la persona acusada, generalmente se aplican montos fijos predeterminados para cargos criminales (cf. Wiseman). En los casos en que las personas no puedan pagar la fianza, pueden utilizar los servicios de un agente de fianzas, quien cobrará una cuota adicional por pagar la fianza. En palabras de Wiseman, "la comercialización del pago de fianzas es una de las formas más antiguas de privatización del sistema de justicia criminal" (1398); por tanto no llama la atención que esta sea una industria (op cit.). Los acusados que no pueden pagar la fianza y no pueden contratar a un agente de fianzas son obligados a esperar su juicio en la prisión.

A la luz de estas críticas, algunos se han inclinado por alguna forma de supervisión comunitaria que no esté supeditada al pago de una fianza (cf. Wiseman). Este tipo de monitoreo, que es selectivamente utilizado tanto en el sistema de justicia criminal como en el sistema de inmigración, no ha estado exento de críticas. Normalmente, las personas que tienen acceso a la supervisión comunitaria tienen que usar pulseras con sistemas GPS de rastreo, para lo cual tienen que pagar una cuota diaria (cf. Kofman); el incumplimiento en el pago de dicha cuota y la deuda consiguiente puede estar sujeta a pena de cárcel. (op cit.) Por estas características, la supervisión comunitaria es

[30] La Octava Enmienda incluye protecciones en contra de fianzas excesivas, multas excesivas, y "castigos crueles y inusuales."

considerada un mercado emergente —y muy lucrativo— en el mundo penitenciario, atrayendo el interés de varias empresas privadas y grupos lobistas (cf. Fisher; Pew Charitable Trusts). Además de los costos excesivos del sistema de rastreo GPS, estas pulseras, que son parte del programa de supervisión comunitaria del servicio de Aplicación de las Leyes de Inmigración y Aduanas, causan dolor, incomodidad y lesiones a quienes las usan. A pesar de ello, quitarse o manipular estas pulseras puede estar sujeto a pago de un monto adicional por dañar un dispositivo de rastreo (cf. Miller).

Incluso si las protecciones propias del proceso legal, tales como la defensa al indigente o la posibilidad de excluirse de la detención obligatoria, fueran incorporadas, aplicadas y respetadas dentro del sistema de inmigración, sería poco probable que hubiera cambios sustanciales en los procesos de deportación. Las interrogantes en torno a la calidad de la representación legal y los recursos destinados al sistema de defensa al indigente persistirían. Si bien es cierto que los resultados generalmente son mejores para las personas que cuentan con un abogado que las represente, estudios recientes sugieren que estos resultados pueden ser peores para las personas inmigrantes con representación legal de mala calidad que si tuvieran que representarse ellas mismas (cf. Mellinger). De manera similar, garantizar el derecho a comparecer a la audiencia de deportación bajo fianza crearía las condiciones para mayores niveles de explotación por parte de intereses privados, incluyendo las industrias de fianza y supervisión comunitaria.

MÁS ALLÁ DE LA ILUSIÓN

El mito de derechos es una ilusión predominante en la sociedad norteamericana, sin embargo, no es inalcanzable. Existen numerosos casos que dan cuenta del fracaso de los derechos tanto dentro del sistema de justicia criminal como en el sistema de inmigración de los Estados Unidos. En el caso de las cortes de inmigración basta con examinar la Quinta Enmienda para entender el fracaso de la falsa promesa de derechos: el sistema ya garantiza a las personas inmigrantes el derecho constitucional de una audiencia de deportación "fundamentalmente justa". No obstante, estas audiencias son fundamentalmente injustas, ya que muchas mujeres y hombres en proceso de deportación no cuentan con mecanismos legales que les habiliten para detener este proceso, cuenten o no con un abogado. Es decir, el sistema no puede cumplir con el derecho a —ni la promesa de— una audiencia "fundamentalmente justa" porque el sistema migratorio es fundamentalmente injusto.

Las injusticias procedimentales dentro de las cortes migratorias no son simplemente resultado de la ausencia del proceso legal, sino que se derivan de déficits estructurales del sistema de inmigración en su totalidad. De este modo, el Sistema de Inmigración de los Estados Unidos está diseñado para que los inmigrantes pierdan en casi todos los escenarios posibles. En un contexto definido por políticas excluyentes que restringen la migración autorizada y que limitan la posibilidad de que las personas inmigrantes participen plenamente en la sociedad estadounidense, hasta políticas draconianas que criminalizan a las personas inmigrantes por cada infracción, por pequeña que sea, es esperable que la batalla por permanecer en Estados Unidos sea muy complicada. Las protecciones del proceso legal rigen las "reglas del juego" y aseguran que cada cual juegue de manera "justa". Pero de nada sirven estas reglas si el juego está amañado para que una de las partes siempre gane.

La promulgación de derechos procedimentales en las cortes de inmigración enmascara las barreras estructurales y la desigualdad sistemática inherente al Sistema de Inmigración de los Estados Unidos. Los problemas en el interior de las cortes y en el sistema de deportación no pueden ser resueltos a través de protecciones relacionadas con el proceso legal. Tales protecciones promueven percepciones falsas sobre la existencia de justicia al mismo tiempo que refuerzan los mecanismos de control social. Buscar dentro del Sistema de justicia criminal de los Estados Unidos posibles vías de solución para el sistema de inmigración es inútil. Por el contrario, las lecciones que pueden ser aprendidas del Sistema de Justicia Criminal deben centrarse en los errores del mismo: la pena capital, un racismo y sexismo arraigados, la falta de imparcialidad de los jueces, encarcelamiento masivo, brutalidad por parte de la policía (y por parte de la oficina correccional), conducta indebida de la fiscalía, privatización, régimen de aislamiento, paradas y cacheos (*stop and frisk*), condenas injustas, entre otros.

Por todo lo descrito en este capítulo, urgen reformas sustantivas inspiradas en los movimientos de lucha contra la pena de muerte y la prisión efectiva. Es necesario empezar a pensar en el desmantelamiento de un sistema represivo como es el sistema de inmigración de los Estados Unidos. Estas reformas deben estar orientadas a abolir la detención y la deportación, eliminando finalmente la necesidad de una corte de inmigración. Así, los cambios que se propongan tienen que estar dirigidos fundamentalmente a despenalizar la inmigración, eliminar las sanciones penales aparejadas al ingreso no autorizado al país y la presencia ilegal de las personas que inmigran. Es necesario expandir la inmigración autorizada prescindiendo del sistema de cupos de visas, eliminando la rigidez de los requisitos de entrada y disminuyendo los costos exorbitantes de las visas. Perseguir reformas parciales centradas en expandir las garantías del proceso legal solo contribuye a crear una ilusión de derechos dentro del sistema de inmigración, además de reforzar el mito de los derechos en la mente de los ciudadanos de los Estados Unidos.

Obras citadas

Abel, Richard L. "Practicing Immigration Law in Filene's Basement." *North Carolina Law Review*, vol. 84, 2006, pp. 1449-1500.

Ackerman, Alissa R. and Rich Furman. "The Criminalization of Immigration and the Privatization of the Immigration Detention: Implications for Justice." *Contemporary Justice Review*, vol. 16, no. 2, 2013, pp. 251-263.

Ackerman, Alissa R. and Rich Furman, editors. *The Criminalization of Immigration: Contexts and Consequences.* Carolina Academic Press, 2014.

Adams, Matt. "Advancing the 'Right' to Counsel in Removal Proceedings." *Seattle Journal for Social Justice*, vol. 9, no. 1, 2010, pp. 169-183.

Aguilera-Enriquez v. INS, 516 F.2d 565 (6th Cir. 1975)

Alexander, Michelle. *The New Jim Crow.* The New Press, 2010.

Angermeyer, Philipp Sebastian. "Translation Style and Participant Roles in Court Interpreting." *Journal of Sociolinguistics*, vol. 13, no. 1, 2009, pp. 3-28.

Ardalan, Sabrineh. "Access to Justice for Asylum Seekers: Developing an Effective Model of Holistic Asylum Representation." *University of Michigan Journal of Law Reform*, vol. 48, no. 4, 2015, pp. 1001-1038.

Barnes, Jennifer. "Practice Context: The Lawyer-Client Relationship in Immigration Law." *Emory Law Journal*, vol. 52, 2003, pp. 1215-1220.

Bowels, John R. "Court Interpreters in Alabama State Court: Present Perils, Practices, and Posibilities." *American Journal of Trial Advocacy*, vol. 31, 2007-2008, pp. 619-649.

Brown v. Board of Education, 347 U.S. 483 (USSC 1954)

Caro Coria, Dino Carlos. "Las Garantías Constitucionales del Proceso Penal." *Anuario de Derecho Constitucional Latinoamericano*, 2006, pp. 20128-20145.

Chan, Annie. "Safety and Fairness for Everyone (SAFE) Network." *Vera Institute of Justice*, www.vera.org/projects/safe-network. Accessed 27 May 2020.

Chacón, Jennifer. "A Diversion of Attention? Immigration Courts and the Adjudication of Fourth and Fifth Amendment Rights." *Duke Law Journal*, vol. 59, no. 15, 2010, pp. 1563-1633.

Crenshaw, Kimberlé. "Demarginalizing the Intersection of Race and Sex: A Black Feminist Critique of Antidiscrimination Doctrine, Feminist Theory and Antiracist Politics." *University of Chicago Legal Forum*, vol. 1989, no. 1, 1989, pp. 139-167.

DeStefano, Sara. "Unshackling the Due Process Rights of Asylum-Seekers." *Virginia Law Review* Association, vol. 105, 2019, pp. 1667-1716

Eagly, Ingrid V. "Gideon's Migration." *Yale Law Journal*, vol. 122, 2013, pp. 2282-2314.

Eagly, Ingrid V. and Steven Shafer. "A National Study of Access to Counsel in Immigration Court." *University of Pennsylvania Law Review*, vol. 164, no. 1, 2015, pp. 1-91.

Engel, David M. and Frank W. Munger. *Rights of Inclusion: Law and Identity in the Life Stories of Americans with Disabilities.* University of Chicago Press, 2003.

Epp, Charles R. *The Rights Revolution: Lawyers, Activists, and Supreme Courts in Comparative Perspective.* University of Chicago Press, 1998.

EOIR (Executive Office for Immigration Review). *FY 2014 Statistical Year Book.* U.S. Department of Justice, 2015.

—. 2019. *Statistics Yearbook: Fiscal Year 2018.* U.S. Department of Justice.

Felstiner, William L.F., Richard L. Able, and Austin Sarat. "The Emergence and Transformation of Disputes: Naming, Blaming, Claiming..." *Law & Society Review*, vol. 15, no. 3/4, 1980, pp. 631-654.

Fennell, Mark T. "Preserving Process in the Wake of Policy: The Need for Appointed Counsel in Immigration Removal Proceedings." *Notre Dame Journal of Law, Ethics, and Public Policy*, vol. 23, 2009, pp. 261-289.

Fisher, Steve. "Getting Immigrants Out of Detention is Very Profitable." *Mother Jones*, Sep./Oct. 2016, www.motherjones.com/politics/2016/09/immigration-detainees-bond-ankle-monitors-libre/. Accessed 27 May 2020.

Forman, James Jr. *Locking Up Our Own: Crime and Punishment in Black America.* Farrar, Straus, and Giroux, 2017.

Fundación Para El Debido Proceso. "Fundación Para El Debido Proceso." http://www.dplf.org/. Accessed 13 September 2020.

Gideon v. Wainright, 372 U.S. 335 (USSC 1963)

Golash-Boza, Tanya. *Deported: Immigrant Policing, Disposable Labor and Global Capitalism.* NYU Press, 2015.

Gonzales, Richard. "Sexual Assault of Detained Migrant Children Reported in the Thousands since 2015." *NPR*, 26 Feb. 2019, www.npr.org/2019/02/26/698397631/sexual-assault-of-detained-migrant-children-reported-in-the-thousands-since-2015. Accessed 27 May 2020.

Gross, Samuel, Maurice Possley, and Klara Stephens. "Race and Wrongful Convictions in the United States." National Registry of Exonerations, University of California Irvine, 2017.

Hernandez v. Sessions, 872 F.3d 976 (9th Cir. 2017)

Huynh, Jennifer. "La Charla: Documenting the Experience of Unaccompanied Minors in Immigration Court." *Journal of Ethnic and Migration Studies*, 2019, pp. 1-15.

"Immigration." Alameda County Public Defender, www.co.alameda.ca.us/defender/services/immigration.htm. Accessed 27 May 2020.

"Immigration Court Backlog Tool: Pending Cases and Length of Wait by Nationality, State, Court, and Hearing Location." TRAC (Transactional Record Access Center), www.trac.syr.edu/phptools/immigration/court_backlog/. Accessed 27 May 2020.

"Indigent Defense." American Civil Liberties Union, www.aclu.org/issues/criminal-law-reform/public-defense-reform/indigent-defense. Accessed 27 May 2020.

Jennings v. Rodriguez, 583 U.S. (USSC 2018)

Jewett, Christina and Shefali Luthra. "From Crib to Court: At Least 70 Children Under 1 Summoned for Deportation Proceedings." *USA Today*, 18 July 2018, www.usatoday.com/story/news/nation/2018/07/19/immigrant-children-under-1-summoned-deportation/799771002/. Accessed 27 May 2020.

Johnson, Kevin R., Raquel Aldana, Bill Ong Hing, and Leticia Saucedo. *Understanding*

Immigration Law. LexisNexis, 2009.

Kagan, Michael. "Toward Universal Deportation Defense: An Optimistic View." *Wisconsin Law* Review, 2018, pp. 305-316.

Kassin, Saul M. and Rebecca J. Norwick. "Why People Waive Their Miranda Rights: The Power of Innocence." *Law and Human Behavior*, vol. 28, no. 2, 2004, pp. 211-221.

Kofman, Ava. "Digital Jail: How Electronic Monitoring Devices Drives Defendants Into Debt." *Propublica*, 3 July 2019, www.propublica.org/article/digital-jail-how-electronic-monitoring-drives-defendants-into-debt. Accessed 27 May 2020.

Kubrin, Charles .E., Zatz, Marjorie S., and Roberto Martinez Jr., editors. *Punishing Immigrants: Policy, Politics, and Injustice.* NYU Press, 2012.

Little, Cheryl. "INS Detention in Florida." *The University of Miami Inter-American Law* Review, vol. 30, no. 3, 1999, pp. 551-575.

López, Ricardo Molina. "El Debido Proceso Penal en Colombia y España." *Facultad de Derecho y Ciencias Políticas*, vol. 40, no. 112, pp. 15-42.

Marks, Dana Leigh. "An Urgent Priority: Why Congress Should Establish an Article I Immigration Court." *Bender's Immigration Bulletin*, vol. 13, 2008.

Markowitz, Peter L. "Barriers to Representation for Detained Immigrants Facing Deportation: Varick Street Detention Facility, A Case Study." *Fordham Law Review*, vol. 78, 2009, pp. 541-572.

Marouf, Fatma E. "Alternatives to Immigration Detention." *Cardozo Law Review*, vol. 38, no. 6, 2017, pp. 2141-2192.

Mauer, Marc and Meda Chesney-Lind. *Invisible Punishment: The Collateral Consequences of Mass Imprisonment.* The New Press, 2003.

McCann, Michael W. *Rights at Work: Pay Equity Reform and the Politics of Legal Mobilization.* University of Chicago Press, 1994.

Mellinger, Hillary. 2020. *Access to Justice at the Asylum Office.* 2020. American University, PhD dissertation.

Miller, Michael E. "This Company is Making Millions from America's Broken Immigration System." *The Washington Post*, 9 March 2017, www.washingtonpost.com/local/this-company-is-making-millions-from-americas-broken-immigration-system/2017/03/08/43abce9e-f881-11e6-be05-1a3817ac21a5_story.html. Accessed 27 May 2020.

Miller, Banks, Linda Camp Keith, and Jennifer S. Holmes. "Leveling the Odds: The Effect of Quality Legal Representation in Cases of Asymmetrical Capability." *Law & Society* Review, vol. 49, no. 1, 2015, pp. 209-239.

Miranda v. Arizona, 384 U.S. 436 (USSC 1965)

National Immigrant Justice Center and Physicians for Human Rights. *Invisible in Isolation: The Use of Segregation and Solitary Confinement in Immigration Detention.* National Immigrant Justice Center and Physicians for Human Rights, 2012.

Neuman, Gerald L. "Discretionary Deportation." *Georgetown Immigration Law Journal*, vol. 20, no. 4, 2005-2006, pp. 611-656.

Nielsen v. Preap, 586 U.S. (USSC 2019) "New York Immigrant Family Unity Project." The Bronx Defenders, www.bronxdefenders.org/programs/new-york-immigrant-family-unity-project/. Accessed 27 May 2020.

Office of Inspector General. "U.S. Immigration and Customs Enforcement's Alternatives to Detention (Revised)." U.S. Department of Homeland Security, 2015.

Office of Inspector General. *Special Review - Initial Observations Regarding Family Separation Issues under the Zero Tolerance Policy.* U.S. Department of Homeland Security, 2019.

"Outcomes of Deportation Proceedings in Immigration Court: By Nationality, State, Court, Hearing Location, and Type of Charge." TRAC (Transactional Record Access Center), www.trac.syr.edu/phptools/immigration/court_backlog/deport_outcome_charge.php. Accessed 27 May 2020.

Palmer, John R.B., Stephen W. Yale-Loehr, and Elizabeth Cronin. "Why are So Many People Challenging Board of Immigration Appeals Decisions in Federal Court - An Empirical Analysis of the Recent Surge in Petitions for Review." *Georgetown Immigration Law Journal*, vol. 20, 2005-2006., pp. 1-100.

Pepper, Jeremey. "Pay Up or Else: Immigration Bond and How a Small Procedural Change Could Liberate Immigrant Detainees." *Boston College Law Review*, vol. 60, no. 3, 2019, pp. 951-988.

Pew Charitable Trusts. "Use of Electronic Offender-Tracking Devices Expands Sharply: Number of Monitored Individuals More than Doubled in 10 Years." *A Brief from The Pew Charitable Trusts*, Sept. 2016, www.pewtrusts.org/~/media/assets/2016/10/use_of_electronic_offender_tracking_devices_expands_sharply.pdf. Accessed 27 May 2020.

Planned Parenthood [Planificación Familiar]. "Access to Abortion Care." *Planned Parenthood*, www.plannedparenthoodaction.org/issues/abortion. Accessed 27 May 2020.

Ramji-Nogales, Jaya, Andrew Schoenholtz, and Philip G. Schrag. 2008. "Refugee Roulette: Disparities in Asylum Adjudication." *Stanford Law Review*, vol. 60, 2008, pp. 295-412.

Roe v. Wade, 410 U.S. 113 (USSC1972)

Rosenberg, Gerald N. *The Hollow Hope: Can Courts Bring about Social Change?* University of Chicago Press, 1991.

Rusu v. INS, 263 F.3d 316 (4th Cir. 2002)

Ryo, Emily. "Detained: A Study of Immigration Bond Hearings." *Law and Society Review*, vol. 50, no. 1, 2016, pp. 117-154.

Schriro, Dora. *Immigration Detention Overview and Recommendations*. U.S. Dept. of Homeland Security, Immigration and Customs Enforcement, 2009.

Schultz, Marisa and Nikki Schwab. "DHS Report Details 'Dangerous Overcrowding' in Border Facilities." *New York Post*, 2 July 2019, www.nypost.com/2019/07/02/dhs-report-details-dangerous-overcrowding-in-border-facilities/. Accessed 27 May 2020.

Soboroff, Jacob and Julia Ainsley. "Migrant Kids in Overcrowded Arizona Border Station Allege Sex Assault, Retaliation from U.S. Agents." *NBC News*, 9 July 2019, www.nbcnews.com/politics/immigration/migrant-kids-overcrowded-arizona-border-station-allege-sex-assault-retaliation-n1027886. Accessed 27 May 2020.

Stave, Jennifer, Peter Markowitz, Karen Berberich, Tammy Cho, Danny Dubbaneh, Laura Simich, Nina Siulc, and Noelle Smart. *Evaluation of the New York Immigrant Family Unity Project; Assessing the Impact of Legal Representation on Family and Community Unity*. Vera Institute of Justice, 2017.

Stieb, Matt. "The Inhumane Conditions at Migrant Detention Camps." *New York Magazine*, 2 July 2019, www.nymag.com/intelligencer/2019/07/the-inhumane-conditions-at-migrant-detention-camps.html. Accessed 27 May 2020.

Stuart Scheingold. *The Politics of Rights: Lawyers, Public Policy, and Political Change*. Yale University Press, 1974.

Telfeyan, Phil. "Trapped: How Fee-Based GPS Monitoring Puts a 'Price Tag on Freedom.' Equal Justice Under Law, 15 Aug. 2018, www.equaljusticeunderlaw.org/the-justicereport/2018/8/22/trapped-how-fee-based-gps-monitoring-puts-a-price-tag-on-freedom. Accessed 27 May 2020.

Thornton v Snyder, 428 F3d. 690 (7th Cir. 2005)

United States v. Salerno, 481 U.S. 739 (USSC 1987)

Verrilli, Donald B. Jr. "The Eight Amendment and the Right to Bail: Historical Perspectives." *Columbia Law Review*, vol. 82, no. 2, 1982, pp. 328-362.

Walsh, Frank M. and Edward M. Walsh. "Effective Processing or Assembly-Line Justice? The Use of Teleconferencing in Asylum Removal Hearings." *Georgetown Immi-*

gration Law Journal, vol. 22, 2008, pp. 259-283.

Wiseman, Samuel R. "Pretrial Detention and the Right to be Monitored." *Yale Law Journal*, vol. 123, 2014, pp. 1345-1404.

Woods, Andrea and Portia Allen-Kyle. "America's Pretrial System is Broken. Here's Our Vision to Fix It." *American Civil Liberties Union*, www.aclu.org/blog/smart-justice/bail-reform/americas-pretrial-system-broken-heres-our-vision-fix-it. Accessed May 27 May 2020.

Zatz, Marjorie and Nancy Rodriguez. *Dreams and Nightmares: Immigration Policy, Youth, and Families*. University of California Press, 2015.

LA EXCLUSIÓN DEL OTRO: DISCRIMINACIÓN Y PRIVACIÓN DE DERECHOS EN EL SIGLO XXI EN EL DERECHO DE LAS MIGRACIONES INTERNACIONALES

Dámaso Javier Vicente Blanco
Profesor de la Facultad de Derecho
Instituto de Estudios Europeos
Universidad de Valladolid

"La soledad y el silencio que la envolvía la hicieron consciente de la incertidumbre que acompañaba al paso que estaba dando. Emigraba.
Lo abandonaba todo sin saber lo que se iba a encontrar al otro lado de la oscura barrera que traspasaba".

Miguel Pajares, *Cautivas*

"Propongo considerar el estereotipo (en realidad, fobotipo*) de 'inmigrante ilegal', aunque también valdría el examen de la condición de los diferentes status de extranjería, o la noción misma de inmigrante o la de refugiado".*

Javier de Lucas[1]

INTRODUCCIÓN: POLITICAS MIGRATORIAS Y *FOBOTIPOS* DE INMIGRANTES

Para llevar a cabo un examen general de las políticas migratorias, partiendo de la experiencia española, debemos remontarnos a la última década el siglo XX y recorrer estos treinta años con la mirada puesta

---

[1] Lucas, J. de, "Identidad, ciudadanía y derecho: del estereotipo al fobotipo", *Amnis. Revue d'études des Sociétés et Cultures Contemporaines Europe-Amérique*, número extraordinario 2018, en https://journals.openedition.org/amnis/3244.

en el tratamiento de los extranjeros y en el grado de respeto de sus derechos, así como el trato dado como inmigrantes, y el conjunto normativo que les afecta, resaltando la diferenciación con el trato dado a los nacionales (tanto formal como sustancial) y la justificación que se alega. En último término, como se decía tradicionalmente en los manuales de Derecho Internacional Privado de los años ochenta, el Derecho de extranjería, los derechos y libertades de los extranjeros en España, no es sino la otra cara de la moneda del Derecho de la nacionalidad, una condición negativa que se predica de los no nacionales, el estatuto de los no nacionales en el interior del Estado.[2]

La característica más clara de la legislación española (y occidental) durante todos estos años ha estado precisamente en la construcción de estereotipos negativos de los inmigrantes (incluso cuando adquieren la nacionalidad local),[3] a través de determinados instrumentos legales; fuera precisamente, en un inicio, la creación de lo que se llamó el *fobotipo* del "inmigrante ilegal o irregular",[4] como lo denominó Javier de Lucas,[5] fuera con posterioridad el *fobotipo* del "inmigrante no integrable", a partir de la generalización del modelo francés del contrato de integración o similares, como ya planteamos hace años en alguno de nuestros trabajos;[6] o, en la actualidad, la creación del *fobotipo*

---

[2] Ver Abarca Junco, P. et al, *Derecho Internacional Privado*, UNED, Madrid, 1987, pp. 219-220.

[3] El caso recientemente desvelado del comportamiento discriminatorio del sistema tributario de los Países Bajos en las ayudas a las familias por los niños, que implicó una persecución a los nacionales de origen extranjero por razón de sus apellidos, pone en evidencia que el *fobotipo* opera también aun cuando ya se haya adquirido la nacionalidad. En el caso, más de veintiséis mil familias, en su mayor parte de origen marroquí o turco, recibieron falsamente la acusación de fraude por parte de la administración tributaria y fueron obligadas a devolver el montante de las ayudas recibidas, por lo que se debieron endeudar e incluso entraron en situación de insolvencia. Ver "Países Bajos y el escándalo de las ayudas para los hijos: no todo son bicis y tolerancia", *El País*, 24 de enero de 2021, en https://elpais.com/ideas/2021-01-23/paises-bajos-y-el-escandalo-de-las-ayudas-para-los-hijos-no-todo-son-bicis-y-tolerancia.html; y "Los temibles sobres azules de la Agencia Tributaria", *El País*, 24 de enero de 2021, en https://elpais.com/ideas/2021-01-23/los-temibles-sobres-azules-de-la-agencia-tributaria.html.

[4] Las personas no son ilegales, por supuesto.

[5] Lucas, J. de, "La herida original de las políticas de inmigración. A propósito del lugar de los derechos humanos en las políticas de inmigración", *Isegoría*, nº 26, 2002, pp. 59-84. Ver nuestro "Tratamiento del elemento extranjero y técnica jurídica: la legislación española de extranjería o a la pérdida de la experiencia", en *El nuevo orden del caos: consecuencias socioculturales de la globalización*, coord. por Luis Díaz Viana, CSIC, Madrid, 2004, pp. 117-142.

[6] Véase nuestro trabajo "Una lectura del Derecho de extranjería e inmigración: la gestión

del refugiado, aplicado especialmente a los refugiados causados por las guerras de Oriente próximo, que ha derivado en el rechazo a la aceptación de refugiados por los Estados de la Unión Europea y a la vulneración de los tratados internacionales en materia de asilo y refugio.[7] Como veremos, la otra característica que se debe resaltar desde el ángulo occidental en el que nos situamos está en el rechazo a asumir obligaciones internacionales en relación con el trato a los extranjeros y el hecho de que ningún país del llamado primer mundo haya firmado la Convención de las Naciones Unidas sobre los derechos de los trabajadores migrantes y sus familias.[8]

Lo que debe tenerse en cuenta, al abordar las cuestiones de extranjería e inmigración de cualquier Estado, es que en ellas se pone en juego no solo un aspecto secundario de la regulación general, sino el modo en que se va a articular la nueva sociedad en formación, ante la necesidad real de acoger inmigrantes y de integrarlos sin traumas en el elemento constitutivo del Estado que son sus pueblos. Ni más ni menos, por lo que una política discriminatoria y groseramente selectiva solamente podrá crear bolsas de miseria y exclusión, sin atender a la realidad social de quienes se arraiguen en el territorio, siendo utilizados como simple mano de obra barata, sin ofrecerles otras medidas de acogida e inserción.

Desde esta perspectiva no meramente formal, sino persiguiendo un análisis sustancial, y con el marco general de los derechos fundamentales de los extranjeros en España recogidos en la Constitución Española —concebidos a la luz de los tratados internacionales, y su interpretación por el Tribunal Constitucional—, abordamos pues el análisis del tratamiento de los extranjeros y las políticas migratorias en los últimos treinta años.

---

de la integración. 'Derecho como Literatura' en las leyes de integración social de los inmigrantes de las Comunidades Autónomas", en *Nuevos retos para la integración social de los inmigrantes*, coord. por Ignacio Álvarez Rodríguez; Francisco Javier Matía Portilla (dir.), Tirant Lo Blanch, Valencia, 2014, pp. 56-96.

[7] Ver, por ejemplo, Lucas, J. de, "Un 'Waterloo moral', jurídico y político. La UE ante refugiados e inmigrantes", en *Razón y fe: Revista hispanoamericana de cultura*, tomo 272, nº 1405, 2015, pp. 355-366, en file:///C:/Users/usuario/AppData/Local/Temp/9611-Texto%20del%20art%C3%ADculo-21007-1-10-20181031-1.pdf.

[8] Ver, por ejemplo, nuestro trabajo "Una lectura del Derecho de extranjería e inmigración: la gestión de la integración. 'Derecho como Literatura' en las leyes de integración social de los inmigrantes de las Comunidades Autónomas", en *Nuevos retos para la integración social de los inmigrantes*, coord. por Ignacio Álvarez Rodríguez; Francisco Javier Matía Portilla (dir.), Tirant Lo Blanch, Valencia, 2014, pp. 56-96.

I.- El punto de partida: la legislación de extranjería, de la ley orgánica 7/1985 a la ley orgánica 4/2000

1. *España, de país de emigración a país de inmigración*

La sorpresa de convertirse en un país de inmigración, mientras había sido tradicionalmente un país de emigración, le vino a España casi sin enterarse a finales de la década de los 80,[9] es decir, cuando aún estaban frescas en el imaginario colectivo nacional las estampas de los emigrantes españoles de los años cincuenta o sesenta asidos a sus raídas maletas en espera de su marcha al exterior. Ha dicho del siglo XX el escritor y crítico John Berger, que ha sido "el siglo del viaje forzado (...), el siglo de las desapariciones. El siglo en que miles de personas han visto a otras personas muy próximas desaparecer en el horizonte, sin poder evitarlo".[10] Los emigrantes españoles fueron necesarios para equilibrar la balanza de pagos de una economía precaria, incapaz entonces de satisfacer las necesidades de su población.

En las últimas décadas, también los países en desarrollo han consentido y facilitado, de un modo u otro, la marcha de sus poblaciones como medio para aliviar la presión demográfica. Sin duda, esta experiencia traumática del viaje se ha mitigado o cambiado, entrados en el siglo XXI, en los Estados desarrollados, España incluida, aunque la crisis económica de 2010 supuso una suerte de renovación de la vieja necesidad práctica de la emigración entre los más jóvenes.[11] Pero, en su más cruda realidad, sigue siendo en los países en desarrollo, donde la gente se va —o se viene, al Norte— en busca de un futuro mejor. Resulta significativo que los estudios españoles sobre extranjería, anteriores al cambio de signo de las migraciones operado a comienzos de los años 90, e incluso los textos oficiales de la dictadura franquista, comenzaban por reafirmar la existencia de un derecho universal a los

---

[9] Ver Izquierdo Escribano, A., "España: la inmigración inesperada", en *Mientras Tanto*, nº 49, marzo-abril, 1992, pp. 85-104.

[10] Ver Berger, J., *Cada vez que decimos adiós*, Ediciones de la Flor, Buenos Aires, 1997, p. 23.

[11] Ver, por ejemplo, Ortega-Rivera, E.; Domingo i Valls, A.; y Sabater i Coll A., "La emigración española en tiempos de crisis y austeridad", *Scripta Nova. Revista Electrónica de Geografía y Ciencias Sociales*, vol. 20, nº 549/5, 2016, en https://revistes.ub.edu/index.php/ScriptaNova/article/view/17206. Sobre la crisis económica y las migraciones internacionales, puede verse Gil y Gil, J.L. (dir.), *Migraciones internacionales e impacto de la crisis económica*, Juruá, Lisboa, 2014.

desplazamientos internacionales.[12] El aumento paulatino de la presión migratoria que pasó a recibir el territorio español desde los países en desarrollo, no fue sin embargo inesperado, y las frágiles y mortales pateras que han cruzado desde hace treinta años el estrecho de Gibraltar de África a la Península Ibérica ya eran previsibles en el momento de incremento y generalización del fenómeno migratorio africano hacia Europa, ante la experiencia paralela de los "espaldas mojadas" en la frontera sur de los Estados Unidos.[13] Cuando hay necesidades imperiosas que cubrir, la simple restricción del fenómeno migratorio no produce otra cosa que un mercado negro de inmigrantes clandestinos de imposible control.[14]

2. LA LEY ORGÁNICA 7/1985, DE 1 DE JULIO: UNA APROXIMACIÓN PRAGMÁTICA ESENCIALMENTE RESTRICTIVA

La moderna experiencia legislativa española en materia de extranjería se inició en 1985, inmediatamente antes de la entrada del país a las Comunidades Europeas el 1 de enero de 1986, con la *Ley Orgánica 7/1985, de 1 de julio, sobre derechos y libertades de los extranjeros en España*.[15] La Constitución Española de 1978 (CE) vino a establecer

---

[12] Ver, por ejemplo, Martínez Cachero, L.A, *Actualidad de la emigración española: comentarios a la ley de ordenación de la emigración española de 3 de mayo de 1962*, Ministerio de trabajo, Instituto español de emigración, Madrid, 1964; y Ministerio de Trabajo de España, *Emigración y justicia social*, Ministerio de Trabajo. Servicio de publicaciones, Madrid, 1971.

[13] Velásquez Flores, R., "Antecedentes y reflexiones en torno a la política migratoria de Estados Unidos", Revista de Relaciones internacionales, n°. 64, oct.-dic. 1994, pp. 89-99; y Astor, A., "Unauthorized Immigration, Securitization and the Making of Operation Wetback", *Latino Studies*, vol. 7, 2009, pp. 5-29.

[14] Ver Enzensberger, H.M., *La Gran Migración*, Madrid, Anagrama, 1992, p. 25. Y también, entre otros, Bauman, Z., *Confianza y temor en la ciudad. Vivir con extranjeros*, Arcadia, Barcelona, 2006; Blanco F. De Valderrama, C., *Migraciones. Nuevas movilidades en un mundo en movimiento*, Anthropos, Barcelona, 2006; López Sala, A.M., *Inmigrantes y Estados: la respuesta política ante la cuestión migratoria*, Anthropos, Barcelona, 2005, pp. 51-66; Lucas, J. de, "Cómo introducir el principio de justicia en la políticas de inmigración", en *Justicia, migración y Derecho* (Laura Miraut Martín, ed.), Dykinson, Madrid, 2004, pp. 15-54; Martínez De Pisón, "La (no) política de inmigración y el Estado de Derecho", *Cuadernos Electrónicos de Filosofía del Derecho*, n° 10/2004, en http://www.uv.es/CEFD/Index_10.htm; Mezzadra, S., *Derecho de fuga. Migraciones, ciudadanía y globalización*, Traficantes de sueños, Madrid, 2005; Montoya Melgar, A., "Editorial", *Revista del Ministerio de Trabajo y Asuntos Sociales*, n° 63, 2006, p. 7; y Naïr, S., *L'immigration est une chance*, Seuil, París, 2007.

[15] Sobre la regulación española de la extranjería desde la Ley Orgánica 7/1985 pueden

un marco normativo totalmente inédito en nuestra experiencia jurídica: otorgó rango constitucional a los derechos de los extranjeros, dotándolos de las mismas garantías constitucionales de las que se atribuían a los derechos de los españoles. El artículo 13.1 CE afirmaba expresamente que "Los extranjeros gozarán en España de las libertades públicas que garantiza el presente Título en los términos que establezcan los tratados y la ley".[16] La función interpretativa de los Tratados internacionales no debe olvidarse, y conlleva además la sumisión de nuestro sistema jurídico a la jurisdicción del Tribunal Europeo de Derechos Humanos de Estrasburgo, creado en el marco del Convenio Europeo de Roma de 4 de noviembre de 1950, para la Protección de los Derechos Humanos y de las Libertades Fundamentales.[17] La Sentencia del Tribunal Constitucional 107/84, de 23 de noviembre de 1984 confirmó el carácter constitucional de los derechos de los extranjeros, viniendo a puntualizar que nuestra Carta Magna identificaba tres tipos de derechos en relación con los extranjeros:[18]

a. derechos, relacionados con la dignidad de la persona, de los que eran por igual titulares españoles y extranjeros, y de los que no se podía privar en ningún caso a estos últimos (derecho a la vida, a la integridad física y moral, a la intimidad, etc...);

b. derechos que en ningún caso resultaban atribuibles a los extranjeros, por su carácter vinculado a la condición de sujeto político del

---

verse Aja A, E., "La evolución de la normativa sobre inmigración", en Aja E. y J. Arango (ed.), *Veinte años de inmigración en España*, Fundación CIDOB, Barcelona, 2006, pp. 17-44.

[16] Sobre los derechos de los extranjeros en España, pueden verse, por ejemplo, Vidal Fueyo, C., "La nueva Ley de extranjería a la luz del texto constitucional", *Revista Española de Derecho Constitucional*, vol. 21, nº 62, mayo-agosto de 2001, pp. 179-220; Vidal Fueyo, C., *Constitución y extranjería*, Centro de Estudios Políticos y Constitucionales, Madrid, 2002; Cano Bueso, J., "Los derechos de los extranjeros en España. Una perspectiva constitucional", en VV.AA., *Multiculturalidad y extranjería*, UPV/EHU, Bilbao, 2007, pp. 73-93; y García Vázquez, S., *El estatuto jurídico-constitucional del extranjero en España*, Tirant Lo Blanch, Valencia, 2007.

[17] Ver, por ejemplo, Pérez Sola, N., *Defensa convencional de los derechos en España. ¿Es posible el diálogo entre tribunales?*, INAP, Madrid, 2015; y Ripol Carulla, S., *El sistema europeo de protección de los derechos humanos y el derecho español: la incidencia de las sentencias del Tribunal Europeo de Derechos Humanos en el ordenamiento jurídico español*, Atelier, 2007.

[18] Ver, por ejemplo, nuestro "Inmigración, derecho de extranjería y exclusión social: el modelo constitucional de derechos de los extranjeros en España", en *Voces Escondidas II, Estudio sobre la situación socio económica y laboral de la población inmigrante en Castilla y León*, Delta, Madrid, 2009, pp. 319-371.

ciudadano nacional, como son los derechos políticos, al sufragio activo y pasivo en las elecciones generales, o el ejercicio de función o actividad pública (cargos públicos que ejercer autoridad pública); y, por último,

c. derechos cuyo ejercicio el legislador podía atribuir o no a los extranjeros, pero que, en su contenido y garantías, en caso de ser atribuidos, no podían diferir con el contenido de los derechos de los españoles.

Pese a la claridad de la decisión del Tribunal Constitucional, el legislador de la Ley de 1 de julio de 1985 reglamentó determinados derechos estableciendo diferencias de contenido para extranjeros. En particular, para el derecho de reunión por los extranjeros (artículo 7) se exigía autorización previa (lo que se prohibía expresamente en el artículo 21 de la Constitución) y en el derecho de asociación se contemplaba la posibilidad de suspensión gubernativa de las asociaciones de extranjeros (cuando el artículo 22 de la Constitución exigía resolución judicial motivada). Presentado recurso de inconstitucionalidad por el Defensor del Pueblo, la sentencia del Tribunal Constitucional 115/87, de 7 de julio de 1987 declaró inconstitucionales los artículos 7 y 8 de la Ley 7/85, así como el artículo 34 *in fine*, que impedía la suspensión de las actuaciones administrativas dictadas al amparo de la ley, lo que vulneraba el derecho a la tutela judicial efectiva, y hacía del procedimiento de expulsión de extranjeros un mecanismo de "expulsión automática".[19]

Vista desde hoy, la Ley de 1985 tuvo un carácter marcadamente restrictivo, de gestión policial de la extranjería. El fenómeno migratorio era aún incipiente y España, candidata a la entrada en las Comunidades Europeas, quería ofrecer una imagen de dominio de sus fronteras, y no aparecer como una vía indirecta de entrada irregular de inmigrantes al espacio europeo, lo que se plasmó directamente en la legislación. Ya tomaba conciencia de pasar a constituir un *país frontera* del continente europeo, con una función precisa en el control de los flujos migratorios. La *discrecionalidad* de la Administración en el ejercicio de sus funciones (en particular, el Ministerio del Interior y el Ministerio de trabajo), así como la utilización de *conceptos jurídicos indeterminados* (por ejemplo, en el establecimiento de las infracciones

---

[19] Ídem.

que dan lugar a la expulsión del extranjero del territorio) constituían algunos de los caracteres más terminantes de la normativa. Es cierto que la ley vino a sistematizar y a clarificar técnicamente la legislación española sobre extranjería, sin embargo, su aproximación puramente restrictiva la hizo incapaz de afrontar la nueva realidad inmigratoria que se experimentaba en territorio español. Servía para controlar los flujos migratorios en frontera, pero no para dar un marco normativo a la inmigración.[20] La política española ante la inmigración se fue adoptando a través de soluciones *ad hoc*, como fue el establecimiento de cupos a partir de 1993. España carecía pues de un marco legal para el establecimiento de una verdadera política de inmigración, que solo se apuntó con el Real Decreto 155/1996, de 2 de febrero, por el que se aprobaba un nuevo Reglamento de ejecución de la Ley Orgánica 7/85.[21] Esta norma, propiciada por los agentes sociales, y negociada por el gobierno con los movimientos de inmigrantes, recogía ya las previsiones de una política de inmigración a través de cupos de inmigrantes, pero se encontraba demasiado encorsetada bajo las limitadas normas de la Ley de 1985. El verdadero problema estaba en que la Ley 7/85 tenía una concepción de la inmigración como fenómeno transitorio o temporal, al servicio de la coyuntura económica y de los vaivenes del mercado de trabajo. Es por lo que un simple error administrativo, como la no renovación del permiso de trabajo, podía ser fundamento suficiente para la expulsión de un extranjero. No se consideraba el derecho del inmigrante a permanecer en España como un derecho prioritario. El sistema de sanciones constituía el eje fundamental alrededor del que se articulaba la Ley.

En este período de 15 años de vigencia de la Ley 7/85 (de 1985 al año 2000), no solo se desarrolló y masificó la inmigración en España, sino que también se desarrollaron en el marco de las Comunidades Europeas nuevas normas tendentes a reglamentar los flujos migratorios y el fenómeno mismo de la inmigración. Los Acuerdos de Schengen, y en particular el Convenio firmado el 19 de junio de 1990, de Aplicación del Acuerdo de Schengen de 1985, que entraría en vigor

[20] Ver Pajares, M., *La inmigración en España. Retos y propuestas*, Icaria, Barcelona, 1998.

[21] Sobre la política española de inmigración de la época, hasta mediados de la primera década del siglo XXI, puede verse López Sala, A.M., "La política española de inmigración en las dos últimas décadas. Del asombro migratorio a la política en frontera y la integración", en VV.AA., *Inmigración en Canarias: contexto, tendencias y retos*, Fundación Pedro García Cabrera, Tenerife, 2007.

el 26 de marzo de 1995, establecieron entre un grupo de Estados comunitarios normas comunes sobre control de fronteras y flujos migratorios, que acentuaban el carácter restrictivo de la aproximación legal española.[22] El Tratado de Unión Europea de Maastricht, que entró en vigor el 1 de noviembre de 1993, preveía en su Tercer Pilar el establecimiento de una normativa europea que desarrollara una política común europea de inmigración. El Tratado de Unión Europea de Ámsterdam, en vigor desde el 1 de mayo de 1999, y que preveía la plena comunitarización de las normas de Schengen, daba un paso más en el proceso de crear una política europea de inmigración, al fijar el objetivo de establecer el llamado Espacio de Libertad, Seguridad y Justicia, a través del nuevo Título IV del Tratado de la Comunidad Europea.[23] Esta regulación quedaría fijada en lo sustancial, con su plena comunitarización, en las modificaciones posteriores de los tratados fundacionales hasta el Tratado de Lisboa de 13 de diciembre de 2007, que entró en vigor el 1 de diciembre de 2009.[24]

La realidad social, así como los desarrollos europeos, habían superado sobradamente el marco de la Ley de extranjería de 1985, por lo que a través de una iniciativa plural, guiada por el consenso político, se inició en el Parlamento, en la legislatura 1996-2000, el proceso de elaboración de una nueva Ley, que resultaría finalmente accidentado, y objeto de una animada controversia política.[25]

3. LA LEY ORGÁNICA 4/2000, SOBRE DERECHOS Y LIBERTADES DE LOS EXTRANJEROS EN ESPAÑA Y SU INTEGRACIÓN SOCIAL: EL OBJETIVO DE LA INTEGRACIÓN SOCIAL DEL INMIGRANTE

La falta de un grupo político con mayoría absoluta en el Congreso de los Diputados propició que el proceso de elaboración de la nueva

---

[22] Ver nuestro "El Sistema de los Acuerdos de Schengen desde el Derecho Internacional Privado (I). Perspectiva General y de Cooperación", en *Revista de Estudios Europeos*, Número 10, mayo-agosto, 1995, pp. 47-80; y "El Sistema de los Acuerdos de Schengen desde el Derecho Internacional Privado (y II). Perspectiva de Armonización y Conclusiones", en *Revista de Estudios Europeos*, Número 11, septiembre-diciembre, 1995, pp. 91-119.

[23] Puede verse nuestro trabajo, "Una regulación integral de la inmigración para Europa", *Revista de Derecho de la Unión Europea*, nº 5, segundo semestre de 2003, pp. 91-113.

[24] Ver, por ejemplo, Carrera, S., Santos Vara, J., y Strik, T. (Eds.), *Constitutionalising the External Dimensions of EU Migration Policies in Times of Crisis*, Edward Elgar Publishing, Northampton, 2019.

[25] Ver Pajares, op cit.

norma se estableciese con criterios muy diferentes a los que inspiraban la Ley de 1985. En junio de 1998, se unificó el tratamiento parlamentario de las tres "Proposiciones de Ley" presentadas por los grupos del Congreso de Convergencia i Unió, Izquierda Unida y el Grupo Mixto, tomándose las tres en consideración. Existía consenso sobre la necesidad del cambio normativo, que debía abordarse para crear una verdadera política española de inmigración, que contemplara la acogida y la integración social de los inmigrantes. El grupo político gubernamental negoció la normativa en el Parlamento con el resto de grupos y la participación de agentes y movimientos sociales, mientras el propio Gobierno dejó hacer, y solo cuando a finales de 1999 se aprobó la tramitación parlamentaria de la Ley por vía de urgencia, intentó paralizar su tramitación y argumentó que resultaba una normativa inviable, cara para las arcas públicas y contraria a los compromisos internacionales suscritos por España. Con todo, el resto de grupos parlamentarios concluyeron a tiempo el procedimiento legislativo, aprobando en plazo la Ley como la última de la legislatura, sin incorporar en su encabezamiento una Exposición de Motivos que diese cuenta de las motivaciones, fundamentos e intenciones del legislador en su elaboración.

Puede decirse que los caracteres más relevantes de la normativa contenida en la Ley 4/2000 de 11 de enero de 2000 eran:[26]

a. Se perseguía como objetivo fundamental la integración social del inmigrante, a través de la equiparación de derechos con los españoles, partiendo de un principio de extensión de los derechos. En primer lugar, se promovía la integración social del inmigrante, con objeto de evitar una bolsa de pobreza de trabajadores migrantes, que sumidos en la economía sumergida, tuviesen condiciones laborales inferiores, en un marco de precariedad laboral. La normativa restrictiva había mostrado que no permitía cubrir la oferta del mercado de trabajo de modo legal. También se propiciaba la integración social del inmigrante por medio de la extensión de derechos sociales relativos a la vivienda, el idioma, la sanidad o la educación de niños y adultos, con la intención de que no surgieran bolsas de pobreza y marginación por la falta de atención de los inmigran-

[26] Ver Lucas, J. de, Peña, S. y Solanes, A., *Trabajadores migrantes*, Germania, Valencia, 2001.

tes. La ley, diferenciaba bien tres tipos diferentes de integración: la integración socioeconómica, la integración legal y la integración cultural.

b. Establecía el criterio de "arraigo" como instrumento de regularización automática de la inmigración no regular. La prueba de la existencia de una integración social y económica conllevaría la integración legal, a través de la regularización.

c. Facilitaba también la reagrupación familiar al establecerla como derecho básico de todo no nacional.

d. La Ley limitó taxativamente la discrecionalidad de la administración, obligando a la motivación de sus actos y decisiones y sometiendo todos ellos al procedimiento administrativo y al control judicial.

e. Modificó decisivamente el sistema sancionador, estableciendo sanciones proporcionadas a las causas que las motivaban; redujo las expulsiones a casos excepcionales, debiendo ser decididas por resolución judicial; y las infracciones administrativas (como no estar en posesión del permiso de residencia) no fueron tratadas como delitos.

f. Supuso la aceptación del fenómeno inmigratorio como un fenómeno permanente, que precisaba del establecimiento de una política plena de inmigración (lo que supone no solo ofertas laborales, sino una política de acogida e integración socioeconómica y de regularización e integración legal a quienes se encuentren en situación de integración socioeconómica).

La Ley iba más allá de la simple aproximación instrumental que ya se experimentó en la Alemania de posguerra, y que había conllevado numerosos problemas sociales. El fenómeno inmigratorio interesa por razones económicas, instrumentales, por la necesidad de que los inmigrantes ocupen segmentos del mercado de trabajo que no van a ocupar los españoles, o porque el descenso demográfico exigirá mano de obra extranjera para mantener los niveles de bienestar y las prestaciones del Estado social, pero la reglamentación jurídica no puede fundarse solo en tales necesidades instrumentales, sin tomar en consideración que quienes se desplazan son seres humanos, sujetos de Derecho ellos mismos, no solo objeto de Derecho. Con todo, la Ley 4/2000 adolecía de ciertos problemas técnicos y fue muy duramente criticada por la extensión de derechos que establecía para los inmigrantes en situación irregular.

En otro orden de cosas, la ley reglamentaba también todo lo relativo a la entrada de extranjeros y a la estancia, condicionándola a la posesión de visado, exigía la acreditación de medios suficientes de vida para el tiempo de permanencia, así como la tenencia de los permisos correspondientes para trabajar, antes del desempeño del trabajo, la autorización para la residencia y otras exigencias comunes con la normativa anterior.

II.- LA "CONTRARREFORMA" DE LA LEY ORGÁNICA 4/2000
Y SU INCONSTITUCIONALIDAD

1. LA CONTRARREFORMA LLEVADA A CABO POR LA LEY ORGÁNICA 8/2000: RETORNO A LA DISCRECIONALIDAD DE LA ADMINISTRACIÓN Y A LA PERSPECTIVA INSTRUMENTAL

La aprobación de la Ley 4/2000 suscitó las más enérgicas y airadas críticas del sector mayoritario del gobierno popular, y motivó la retirada de la política del Ministro de Trabajo del PP que había promovido la Ley, así como de la Secretaria General de Asuntos Sociales, dependiente de su departamento.

Las dos críticas fundamentales que se hacían a la Ley desde el gobierno no eran reales, pero sirvieron para fundar en ellas su reforma inmediata, mediante una nueva Ley, tras la victoria del Partido Popular en las elecciones legislativas de marzo de 2000. La primera crítica era la contradicción de la nueva legislación española con los compromisos europeos asumidos por nuestro país, y en particular con las conclusiones del Consejo Europeo de Tampere (Finlandia), de 15 y 16 de octubre de 1999, en las que se incluían los llamados "hitos o jalones" de Tampere, relativos a la construcción del nuevo Espacio de Libertad, Seguridad y Justicia constituido por el Tratado de Ámsterdam. Decía el gobierno que la ampliación de derechos a los inmigrantes en situación irregular vulneraba algunos de los hitos de Tampere. Sin embargo, lo que los puntos redactados en la Conclusiones del Consejo Europeo preveían para el desarrollo de una política común de inmigración era "un trato justo para los nacionales de terceros países que residen legalmente en el territorio de los Estados miembros" (*ja-*

lón 18), y una política decidida de integración que creara un estatuto jurídico de los nacionales de terceros países de modo que "debería aproximarse al de los nacionales de los Estados miembros". A una persona que hubiera residido legalmente en un Estado miembro durante un período de tiempo por determinar y que contase con un permiso de residencia de larga duración, se le debía conceder en ese Estado miembro un conjunto de derechos de carácter uniforme lo más cercano posible al de los ciudadanos de la Unión" (*jalón 21*). Ninguna de las declaraciones del Consejo Europeo contrariaba las disposiciones de la Ley 4/2000, sino que antes al contrario promovía un enfoque global sobre la inmigración, a partir del cual se debían desarrollar las políticas de los Estados miembros.

La segunda crítica que se lanzó contra la Ley 4/2000 fue acusarla de que con las disposiciones favorables a la integración de los inmigrantes, la nueva Ley producía un *efecto llamada*, que promovía a los decididos a emigrar desde los países en desarrollo a hacerlo a España, dado que se daban unas condiciones legales favorables. El argumento no se sostenía de ninguna forma, pues los candidatos a emigrar carecen usualmente de la información jurídica suficiente como para saber el tenor de las normas que se terminan de aprobar en cualquier otro país del mundo. Y, en cuanto a las mafias que promueven la inmigración ilegal a los países desarrollados, para estas basta con que se produzca un simple cambio legislativo en un país para poder afirmar el carácter más beneficioso de la nueva reglamentación. No necesitan un verdadero cambio legislativo para trasladar la información de la benevolencia del país de acogida.

El hecho es que el grupo mayoritario en el Parlamento saliente de las elecciones de marzo de 2000, elaboró en breves meses una contrarreforma a la ley 4/2000, que se articuló a través de la Ley Orgánica 8/2000, de 22 de diciembre de 2000, que entró en vigor a comienzos del año 2001. La justificación que la Exposición de Motivos de la Ley 8/2000 aducía para su elaboración, y para la rápida modificación de la Ley 4/2000 estaba en que se habrían "detectado durante su vigencia aspectos en los que la realidad del fenómeno migratorio supera las previsiones de la norma", citando asimismo los compromisos asumidos por España en la Cumbre Europea de Tampere de diciembre de 1999. La debilidad de los argumentos, así como el tenor de los cambios introducidos en la legislación por la Ley 8/2000, ofrecían el convencimiento de que más que una política de la inmigración la nueva Ley era un modo de hacer política con la inmigración. El clima de amenaza que se difundió desde el gobierno sobre los "riesgos" que acompañarían a la entrada en vigor de la Ley 4/2000 no permitía concluir otra cosa. El "efecto llamada", la invasión de inmigrantes, la alteración del orden público, o la reducción de puestos de trabajo de los nacionales por la entrada de extranjeros, fueron los fantasmas que se airearon contra la "irresponsabilidad" de quienes aprobaron la Ley sin el beneplácito del gobierno popular.

La nueva Ley llevaba a cabo una verdadera contrarreforma, pues procedía a restaurar la discrecionalidad manifiesta de la Administración en la adopción de decisiones sobre extranjería, recortaba de forma discutible determinados derechos de los extranjeros, de modo que cabía hablar de una nueva reglamentación inconstitucional, como luego se demostró y comentaremos. Y establecía un nuevo sistema de expulsión de extranjeros, donde esta se llevaba a cabo por vía de urgencia, a través de un mecanismo de ejecución inmediata de la orden administrativa de expulsión, mediante un sistema que recordaba el sistema de "expulsión automática" de la Ley 7/85, declarado inconstitucional por la Sentencia del Tribunal Constitucional 115/87, de 7 de julio de 1987.

En particular, en cuanto a los derechos que la Ley 8/2000 recortaba, volvían a estar afectados algunos de los derechos que limitaba también la Ley 7/85 (y que restauró la sentencia 115/87 del Tribunal Constitucional), como el derecho de reunión y el derecho de asociación, así como el derecho de huelga. En todos ellos se atribuía su ejercicio a los extranjeros, pero se exigía la estancia regular en nuestro país. De modo, que los extranjeros con estancia irregular veían privado todo derecho a hacer reclamaciones a través de los derechos de asociación o de reunión, o por medio del derecho de huelga. Tales extremos debían entenderse como muy graves, ya que colocaban en la indefensión a los más débiles. Privaban de medios de presión y de defensa a quienes acogía de la forma más precaria el mercado de trabajo español. Además de la precariedad y de la inseguridad en sus circunstancias vitales, se les prohibía acogerse a las asociaciones que podrían defenderlos (sindicatos), ejercer el derecho de manifestar públicamente su situación y el derecho de huelga frente a los abusos de los empresarios que les contratasen ilegalmente. En el fondo, la limitación del ejercicio era una limitación del contenido, en todo punto incompatible con la doctrina mantenida por la jurisprudencia del Tribunal Constitucional desde la sentencia ya mencionada 107/84, de 23 de noviembre de 1984. La nueva Ley puso las cosas en la necesidad de la vieja reclamación de los Derechos civiles, pues colocó a una parte de la población por irregular que fuera su situación, en la más absoluta indefensión frente a los abusos.

La Ley Orgánica 8/2000 se vio acompañada de otros instrumentos, como el *Programa gubernamental GRECO* (Programa Global de Coordinación y Regulación de la Extranjería y la Inmigración en España), aprobado por el Consejo de Ministros en marzo de 2001, el *Real Decreto 864/2001, de 20 de julio, por el que se aprueba el Reglamento de ejecución de la Ley Orgánica 4/2000, de 11 de enero, sobre derecho y deberes de los extranjeros en España y su integración social reformada por la Ley Orgánica 8/2000 de 22 de diciembre*, así como los Acuerdos concluidos con los principales países originarios de inmigración en territorio español. En un intento de endurecer el trato dado a los inmigrantes se produjeron situaciones insólitas. Las promesas dadas por el gobierno español al gobierno ecuatoriano de retorno de todos los ecuatorianos que se encontraban en España a su país para formalizar los trámites de regularización, costeados los viajes por España, colocaron al gobierno español en una posición peregrina, ante la imposibilidad de cumplirlo con los miles de ecuatorianos sin papeles en nuestro territorio, y tener que aceptar una regularización más barata ante las autoridades españolas sin desplazamiento al Ecuador.

Para mostrar el contexto de la reforma legal, también cabe recordar los dramáticos sucesos de El Ejido (Almería), de febrero de 2000, que mostraron lo que no debía haber constituido el modelo de política de inmigración en España: el abandono a su suerte de los inmigrantes irregulares, a la suerte que ofrecían los empleadores ilegales.[27] La legislación reformada no ofrecía soluciones adecuadas a la medida de los problemas.

---

[27] Ver, por ejemplo, Martín Díaz, E., "El Ejido, dos años después. Realidad, silencios y enseñanzas", *Inmigrantes, ¿cómo los tenemos?: algunos desafíos y (malas) respuestas*, Talasa, Madrid, 2002, pp. 74-97; y Río Ruiz, M.A., "El disturbio de El Ejido y la segregación de los inmigrantes", *Anduli: revista andaluza de ciencias sociales*, nº. 1, 2002, pp. 79-108.

2. LA DECLARACIÓN DE INCONSTITUCIONALIDAD DE LA PRIVACIÓN DE DERECHOS A LOS "SIN PAPELES" EN LA LEY ORGÁNICA 8/2000

Desde el momento de la tramitación de la reforma de la Ley Orgánica 4/2000 de 11 de enero se sucedieron las opiniones sobre la inconstitucionalidad de la nueva normativa propuesta,[28] de modo que ante su entrada en vigor, tanto el Grupo Parlamentario Socialista, como siete Comunidades Autónomas,[29] presentaron ocho recursos de inconstitucionalidad contra su contenido,[30] centrados especialmente en la vulneración de determinados derechos fundamentales de los inmigrantes.[31]

En particular, se reclamaba que se declararan inconstitucionales, entre otras, las normas que regulaban los derechos de reunión y

[28] Ver, por ejemplo, "El Poder Judicial reprocha al Gobierno que la Ley de Extranjería favorecerá su arbitrariedad", en *El País*, 25 de julio de 2000; "Oposición y sindicatos exigen al Gobierno que frene la reforma de la Ley de Extranjería", en *El País*, 28 de julio de 2000; "El Consejo de Estado critica aspectos de la reforma de la Ley de Extranjería", en *El País*, 29 de julio de 2000; "La mayoría piensa que la Ley de Extranjería vulnera derechos humanos", en *El País*, 6 de marzo de 2001; "Aznar descarta cualquier cambio en la Ley de Extranjería y arremete contra el PSOE", en *El País*, 15 de marzo de 2001; "CCOO también pide a Múgica que recurra la Ley de Extranjería", en *El País*, 17 de marzo de 2001; "El Consejo de la Abogacía estima que la ley es inconstitucional", en *El País*, 17 de marzo de 2001. Ver, desde una perspectiva técnica, Vidal Fueyo, C., "La nueva Ley de extranjería a la luz del texto constitucional", *Revista Española de Derecho Constitucional*, vol. 21, nº 62, mayo-agosto de 2001, pp. 179-220; y Cano Bueso, J., "Los derechos de los extranjeros en España. Una perspectiva constitucional", en VV.AA., *Multiculturalidad y extranjería*, UPV/EHU, Bilbao, 2007, pp. 73-93.

[29] Ya fuese a través de su Asamblea Parlamentaria (las de Navarra y País Vasco), ya a través de su Gobierno autonómico (las de Andalucía, Aragón, Castilla-La Mancha, Extremadura, y las Islas Baleares).

[30] El Defensor del Pueblo, Enrique Múgica Herzog, rechazó sin embargo presentar un recurso de inconstitucionalidad contra le Ley Orgánica 8/2000, lo que le hizo recibir muy duras críticas por su inactividad en defensa de los derechos fundamentales de los extranjeros Véase, por ejemplo, el análisis de Carballo Armas, P., "Constitución y derechos de los extranjeros. La posición del Defensor del Pueblo en el recurso de inconstitucionalidad (Una reflexión sobre la actuación del *Ombudsman* español ante el caso de la *Ley de Extranjería*", en *Justicia, migración y Derecho* (Laura Miraut Martín, ed.), Dykinson, Madrid, 2004, pp. 201-215.

[31] Son las SSTC 260/2007 (Parlamento Vasco), 261/2007 (sesenta y cuatro Diputados del Grupo Parlamentario del PSOE en el Congreso), 262/2007 (Junta de Comunidades de Castilla-La Mancha), 263/2007 (Comunidad Autónoma de Aragón), 264/2007 (Junta de Extremadura) y 265/2007 (Principado de Asturias).

manifestación,[32] el derecho de asociación,[33] el derecho a la educación no obligatoria,[34] el derecho a la libertad sindical,[35] el derecho a la asistencia jurídica gratuita[36] y el derecho de huelga.[37] En estas cuestiones, relativas a las disposiciones declaradas inconstitucionales por el TC por razón de que privan a los extranjeros "sin papeles" del goce de los derechos *"reconocidos"* por la Constitución, centraremos nuestra exposición.

Dos sentencias establecieron el eje para dar respuesta a la reclamación por la vulneración de los derechos de los no residentes, las sentencias 236/2007, de 7 de noviembre, y 259/2007, de 19 de diciembre, en las que el TC falló, respectivamente, sobre los recursos de inconstitucionalidad interpuestos por el Parlamento de Navarra (núm. 1707-2001), y por la Junta de Andalucía (núm. 1640-2001). La segunda sentencia se refería exclusivamente a lo relativo al derecho de huelga, mientras la primera resolvía lo referido a los otros derechos mencionados.[38]

En su sentencia 236/2007, de 7 de noviembre de 2007, el Tribunal Constitucional, en el *Fundamento Jurídico Segundo*, trató unas consideraciones iniciales que condicionaban la solución que se daría

[32] El apartado 1 del art. 7 de la L.O. 4/2000, en el que se reconocía a los extranjeros el derecho de reunión, pero se somete su ejercicio a la circunstancia de haber obtenido autorización de estancia o residencia en España.

[33] El art. 8 de la L.O. 4/2000, que reconocía a todos los extranjeros el derecho de asociación, pero restringe su ejercicio a la obtención de la autorización de estancia y residencia en España.

[34] El apartado 3 del art. 9 de la L.O. 4/2000, que establecía solo para los extranjeros residentes el derecho a la educación de naturaleza no obligatoria.

[35] El art. 11.1 de la L.O. 4/2000, que reconocía la libertad sindical de los extranjeros en las mismas condiciones que los españoles, pero solo les atribuye el ejercicio cuando obtengan autorización de estancia o residencia en España.

[36] El apartado 2 del art. 22 (antes 20) de la L.O. 4/2000, que limitaba la asistencia jurídica gratuita para todos los procedimientos y jurisdicciones a los extranjeros residentes.

[37] El artículo 11.2, de la L.O. 4/2000, que hacía depender el derecho de huelga de la tenencia de la autorización para trabajar.

[38] Paralelamente en seis sentencias de 20 de diciembre de 2007, el TC ha resuelto el resto de recursos de inconstitucionalidad contra la L.O. 8/2000, con remisión expresa a la argumentación de las dos sentencias mencionadas. Son los recursos de inconstitucionalidad núm. 1640-2001, interpuesto por la Junta de Andalucía, núm. 1644-2001, interpuesto por el Letrado Mayor del Parlamento Vasco, núm. 1668-2001, interpuesto por sesenta y cuatro Diputados del Grupo Parlamentario del PSOE en el Congreso, núm. 1669-2001, interpuesto por el Letrado de la Junta de Comunidades de Castilla-La Mancha, núm. 1671-2001, interpuesto por el Letrado de la Comunidad Autónoma de Aragón, núm. 1677-2001, interpuesto por el Letrado de la Junta de Extremadura, núm. 1679-2001, interpuesto por el Letrado del Servicio Jurídico del Principado de Asturias y núm. 1707-2001, interpuesto por el Parlamento de Navarra.

a los recursos de inconstitucionalidad: (a) el grado de libertad del que goza el legislador al regular los derechos de los extranjeros, en concreto para establecer una diferencia de trato a los extranjeros por razón de la situación regular o irregular y su fundamentación, así como (b) la función que desempeñan los tratados internacionales al determinar los derechos de los extranjeros.

A) El grado de libertad del legislador al regular los derechos de los extranjeros

¿De cuánta libertad goza el legislador —de acuerdo con el artículo 13.1 de la Constitución Española—[39] a la hora de regular los derechos y libertades de los extranjeros y cuáles son "los límites a los que se ve sometido en el establecimiento de diferencias respecto de los nacionales"? La diferencia de trato en la que el legislador de la L.O. 8/2000 funda la atribución a los extranjeros del ejercicio de determinados derechos fundamentales está basada en la situación jurídica en la que se encuentre el extranjero, regular o irregular, es decir en que se posea la autorización de estancia o residencia en España. Y los recursos cuestionaban este condicionamiento.[40] EL TC partía del dato de que nuestro ordenamiento jurídico no desconstitucionaliza el régimen jurídico de los extranjeros, de modo que la primera fuente para interpretar los derechos de los extranjeros está en el propio texto constitucional,[41] en los preceptos del Título I, a través de una interpretación sistemática (junto con otros preceptos constitucionales). Deberá acudirse, por tanto, en primer lugar, a cada precepto reconocedor de derechos fundamentales, de modo que la titularidad y el ejercicio del derecho dependerá del derecho concreto

---

[39] Que dice literalmente: "Los extranjeros gozarán en España de las libertades públicas que garantiza el presente Título *en los términos que establezcan los Tratados y la Ley*".

[40] Afirma el Tribunal en su *Fundamento jurídico segundo*: "Se plantea así por primera vez ante este Tribunal la posible inconstitucionalidad de una ley que niega el ejercicio de determinados derechos no a los extranjeros en general, sino a aquéllos que no dispongan de la correspondiente autorización de estancia o residencia en España. Este dato ha de resultar decisivo para el enjuiciamiento que debemos efectuar, ya que si bien la Constitución no distingue entre los extranjeros en función de la regularidad de su estancia o residencia en España, sí puede resultar constitucional que el legislador atienda a esa diferencia para configurar la situación jurídica de los extranjeros siempre que al hacerlo no vulnere preceptos o principios constitucionales".

[41] *Fundamento jurídico tercero*.

de que se trate. En segundo lugar, se debe acudir a las reglas del ya mencionado artículo 13, pues consagran el estatuto constitucional de los extranjeros en España. Al decir del Tribunal, los derechos mencionados en el artículo 13 (entendido en sentido amplio el término "libertades públicas") se refieren "a todos los extranjeros", con independencia de la situación jurídica en que se encuentren. Los derechos y libertades de los extranjeros son derechos de configuración constitucional y no se determinan exclusivamente por el legislador y los tratados internacionales.[42] El legislador no tendrá la misma libertad de actuación en los distintos derechos, sino que habrá que atender a la regulación de cada uno de ellos y a la de los tratados internacionales. En este sentido, es relevante la diferenciación antes reseñada que hacía la Sentencia del Tribunal Constitucional 107/84, de 23 de noviembre de 1984, entre derechos atribuibles en todo caso a los extranjeros, que afectan a la dignidad humana ("corresponden a los extranjeros por propio mandato constitucional, y no resulta posible un tratamiento desigual respecto de los españoles", "inherentes a la dignidad de la persona humana");[43] los derechos en ningún caso atribuibles a los extranjeros, que atañen al estatuto del ciudadano; y los derechos que el legislador puede o no atribuir a los extranjeros, según sus decisiones de política legislativa.[44] La jurisprudencia del TC en relación con la primera categoría de derechos, los que corresponden en todo caso a los extranjeros porque afectan a la dignidad humana, era extensa y había permitido el reconocimiento de un buen número de derechos que corresponden a las personas como tales y que no se recogen en "una lista cerrada y exhaustiva".[45]

---

[42] El Tribunal deja sentado que no cabe interpretar de ningún modo la remisión al legislador del artículo 13.1 ("Los extranjeros gozarán en España de las libertades públicas que garantiza el presente Título en los términos que establezcan los Tratados y la Ley") en el sentido de que los derechos de los extranjeros los determinen exclusivamente los tratados y el legislador: "una interpretación sistemática del repetido precepto constitucional [el art. 13.1] impide sostener que los extranjeros gozarán en España solo de los derechos y libertades que establezcan los tratados y el legislador, dejando en manos de este la potestad de decidir qué derechos del Título I les pueden corresponder y cuáles no".
El Tribunal Constitucional cita las SSTC 107/1984, FJ 3; y 99/1985, de 30 de septiembre, *FJ 2*.

[43] STC 91/2000, de 30 de marzo, FJ 7.

[44] Ver *supra*, nota 18.

[45] Así, el TC se había referido con anterioridad al derecho a la vida, al derecho a integridad física y moral, al derecho a la intimidad, al derecho la libertad ideológica (mencionados en la STC 107/1984, FJ 3), al derecho a la tutela judicial efectiva (STC 99/1985, FJ 2), al

El TC admite que si la "dignidad humana" constituye el criterio para determinar si un concreto derecho pertenece a esta categoría, tal determinación no está exenta de dificultades, "por cuanto todos los derechos fundamentales, por su misma naturaleza, están vinculados a la dignidad humana". No obstante, son aquellos derechos o contenidos de los mismos imprescindibles para garantizar la dignidad de la persona, dirá el TC, los que es necesario reconocer, ya que la dignidad de la persona constituye el fundamento del orden político y la paz social, de acuerdo con el art. 10.1 CE y se erige "en un mínimo invulnerable que por imperativo constitucional se impone a todos los poderes, incluido el legislador". En consecuencia, las opciones políticas que adopte el legislador en materia de extranjería están limitadas por los imperativos constitucionales y por la consideración de si el ejercicio de un derecho es "imprescindible para garantizar la dignidad humana", pues no se podrá negar su ejercicio a los extranjeros, con independencia de su situación, ni modular o atemperar su contenido, pues estos derechos "pertenecen a la persona en cuanto tal y no como ciudadano".[46] Para tal identificación, también desempeñarán un papel importante la Declaración Universal de Derechos Humanos y los demás tratados y acuerdos internacionales en la materia de los que España sea parte. En consecuencia, el Tribunal establece que la "dignidad de la persona":

> constituye un primer límite a la libertad del legislador a la hora de regular ex art. 13 CE los derechos y libertades de los extranjeros en España. El grado de conexión de un concreto derecho con la dignidad debe determinarse a partir de su contenido y naturaleza, los cuales permiten a su vez precisar en qué medida es imprescindible para la dignidad de la persona concebida como un sujeto de derecho, siguiendo para ello la Declaración universal de derechos humanos y los tratados y acuerdos internacionales a los que remite el art. 10.2 CE.[47]

El segundo límite que considera el TC que debe tomar en consideración el legislador al regular los derechos fundamentales de los extran-

derecho a la libertad y a la seguridad (STC 95/2003, FJ 4) , al derecho instrumental a la asistencia jurídica gratuita (STC 144/1990, de 26 de septiembre, FJ 5) y al derecho a no ser discriminado por razón de nacimiento, raza, sexo, religión o cualquier otra condición o circunstancia personal o social (STC 137/2000, de 29 de mayo, FJ 1).

[46] STC 99/1985, FJ 2.

[47] Fundamento jurídico tercero, *in fine*.

jeros está constituido por los derechos que la propia Constitución reconoce directamente a los extranjeros, pues el legislador no va a poder denegárselos, aunque pueda establecer y exigir "condicionamientos adicionales" para su ejercicio.[48] Sin embargo, el legislador debe someterse a las prescripciones constitucionales y respetar el contenido mínimo del derecho cuando haya sido reconocido directamente por la Constitución para los extranjeros, de forma que el contenido preceptivo del derecho se impone al legislador al regular su ejercicio por los extranjeros.[49] En estos casos, deberá atenderse al tenor literal de los preceptos constitucionales que reconocen los derechos para poder identificarlos y que utilizan diferentes expresiones, como "todos", "todas las personas", "se reconoce", "se garantiza", "los ciudadanos", los españoles", etc.

Como última categoría de derechos atribuibles a los extranjeros, se encuentran los derechos de los que pueden ser titulares los extranjeros "en la medida y en las condiciones que se establezcan en los tratados y las leyes".[50] El legislador goza, en este caso, de mayor libertad en su regulación, pero, sin embargo, no es ni absoluta ni incondicionada, pues no puede afectar al contenido delimitado para ese derecho por la Constitución o los Tratados internacionales suscritos por España".[51] Ello no significa que no puedan establecerse por el legislador diferencias entre españoles y extranjeros tomando en consideración el estatus jurídico del extranjero, exigiendo la autorización de estancia o residencia "como presupuesto para el ejercicio de algunos derechos constitucionales que por su propia naturaleza hacen imprescindible el cumplimiento de los requisitos que la misma ley establece para entrar y permanecer en territorio español".[52]

---

[48] Fundamento jurídico cuarto. El TC reproduce el siguiente pasaje de su Sentencia 91/2000, de 30 de marzo de 2000: "hemos de partir, en cada caso, del tipo abstracto de derecho y de los intereses que básicamente protege (es decir, de su contenido esencial, tal y como lo definimos en las SSTC 11/1981, de 8 de abril, 101/1991, de 13 de mayo y ATC 334/1991) para precisar si, y en qué medida, son inherentes a la dignidad de la persona humana concebida como un sujeto de derecho, es decir, como miembro libre y responsable de una comunidad jurídica que merezca ese nombre y no como mero objeto del ejercicio de los poderes públicos" (STC 91/2000, FJ 7).

[49] STC 115/1987, FJ 3.

[50] Fundamento jurídico cuarto.

[51] STC 242/1994, FJ 4.

[52] En tal situación se encuentran, al decir del TC y de su jurisprudencia, el derecho al trabajo, el derecho a la salud, el derecho a percibir una prestación de desempleo y, "con

En definitiva, la opción del legislador de establecer como condición para el ejercicio de los derechos la estancia o residencia está sometida a los límites constitucionales.[53] En resumen, el legislador goza de una notable libertad en la regulación de los derechos de los extranjeros en España, y puede establecer condiciones para su ejercicio. Pero debe tenerse en cuenta por el legislador: en primer lugar, "el grado de conexión de los concretos derechos con la garantía de la dignidad humana", de acuerdo con los criterios anteriormente referidos; en segundo lugar, "el contenido preceptivo del derecho, cuando este venga reconocido a los extranjeros directamente por la Constitución"; en tercer lugar, "y en todo caso, el contenido delimitado para el derecho por la Constitución y los tratados internacionales"; y además, "las condiciones de ejercicio establecidas por la Ley deberán dirigirse a preservar otros derechos, bienes o intereses constitucionalmente protegidos", y, finalmente, "guardar adecuada proporcionalidad con la finalidad perseguida".

A nuestro juicio, debe considerarse un acierto hacer fundar la atribución de los derechos a su vinculación con la "dignidad de la persona". Lo que el Tribunal fija, a nuestro parecer, es precisamente que, más allá de que todos los derechos fundamentales se vinculen con la dignidad de la persona, lo que resulta determinante para su carácter y clasificación es "la forma" en que un concreto derecho fundamental, o los contenidos de los mismos, se vinculan a la dignidad de la persona, las consecuencias que la ausencia del reconocimiento del derecho tienen sobre la persona concreta, el extranjero, en sus específicas circunstancias.[54]

---

matizaciones, el derecho de residencia y libre circulación por territorio español".

[53] Como razona el TC: "puesto que el incumplimiento de los requisitos de estancia o residencia en España por parte de los extranjeros no permite al legislador privarles de los derechos que les corresponden constitucionalmente en su condición de persona, con independencia de su situación administrativa. El incumplimiento de aquellos requisitos legales impide a los extranjeros el ejercicio de determinados derechos o contenidos de los mismos que por su propia naturaleza son incompatibles con la situación de irregularidad, pero no por ello los extranjeros que carecen de la correspondiente autorización de estancia o residencia en España están desposeídos de cualquier derecho mientras se hallan en dicha situación en España". Fundamento jurídico cuarto.

[54] Las críticas que se han realizado a este criterio, "no solo por la propia labilidad del concepto dignidad de la persona, sino porque todos los derechos fundamentales están vinculados, de una u otra forma, a dicha dignidad", entendemos que deben ponderarse a la luz de esta sentencia. Ver Vidal Fueyo, C., "La nueva Ley de extranjería a la luz del texto constitucional", *Revista Española de Derecho Constitucional*, vol. 21, nº 62,

B) El papel que desempeñan los tratados internacionales en la interpretación de los derechos fundamentales

El segundo argumento general que el TC consideró que debía examinar, pues en él se apoyaba el recurso de inconstitucionalidad presentado por el Parlamento de Navarra contra la Ley Orgánica 8/2000, se refiere a la función que desempeñan los tratados internacionales de los que España es parte en materia de derechos fundamentales, ya que el recurso sostiene que la mayor parte de los preceptos legales impugnados son inconstitucionales porque entran en contradicción con la regulación dada en determinados tratados internacionales, fundándose en la norma prevista en el art. 10.2 CE.[55]

El TC señala que en su jurisprudencia anterior ha manifestado reiteradamente la utilidad de estos Convenios internacionales "para configurar el sentido y alcance de los derechos fundamentales, de conformidad con lo establecido en el art. 10.2 CE".[56] El Tribunal aclara cuál es el significado del término "interpretación" que recoge el artículo 10.2 CE, en el sentido de que "no convierte a tales tratados y acuerdos internacionales en canon autónomo de validez de las normas y actos de los poderes públicos desde la perspectiva de los derechos fundamentales". Al existir la proclamación constitucional de los derechos fundamentales, la constitucionalidad de las normas se mide a través de los expresos preceptos constitucionales donde se recogen los derechos y libertades para los que se reclama la protección, "siendo los textos y acuerdos internacionales del art. 10.2 una fuente interpretativa que contribuye a la mejor identificación del contenido de los derechos cuya tutela se pide a este Tribunal Constitucional".[57]

mayo-agosto de 2001, p. 190. Y también, citado por la profesora Vidal Fueyo, Solozábal Echavarría, J.J., "Algunas cuestiones básicas de la teoría de los derechos fundamentales", *Revista de Estudios Políticos, núm.* 71, 1991, p. 88; ídem, "La libertad de expresión desde la teoría de los derechos fundamentales", *Revista Española de Derecho Constitucional*, núm. 32, mayo-agosto 1991, pp. 73-114. Y también Vidal Fueyo, C., *Constitución y extranjería*, Centro de Estudios Políticos y Constitucionales, Madrid, 2002; y García Vázquez, S., *El estatuto jurídico constitucional del extranjero en España*, Tirant Lo Blanch, Valencia, 2007.

[55] El precepto dice: "Las normas relativas a los derechos fundamentales y a las libertades que la Constitución reconoce, se interpretarán de conformidad con la Declaración Universal de Derechos Humanos y los tratados y acuerdos internacionales sobre las mismas materias ratificados por España".

[56] SSTC 38/1981, de 23 de noviembre, FJ 4; y 84/1989, de 10 de mayo, FJ 5.

[57] STC 64/1991, de 22 de marzo, FJ 4 a.

En consecuencia, los tratados internacionales son un instrumento de interpretación de los derechos recogidos en la constitución. Si las leyes u otras disposiciones normativas entran en contradicción con los tratados internacionales sobre derechos fundamentales y libertades ratificados por España, puede llegar a fundamentarse en esa contradicción la inconstitucionalidad de las leyes, pero no por la contradicción "en sí misma", ni porque el tratado se convierta en una medida o parámetro de constitucionalidad de la ley, sino porque el precepto constitucional que proclama y reconoce el derecho, que constituye el verdadero parámetro de constitucionalidad de las leyes, debe ser "interpretado, en cuanto a los perfiles exactos de su contenido, de conformidad con el tratado o acuerdo internacional".[58] En consecuencia, el legislador, al regular los derechos de los extranjeros, sí estará limitado en su actuación, a causa del artículo 10.2 CE, por las normas internacionales, pero porque como cualquier poder del Estado, el legislador está obligado a interpretar las normas relativas a los derechos fundamentales y las libertades reconocidos por la Constitución de acuerdo con las normas internacionales sobre la materia de las que España sea parte.[59]

C) La declaración de inconstitucionalidad de las normas sobre derechos fundamentales en la formulación de seis derechos de la Ley Orgánica 8/2000

La aplicación práctica del extenso planteamiento anterior la desarrolló el Tribunal Constitucional declarando inconstitucional la regulación que la Ley Orgánica hacía de seis derechos,[60] en particular, los dere-

[58] STC 28/1991, de 14 de febrero, FJ 5.

[59] Y concluye el TC su argumentación sobre la función de las normas internacionales en la interpretación de los derechos fundamentales de la constitución afirmando que el Tribunal, al examinar la constitucionalidad de la Ley Orgánica 8/2000, debe determinar si el legislador ha respetado los límites establecidos por el art. 10.2 que le obligan a interpretar de acuerdo con las normas internacionales los derechos y libertades consagrados en la Constitución Española, sin que por ello tales normas internacionales sean por sí mismas un canon de constitucionalidad: "Las normas legales impugnadas deben ser contrastadas con los correspondientes preceptos constitucionales que proclaman los derechos y libertades de los extranjeros en España, interpretados de acuerdo con el contenido de dichos tratados o convenios. En consecuencia, solo podrá declararse su inconstitucionalidad si aquellas normas con rango de ley vulneran el contenido constitucionalmente declarado de tales derechos y libertades" (Fundamento jurídico quinto, *in fine*).

[60] Cinco en la sentencia 236/207 y uno en la sentencia 259/2007.

chos de reunión y manifestación, el derecho de asociación, el derecho a la educación no obligatoria, el derecho de sindicación, el derecho a la asistencia jurídica gratuita y el derecho de huelga. Lo primero que hizo el Tribunal fue organizar el método de análisis que iba a seguir para comprobar la constitucionalidad o inconstitucionalidad de cada una de las normas sobre derechos fundamentales de los extranjeros. La estructura del razonamiento era tripartita: análisis del contenido esencial del derecho, incluido el enunciado constitucional; precisión de en qué medida era imprescindible para la dignidad humana; y recurso al apoyo en la DUDH y en los tratados internacionales de los que España es parte.[61] Simplificando mucho, dado que hemos desarrollado con cierto detenimiento los planteamientos básicos, haremos un tratamiento unificado seis derechos referidos.

En todas las normas relativas a estos derechos, el legislador exigía la condición de que los extranjeros debían tener autorización de estancia o residencia en España para poder ejercerlos. A juicio del TC, en todos y cada uno de los seis derechos, la condición que se establecía para su ejercicio, de que los extranjeros debían tener autorización de estancia o residencia en España, carecía de cobertura constitucional, pues se atribuían, con una u otra fórmula, a "todos", incluyendo a los extranjeros. El ejercicio de tales derechos se encontraba, para el TC, vinculada con la dignidad de la persona y su privación suponía un menoscabo de la misma, En consecuencia, en todos y cada uno de esos supuestos se declaró la inconstitucionalidad de los preceptos, aunque el alcance terminó siendo diferente. En los casos del derecho a la educación de naturaleza no obligatoria y del derecho a la asistencia jurídica gratuita, en la sentencia 236/2007, de 7 de noviembre, y en el caso del derecho de huelga, en la sentencia 259/2007, de 19 de diciembre, no se da la posibilidad de condicionalidad del derecho para los extranjeros no residentes, de modo que la inconstitucionalidad del precepto conduce a la nulidad de la obligación de estar en situación regular en España, bien por la tenencia de las correspondientes autorizaciones de estancia, residencia o para trabajar en España, exigidas en los respectivos preceptos.[62] Aquí, en consecuencia, inconstitucionalidad equivale a nulidad de tales requisitos.

[61] Fundamento jurídico sexto. Cita la STC 91/2000, FJ 3.
[62] STC 236/2007, fundamento jurídico decimoséptimo, y STC 259/2007, fundamento jurídico noveno.

Sin embargo, en los supuestos de los derechos de reunión, asociación y sindicación, en la sentencia 236/2007, de 7 de noviembre, el TC consideró, en primer lugar, que no podía declarar la nulidad de los preceptos completos impugnados, porque ello conduciría a un vacío legal que tendría como consecuencia la denegación de tales derechos para todos los extranjeros, con independencia de su situación.[63] La otra posibilidad, la declaración de nulidad en cada uno de los artículos afectados de los correspondientes incisos "y que podrán ejercer cuando obtengan autorización de estancia o residencia en España", consideraba el TC que tampoco procedía, pues ello supondría suplantar la voluntad del legislador equiparando plenamente a todos los extranjeros con independencia de su situación, en supuestos en los que cabe establecer una determinada condicionalidad. Como medio de evitar suplantar la voluntad del legislador el TC optó por declarar la inconstitucionalidad de los preceptos pero no su nulidad, instando al legislador para que "establezca dentro de un plazo de tiempo razonable las condiciones de ejercicio de los derechos de reunión, asociación y sindicación por parte de los extranjeros que carecen de la correspondiente autorización de estancia o residencia en España. Y ello sin perjuicio del eventual control de constitucionalidad de aquellas condiciones, que corresponde a este Tribunal Constitucional".[64] Sería el legislador, en su Ley Orgánica 2/2009, de 11 de diciembre, de reforma de la Ley Orgánica 4/2000, de 11 de enero, sobre derechos y libertades de los extranjeros en España y su integración social, el que retiraría tales condicionantes y dejaría resuelta la cuestión.

III.- La construcción social del inmigrante por la Legislación de Extranjería y el *fobotipo* del inmigrante ilegal

Lo primero que cabe decir es que cada Derecho, cada ordenamiento jurídico, cada Estado, construye a través de las normas jurídicas su propia imagen y representación del fenómeno de la inmigración. Es la legislación de extranjería la que recoge y proyecta la concepción que una sociedad dada tiene de los inmigrantes. Y lo hace de un modo concluyente, pues al llevarse a cabo la recepción conceptual en la nor-

[63] Fundamento jurídico decimoséptimo.
[64] Fundamento jurídico decimoséptimo.

ma jurídica, se trata de una concepción en acción, socialmente relevante, poniéndose a su servicio las técnicas y los mecanismos jurídicos coactivos y de obligado cumplimiento, de modo que una valoración negativa por esa concepción de un hecho dado se traducirá en un mecanismo técnico-jurídico de exclusión o de reprobación en la práctica.

Lo que cabe observar es que un fenómeno global, como la inmigración, inserto dentro de la lógica de la economía global,[65] recibe respuestas diferentes en su tratamiento local por los Derechos nacionales. Cada Derecho, cada ordenamiento jurídico, cada sociedad se enfrenta a él desde sus propias premisas culturales y sociales.

El extranjero inmigrante aparece de este modo con una representación social, una construcción conceptual, que se refleja en la reglamentación. La norma jurídica proyecta así, como un espejo, la concepción del inmigrante que ofrece en un momento dado la sociedad de la que emana, y contribuye a su difusión, tanto hacia la propia comunidad, creando un modelo de extranjero inmigrante y de estándar de comportamiento y respuesta hacia él para sus ciudadanos, como para los potenciales inmigrantes en su territorio.[66]

El régimen jurídico de la extranjería proyecta con él todo el discurso de legitimación construido a su alrededor, y a propósito del que Riva Kastoriano se ha referido como "una guerra de palabras", en la que los "términos", como cuchillos, constituyen la punta de lanza de la representación, tomando el Derecho como referente: "ilegales",

---

[65] Como refiere Ridao, J. M.: "La férrea regulación del mercado internacional de trabajo persigue ese mismo propósito: mantener una reserva estable de mano de obra barata, de manera que los capitales puedan acudir donde su rentabilidad sea mayor. La diferencia radica en que, al haber optado en principio por una barrera geográfica y no legal, la actual ortodoxia no previó que algunos de los agentes económicos de los países ricos –cuyos capitales no son móviles, bien por su exiguo tamaño, bien por la naturaleza de su actividad– ajustarían sus decisiones a las leyes del mercado, lo mismo que los trabajadores de los países pobres, dando lugar al flujo migratorio que hoy está desmintiendo la división internacional del trabajo prevista por el Fondo Monetario Internacional y el Banco Mundial. Así, de la misma manera que la decisión de debilitar el Estado y adelgazar sus instituciones dio como resultado una acelerada fragmentación social con la que no se contaba, la desregulación de los flujos financieros y la liberalización del comercio ha provocado una reacción inesperada en el mercado internacional del trabajo, cuya manifestación más palpable es esta transferencia de mano de obra desde los países pobres hacia los ricos", en *La elección de la barbarie*, Tusquets, 2002, pp. 144-145. Ver también Martínez, D.; y Vega Ruiz, M.L., *La globalización gobernada*, Tecnos, Madrid, 2002, pp. 101-103, 191-195, 206-207 y 266-269.

[66] Ver Lucas, J. de, "Una oportunidad perdida para la política de inmigración. La contrarreforma de la Ley 8/2000 en España", en Lucas, J. de, Peña, S. y Solanes, A., *Trabajadores migrantes*, Germania, Valencia, 2001, pp. 33 y 36.

"extranjeros ilegales", "inmigración ilegal", "clandestinos", "refugiados económicos", "falsos demandantes de asilo"... Términos que se acompañan, al tiempo, con la idea de invasión, de ocupación territorial por los extranjeros, y por la criminalización y la vinculación con la inseguridad ciudadana.[67] La inmigración se configura, así como "amenaza" y como "problema".

Como se ha dicho, el extranjero no comunitario, inmigrante pobre que viene para trabajar, constituye el elemento nuclear de la construcción legal/social de la inmigración.[68] Y en esta construcción se ha llegado a plasmar un modelo de inmigrante "bueno", frente a los inmigrantes "malos", entendiendo los primeros como aquéllos que cumplen dos condiciones: ser útiles para el mercado de trabajo y ser integrables con facilidad, porque culturalmente están más próximos a nuestra esfera cultural.[69] En esta categoría entran, en términos generales, los de Estados europeos del Este no miembros para los países de la Unión Europea, y los latinoamericanos para España, tal y como se ha reiterado por las autoridades gubernamentales españolas. Frente a ellos, los inmigrantes "malos" serían aquéllos que se consideran incompatibles con los derechos humanos:[70] o, en otros términos, los que plantean problemas de integración cultural, los musulmanes e islámicos en la construcción de Giovanni Sartori.[71]

Como ha resaltado de Lucas, el paradigma, el resumen de esta construcción, vendría dado por el *fobotipo* del inmigrante irregular,[72] como estereotipo que recoge las fobias sociales, sobre la base de su situación no acorde con determinadas premisas legales. El inmigrante irregular vendría a ser una suerte de chivo expiatorio, como diría René Girard.[73] La gran paradoja es que el endurecimiento de las soluciones legales

---

[67] El caso español ha sido paradigmático, ante los mensajes que emitía el gobierno de José María Aznar de que el aumento de la delincuencia se debía a la inmigración, pese a la evidencia. Ver Gómez, L., "Culpables y víctimas de la violencia", *El País Domingo*, 16.06.2002, p. 9.

[68] Lucas, J. de, "Las propuestas sobre políticas de inmigración en Europa. El debate en España", en *Construcción de Europa, democracia y globalización,* coord. por Ramón Máiz Suárez, vol. 2, Universidade de Santiago de Compostela, Santiago, 2001, pp. 741-760.

[69] Esta era la posición de Sartori, G., *La sociedad multiétnica. Pluralismo, multiculturalismo y extranjeros*, Taurus, Madrid, 2001.

[70] Ver Lucas, J. de, "Las propuestas sobre políticas...", *op.cit.*, p. 745.

[71] Sartori, G., *op.cit.,* pp. 52-53 y 114-119.

[72] Ver Lucas, J. de, *op.cit.*, p. 745.

[73] Girard, R., *El chivo expiatorio*, Anagrama, Madrid, 1986.

(en España, la contrarreforma de la Ley 4/2000 por la Ley 8/2000), se hizo con el argumento de acabar con la inmigración ilegal, o limitarla, cuando el endurecimiento daría lugar a más número de inmigrantes en situación irregular (más *ilegales*).

La regulación que establecía la Ley Orgánica 8/2000 proyectaba un mensaje inequívoco a la sociedad: los inmigrantes irregulares eran sujetos fuera del Derecho. Lo que la situación jurídica de los inmigrantes planteaba era que el nuevo Derecho de extranjería se había convertido en una verdadera piedra de toque del Estado de Derecho, al mostrar la existencia de sujetos despojados de derechos, y la quiebra del derecho a la igualdad, en una lógica que comparte con los "espacios no sometidos al Derecho" creado por el gobierno estadounidense en Guantánamo, o por las técnicas de persecución y "juicio secreto" (¿sumarísimo?) a musulmanes en los Estados Unidos tras el 11 de septiembre y la ocupación de Afganistán.[74]

En este contexto resulta un dato revelador el hecho de que ningún Estado de los países desarrollados haya firmado ni ratificado la Convención internacional de las Naciones Unidas sobre la protección de los derechos de todos los trabajadores migratorios y de sus familiares, hecha en Nueva York, el 18 de diciembre de 1990, que establece obligaciones para los Estados en relación con el trato dado a los extranjeros migrantes y un mínimo estándar de trato que garantiza determinados derechos mínimos.[75] Resulta sintomático que los Estados desarrollados no quieren asumir compromisos internacionales expresos en relación con los derechos mínimos que deben conceder a los inmigrantes en su territorio, ante el riesgo de que sean un obstáculo a su libre gestión de los flujos migratorios y de las políticas de inmigración. Este hecho muestra que la restricción o la exclusión de derechos a los inmigrantes aparecen para los Estados desarrollados, desde una perspectiva utilitarista, como una política posible y susceptible de ser utilizada.

[74] Puede verse el lúcido y riguroso estudio de Fernández, E., *Igualdad y Derechos Humanos*, Tecnos, Madrid, 2003; y el comentario de Oliván López, F., "De Sevilla a Guantánamo. Una reflexión sobre los derechos humanos", *Revista de Derecho Migratorio y Extranjería*, Lex Nova, Valladolid, nº 1, noviembre de 2002, pp. 123-124.

[75] Véase nuestro trabajo "Una lectura del Derecho de extranjería e inmigración: la gestión de la integración. 'Derecho como Literatura' en las leyes de integración social de los inmigrantes de las Comunidades Autónomas", en *Nuevos retos para la integración social de los inmigrantes*, coord. por Ignacio Álvarez Rodríguez; Francisco Javier Matia Portilla (dir.), Tirant Lo Blanch, Valencia, 2014, pp. 56-96.

El resultado es lo que el filósofo del Derecho Giorgio Agamben llamó la "nuda vida", el vaciamiento de la vida y su integración en el campo del Derecho en el Estado democrático, la contradicción de la democracia finisecular, cuya herencia mantenemos, que por un lado reclama y enuncia de modo general y abstracto los derechos y libertades para todos y por otro, establece, de forma natural, sujetos concretos privados de derechos.[76] De ahí que afirmemos, como ya hemos hecho más arriba, que el Derecho de extranjería e inmigración se convierte en la actualidad en una verdadera piedra de toque del Estado de Derecho.

IV.- EL MODELO DEL CONTRATO DE INTEGRACIÓN Y LOS INMIGRANTES "NO INTEGRABLES" COMO RENOVACIÓN DEL *FOBOTIPO* MIGRATORIO

Las nuevas corrientes en materia de política de extranjería e inmigración trajeron como resultado una nueva categoría de instrumentos: los contratos de integración, Esta nueva técnica supone que los Estados no han dirigido sus esfuerzos a asegurar las condiciones mínimas de integración socioeconómica de los inmigrantes, que deberían garantizar los poderes públicos del país de acogida a los trabajadores extranjeros que recibe, sino a imponer a los inmigrantes obligaciones de integración cultural.[77]

En el contexto de la comunitarización de las políticas de inmigración en la Unión Europea apareció un nuevo enfoque. Con el Tratado de Unión Europea de Ámsterdam de 1997 (en vigor desde el 1 de mayo de 1999) y las previsiones del Programa de Tampere,[78] la fundamental Comunicación de la Comisión de 22 de noviembre de 2000, titulada *Una política comunitaria en materia de inmigración*,[79] contempló la idea básica de que se debía "reconocer que la integración es un proceso *bidireccional* que implica la adaptación tanto por parte del inmigrante como de la sociedad de acogida".

[76] Agamben, G., *Homo Sacer. El poder soberano y la nuda vida*, Pretextos, Valencia, 1998, pp. 17-20.

[77] Puede verse, Sales Ten, A., *Inmigración, integración cívica y obligación en la Unión Europea: El contrato de integración*, Universitat de València, Valencia, 2020.

[78] Véase nuestro trabajo, "Una regulación integral de la inmigración para Europa". En *Revista de Derecho de la Unión Europea*, nº 5, segundo semestre de 2003, pp. 91-113.

[79] COM (2000) 757, de 22.11.2000.

En este marco, bajo el amparo del Programa de La Haya,[80] que se adoptó en el Consejo Europeo del 4 y 5 de noviembre de 2004, se aprobaron de forma inmediata los llamados *Principios Comunes Básicos sobre Integración*, por el Consejo de Ministros de Justicia y Asuntos de Interior en Bruselas, el 19 de noviembre de 2004.[81] Y en ese catálogo de *Principios Comunes Básicos sobre Integración* se incorporó, en el cuarto de los principios, una referencia a otras exigencias de integración, al considerar indispensable haber interiorizado con cierta profundidad determinados aspectos culturales del país de acogida: "Un conocimiento básico del idioma, la historia y las instituciones de la sociedad de acogida es indispensable para la integración; permitir a los inmigrantes adquirir ese conocimiento básico es esencial para que la integración tenga éxito". Es cierto que en ese momento, la enunciación se hacía de forma positiva para los inmigrantes, pero, en la práctica ha terminado por constituir un verdadero "deber de integración" de los inmigrantes que vino a desactivar en la práctica la consideración de la integración como un "proceso bidireccional", puesto que al poner el acento en la conducta del inmigrante se eclipsan las exigencias de integración socioeconómica, que obligan al país de acogida, y el papel del Estado en su realización.[82]

La referencia a estas exigencias de integración cultural ha seguido manteniéndose en la documentación europea,[83] de forma que, junto a los mecanismos de exclusión basados en la "irregularidad" de los inmigrantes, se ha venido a sumar un nuevo elemento excluyente, la consideración de la ausencia de integración cultural, pues las estrategias

---

[80] *Comunicación de la Comisión, Programa de la Haya: diez prioridades para los próximos cinco años. Una asociación para la renovación europea en el ámbito de la libertad, la seguridad y la justicia*, COM (2005) 184 final de 10.5.2005. Ver *El programa de La Haya: consolidación de la libertad, la seguridad y la justicia en la Unión Europea* (2005/C 53/01), DOUE, C 53 de 3.3.2005, pp. 1-14.

[81] Consejo de la Unión Europea, sesión nº 2618 del Consejo de Justicia y Asuntos de Interior, Bruselas, 19.11.2004, 14615/04.

[82] Ver Carrera, S., "Programas de integración para inmigrantes: una perspectiva comparada en la Unión Europea", *Migraciones*, nº 20, 2006, pp. 37-73. Dice este autor "La integración" parece haberse transformando en un proceso unidireccional en el que las responsabilidades se ponen exclusivamente en la parte de los inmigrantes" (p. 51).

[83] Ver Solanes Corella, A., "Sobre las condiciones para la integración de y con los inmigrantes: del ámbito formal al material", *Integración y Derechos en tiempos de crisis. Human Right, Investigation & Human Mobility. 3rd Human Rights Centres and Research Institutes Inernational Meeting*. 15-16 de Noviembre de 2012. IDH Valencia. En http://www.uv.es/immigracio/PrometeoGVA/III_Encuentro_files/ASC.pdf.

que se utilizan para comprobar integración y su consecución llevan a cabo un gestión compulsiva o coercitiva y no utilizan la opción de modalidades asertivas. Este constituye, a nuestro juicio, un verdadero *fobotipo* de exclusión, que opera en la práctica como un instrumento que imposibilita el acceso a plenos derechos.[84]

Sin llevar a cabo un desarrollo exhaustivo, sí cabe decir que un buen número de Estados europeos —tales como Alemania, Austria, Bélgica, Dinamarca, Finlandia, Francia, Países Bajos, Reino Unido, Suiza y Suecia— fueron incorporando a su legislación exigencias referidas al conocimiento del idioma y de aspectos culturales, que en numerosas ocasiones se articulaban a través de los llamados "contratos o cursos de integración", que hacen descansar mayoritariamente sobre el inmigrante el peso de la integración.[85] Así, se establecían en la legislación distintas modalidades de exámenes de civismo y ciudadanía, cursos o contratos de integración,[86] en algunos casos con programas de integración de carácter vinculante, que pusieron en marcha una nueva estrategia de exclusión que evalúa las posibilidades de integración de los inmigrantes a la luz del hipotético peligro que podrían suponer para la seguridad y la unidad nacional.[87] Los casos de los Países Bajos,[88] Alemania,[89] Reino Unido,[90] Austria,[91] Di-

---

[84] Ver Gil Araujo, S.: *Las argucias de la integración. Políticas migratorias, construcción nacional y cuestión social.* Iepala Editorial, Madrid, 2010; y Houdt, F. van; Suvarierol, S.; Schinkel, W.: "Neoliberal communitarian citizenship: Current trends towards 'earned citizenship' in the United Kingdom, France and the Netherlands", *International Sociology*, nº 26, mayo de 2011, pp. 408-432

[85] Solanes Corella, A., *op.cit.* 2012

[86] Véase también sobre la materia Solanes Corella, A., "¿Integrando por ley?: de los contratos europeos de integración al compromiso de la Ley autonómica valenciana 15/2008", *Revista de derecho migratorio y extranjería*, n°. 20, 2009, pp. 47-75. También puede verse Sales Ten, A., *op.cit.*, pp. 59-126.

[87] Ver Rudolph, Ch., *National Security and Immigration: Policy Development in the United States and Western Europe Since 1945.* Stanford University Press, Stanford, 2006.

[88] Para el caso holandés ver Carrera, S., *op.cit.*; Gil Araujo, S., *op.cit.*; Michalowski, I., *Modelos de acogida en Alemania, Francia y los Países bajos: diseño y efectividad de los programas de acogida e integración*, en Biles, J.; Michalowski, I. Y Winnemore, L., *Políticas y modelos de acogida. Una mirada transatlántica: Canadá, Alemania, Francia y los Países bajos.* Serie Migraciones, núm. 12, Barcelona: Fundació CIDOB, pp. 67-92; Sales Ten, A., *op.cit.*, pp. 61-68.

[89] Para el caso alemán, puede verse Sales Ten, A., *op.cit.*, pp. 81-88.

[90] Para el caso británico ver Gil Araujo, S., *op.cit.*; y Solanes Corella, A., *op.cit.*, 2009, y Sales Ten, A., *op.cit.*, pp. 74-81.

[91] Para el caso austríaco ver Carrera, S., *op.cit.* y Sales Ten, A., *op.cit.*, pp. 88-95.

namarca[92] o Francia[93] han aparecido como los más representativos de la tendencia.

Lo que estos instrumentos expresan es el carácter "unidireccional" de las nuevas políticas, haciendo caer sobre el inmigrante el peso de la integración, que en buena parte de los casos también cargan sobre el propio inmigrante los costes de los programas de integración. Lejos de tratarse de un instrumento efectivo de integración que facilite la cohesión social, el largo itinerario que en ocasiones obligan a seguir los programas de integración proyecta una imagen negativa de los inmigrantes hacia la población autóctona. Esta imagen negativa proyectada tiene verdadero valor performativo, pues el principio de sospecha que establece el Derecho con los inmigrantes, a través de los contratos y programas, se traslada como principio de sospecha a toda la sociedad.

En el caso español, estos instrumentos se desarrollaron por las Comunidades Autónomas, espacialmente a partir del Real Decreto 557/2011, de 20 de abril, por el que se aprueba el Reglamento de la Ley Orgánica 4/2000, tras su reforma por Ley Orgánica 2/2009 (BOE de 30 de abril de 2011), que vino a modificar el panorama español, aproximando nuestro sistema a los sistemas contractuales, al incorporar un llamado "informe acreditativo del esfuerzo de integración", que debe emitir la Comunidad Autónoma del lugar de residencia del extranjero.[94] Este Reglamento establece un modelo de informe no obligatorio, atenuado en cuanto a sus efectos, pero que transfiere al inmigrante la carga del esfuerzo integrador, alejando así la regulación del modelo de la integración como proceso bidireccional, teóricamente predicado por los *Principios* comunitarios. Como se dice por Matía Portilla, el informe "sitúa al afectado en un plano distinto al de cualquier persona

[92] Para el caso danés, ver Carrera, S., *op.cit.* y Sales Ten, A., *op.cit.*, pp. 101-108.

[93] Para el caso francés, ver Araujo, S., *op.cit.*; Haba Morales, J. de la: "Trabajadores inmigrantes y acción colectiva: una panorámica sobre las relaciones entre inmigrantes y sindicalismo en Europa". En *Papers: Revista de sociología*, 2002, núm. 66, pp. 155-186; La Spina, E., "El 'modelo' francés como un posible contraejemplo del marco jurídico-político de la integración en España, en *VII Congreso sobre las Migraciones Internacionales en España,* Bilbao, abril de 2012, en http://nadiesinfuturo.org/IMG/pdf/LA_SPINA_E.pdf; Ver Carrera, S., *op.cit.*; Sales Ten, A., *op.cit.*, pp. 68-73;.y Solanes Corella, A, *op.cit.*

[94] Ver, Matía Portilla, F.J.: "Los informes autonómicos (y/o municipales) relacionados con la inmigración: exégesis y sentido", en *Nuevos retos para la integración social de los inmigrantes*, coord. por Ignacio Álvarez Rodríguez; Francisco Javier Matia Portilla (dir.), Tirant Lo Blanch, Valencia, 2014, pp.255-292.

sometida al *imperium* del Estado español", de forma que discrimina al inmigrante frente al tratamiento dado a cualquier otra persona.[95]

En el caso de las Comunidades Autónomas, con el antecedente de la Ley15/2008 de integración de las personas inmigrantes en la Comunidad Valenciana,[96] y la posterior Ley 3/2013, de 28 de mayo de integración de los inmigrantes en la sociedad de Castilla y León,[97] resalta el caso catalán, donde la Ley 10/2010 de acogida de las personas inmigradas y de las regresadas a Cataluña, en una pirueta orwelliana, calificaba el sistema de evaluación de la integración de los inmigrantes como "servicios de primera acogida", y a los inmigrantes susceptibles de aceptación o rechazo como "sujeto beneficiario" o como "persona titular del derecho de acceso al servicio de primera acogida", como si en lugar de una restricción, una traba o un obstáculo que puede impedir gozar de la integración fuera un beneficio y el inmigrante, realmente damnificado por el sistema, el titular de un derecho subjetivo.[98]

En consecuencia, todo el sistema del contrato de integración —o los sistemas similares— aparece como una traba fruto de la desconfianza y la prevención hacia un nuevo *fobotipo* imaginario, el del "inmigrante no integrable", sean los musulmanes en la mayor parte de Europa, sean los latinoamericanos en Cataluña si no aprenden catalán.

CONCLUSIONES: LA EXCLUSIÓN DEL OTRO. EUROPA Y LA CRISIS DE LOS REFUGIADOS: LA VULNERACIÓN DE LOS TRATADOS INTERNACIONALES DE REFUGIO Y ASILO

Como colofón, queremos resaltar que creemos haber demostrado que las normas sobre migraciones que hemos examinado constituyen un arriesgado instrumento que posibilita la exclusión y que tras el *fobotipo* del inmigrante irregular, institucionalizado por la contrarreforma de la Ley 8/2000, al privar a estos extranjeros de sus derechos bási-

---

[95] *Idem.*

[96] Ver Ortega Giménez, Alfonso; Alarcón Moreno, José; y Alonso García, Esther: "Las Escuelas de Acogida: un nuevo modelo de integración de los inmigrantes en la Comunidad Valenciana". En *Revista de la Facultad de Ciencias Sociales y Jurídicas de Elche*, vol. I, núm. 8, febrero de 2012, pp. 249-283; y Ver Carrera, Sergio, *cit.* y Sales Ten, A., *op.cit.*, pp. 150-155.

[97] Puede verse Sales Ten, A., *op.cit.*, pp. 169-174.

[98] Ver nuestro "Una lectura… *op.cit*, pp. 80-85; y también Sales Ten, A., *op.cit.*, pp. 159-166.

cos, cuestión que fue resuelta por el Tribunal Constitucional en sus sentencias de 2007 y por el legislador por su reforma legal de 2009, vino a aparecer, de inmediato, un nuevo *fobotipo* migratorio a través de sistemas como el del contrato de integración o similares. El hecho es que, en España, al finalizar un *fobotipo*, nació otro, más complejo, pero igual de real.

La nueva realidad de los movimientos transfronterizos de personas ha estado en los últimos años en la crisis de los refugiados en Europa, en las costas mediterráneas, en Italia y Grecia, a partir de 2013 y, particularmente, entre 2015 y 2017, pero aún sin resolver.[99] Como se ha dicho, el fracaso de la política europea de refugiados, a través del llamado Sistema Europeo Común de Asilo (SECA),[100] vino con el cumplimiento irrisorio de la llamada política de cuotas de reubicación que se adoptó en septiembre de 2015.[101] El propio reconocimiento de las instituciones europeas de su fracaso se produjo en marzo de 2017, ante la oposición de los Estados miembros al cumplimiento de las cuotas, incluidos Dinamarca, Austria, Países Bajos, Francia, la propia Alemania y los llamados países del Centro y Este de Europa.[102] Un

[99] Una explicación de la crisis puede verse en Morales A., *No somos refugiados*, Círculo de Tiza, Madrid, 2017. Puede verse también el reportaje Foppoli, C., "Una crisis sin solución a la vista", *La Vanguardia*, 17 de junio de 2019, en https://www.lavanguardia.com/vida/junior-report/20190617/462512229388/crisis-refugiados-fracaso-sistema-cuotas-europa.html.

[100] Puede verse Arenas-Hidalgo, N., "Derecho internacional y europeo de las personas refugiadas", en Fernando M. Mariño Menéndez; Carmen Pérez González y Alicia Cebada Romero (Coords.). *Instrumentos y Regímenes de Cooperación Internacional*, Trotta, Madrid, 2017. pp. 177-202. Una visión optimista puede verse en González Vega, J. A. (2017). Mitos y mistificaciones: la Unión Europea y la protección internacional(a propósito de la "crisis de los refugiados").*Revista de Derecho Comunitario Europeo*, nº 56, 2017, pp. 27-75.

[101] Lucas, J. de, "Negar la política, negar sus sujetos y derechos (Las políticas migratorias y de asilo como emblemas de la necropolitica)", *Cuadernos Electrónicos de Filosofía del Derecho*, nº 36, 2017, en https://ojs.uv.es/index.php/CEFD/article/view/11217. Ver también Ferrero-Turrión, R, "Europa sin rumbo. El fracaso de la UE en la gestión de la crisis de refugiados", *Revista de Estudios Internacionales Mediterráneos*, nº. 21, 2016, pp. 159-176; Moraes Mena, N.; Romero Ramos, H., *La crisis de los refugiados y los deberes de Europa*, La Catarata, Madrid, 2016; Sanahuja, J.A., "La Unión Europea y la crisis de los refugiados: fallas de gobernanza, securitización y 'diplomacia de chequera'", en Manuela Mesa (coord.), *Retos inaplazables en el sistema internacional. Anuario 2015-2016*, Fundación Cultura y Paz, 2016, en https://eprints.ucm.es/id/eprint/37328/1/3.SANAHUJA-Anuario%20CEIPAZ15-16.pdf.

[102] Ver, por ejemplo, Goig Martínez, J.M., "La Política Común de Inmigración en la Unión Europea en el sesenta aniversario de los Tratados de Roma (o la historia de un fracaso)", en *Revista de Derecho de la Unión Europea*, nº 32, enero - junio 2017, pp. 71-111.

fracaso que en la práctica implicó el incumplimiento de las obligaciones jurídicas derivadas de los tratados internacionales en materia de asilo y refugio y, en particular, de la Convención de Ginebra de 1951 sobre los refugiados, transformando a los potenciales solicitantes de asilo en sujetos no merecedores de ayuda, en excluidos del sistema jurídico internacional que debía servir para su protección.[103] Para Javier de Lucas, esto los convirtió en parte de lo que Bauman llamaba la "industria del desecho humano" y con un modo de proceder que debería entenderse se integra dentro de lo que se ha venido en llamar la "necropolítica", una política que conduce a la muerte de los superfluos, los que no importan.[104]

Siguiendo a Javier de Lucas, la mencionada crisis de los refugiados de los años 2015 a 2017 transmitió el mensaje de que, si se otorgaba derechos a los refugiados, los ciudadanos europeos verían recortados los suyos, de forma que la disyuntiva legitimó el cierre de fronteras y el rechazo de la ayuda, creando un nuevo sujeto de exclusión para los demandantes de asilo y refugio.[105] La situación en la que se hallan los llamados "refugiados" es que ni siquiera pueden llegar a tener la categoría de refugiados, pues con el Acuerdo con Turquía no se les permite llegar a realizar la demanda de asilo.[106] Del mismo modo, se transforma a la víctima a proteger en una amenaza frente a la que es necesario protegerse, de forma que se los estigmatiza y se los excluye a priori de su derecho de asilo. Así mismo, se vacía el contenido del derecho de asilo, pues los instrumentos de devolución pactados con Turquía impiden el ejercicio. Todo ello altera el marco jurídico de los Convenios de Ginebra y de Nueva York, de los que los Estados de la Unión Europea son parte.[107] Y todo a través

---

[103] Kipping, K., *Refugiados del infierno. Un modelo de acogida para la reconstrucción de Europa*, Muñoz Moya, Madrid, 2018; y Naïr, S., *Europa en la encrucijada*, Universitat de València, Valencia, 2018.

[104] Lucas, J. de, *op.cit.* 2017. Ver también Sanahuja, J.A., *op.cit.*

[105] Lucas, J. de, *op.cit.* 2017.

[106] Ver Morales A., *op.cit.*

[107] Ver González Vega, J.A., "El marco jurídico internacional y europeo de acogida de los refugiados y la incidencia de la declaración UE-Turquía", en VVAA, *La crisis de las personas refugiadas y su impacto sobre la UE. Causas, impactos, asilo, políticas de inmigración, asilo, marco jurídico*, Consejo Vasco del Movimiento Europeo, Vitoria, 2017, pp. 149-189; y Gortázar Rotaeche C, "La contradicción de Europa. 'Políticas realistas' versus derechos humanos en la denominada 'Crisis de los Refugiados'", *TSN. Transatlantic Studies Network: Revista de Estudios Internacionales*, vol. 2, nº. 4 (Julio-diciembre), pp. 135-143.

del procedimiento de denigrar a los refugiados, de cosificarlos, de no reconocerlos como humanos, como iguales, a través de la reificación que diría Axel Honneth, por medio de su exclusión de los instrumentos jurídicos que debían protegerlos.[108] Como se ha dicho, todo ello en un contexto en el que los demandantes de asilo no son europeos, a diferencia de los que sucedió en el momento posterior a la Segunda Guerra Mundial y de la Guerra Fría, cuando apareció la regulación internacional hoy vigente.[109]

En consecuencia, desde el sambenito que se cuelga al inmigrante irregular, denigrándolo, pasando por la construcción de una verdadera gestión de la sospecha a través de un instrumento kafkiano como el contrato de integración y los llamados cínicamente por las normas catalanas "servicios de primera acogida" de los que serían "beneficiarios" los inmigrantes susceptibles de rechazo, hasta la neutralización del sistema internacional de asilo y refugio, implican la utilización del Derecho, de toda la panoplia de instrumentos jurídicos, desde las leyes a las decisiones administrativas y, en ocasiones, las judiciales, contra los derechos. Sí, el Derecho contra los derechos, así lo ha llamado Javier de Lucas. Las estigmatizaciones, los *fobotipos*, los desechos humanos... Toda una realidad que desafía las construcciones de nuestros Estados de Derecho. Una verdadera piedra de toque del Estado de Derecho.

OBRAS CITADAS

Abarca Junco, P. et al. *Derecho Internacional Privado*, UNED, Madrid, 1987

Agamben, G. *Homo Sacer. El poder soberano y la nuda vida*, Pretextos, Valencia, 1998

Aja E. y J. Arango (ed.). *Veinte años de inmigración en España*, Fundación CIDOB, Barcelona, 2006

Arenas-Hidalgo, N., "Derecho internacional y europeo de las personas refugiadas", en Fernando M. Mariño Menéndez; Carmen Pérez González y Alicia Cebada Romero (Coords.). *Instrumentos y Regímenes de Cooperación Internacional*, Trotta, Madrid, 2017

Astor, A. "Unauthorized Immigration, Securitization and the Making of Operation Wetback", *Latino Studies*, vol. 7, 2009

Bauman, Z. *Confianza y temor en la ciudad. Vivir con extranjeros*, Arcadia, Barcelona, 2006

Berger, J. *Cada vez que decimos adiós*, Ediciones de la Flor, Buenos Aires, 1997

[108] Ver Honneth, A., *Reificación: un estudio en la teoría del reconocimiento*, Katz, Buenos Aires, 2007.

[109] Lucas, J. de, Negar la política, negar sus sujetos y derechos (Las políticas migratorias y de asilo como emblemas de la necropolítica)", *Cuadernos Electrónicos de Filosofía del Derecho*, nº 36, 2017, en https://ojs.uv.es/index.php/CEFD/article/view/11217.

Biles, J.; Michalowski, I. Y Winnemore, L. *Políticas y modelos de acogida. Una mirada transatlántica: Canadá, Alemania, Francia y los Países bajos*. Serie Migraciones, núm. 12, Barcelona: Fundació CIDOB

Blanco F. De Valderrama, C. *Migraciones. Nuevas movilidades en un mundo en movimiento*, Anthropos, Barcelona, 2006

Carballo Armas, P. "Constitución y derechos de los extranjeros. La posición del Defensor del Pueblo en el recurso de inconstitucionalidad (Una reflexión sobre la actuación del *Ombudsman* español ante el caso de la *Ley de Extranjería*", en *Justicia, migración y Derecho* (Laura Miraut Martín, ed.), Dykinson, Madrid

Carrera, S., Santos Vara, J., y Strik, T. (Eds.). *Constitutionalising the External Dimensions of EU Migration Policies in Times of Crisis*, Edward Elgar Publishing, Northampton, 2019

Carrera, S. "Programas de integración para inmigrantes: una perspectiva comparada en la Unión Europea", *igraciones*, n° 20, 2006

Fernández, E. *Igualdad y Derechos Humanos*, Tecnos, Madrid, 2003

Ferrero-Turrión, R. "Europa sin rumbo. El fracaso de la UE en la gestión de la crisis de refugiados", *Revista de Estudios Internacionales Mediterráneos*, n°. 21, 2016

Foppoli, C. "Una crisis sin solución a la vista", *La Vanguardia*, 17 de junio de 2019, en https://www.lavanguardia.com/vida/junior-report/20190617/462512229388/crisis-refugiados-fracaso-sistema-cuotas-europa.html

García Vázquez, S. *El estatuto jurídico-constitucional del extranjero en España*, Tirant Lo Blanch, Valencia, 2007

Gil Araujo, S. *Las argucias de la integración. Políticas migratorias, construcción nacional y cuestión social*. Iepala Editorial, Madrid, 2010

Gil y Gil, J.L. (dir.). *Migraciones internacionales e impacto de la crisis económica*, Juruá, Lisboa, 2014.

Girard, R. *El chivo expiatorio*, Anagrama, Madrid, 1986

Goig Martínez, J.M. "La Política Común de Inmigración en la Unión Europea en el sesenta aniversario de los Tratados de Roma (o la historia de un fracaso)", en *Revista de Derecho de la Unión Europea*, n° 32, enero - junio 2017

González Vega, J. A. (2017). Mitos y mistificaciones: la Unión Europea y la protección internacional(a propósito de la "crisis de los refugiados").*Revista de Derecho Comunitario Europeo*, n° 56, 2017

—, "El marco jurídico internacional y europeo de acogida de los refugiados y la incidencia de la declaración UE-Turquía", en VVAA, *La crisis de las personas refugiadas y su impacto sobre la UE. Causas, impactos, asilo, políticas de inmigración, asilo, marco jurídico*, Consejo Vasco del Movimiento Europeo, Vitoria, 2017

Gortázar Rotaeche, C. "La contradicción de Europa. 'Políticas realistas' versus derechos humanos en la denominada 'Crisis de los Refugiados'", *TSN. Transatlantic Studies Network: Revista de Estudios Internacionales*, vol. 2, n°. 4

Haba Morales, J. de la. "Trabajadores inmigrantes y acción colectiva: una panorámica sobre las relaciones entre inmigrantes y sindicalismo en Europa". En *Papers: Revista de sociología*, 2002, núm. 66

Honneth, A. *Reificación: un estudio en la teoría del reconocimiento*, Katz, Buenos Aires, 2007

Houdt, F. van, Suvarierol, S., Schinkel, W. "Neoliberal communitarian citizenship: Current trends towards 'earned citizenship' in the United Kingdom, France and the Netherlands", *International Sociology*, n° 26, mayo de 2011

https://elpais.com/ideas/2021-01-23/paises-bajos-y-el-escandalo-de-las-ayudas-para-ra-los-hijos-no-todo-son-bicis-y-tolerancia.html

https://elpais.com/ideas/2021-01-23/los-temibles-sobres-azules-de-la-agencia-tributaria.html

Izquierdo Escribano, A., "España: la inmigración inesperada", en *Mientras Tanto*, n° 49, marzo-abril, 1992

Kipping, K. *Refugiados del infierno. Un modelo de acogida para la reconstrucción de Europa*, Muñoz Moya, Madrid, 2018

La Spina, E. "El 'modelo' francés como un posible contraejemplo del marco jurídico-político de la integración en España, en *VII Congreso sobre las Migraciones Internacionales en España*, Bilbao, abril de 2012, en http://nadiesinfuturo.org/IMG/pdf/LA_SPINA_E.pdf

López Sala, A.M. *Inmigrantes y Estados: la respuesta política ante la cuestión migratoria*, Anthropos, Barcelona, 2005

—. "La política española de inmigración en las dos últimas décadas. Del asombro migratorio a la política en frontera y la integración", en VV.AA., *Inmigración en Canarias: contexto, tendencias y retos*, Fundación Pedro García Cabrera, Tenerife, 2007

Lucas, J. de. "La herida original de las políticas de inmigración. A propósito del lugar de los derechos humanos en las políticas de inmigración", *Isegoría*, n° 26, 2002

—. "Cómo introducir el principio de justicia en la políticas de inmigración", en *Justicia, migración y Derecho* (Laura Miraut Martín, ed.), Dykinson, Madrid, 2004

—. "Un 'Waterloo moral', jurídico y político. La UE ante refugiados e inmigrantes", en *Razón y fe: Revista hispanoamericana de cultura*, tomo 272, n° 1405, 2015, pp. 355-366, en file:///C:/Users/usuario/AppData/Local/Temp/9611-Texto%20del%20art%C3%ADculo-21007-1-10-20181031-1.pdf

—. "Negar la política, negar sus sujetos y derechos (Las políticas migratorias y de asilo como emblemas de la necropolitica)", *Cuadernos Electrónicos de Filosofía del Derecho*, n° 36, 2017, en https://ojs.uv.es/index.php/CEFD/article/view/11217

—. "Identidad, ciudadanía y derecho: del estereotipo al fobotipo", *Amnis. Revue d'études des Sociétés et Cultures Contemporaines Europe-Amérique*, número extraordinario 2018, en https://journals.openedition.org/amnis/3244

Lucas, J. de, Peña, S. y Solanes, A. *Trabajadores migrantes*, Germania, Valencia, 2001

Martín Díaz, E. "El Ejido, dos años después. Realidad, silencios y enseñanzas", *Inmigrantes, ¿cómo los tenemos?: algunos desafíos y (malas) respuestas*, Talasa, Madrid, 2002

Martínez Cachero, L.A. *Actualidad de la emigración española: comentarios a la ley de ordenación de la emigración española de 3 de mayo de 1962*, Ministerio de trabajo, Instituto español de emigración, Madrid, 1964

Martínez De Pisón. "La (no) política de inmigración y el Estado de Derecho", *Cuadernos Electrónicos de Filosofía del Derecho*, n° 10/2004, en http://www.uv.es/CEFD/Index_10.htm

Martínez, D. y Vega Ruiz, M.L. *La globalización gobernada*, Tecnos, Madrid, 2002

Matía Portilla, F.J. "Los informes autonómicos (y/o municipales) relacionados con la inmigración: exégesis y sentido", en *Nuevos retos para la integración social de los inmigrantes*, coord. por Ignacio Álvarez Rodríguez; Francisco Javier Matia Portilla (dir.), Tirant Lo Blanch, Valencia, 2014

Mezzadra, S. *Derecho de fuga. Migraciones, ciudadanía y globalización*, Traficantes de sueños, Madrid, 2005

Ministerio de Trabajo de España. *Emigración y justicia social*, Ministerio de Trabajo. Servicio de publicaciones, Madrid, 1971

Montoya Melgar, A. "Editorial", *Revista del Ministerio de Trabajo y Asuntos Sociales*, n° 63, 2006, p. 7;

Morales A. *No somos refugiados*, Círculo de Tiza, Madrid, 2017

Moraes Mena, N. Romero Ramos, H. *La crisis de los refugiados y los deberes de Europa*, La Catarata, Madrid, 2016

Naïr, S. *L'immigration est une chance*, Seuil, París, 2007.

—. *Europa en la encrucijada*, Universitat de València, Valencia, 2018

Oliván López, F., "De Sevilla a Guantánamo. Una reflexión sobre los derechos humanos", *Revista de Derecho Migratorio y Extranjería*, Lex Nova, Valladolid, n° 1, noviembre de 2002

Ortega Giménez, Alfonso, Alarcón Moreno, José y Alonso García, Esther. "Las Escuelas de Acogida: un nuevo modelo de integración de los inmigrantes en la Comunidad Valenciana". En *Revista de la Facultad de Ciencias Sociales y Jurídicas de Elche*, vol. I, núm. 8, febrero de 2012

Ortega-Rivera, E. Domingo i Valls, A. y Sabater i Coll A. "La emigración española en tiempos de crisis y austeridad", *Scripta Nova. Revista Electrónica de Geografía y Ciencias Sociales*, vol. 20, n° 549/5, 2016, en https://revistes.ub.edu/index.php/ScriptaNova/article/view/17206

Pajares, M. *La inmigración en España. Retos y propuestas*, Icaria, Barcelona, 1998

Pérez Sola, N. *Defensa convencional de los derechos en España. ¿Es posible el diálogo entre tribunales?*, INAP, Madrid, 2015

Ridao, J.M. *La elección de la barbarie*, Tusquets, 2002

Río Ruiz, M.A. "El disturbio de El Ejido y la segregación de los inmigrantes", *Anduli: revista andaluza de ciencias sociales*, n°. 1, 2002

Ripol Carulla, S. *El sistema europeo de protección de los derechos humanos y el derecho español: la incidencia de las sentencias del Tribunal Europeo de Derechos Humanos en el ordenamiento jurídico español*, Atelier, 2007

Rudolph, Ch. *National Security and Immigration: Policy Development in the United States and Western Europe Since 1945*. Stanford University Press, Stanford, 2006

Sanahuja, J.A. "La Unión Europea y la crisis de los refugiados: fallas de gobernanza, securitización y 'diplomacia de chequera'", en Manuela Mesa (coord.), *Retos inaplazables en el sistema internacional. Anuario 2015-2016*, Fundación Cultura y Paz, 2016, en https://eprints.ucm.es/id/eprint/37328/1/3.SANAHUJA-Anuario%20CEIPAZ15-16.pdf.

Sales Ten, A. *Inmigración, integración cívica y obligación en la Unión Europea: El contrato de integración*, Universitat de València, Valencia, 2020

Sartori, G. *La sociedad multiétnica. Pluralismo, multiculturalismo y extranjeros*, Taurus, Madrid, 2001

Solanes Corella, A. "Sobre las condiciones para la integración de y con los inmigrantes: del ámbito formal al material", *Integración y Derechos en tiempos de crisis. Human Right, Investigation & Human Mobility. 3rd Human Rights Centres and Research Institues Inernational Meeting*. 15-16 de Noviembre de 2012. IDH Valencia. En http://www.uv.es/immigracio/PrometeoGVA/III_Encuentro_files/ASC.pdf.

—. "¿Integrando por ley?: de los contratos europeos de integración al compromiso de la Ley autonómica valenciana 15/2008", *Revista de derecho migratorio y extranjería*, n°. 20, 2009

Solozábal Echavarría, J.J. "Algunas cuestiones básicas de la teoría de los derechos fundamentales", *Revista de Estudios Políticos, núm.* 71, 1991

Velásquez Flores, R. "Antecedentes y reflexiones en torno a la política migratoria de Estados Unidos", Revista de Relaciones internacionales, n°. 64, oct.-dic. 1994

Vicente Blanco, D. J. "El Sistema de los Acuerdos de Schengen desde el Derecho Internacional Privado (I). Perspectiva General y de Cooperación", en *Revista de Estudios Europeos*, Número 10, mayo-agosto, 1995

—. "El Sistema de los Acuerdos de Schengen desde el Derecho Internacional Privado (y II). Perspectiva de Armonización y Conclusiones", en *Revista de Estudios Europeos*, Número 11, septiembre-diciembre, 1995

—. "Una regulación integral de la inmigración para Europa". En *Revista de Derecho de la Unión Europea*, n° 5, segundo semestre de 2003

—. "Tratamiento del elemento extranjero y técnica jurídica: la legislación española de extranjería o a la pérdida de la experiencia", en *El nuevo orden del caos: consecuencias socioculturales de la globalización*, coord. por Luis Díaz Viana, CSIC, Madrid, 2004

—. "Inmigración, derecho de extranjería y exclusión social: el modelo constitucional de derechos de los extranjeros en España", en *Voces Escondidas II, Estudio sobre la si-*

tuación socio económica y laboral de la población inmigrante en Castilla y León, Delta, Madrid, 2009

—. "Una lectura del Derecho de extranjería e inmigración: la gestión de la integración. 'Derecho como Literatura' en las leyes de integración social de los inmigrantes de las Comunidades Autónomas", en *Nuevos retos para la integración social de los inmigrantes*, coord. por Ignacio Álvarez Rodríguez; Francisco Javier Matía Portilla (dir.), Tirant Lo Blanch, Valencia, 2014

Vidal Fueyo, C. "La nueva Ley de extranjería a la luz del texto constitucional", *Revista Española de Derecho Constitucional*, vol. 21, n° 62, mayo-agosto de 2001

—. *Constitución y extranjería*, Centro de Estudios Políticos y Constitucionales, Madrid, 2002

VV.AA. *Multiculturalidad y extranjería*, UPV/EHU, Bilbao, 2007

DEL DERECHO A LA EDUCACIÓN AL "QUE ESTUDIE EL QUE LO PUEDA PAGAR": ALGUNOS PROCESOS DE MERCANTILIZACIÓN DE LA EDUCACIÓN EN ESPAÑA

Rocío Anguita Martínez
Universidad de Valladolid

Los procesos de reinvención del capitalismo neoliberal del s. XXI están llevando a la consolidación del capitalismo financiero y especulativo. En ese marco, los servicios públicos fundamentales han dejado de ser derechos de la ciudadanía y, por tanto, prerrogativa de los estados en su organización y aseguramiento como lo han sido en la segunda mitad del s. XX, para convertirse en un elemento más de negocio privado, también con su parte especulativa y financiera. El derecho a la educación y los sistemas educativos se está viendo involucrado en estos procesos de mercantilización y privatización de los servicios esenciales de diversas maneras, a veces de forma explícita, pero también de forma más oculta, pero no menos contundente en varios sentidos. Analizaré algunos elementos de este proceso partiendo de lo global para llegar a lo local, la educación no universitaria en el caso concreto de España. Por ello, abordaré algunos asuntos que me parecen relevantes por su capacidad para visualizar el proceso que analizamos: el discurso público sobre el derecho a la educación y sus modulaciones por los organismos internacionales como marco ideológico y simbólico, el deterioro planificado del sistema educativo público, los mecanismos de copago a través de la privatización de servicios y la derivación de parte del gasto educativo a las familias, la entrada de las empresas privadas a la educación a través de los conciertos educativos, los libros de texto y las empresas tecnológicas y, por último, la mercantilización del currículum.

1. EL DISCURSO SOBRE EL DERECHO A LA EDUCACIÓN Y SUS MODULACIONES POR LOS ORGANISMOS INTERNACIONALES

En primer lugar, me voy a detener en dar algunas pinceladas sobre cómo se está instaurando un discurso público sobre la educación a nivel global con un claro trasfondo neoliberal que nos lleva a contemplar la educación no como un derecho universal, sino como un bien material que se puede comprar y vender.

Durante la segunda parte del siglo XX la UNESCO, como organismo multilateral sobre la educación y la cultura de la ONU, ha sido el referente para hablar de la situación de la cultura y la educación en el mundo. Sus informes eran, al menos, leídos atentamente por los gobiernos y establecían el foco de atención, el análisis y la agenda sobre cómo trabajar para garantizar la educación para todos y todas, en particular en los países empobrecidos y en las mujeres, y cómo abordar la educación en marcos posmodernos de diversidad cultural.

Desde hace unos años estos informes se han convertido en irrelevantes y ahora los que marcan las políticas educativas a nivel global son los elaborados por organismos como la OCDE, un organismo internacional económico cuya visión de la educación se centra en el desarrollo de las competencias para tener trabajadores no solo cualificados, sino flexibles y adaptados a un incierto y cambiante mercado laboral. Este organismo propuso un cambio de las finalidades del sistema educativo desde los objetivos cognoscitivos (aprender contenidos de la cultura relevante) a las competencias, definidas en su proyecto DeSeCo (Definición y Selección de Competencias). En él definía las competencias como un "conjunto complejo de conocimientos, habilidades, actitudes, valores, emociones y motivaciones que cada individuo o cada grupo pone en acción en un contexto concreto para hacer frente a las demandas peculiares de cada situación" (OCDE [2005] 3).

También definen las competencias clave como "aquellas de valor particular, que tienen áreas múltiples de utilidad y son necesarias para todos" (OCEDE [2005] 6). Estas tienen una serie de requerimientos para su valoración tales como que tengan beneficios mensurables para fines económicos y sociales, que sean aplicables a múltiples áreas de la vida y que no se centren en aquellas para uso específico de un oficio o profesión. Por ello, "se da gran valor a la flexibilidad, al espíritu emprendedor y a la responsabilidad personal. No solo se espera que los individuos sean adaptables, sino también innovadores, creativos, autodirigidos y automotivados" (OCDE [2005] 7).

El principal instrumento del que se ha dotado la OCDE para el desarrollo de este cambio de modelo educativo ha sido las pruebas PISA. Su objetivo fundamental está claramente orientado hacia la implementación de las políticas educativas, según sus propias declaraciones: "Orientación a políticas, con métodos de diseño y presentación de informes determinados por la necesidad de los gobiernos de relacionar las lecciones con las políticas" (OCDE [2005] 2).

Pero ¿qué miden dichas pruebas? Por supuesto que mide las competencias, fundamentalmente las habilidades que no forman parte habitual de los currículos escolares, competencias generales. ¿En qué se traducen esas competencias generales? En realidad, se están midiendo solo unas cuantas habilidades relacionadas con las materias de Lengua, Matemáticas y Ciencias Naturales. El resto de asignaturas pasan a ser de segunda categoría, ya que dejan de estar en el foco de la evaluación y mejora de las escuelas. Aunque la OCDE pretende que las escuelas se centren en fomentar la *"literacy"* (un término anglosajón que puede ser traducido como la alfabetización en términos amplios), al publicar los resultados no se aclara este punto y se deja a entender que PISA mide conocimientos, al estar centradas las pruebas en esos tres ámbitos.

El impacto que están teniendo estas pruebas en los sistemas educativos nacionales ha ido incrementándose en el último decenio y no solo a nivel de políticas educativas institucionales, sino que también está cambiando las prácticas, ya que obliga a redireccionar parte del tiempo y el esfuerzo escolar hacia la superación de estas pruebas estandarizadas y sus contenidos, sin tener en cuenta la conjetura de Jencks, según la cual las evaluaciones internacionales son incapaces de diferenciar entre la capacidad (que no depende del proceso educativo) y el conocimiento del alumno (Carabaña 2015).

Las consecuencias de esta dinámica en los sistemas educativos son varias y de gran calado, ya que pone el acento en la eficiencia medida en resultados y no en la equidad del sistema. Los resultados no sirven ni para el alumnado ni para las escuelas, al exponer de forma crítica las evidencias obtenidas a partir de los datos de PISA acerca de los efectos de los recursos escolares (materiales y humanos), las prácticas pedagógicas (repetición de curso, disciplina y agrupación de alumnos) y, finalmente, la organización escolar (titularidad de centro y autonomía). Estas pruebas se diseñaron para el análisis comparado de sistemas educativos, no de escuelas, de ahí sus limitaciones para estudiar la organización y funcionamiento de aquellas, además de que es muy cuestionable que se puedan establecer relaciones de causalidad entre el rendimiento académico del alumnado y las prácticas educativas.

Una segunda consecuencia no menor de esta evaluación es que cuestionan fuertemente el trabajo del profesorado, al ser una prueba externa realizada por empresas externas que se contratan para diseñarlas, distribuirlas y corregirlas. Los conocimientos del profesorado sobre la evolución y aprendizajes del alumnado con el que trabajan a lo largo del año quedan obviados y sin efecto educativo.

Por último y por la vía de los hechos (que no de las declaraciones e intenciones), el marco competencial que propone dicho organismo en vez de centrarse en esas competencias transversales y genéricas regresa a los objetivos operativos que nos permiten cuantificar, medir, comparar y clasificar tanto a las personas como a los centros educativos, poniendo el énfasis en la ideología tecnocrática y meritocrática.

En nuestro país los informes PISA y las políticas educativas de la OCEDE han tenido un fuerte impacto por los discretos puestos conseguidos en las últimas evaluaciones. Tanto es así, que en el preámbulo de la LOMCE se utiliza como justificación de dicho cambio normativo:

> En los años finales del siglo XX, el desafío consistió en conseguir que esa educación ampliamente generalizada fuese ofrecida en unas condiciones de alta calidad, con la exigencia demás de que tal beneficio alcanzase a todos los ciudadanos. En noviembre de 1990 se reunían en París los Ministros de Educación de los países de la Organización para la Cooperación y el Desarrollo Económico con objetivo de abordar cómo podía hacerse efectiva una educación y una formación de calidad para todos. El desafío era cada vez más apremiante y los responsables educativos de los países con mayor nivel de desarrollo se aprestaron a darle una respuesta satisfactoria. [...] Algunas evaluaciones internacionales recientes han puesto claramente de manifiesto que es posible combinar calidad y equidad y que no deben considerarse objetivos contrapuestos. (Choi de Mendizábal 2016)

Por otra parte, los grandes tratados transnacionales que se han puesto en marcha y que nuestro país ha firmado en el marco de la UE como el CETA con Canadá o el Mercosur con Brasil, Argentina, Uruguay y Paraguay, buscan la desregulación absoluta del mercado de servicios. Todos ellos tratan de una forma u otra de permitir el acceso al mercado de los servicios públicos por los inversores extranjeros pretendiendo garantizar los derechos de aquellos por encima de cualquier derecho ciudadano. No tratan de privatizar los servicios públicos en sí, pues ya hay múltiples acuerdos internacionales que permiten tal objetivo. El fin es impedir que los inversores corran riesgo alguno en sus inversiones y garantizarles jugosos beneficios (ATTAC 2016). Suponen la liberalización progresiva del comercio de servicios bajo la máxima de que esta es la vía para promover el crecimiento económico, a través de nuevas normas de regulación del comercio de servicios tales como las regulaciones relativas a la contratación pública, a las licencias, acceso a mercados de telecomunicaciones, de servicios como la educación o sanidad prestados por empresas privadas, etc., que deban ser respetadas por todos los niveles normativos estatales, desde el local al nacional, y supranacionales.

Para conseguirlo estos tratados se han dotado de uno de los elementos más dañinos para la democracia y los derechos de la mayoría: el Mecanismo de Resolución de Conflictos Inversor-Estado (ISDS). Este artilugio de mediación secuestra el derecho de cualquier gobierno elegido democráticamente a legislar, con la amenaza permanente de demandas multimillonarias de las multinacionales.

La principal consecuencia de esta política de tratados transnacionales es que fomentan la privatización, restringiendo la capacidad de los gobiernos para regular en interés público, siendo su finalidad principal crear nuevos y poderosos derechos para los grandes inversores multinacionales. Por otra parte, trata a las personas como consumidores, eliminando del ámbito de su contenido el concepto de ciudadanía o de trabajadoras/es y, por ende, de los derechos añadidos a estos estatus.

La educación es uno de los servicios públicos que más puede verse afectado por estos mecanismos de desregulación. Según la UNESCO, la educación es un tesoro fabuloso que se cifra en 2 billones de dólares al año. De ahí el interés económico para el capitalismo y sus empresas que no están dispuestas a renunciar a un suculento pastel. Además, estos tratados de liberalización servirían como excusa para intensificar el proceso privatizador que ya hay en marcha en todo el sistema educativo de nuestro país.

2. Proceso planificado de deterioro de la educación pública: la década perdida (2009-2019)

En este marco internacional hay un proceso planificado de deterioro de la educación pública en nuestro país en los últimos diez años, a partir de las crisis de 2008, que va a permitir que los procesos de mercantilización se aceleren. En el proceso de recuperación económica de los últimos años en nuestro país la educación no se ha recuperado y ahora, en plena pandemia del COVID-19, tampoco parece que sea una de nuestras prioridades, a pesar del valor social de la educación y la función prioritaria de guardia y custodia a la infancia y adolescencia que ejercen las escuelas.

Ofreceré algunos datos para refutar esta afirmación en el periodo. En las enseñanzas de régimen general el alumnado ha aumentado a lo largo del decenio (Ver Gráfico I), fundamentalmente en la red pública.

Gráfico I. Porcentaje de variación del alumnado en enseñanzas no universitarias entre los cursos 2008/09 y 2018/19.

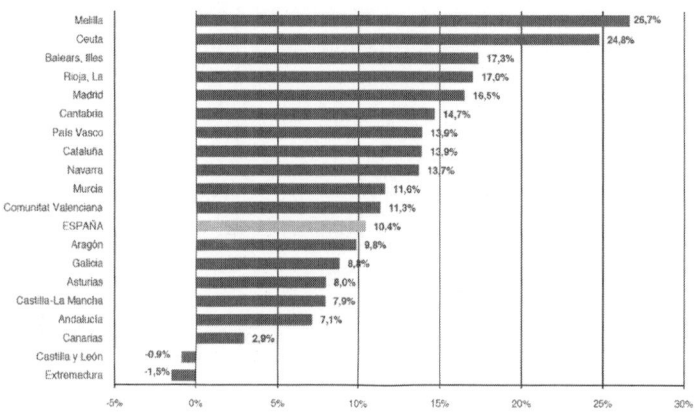

Fuente: MEFP (2020)

Hay que recordar que los centros públicos escolarizan, en un porcentaje claramente por encima del que tienen en el conjunto de la escolarización, al alumnado que necesita integrarse en grupos más reducidos o específicos (compensatoria, estudiantes con necesidades educativas especiales, inmigrantes…) (ver Gráfico II). Esto ocurre, especialmente, en la escuela rural. Los centros públicos suponen más del 90% del total de los centros —de enseñanzas de régimen general: colegios e institutos— en localidades de hasta 2.000 habitantes y más del 80% en las de hasta 5.000 habitantes. Sin embargo, a partir de localidades de más de 10.000 habitantes, el número de centros privados está sobrerrepresentado.

Gráfico II. Matrícula de alumnado extranjero según tipología de centro educativo

	% Centros Públicos		% Enseñanza concertada		% Ens. privada no concertada	
	Total alumnado	Alumnado extranjero	Total alumnado	Alumnado extranjero	Total alumnado	Alumnado extranjero
TOTAL	67,2	78,7	25,5	14,9	7,3	6,4

Fuente: MEFP (2020)

El gasto del Ministerio de Educación (MECD), que debería tener un especial carácter compensador, tanto en el plano personal (becas), como territorial (programas como los antiguos Educa3, PROA, etc.), ha ido disminuyendo casi un 24%, abandonando la compensación territorial y disminuyendo sustancialmente la personal. En los tres últimos años esta tendencia se ha ido revirtiendo, pero ni siquiera hemos vuelto a la financiación del año 2009 (Gráfico III).

Gráfico III. Evolución del gasto público en educación. Años 2009-2019

Años	Incluidos Capítulos financieros [2] (millones €)	Excluidos Capítulos financieros [2] (millones €)
2009	53.895,0	53.374,9
2010	53.099,3	52.557,7
2011	50.631,1	50.343,9
2012	46.476,4	46.215,9
2013	44.958,5	44.475,4
2014	44.789,3	44.461,7
2015	46.597,8	46.262,4
2016	47.581,7	47.192,0
2017 [3]	49.458,0	48.979,6
2018 [4]	50.817,0	50.601,9
2019 [4]	52.215,8	52.079,1

Fuente: MEFP (2020)

La bajada de la financiación ha supuesto un fuerte recorte en el número de docentes de la educación pública, ya que el profesorado de la privada ha crecido al ritmo de su alumnado. Se estima que se han perdido 30.000 docentes de la enseñanza pública. Esta tendencia no se ha revertido ni en los últimos años, ya que el profesorado de la educación pública sigue reduciéndose en número y su precarización a través de contratos de interinidad aumenta significativamente, tal como se puede ver en el Gráfico IV.

Gráfico IV. Evolución de las plantillas de
profesorado en la educación pública (2009-2019)

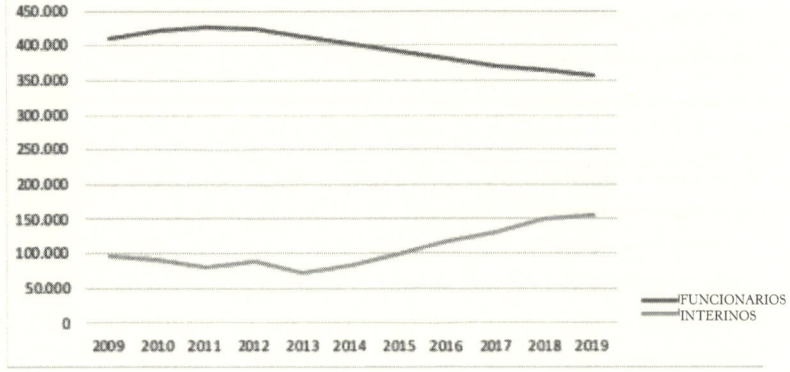

Fuente: CCOO (2019)

Por último, esta fuerte bajada de la financiación de la educación pública no universitaria ha supuesto un fuerte deterioro en el mantenimiento de los centros públicos y de los recursos con los que cuentan. No es lo mismo escolarizar en barracones (como los casos de Valencia) que en aulas sólidas, o tener medios como ordenadores y las conexiones a internet o no tenerlos (ver Gráfico V).

Gráfico V. Comparativa número medio de ordenadores por
alumno/a. Cursos 2011-12 y 2016-17

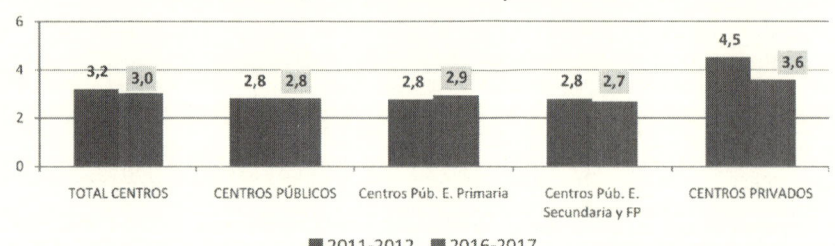

Fuente: MEFP (2020)

El mismo proceso de achicamiento de la educación sufrió el sector de la educación universitaria en nuestro país, sobre todo en el periodo 2009-2015, con una reducción de la financiación por parte de las administraciones autonómicas correspondientes, que no está relacionada ni con la pérdida de riqueza del territorio en dicho periodo, ni con el número de estudiantes y una financiación pública que se encuentra en una horquilla de entre un 70% (Aragón) y un 88% (País Vasco) (Vera, 2017). Podemos ver en el Gráfico VII que la financiación de la educación universitaria en España es claramente inferior a la media de la OCDE y de Unión Europea, siendo uno de los países que más redujo la financiación en educación universitaria en el periodo 2010-2016 con una bajada del 13% (CRUE 2018).

Gráfico VI. Gasto en instituciones de educación superior por fuentes de financiación. % del PIB. 2016.

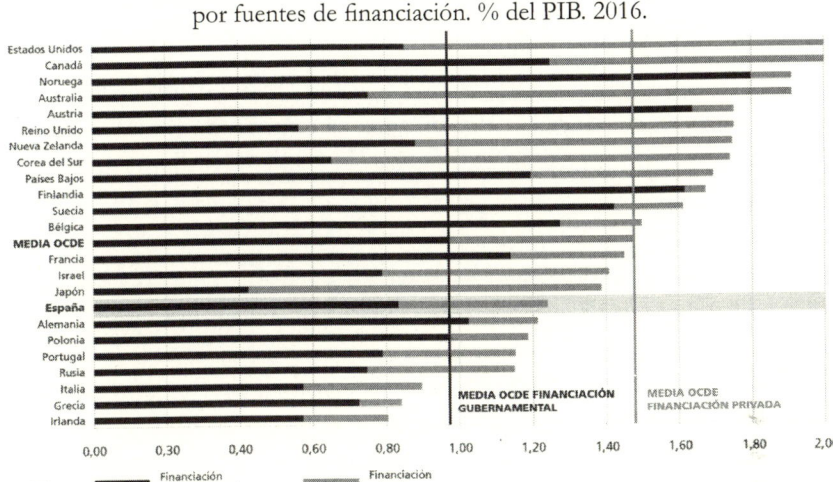

Fuente: CRUE (2018)

En paralelo, se ha producido un espectacular incremento de las universidades privadas en nuestro país, que están compitiendo casi en situaciones de igualdad por los estudiantes con el sistema público con infraestructuras docentes pequeñas y recursos inexistentes de investigación.

3. EL COPAGO DE LOS SERVICIOS EDUCATIVOS

Un segundo elemento que nos permite analizar los procesos de mercantilización de la educación en nuestro país es la privatización de parte de los costos de los servicios educativos, que habían sido cubiertos por los presupuestos públicos hasta la crisis de 2008 y que ahora están impactando de forma directa en las familias, no solo a través de sus impuestos, sino con un copago directo de parte del coste del puesto escolar. A pesar de ello, en materia de educación básica todo copago está constitucionalmente prohibido (art. 27.4 de la Constitución), siendo la enseñanza el único derecho fundamental que la Constitución garantiza directamente de forma gratuita.

Abordaré algunos aspectos muy visibles de parte de esta transferencia de costes hacia las familias.

Cada vez más se tiende a que los usuarios del servicio público paguen una parte del costo del servicio de forma directa y no indirecta. Esto se ha visto muy gráficamente con el copago de los medicamentos, pero es el discurso dominante en las enseñanzas pos-obligatorias y, en particular, en las universitarias a través del pago, cada vez mayor, de tasas universitarias. El decreto Wert sobre las tasas universitarias de 2012 y todos sus desarrollos en diferentes Comunidades Autónomas (CC.AA.) se han basado en la premisa de que el estudiante tiene que pagar una parte del costo del puesto escolar. Hasta 2008 este pago era algo anecdótico y dispar por comunidades autónomas, rondando el 10% del coste, pero este decreto de 2012 permitió a las CC.AA. subir dichas tasas en función de la financiación que no iba a realizar a las universidades públicas. En los Cuadros 1 y 2 vemos algunos ejemplos de la diferencia del costo de las tasas de grado y máster entre las dos comunidades autónomas más baratas y dos de las más caras en el curso 2019/20.

Cuadro 1. Tasas académicas universitarias de los estudios de grado del curso 2019/20 en cuatro comunidades autónomas

Comunidad Autónoma	Andalucía	Galicia	Castilla y León	Cataluña
Experimentalidad 1				
1ª Matrícula	13,93	12,62	22,93	39,53
2ª Matrícula	19,30	25,25	45,38	48,82
3ª Matrícula	31,21	54,71	98,32	105,78
4ª Matrícula y sucesivas	39,79	75,75	136,14	146,46
Experimentalidad 2				
1ª Matrícula	9,85	12,62	21,01 - 19,37	35,77
2ª Matrícula	13,62	25,25	41,59 - 38,33	44,18
3ª Matrícula	22,04	54,71	90,10 - 83,04	95,72
4ª Matrícula y sucesivas	28,06	75,75	124,76 -114,99	132,54

Experimentalidad 3

	Andalucía	Galicia	Castilla y León	Cataluña
1ª Matrícula	-	12,62	18,32 - 15,22	25,27
2ª Matrícula	-	25,25	36,25 - 30,11	31,21
3ª Matrícula	-	54,71	78,55 - 65,24	67,63
4ª Matrícula y sucesivas	-	75,75	108,76 - 90,33	93,64

Fuente: Ministerio de Ciencia e Innovación (2020)

Cuadro 2. Tasas académicas universitarias de másteres habilitantes del curso 2019/20 en cuatro comunidades autónomas

Comunidad Autónoma	Andalucía	Galicia	Castilla y León	Cataluña
Experimentalidad 1				
1ª Matrícula	13,93	13,68	31,14	41,17
2ª Matrícula	19,30	27,35	59,09	49,40
3ª Matrícula	31,21	59,26	127,32	107,04
4ª Matrícula y sucesivas	39,79	82,06	176,05	148,21
Experimentalidad 2				
1ª Matrícula	9,85	13,68	-	-
2ª Matrícula	13,62	27,35	-	-
3ª Matrícula	22,04	59,26	-	-
4ª Matrícula y sucesivas	28,06	82,06	-	-
Experimentalidad 3				
1ª Matrícula	-	13,68	-	-
2ª Matrícula	-	27,35	-	-
3ª Matrícula	-	59,26	-	-
4ª Matrícula y sucesivas	-	82,06	-	-
Experimentalidad 4				
1ª Matrícula	-	13,68	-	-
2ª Matrícula	-	27,35	-	-
3ª Matrícula	-	55,08	-	-
4ª Matrícula y sucesivas	-	73,44	-	-

Fuente: Ministerio de Ciencia e Innovación (2020)

Como se puede comprobar, los precios se triplican de las comunidades más baratas a las más caras, al igual es muy llamativa la espectacular subida de los precios de las segundas, terceras y cuartas matrículas. Este movimiento de subida de las segundas y sucesivas matrículas acercando su coste al coste real de la enseñanza ha sido promovido y alentado, fundamentalmente, por los Consejos Sociales de las Universidades. Todo ello repercute directamente en los estudiantes y sus familias que por los mismos servicios educativos están pagando precios muy diferentes según en qué territorio esté situada la universidad pública donde estudian.

En este escenario de reducción de la financiación pública de la educación, la política de becas ha dado un vuelco brutal en el decenio analizado, viéndose claramente comprometida la igualdad de oportunidades de los estudiantes con menos recursos o que viven en núcleos rurales lejos de los centros educativos de enseñanza post-obligatoria (Formación Profesional y Universitaria) (Gráfico VII).

Gráfico VII. Presupuesto de becas en el decenio 2010-2019

	Total	% variación con año anterior	Becas y ayudas de carácter general univ. y no univ.	Compensación tasas becarios y estudiantes familias numerosas de tres hijos
2010	1.132.225,6	-	916.950,6	215.275,0
2011	1.168.225,6	3,2%	952.950,6	215.275,0
2012	1.138.225,6	-2,6%	952.950,6	185.275,0
2013	1.161.024,6	2,0%	952.950,6	208.074,0
2014	1.411.024,6	21,5%	1.060.360,1	350.664,5
2015	1.413.524,6	0,2%	1.095.451,0	318.073,6
2016	1.416.524,6	0,2%	1.098.451,0	318.073,6
2017	1.420.326,2	0,3%	1.102.252,6	318.073,6
2018	1.470.326,2	3,5%	1.152.252,6	318.073,6
2019 [2]	1.470.326,2	0,0%	1.152.252,6	318.073,6

Fuente: MEFP (2020)

Con la reforma del sistema de becas universitarias que impuso el Decreto Wert en 2012, han desaparecido las becas de desplazamiento y las becas-salarios para las rentas más bajas. Ahora hay dos modalidades: beca general (que solo abona la matrícula) y la que cubre desplazamiento durante el curso fuera de la residencia familiar. Además, hay que aprobar entre el 90% y 100% de las asignaturas para mantenerla.

Como podemos ver en el Gráfico VIII, el número de becarios ha ascendido en el periodo analizado, pero el importen medio de las becas ha descendido, estando la media situada en un importe de 2.600 €, con lo que la desventaja de oportunidades de la población del medio rural que tiene que salir obligatoriamente de casa para ir a la universidad ha aumentado exponencialmente.

Gráfico VIII. Evolución de la financiación media por becario y del coeficiente bruto de aceptación. Cursos académicos 1996/97 a 2017/18

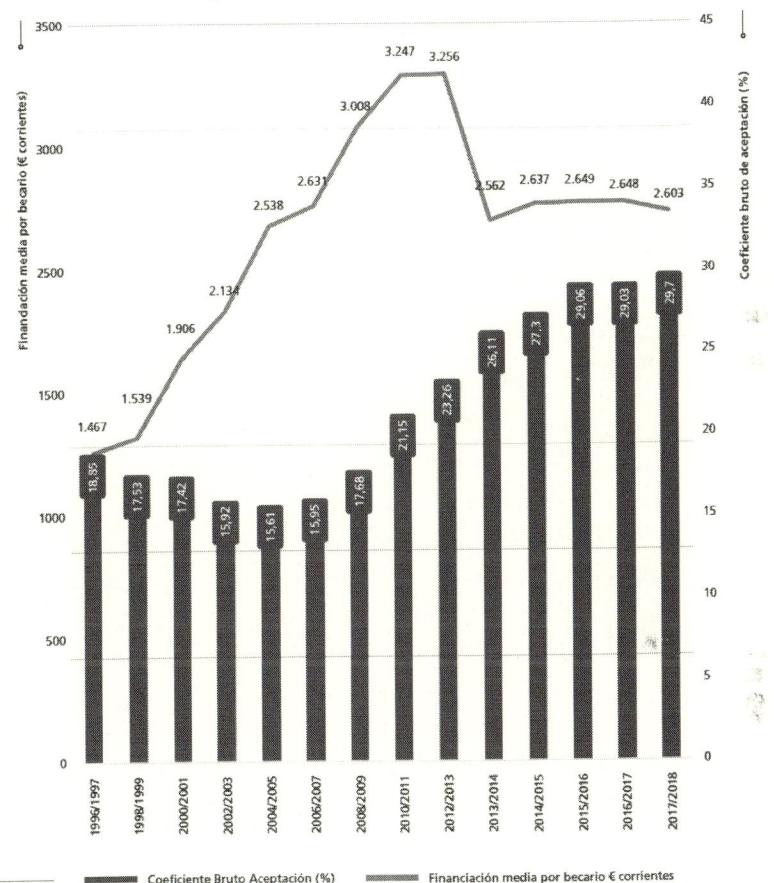

Fuente: CRUE (2018)

Otro importante elemento del copago de los servicios educativos de las familias son los libros de texto y el material escolar, que supone un importante desembolso para las familias, rondando los 100€ de media por curso académico e hija/o. La política de becas y financiación de este material ha sido bastante errática y diversa según las comunidades autónomas (Gráfico IX). En unas hay que pagarlos, incluso aunque tengas una beca, como el caso de Castilla y León, frente a otras que están tendiendo a que sea un servicio gratuito. Actualmente predominan los sistemas mixtos entre becas y préstamos, pero sin garantizar el material educativo.

Gráfico IX. Presupuesto e inversión de las CC.AA. en ayudas a las familias para libros de texto. 2019/20

Comunidad Autónoma	Sistema de Ayudas curso 2019-2020	Presupuesto curso 2019-2020	Total alumnos Educación Obligatoria	Inversión por alumno
Andalucía	Préstamo Universal	105.000.000€	962.192	108,3€
La Rioja	Préstamo Universal 3ª a 6ª Primaria. Resto ayudas directas nivel de renta	3.500.000€	34.263	102,15€
Ceuta	Ayudas directas MEyFP	1.315.335€	12.909	101,9€
Melilla	Ayudas directas MEyFP	1.315.335€	12.909	101,9€
Valencia	Programa Xarxa Llibre (Préstamo)	42.561.781€	524.702	81,11€
Extremadura	Fondo centros para préstamo nivel de renta	8.200.000€	109.549	74,85€
Galicia	Fondo solidario libros de texto (Préstamo nivel de renta)	12.100.000€	227.123	53,27€
España		254.234.111€	4.894.737	51,94€
Murcia	Préstamo Universal 5ª y 6ª Primaria. Resto Ayudas nivel de renta	9.000.000€	181.105	49,69€
Castilla – La Mancha	Préstamo por nivel de renta	10.459.426(3)	811.527	47,70€ (4)
Cantabria	Ayudas directas para creación de bancos de libros	2.125.000€	53.841	39,46€
Madrid	Programa accede. Gratuidad alumnos 1º a 3º Primaria y 4º ESO	26.458.430€	703.843	37,59€
Canarias	Programa 'Uso gratuito libros de texto'. Ayudas directas 1º y 2º Educación primaria y banco de libros resto por nivel renta	7.350.000€ (2)	130.192	34,91€
Asturias	Préstamo por nivel de renta	2.767.170€	83.210	33,25€
Castilla y León	Programa Releo Plus Préstamo	5.940.000€	209.508	28,35€
Aragón	Ayudas por nivel de renta. Banco de libros 6ª Primaria y 4ª ESO	3.515.000€	130.192	26,99€
Navarra	Préstamo Universal	1.665.000(1)	68.516	24,30€
País Vasco	Gestión Solidaria (Préstamo)	4.800.000(1)	215.544	22,26€
Baleares	Programa de reutilización	1.500.000€	115.509	12,98€
Cataluña	Ayudas directas alumnos en situación de vulnerabilidad	4.661.251(1)	811.527	5,74€

Fuente: ANELE (2019)

Por último, todas las actividades educativas complementarias, que van desde la realización de deporte (con equipos, canchas, piscinas), hasta el apoyo en el aprendizaje de idiomas o los talleres de la tarde, así como los servicios de comedor y los programas de madrugadores o de conciliación con atención en horarios extraescolares caen en el bolsillo de las familias y sus posibilidades económicas.

En el periodo analizado el gasto de las familias en educación ha ido creciendo de forma sostenida mientras que el gasto público se desplomaba, pasando de los 53.000 millones de euros en 2009 a los 44.000 millones en 2014, volviéndose recuperar a 52.000 en 2019 (Ministerio de Educación y FP, 2020). Por todo ello, tenemos que considerar que los procesos de adelgazamiento de la financiación pública de la educación y los de asunción de parte del gasto por las familias están imbricados y funcionan como un único mecanismo que impacta sobre todo en las familias con menor poder adquisitivo y más dificultades socioeconómicas, que consiguen un peor servicio educativo al no poder asumir el pago de todo lo que supone el proceso educativo, tal y como se puede ver en el Gráfico X.

Gráfico X. Gasto público en educación y gasto de las familias y política de becas

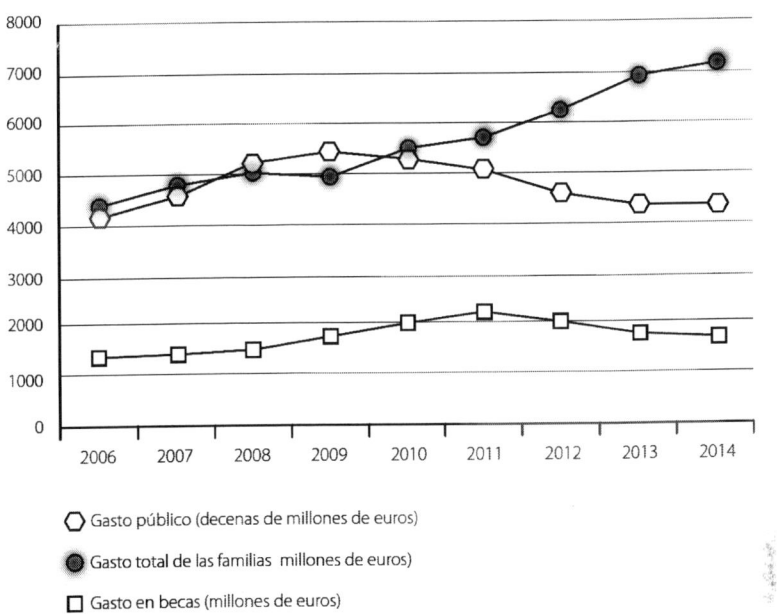

○ Gasto público (decenas de millones de euros)

● Gasto total de las familias millones de euros)

□ Gasto en becas (millones de euros)

Fuente: EDUCO y Ayuda en Acción (2017)

4. LA ENTRADA DE LAS EMPRESAS PRIVADAS EN LA EDUCACIÓN

En este proceso de deterioro de servicios públicos en general y de la escuela pública en particular, las empresas privadas entran al negocio para hacer apetecible a los ciudadanos, convertidos en clientes, los servicios públicos prestados. Existen múltiples mecanismos y áreas de negocio vinculadas con la educación. Abordaremos algunas de las más importantes por su impacto en el sistema educativo español: los conciertos, el mercado de los libros de texto y el desembarco de las empresas tecnológicas.

4.1. LOS CONCIERTOS EDUCATIVOS

El primero de ellos está vinculado a uno de los ejes de la ideología neoliberal, la libre elección de centros por las familias. Este proceso se ha ido desregulando por parte de las administraciones educativas que han roto con la política de reordenación de la oferta y la demanda educativa a través de la zonificación escolar, la cual permitía esta libre elección, pero dentro del barrio o área donde viviese la familia. Ahora, la capacidad de elección se extiende a todo el territorio por lo que las familias con mayores recursos son las que realmente pueden elegir a qué centro mandar a sus hijas e hijos. Ello ha provocado la consolidación y ampliación de los centros concertados (Gráfico XI) en los cuales la segregación escolar es mayor, ya que apenas recogen la diversidad socioeconómica de las familias de un entorno.

Gráfico XI. Distribución del alumnado en enseñanzas no universitarias por financiación del centro y CC.AA. Curso 2017/18

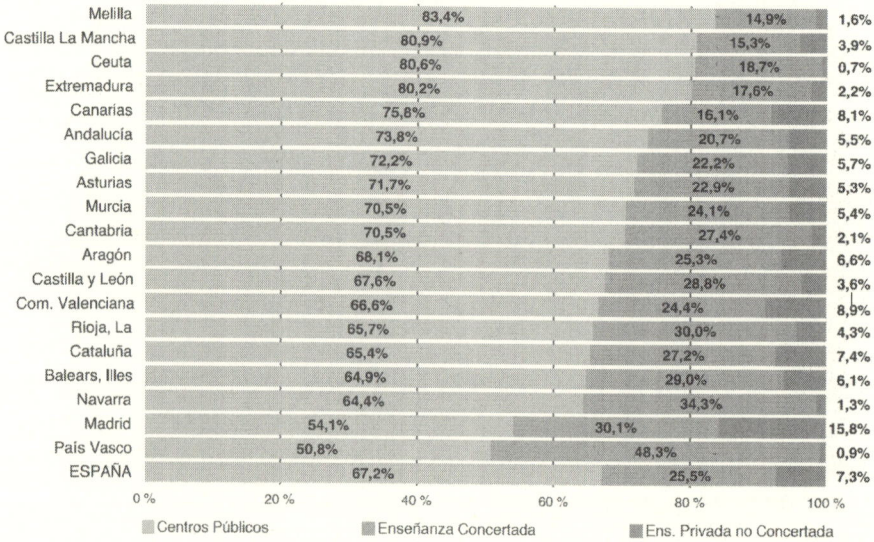

Fuente: MEFP (2020)

De esta forma, se ha abierto un nuevo mercado, una oportunidad de negocio para las corporaciones empresariales y grupos de intereses que, en el caso de la educación en nuestro país, está ligado mayoritariamente a la jerarquía católica que impone cada vez con mayor ahínco un modelo de gestión de las escuelas como si fueran empresas que exigen rentabilidad y beneficios, aunque con financiación pública.

España se ha convertido, en este sentido, en una anomalía dentro del panorama internacional, en lo que se refiere a centros educativos privados sostenidos con fondos públicos. Somos el tercer país de Europa en este tipo de centros, detrás de Bélgica y Malta; y el gasto privado en educación (0,6% PIB) es el doble que en la UE (0,36% PIB).

En todos los demás países (Francia, Alemania, la católica Italia o la envidiada Finlandia, entre otros) la educación es fundamentalmente pública (89,2% en Educación Primaria y un 83% en Secundaria en la UE-28, frente a un 67,3% de España).

En este escenario, el gasto en conciertos educativos ha ido aumentando (Gráfico XII) a pesar de los años de crisis y la bajada de salarios del profesorado, lo cual significa que se ha incrementado el número de centros y unidades concertadas.

Gráfico XII. Índice de variación del gasto público destinado a conciertos educativos (base 100 = 2005)

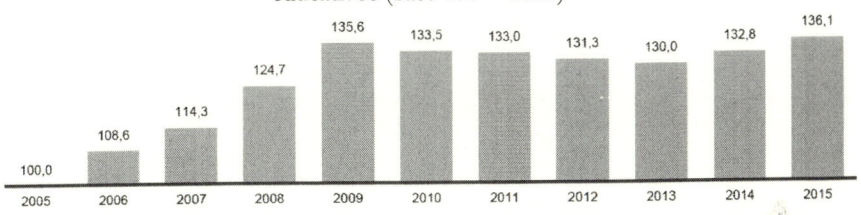

Fuente: MEFP (2018)

A pesar de lo expuesto hasta aquí, los costes de la enseñanza concertada superan de largo a la pública. Un estudio de la OCU[1] llegó a la conclusión de que los colegios concertados son un 70% más caros que los públicos. En la mayoría de los centros concertados investigados las familias tenían la obligación de pagar alguna cuota (500 euros anuales de media) a lo que se añade el uniforme (que suelen vender los centros también directamente) y otros gastos derivados de los servicios extraescolares, tales como el comedor y el transporte.

Por etapas educativas, podemos decir que hay niveles que han sufrido más abandono que otros la falta de financiación y han sido pasto de los conciertos con más facilidad, dada la subsidiariedad de esta red con respecto a la pública, sobre todo en las etapas no obligatorias en caso "excepcional de no existir plazas públicas suficientes" como son la educación infantil y los grados de FP (ver Gráfico XIII).

[1] https://www.ocu.org/organizacion/prensa/notas-de-prensa/2012/colegios-concertados-son-mas-caros

Gráfico XIII. Gasto de las administraciones educativas dedicados a conciertos por tipo de enseñanza. Año 2015

	Gasto público destinado a conciertos (millones de euros). 2015.	%
TOTAL	**5.915,9**	**100,0**
E. Infantil y E. Primaria	3072,5	51,9
Educación Infantil	1.000,2	16,9
Educación Primaria	2.072,3	35,0
Educación Secundaria y F.P.	**2491,4**	**42,1**
Educación Secundaria Obligatoria	1.898,0	32,1
Bachillerato	222,8	3,8
Ciclos Formativos de F.P.	324,6	5,5
Programas Cualificación Prof. Inicial	45,9	0,8
Educación Especial	**321,0**	**5,4**
Otros	**31,0**	**0,5**

Fuente: MEFP (2018)

4.2. EL MERCADO CAUTIVO DE LOS LIBROS DE TEXTO

En España existe una larga tradición de uso y abuso de los libros de texto en el sistema escolar. Siempre han sido usados como una forma de control del currículum, tanto en sus contenidos como en sus formatos y metodologías. Esta nefasta tradición la hemos asentado por la vía del mercado en los últimos 40 años de democracia. Manuel de Puelles, en un magnífico artículo titulado *La política del libro escolar en la Historia Contemporánea de España* (2007), afirma que:

los manuales escolares son un producto complejo [...] ligado al mundo editorial y un medio de transmisión de valores, ya que los libros de texto no solo transmiten conocimientos, sino que, de una manera manifiesta u oculta, están impregnados de valores, aspecto este al que la política nunca se ha mostrado ajena o indiferente. Los manuales escolares son (€) un producto ideológico que ha sido objeto preferente de la política educativa de todos los países. (1)

Para hacernos una idea de cómo es de grande y poderoso este mercado, aquí van algunos datos. En España se venden un total de 43 millones de libros de texto, para un total de ocho millones de alumnos y alumnas no universitarios, con una media de 5,4 libros por alumno. El libro de texto es usado por dos tercios del profesorado (ANELE,

2019). En plena crisis, el aumento de precios de los libros de texto ha sido en los últimos años superior al del conjunto de libros y muy por encima del IPC. Como podemos ver en el Gráfico XIV, el precio del libro de texto es el mayor de todas las modalidades de libros editados en nuestro país, ya sea en formato papel o digital.

Gráfico XIV. Precio medio de los libros por modalidades en el año 2016

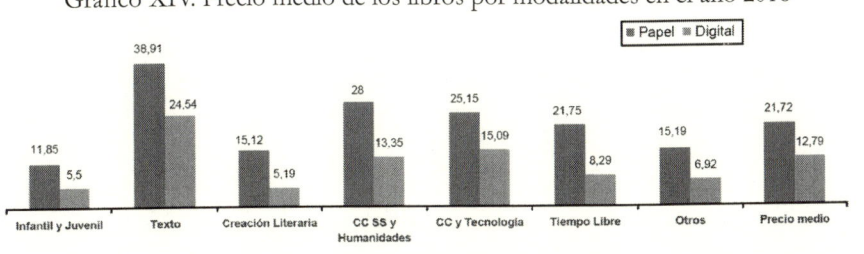

Fuente: Ministerio de Educación, Cultura y Deporte (2018)

Por tanto, el mercado del libro de texto tiene un peso específico en el sector editorial de nuestro país muy relevante. De cada 100 libros vendidos, 28 son de texto, el mayor volumen de una modalidad de libro y, al ser los más caros del mercado, su peso en la facturación del sector es muy relevante (Gráfico XV). Las editoriales reconocen que son el pilar fundamental de su negocio con un 33'6% de la facturación en 2018 (ANELE 2019).

Gráfico XV. Peso del libro de texto en la facturación del sector editorial

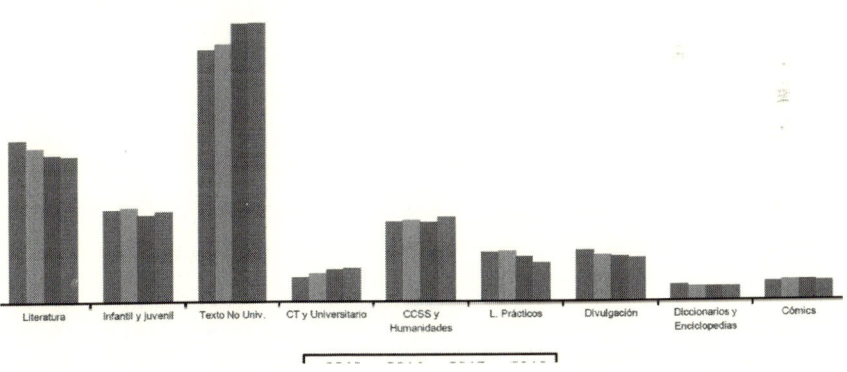

Fuente: Ministerio de Educación, Cultura y Deporte (2018)

El libro de texto obligatorio no solo es un gran negocio, sino que es un negocio cautivo por su obligatoriedad en las escuelas y pago de una parte importante por las administraciones educativas, aunque no se someten a los límites de concurrencia que estas imponen (De Miguel 2017). Es un mercado cerrado y que funciona como lobby, con precios y condiciones acordadas entre las diferentes editoriales para mantener el negocio en los términos en los que está.

Además, hay que resaltar que la Iglesia católica impone los libros de texto de sus editoriales en los más de 2.600 centros educativos que gestiona directamente (Grupo SM vinculado a los marianistas, la editorial Bruño vinculada a las escuelas de La Salle y que ha absorbido a ANAYA y el Grupo Edebé vinculado a los salesianos y su marca Edelvives son las tres mayores), lo que redondea el negocio y el adoctrinamiento que practica. Todo ello sin tener en cuenta la incidencia de estas editoriales en los centros de titularidad pública que en alguna medida optan por estos manuales.

4.3. El desembarco de las empresas TIC

Son famosos los proyectos educativos de las grandes multinacionales del sector tecnológico tales como:

- Google: G Suite for Education https://edu.google.com/intl/es-419/products/gsuite-for-education/?modal_active=none,
- Microsoft: https://www.microsoft.com/es-es/education
- Apple: https://www.apple.com/es/education/k12/ ,
- Samsung: Smart School: https://www.samsung.com/es/tecnologiaconproposito/samsung-con-la-educacion/smart-school/
- Telefónica: Fundación Telefónica: https://www.fundaciontelefonica.com/educacion/

Todas ellas han tenido la clara la visión de que el sector educativo era una parte importante de su negocio. Con ello pretenden conseguir varios objetivos que benefician claramente a sus empresas a través del mundo educativo: por un lado, si introducimos determinadas herramientas, ya sea software, sitios web o dispositivos, los niños y niñas, usuarios educativos del presente, se están socializando en dichas herramientas y entornos como consumidores y las seguirán prefiriendo y usando por su mayor conocimiento y dominio cuando salgan fuera de la escuela.

Un segundo objetivo de estas grandes multinacionales es el de ofrecer materiales pedagógicos y prácticas educativas más o menos gratuitas en sus dispositivos para toda la comunidad educativa, así como involucrar al profesorado en el desarrollo de las mismas en las aulas, ofreciendo para ello pizarras digitales, tablets y ordenadores a bajos precios e incluso en régimen de préstamo.

Por otro lado, la errática política de introducción de las TIC por parte de las administraciones educativas de nuestro país (Area et. al. 2014) ha supuesto inversiones millonarias a lo largo de los últimos 30 años, con pingües contratos y beneficios a estas empresas, realizando importantes gastos en infraestructuras que se quedaban obsoletas en pocos años, sin un plan organizado y bien pensado, sostenible en el tiempo y en costo real. En un trabajo anterior realizábamos un extenso análisis de esas políticas educativas (Anguita et al. 2019).

La situación en la actualidad en las escuelas, según los últimos datos del Ministerio de Educación (MEFP 2019), es que tenemos en los centros bastantes clases con pizarras digitales y un ordenador, algunos cableados con internet y otros con una precaria red wifi, pero casi todos con conexión a internet. Lo que predomina son los ordenadores de sobremesa y los portátiles. En el mejor de los casos, puede haber tablets para algún grupo puntualmente y un aula de informática con unos 20 puestos (Gráfico XVI). Es difícil encontrar un aula de primaria y secundaria donde haya un ordenador con conexión a disposición del alumnado o wifi funcionando en abierto, aunque es más probable que esté en el rincón del ordenador en infantil.

Gráfico XVI. Resumen de indicadores TIC en el curso 2018/19

	TOTAL	CENTROS PÚBLICOS			CENTROS PRIVADOS
		Total	Centros E. Primaria	Centros E. Secundaria y F.P.	
Nº medio de alumnos por ordenador destinado a tareas de enseñanza y aprendizaje	2,9	2,8	2,8	2,7	3,2
Nº medio de alumnos por ordenador destinado preferentemente a la docencia con alumnos	3,4	3,3	3,3	3,3	3,7
Nº medio de alumnos por ordenador con acceso a Internet destinado preferentemente a la docencia con alumnos	3,6	3,4	3,5	3,3	3,9
Nº medio de ordenadores por unidad / grupo	6,7	6,7	6,3	7,1	6,6
Nº medio de profesores por ordenador destinado a tareas propias del profesorado	1,9	1,9	2,0	1,8	1,9

Fuente: MEFP (2019)

No obstante, algunas comunidades autónomas promueven portales de contenidos digitales abiertos y elaborados por el profesorado, así como soporte para la elaboración de contenidos digitales (wikis y blogs) y aulas virtuales a través de Moodle. En otras se ha optado por las grandes plataformas digitales de estas multinacionales.

Una situación excepcional con el encierro en casa de estudiantes y profesorado por la pandemia del COVID-19 en la primavera de 2020, nos ha permitido comprobar cuán frágiles y dependientes de las multinacionales son las infraestructuras y formación TIC de nuestras escuelas y familias. Han sido estas empresas las que han ofrecido los servicios para realizar videoconferencias, llamadas, envío de materiales y deberes, las que han ofrecido plataformas de pago para todo ello y las que han salido reforzadas. En un futuro inmediato veremos cómo se traducirá en la mejora de su presencia en nuestro sistema educativo, ya que no hay una política activa y decidida para montar plataformas digitales gratuitas y públicas por parte de las administraciones.

5. LA MERCANTILIZACIÓN DEL CURRÍCULUM ESCOLAR

En último lugar, abordaremos cómo hay en marcha un proceso de mercantilización de los contenidos del currículum que transmitimos en la escuela como conocimientos valiosos para la sociedad (Torres 2014).

El devenir del currículo escolar viene marcado por cada época histórica y por lo que se considera una persona educada en cada tiempo. Durante el siglo XX necesitábamos formar obreros obedientes y se primaba el buen comportamiento sobre los conocimientos. En democracia necesitamos reorientar el currículo para educación cívico-social y con contenidos y metodologías que promuevan las dimensiones éticas, democráticas y críticas en el alumnado.

Frente a este modelo de la sociedad democrática nos encontramos con el modelo de persona que promueve la ideología neoliberal y que es el que se está imponiendo en nuestras escuelas. Seres fuertemente individualistas, empresarios de sí mismos, mercantilistas y consumistas, que se pasan la vida haciendo elecciones, tomando decisiones y asumiendo riesgos de forma individualizada. Claramente en este modelo se obvian las desigualdades e injusticias sociales. La cultura del emprendimiento se enmarca dentro, al formar a personas individualistas en la búsqueda de oportunidades para emprender proyectos que le aporten ganancias, beneficios de forma prioritaria.

Las consecuencias del predominio de este modelo neoliberal son claras, ya que se favorece el conservadurismo cultural y la negación de intereses políticos en el conocimiento, al tiempo que las Ciencias Sociales, las Humanidades y las Artes pasan a convertirse en materias de segunda clase por su irrelevancia en el proyecto mercantilista. Se educa en el presentismo y se estimula la amnesia histórica.

Tenemos algunos ejemplos claros de cómo funciona este proceso en nuestro país. El primero de ellos es cómo se ha configurado el currículum escolar en la LOMCE, a través de tres medidas fundamentales en este campo:

- Estableciendo una nueva jerarquía de las asignaturas en el currículum, donde las materias de Lengua, Matemáticas y CC. Experimentales, que son las que va a medir PISA, son las fundamentales y el resto accesorias.
- Se vuelve a un currículum cerrado e inflexible con materias cerradas y aquilatadas. Tenemos miles de páginas en Boletines Oficiales de desarrollo estricto de los objetivos, contenidos y estándares de aprendizaje de todas las materias del sistema educativo de los 3 a los 18 años.
- Imposición de una evaluación de los aprendizajes basada en los estándares de aprendizaje que deben ser observables, medibles y evaluables y permitir graduar el rendimiento y logro alcanzado. (Torres 2017)

Un segundo elemento del proceso de clara mercantilización del currículum escolar se encuentra en el avance de lo que viene denominando la Educación Financiera y el emprendimiento en las aulas, que no solo ha entrado a formar parte de los contenidos de las materias de Economía en educación secundaria, sino que se empieza a trabajar en educación infantil para enseñarles a crear empresas y negociar contratas[2] o planificar mejor el ahorro para la jubilación como proyectos educativos innovadores, muchos de ellos patrocinados por los grandes bancos como el Santander y el BBVA.

---

[2] https://www.publico.es/sociedad/colegio-ensena-ninos-cinco-anos.html

Como hemos ido repasando a lo largo de este capítulo, todo nos hace pensar que el sistema educativo y los aprendizajes que promueve se están moviendo hacia una brutal mercantilización, no solo para tratar la educación como un mercado, privatizando y externalizando parte de sus servicios (Rodríguez Martínez 2017), sino también para que las nuevas generaciones aprendan que este es el único modelo social posible en la proyección de sus vidas.

En este contexto, lo más preocupante es que estamos perdiendo la batalla de las prioridades educativas y sociales, que están claramente dominadas por el individualismo y la competición como elementos del sentido común aceptado.

En este marco es necesario dar la batalla cultural y social por el cambio de objetivos del sistema educativo a diferentes niveles. Por supuesto, el cambio legislativo es urgente y necesario como condición primera. Debemos reorientar toda la educación obligatoria hacia el consenso constitucional que ponga en el centro del sistema los principios de igualdad, laicidad, diversidad, inclusión, sostenibilidad, autonomía, convivencia, participación democrática, solidaridad, antiautoritarismo y coeducación (Redes por una nueva política educativa 2017).

Por otra parte, tenemos la responsabilidad de estimular la imaginación colectiva y la búsqueda de otras alternativas y posibilidades más justas que promueva una educación para la ciudadanía crítica en el siglo XXI, ayudando a formar ciudadanos testigos de su tiempo, conocedores de estos mecanismos, con capacidad de crítica y con instrumentos para utilizar el poder de los entornos virtual a favor de la verdad, la democracia y la justicia.

Pero también debemos promover resistencias y cambios a nivel micro, en escuelas y aulas concretas que permitan ir trabajando con nuestros niños y niñas hoy. La escuela debe explorar los nuevos horizontes de acción y transformación de la realidad, conectando el mundo y las aulas, resignificando las prácticas educativas y sociales.

OBRAS CITADAS

ANELE (2019). *El libro educativo en España. Curso 2019/20.* Madrid: ANELE Disponible en: https://anele.org/sala-de-prensa/informes/

Anguita, Rocío; Fernández, Eduardo; García, Eduardo (2019). ¿Por qué no se generaliza el uso de las TIC en las escuelas? En Agustín de la Herrán, Javier M. Valle y José L. Villena (Coords.) *¿Qué estamos haciendo mal en la educación?: Reflexiones pedagógicas para la investigación, la enseñanza y la formación* (pp. 109-130). Barcelona: Octaedro.

ATTAC Madrid (2016) Servicios públicos en los tratados de libre comercio e inversión TTIP, CETA y TISA. *Diagonal.* Disponible en: https://www.diagonalperiodico.net/global/29420-servicios-publicos-tratados-libre-comercio-e-inversion-ceta-ttip-y-tisa.html

Carabaña, Julio (2015). *La inutilidad de PISA en las escuelas.* Madrid: Catarata.

Choi de Mendizábal, Álvaro (2016). Explorando los límites de PISA. *Revista de la Asociación de Sociología de la Educación. RASE,* 9(1), 163-165.

CRUE (2018). *La universidad española en cifras. 2017/2018.* Madrid: CRUE. Disponible en: http://www.crue.org/SitePages/La-Universidad-Espa%C3%B1ola-en-Cifras.aspx

De la Balsa, Miguel (2017). Las trampas de las editoriales de libro de texto al descubierto. *Estrella Digital.* Disponible en: http://www.estrelladigital.es/articulo/espanha/trampas-editoriales-libros-texto-descubierto/20170331172430316969.html

EDUCO y Ayuda en Acción (2017). *La sombra de la inversión educativa en España. En busca de la gratuidad y la equidad en la educación.* Madrid: Ayuda en Acción. Disponible en: https://www.educo.org/Educo/media/Documentos/INFORME-EQUIDAD-EDUCATIVA-2017.pdf

Federación Enseñanza CC.OO. (2019). *Informe sobre el comienzo de curso 2019/20.* Disponible en: https://fe.ccoo.es/Documentos/P%C3%BAblica/Documentos&13983

Ministerio de Ciencia e Innovación (2020) *Estadística de precios públicos universitarios.* Disponible en: https://www.ciencia.gob.es/portal/site/MICINN/menuitem.7eea c5cd345b4f34f09dfd1001432ea0/?vgnextoid=84906add7c0de610VgnVCM10000 01d04140aRCRD

Ministerio de Educación, Cultura y Deporte (2018). *El sector del libro en España 2018.* Disponible en: https://www.cegal.es/wp-content/uploads/2018/05/El-Sector-del-Libro-en-Espa%C3%B1a.-Abril-2018.pdf

Ministerio de Educación y Formación Profesional (2018). *Sistema estatal de indicadores de la educación 2018.* Madrid: MEFP. Disponible en: https://www.educacionyfp.gob.es/servicios-al-ciudadano/estadisticas/indicadores-publicaciones-sintesis/sistema-estatal-indicadores.html

Ministerio de Educación, cultura y Deportes (2019). *Nota: Estadística de la Sociedad de la Información y la Comunicación en centros educativos no universitarios. Curso 2018/19.* Madrid: MEFP. Disponible en: http://www.educacionyfp.gob.es/en/servicios-al-ciudadano/estadisticas/no-universitaria/centros/sociedad-informacion/2018-2019.html

Ministerio de Educación y Formación Profesional (2020). *Datos y cifras. Curso escolar 2019/20.* Madrid: MEFP. Disponible en: http://www.educacionyfp.gob.es/servicios-al-ciudadano/estadisticas/indicadores-publicaciones-sintesis/datos-cifras.html

OCDE (2005). *La definición y selección de competencias clave. Resumen ejecutivo.* París: OCDE. Disponible en: https://www.deseco.ch/bfs/deseco/en/index/03/02.html

Puelles Benítez, Manuel de (2007). La política escolar del libro de texto en la España Contemporánea. *Avances en Supervisión Educativa: Revista de la Asociación de Inspectores de Educación de España,* 6, 1-18.

Redes por una nueva política educativa (2017). *Documento de bases para una nueva ley de educación.* Madrid: Por otra política educativa. Disponible en: https://porotrapoliticaeducativa.org/portfolio/documento-completo/

Rodríguez Martínez, Carmen (2017). Mercantilización de la educación y feminismo. *Atlánticas* 2(1), 32-59.

Sacristán, Vera (2017). *¿Quién financia la Universidad? Comparación entre comunidades autónomas en España, Europa y la OCDE 2009-2015*. Barcelona: Observatorio del Sistema Universitario.

Torres, Jurjo (2014). De la democracia al neoliberalismo de la mano del currículo. *Cuadernos de Pedagogía*, 451, 28-31.

Torres, Jurjo (2017). Las nuevas reformas educativas y el currículum escolar. En Alexandre Silva, Nair Rivero y Silvio Rocha (Org.). *Sociedade e Educaçao Transformadora*. (pp. 107-128) Porto Alegre: CirKula.

EL
ARTE
ES
UNA
MENTIRA
QUE
NOS
ACERCA
A
LA
VERDAD

Pablo Picasso

DECADENCIA Y RETROCESO SOCIAL EN UN EJEMPLO: ARGENTINA

Aníbal A. Biglieri
University of Kentucky, profesor emérito

Teniendo en cuenta la cantidad de posibilidades que abarca esta publicación y la necesidad de concentrarse en unos pocos temas, en este artículo se han de analizar solo tres, ejemplificándolos con un problema de vieja data, pero de candente actualidad, el de la vivienda, ilustrado con textos de la literatura argentina y no porque solo en esta se lo haya tratado, al contrario —piénsese, por ejemplo, en las chabolas de los suburbios madrileños de la novela *Tiempo de silencio* (1962) del escritor español Luis Martín-Santos—, sino porque el número de páginas permitido para cada contribución obliga a la selección. Los puntos incluidos en la propuesta editorial y seleccionados para este trabajo son los siguientes:

1- "La economía, disfrazada de un falso bienestar, ha desplazado a los objetivos de igualdad, de respeto, de progreso, de interculturalidad, de cosmopolitismo. De esta forma, los factores que entran en juego son los económicos, en vez de ser los humanos."

2- "Occidente se consume en una vorágine de mercadotecnia sin criterio pero con un único fin: acumular riqueza."

3- "El retroceso social es reflejo de todo ello, incluyendo la menor calidad de vida y la ausencia de posibilidades."

Debido a esta concepción economicista de la sociedad y a la acumulación incesante de riquezas por parte de unos sectores en detrimento de otros, se amplía cada vez más la brecha entre clases pudientes y carenciadas, y esta regresión social, junto con las desigualdades de todo tipo que resultan de ambos procesos, no puede tener expresión más evidente y dramática que en los cientos de millones de personas hacinadas en las más deplorables condiciones de vida en los más de doscientos mil *slums* que Mike Davis estimaba que había en el mundo en el año 2006 (cf. Davis 26). En fechas más recientes y en Argentina, llegaban, por lo menos, a la cifra de dos mil cuatrocientos "asentamientos informales" o "barrios populares" (más comúnmente conocidos como "villas miscria"), cn los cuales habitaba uno de cada diez habitantes del país (*El Día*, 2 de noviembre de 2016). En estos momentos, según cifras del gobierno argentino, son cuatro mil los "barrios populares" y a cuatro millones de "argentinos hacinados" asciende el total de sus residentes (*La Prensa*, 11 de agosto de 2020), es decir, casi el diez por ciento de una población calculada en alrededor de cuarenta y cinco millones de habitantes. En pocos aspectos de la realidad actual se puede comprobar mejor el protagonismo de la decadencia de Argentina que en este "déficit habitacional" (como se le suele llamar eufemísticamente), que comprende todas las posibilidades temáticas que ofrece este libro: cultural, económica, de derechos, ecológica, educativa, política... Hay que aclarar, sin embargo, siguiendo a Davis (cf. Davis 28), que la decadencia no es exclusiva del mundo europeo occidental y que incluso los treinta *megaslums* más poblados se encuentran hoy en África, Asia y Latinoamérica.

Por supuesto que estos problemas no son nuevos, ni en Argentina, ni en el mundo, pero si uno se atiene a determinada bibliografía, podría llegar a la errónea conclusión de que son el resultado más o menos exclusivo de las políticas económicas neoliberales, si bien la crisis de la vivienda en la Argentina se agudiza en la década de 1990. Bien es verdad que el neoliberalismo en la economía acentúa todos estos problemas y que la "crisis habitacional" se acelera durante el gobierno del presidente Carlos Saúl Menem (1989-1999), pero no es menos cierto que nada es entonces completamente nuevo en el panorama argentino, ni que el problema de las villas miseria existía ya antes.

En la Argentina, las políticas neoliberales impulsadas por el menemismo tuvieron efectos devastadores, pero hay que recordar también que comenzaron a ponerse en práctica durante el gobierno militar del Proceso de Reorganización Nacional (1976-83). Son muchas las caracterizaciones del período menemista, pero para un rápido resumen de la situación del país, se puede acudir al libro de Luis Alberto Romero *Breve historia de la Argentina contemporánea* y enumerar los rasgos más pertinentes de la gestión de esos años: debilitamiento de las instituciones republicanas, desmantelamiento del Estado, crecimiento de la corrupción gubernamental y policial, privatización de empresas estatales y del régimen previsional, desregulación económica, flexibilidad y precariedad laboral, ley de convertibilidad (un dólar = un peso), deterioro de la infraestructura urbana y de los servicios sanitarios, educativos y de salud y seguridad, aumento de la deuda externa, incremento de la desocupación y la pobreza y profundización de la exclusión y marginalización de amplios sectores de la sociedad (cf. Romero [*Breve historia*] 305-37). Como se ve, esta lista de problemas enumerados por Romero, que no es completa pero que comprende los aspectos más fundamentales de la realidad del país, no excluye casi nada y es justamente en este contexto en el cual se va a enmarcar el análisis de los tres puntos arriba indicados. Y, como también se verá en las páginas que siguen, los antecedentes de la situación actual en Occidente se remontan a mucho más atrás.

Concepción economicista de la sociedad

En la propuesta elaborada por la editorial para la realización de este libro, se podía leer: "De esta forma, los factores que entran en juego son los económicos, en vez de los humanos", palabras que Romero suscribiría de buen grado porque ya lo había anticipado en su revisión del período menemista:

> El discurso neoliberal, al que se apeló para impulsar reformas no siempre coherentes, impuso en la opinión sus propuestas y su agenda de problemas. *Todo el debate público se redujo a la economía*, y sobre todo a la "estabilidad". Así, se abandonaron ilusiones caras a la sociedad, revitalizadas con el retorno a la democracia [en 1983], como el buen salario, el pleno empleo, el derecho a la salud, la educación, la jubilación y, en general, a la igualdad de oportunidades, garantizada por el estado. Luego de 1995, ante las consecuencias reales de la reforma y el ajuste, algunos actores recuperaron aquellas aspiraciones, pero de manera nostálgica, limitada por los parámetros del pensamiento neoliberal. (Romero [*Breve historia*] 324; subrayado añadido)

La conducción de la Argentina (y de otros países también) basada en estos criterios obliga a preguntarse cuáles son los fundamentos teóricos y doctrinales del *neoliberalismo* y, en particular, en qué presupuestos morales y éticos se enmarcan sus partidarios y adherentes, gobernantes o no. Abundan las definiciones, no siempre de acuerdo entre ellas, y es copiosa también la bibliografía dedicada al *neoliberalismo*. Como guía de estas reflexiones, se puede consultar el libro de S.M. Amadae, *Prisoners of Reason: Game Theory and Neoliberal Political Economy*, quien ofrece una síntesis de las principales cuestiones.[1] Basada en una amplia bibliografía y en la experiencia histórica de varios gobiernos, Amadae va enumerando y analizando los rasgos más definitorios de esta doctrina, que, en síntesis, son los siguientes: el dominio de los mercados; la monetización de la economía, que desconoce así la dimensión moral del obrar social; el dinero, convertido en la unidad de medida de las acciones humanas; la especulación y la creciente disparidad en el acceso a los recursos, los ingresos y la riqueza; las prácticas inescrupulosas y depredadoras en pos de las ganancias personales (cf. Amadae 5-11). Desde el punto de vista ético, las teorías neoliberales anteponen el interés, el beneficio y las preferencias particulares a expensas de los demás miembros de la sociedad, es decir, se basan en una moral fundada en un egoísmo e individualismo extremos, sin concesiones al bien común y en la cual, los fines perseguidos justifican todos los medios empleados para alcanzarlos (cf. Amadae 5, 13).[2]

Así presentados, estos postulados del *neoliberalismo* se oponen al llamado *liberalismo clásico*, basado en otros principios éticos: ante todo, el *no-harm principle*, según el cual, se debe comenzar por respetar el derecho a existir de los otros y aceptar la idea de que los derechos individuales implican el reconocimiento de los derechos de los demás. De esta manera, las acciones deben basarse en las mutuas obligaciones morales que los individuos de una misma sociedad se deben entre ellos (cf. Amadae 11-17).

Tal sería el panorama argentino en la década de los noventa, pero lo interesante es que por "noventa", se puede entender también 1890, el año en que estalla una profunda crisis económica en el país, debida a múltiples factores, pero sobre todo a una desenfrenada especulación financiera durante la década de 1880. Y así como bastaría leer a Charles Dickens para aprehender las consecuencias de un capitalismo sin control y el poder sin trabas de unos miembros de la sociedad inglesa sobre otros (cf. Mac Lean 97), también bastaría leer las novelas

---

[1] Sobre el *neoliberalismo* véanse también los libros de David Harvey, y de Manfred B. Steger y Ravi K. Roy incluidos en la bibliografía.

[2] "Tal vez haya llegado el momento de revisar el término 'neoliberal'. Por un lado, se ha vuelto una especie de comodín emocional que no termina por describir de manera acabada la imbricada red de negocios y negociados de los que son víctimas las ciudades modernas cuando no hay ni límites ni controles. Por el otro, el fundamentalismo del libre mercado con el que generalmente se asocia al neoliberalismo, se ha recrudecido en la última década donde los Estados han asumido un rol mucho más activo, ya no regulando al capital privado, sino asociándose directamente con él" (Massuh 213-14).

del "ciclo de la Bolsa" —especialmente *La Bolsa* de Julián Martel, publicada primero en forma de folletín en el diario *La Nación* (agosto-octubre de 1891)—, para captar el frenético ambiente que entonces se vivía en Buenos Aires. Más aún, sin forzar para nada el texto de esta novela, se puede observar que *todos* los rasgos del *neoliberalismo* enumerados anteriormente se hacen presentes en el accionar de los personajes de Martel, por lo que cabe preguntarse si al fin y al cabo, las teorías neoliberales son tan novedosas como podría creerse.

Poner en juego los factores económicos antes que los humanos es proceder con la "mentalidad de los mercaderes", situándolos en el centro mismo de la sociedad y haciéndola girar, en definitiva, en torno del dinero. Los peligros y riesgos que todo esto implica para los estados fueron previstos hace siglos, milenios más bien. En efecto, en su *Política*, Aristóteles (384-322 a.C.) considera contrario al buen gobierno de la *pólis* el trato con extranjeros y el ir y venir de los mercaderes (1327a); más aún, postula que la felicidad, prosperidad o riqueza del estado, según se prefiera traducir *eudaimonía* (εὐδαιμονία) al castellano, no pueden existir sin el ejercicio de la *areté* (ἀρετή). Específicamente, Aristóteles enumera tres tipos de vida a los cuales los ciudadanos no deben entregarse por ser actividades innobles y enemigas de esa virtud: las "artes mecánicas" o artesanales, el comercio, con la frecuentación del mercado, y el cultivo del campo y la cría de animales.

Pasando de la Antigüedad a la Edad Media, hay que mencionar el tratado de Santo Tomás de Aquino (*ca.* 1225-74) sobre la realeza, dedicado al rey de Chipre (*De regno ad regem Cypri*), que dedica varias secciones al lugar que a los mercaderes les corresponde ocupar en el estado. De particular interés, son varios párrafos del libro segundo, capítulo séptimo, en los que Santo Tomás parte de las mismas premisas de Aristóteles, a saber, que es preferible que la ciudad sea autosuficiente y, de esta manera, pueda prescindir del comercio externo y del trato con extranjeros, instruidos en otras leyes y costumbres, todo lo cual considera perjudicial para preservar la integridad moral de la vida cívica (II, 7, 2-3). Muy probablemente, más de un adversario de la globalización económica y cultural aprobaría hoy esta forma de pensar.

Más interesante para los objetivos de esta contribución es la sección siguiente, con la enumeración, serena pero implacable, de los vicios que afectan a quienes se dedican al comercio y los efectos que este produce en la vida civil: abre el camino a numerosos vicios, empezando por el afán de lucro, haciendo que la codicia (*cupiditas*) se radique en el corazón mismo de quienes lo practican; como resultado, todo (*omnia*) en el estado deviene venal; la buena fe es reemplazada por el fraude; cada uno busca su propia ventaja en desmedro del bien público; falta el ejercicio de la virtud (*virtus*, la *areté* de Aristóteles) y en su lugar, se rinde honor a la riqueza, todo lo cual, en fin, corrompe necesariamente la vida cívica en la ciudad (II, 7, 4). Quienes analicen la situación argentina de estas últimas décadas a la luz de estas premisas, podrían suscribir sin mucho esfuerzo la vieja sentencia del *Eclesiastés* 1: 10: *nihil sub sole novum*.

La crítica a los mercaderes se continúa con la observación de que, no acostumbrados a los trabajos duros y entregados a las delicias y a la molicie, se tornan ineptos para la vida militar. No obstante, Santo Tomás advierte que no toda ciudad es completamente autárquica como para no necesitar productos provenientes de otras partes. Por otro lado, si hay una superabundancia de bienes en un lugar, son de nula utilidad a menos que los mercaderes los lleven a aquellos sitios donde sean necesarios. O sea, que a ellos les compete llevar a la ciudad los productos que le falten y transportar el sobrante a quienes lo necesiten. Como conclusión, hay que resignarse, por así decirlo, a no excluir completamente (*omnino*) a los mercaderes de la ciudad, ni a prescindir del uso del comercio, pero siempre que sea "moderadamente" (*moderate*). Es decir, que Santo Tomás advierte que el comercio puede dar lugar a "excesos", una de las críticas más frecuentes que se les hacen a las políticas neoliberales.

En este pasaje, además de ser cruciales, estos dos adverbios están preñados de consecuencias de largo alcance y que llegan hasta el día de hoy. Porque si no es posible prescindir *completamente* de los mercaderes y si hay que recurrir a sus servicios, aunque sea *moderadamente*, ¿qué lugar ocupan en el contexto de la sociedad en que trabajan y del estado del que también forman parte? Según Santo Tomás, quedan situados, por así decirse, en la periferia del entorno social, así como en la concepción aristotélica de la *pólis*, lo estaban también los artesanos, comerciantes y campesinos. Y así era, en primer lugar, por consideraciones éticas y morales y, más específicamente, porque estas profesiones estaban reñidas con el ejercicio de la virtud. Véase ahora cómo se caracterizó antes al *neoliberalismo* y compruébese, a partir de las propuestas de Amadae, hasta qué punto estas coinciden con lo adelantado por el Doctor Angélico, diríase que proféticamente, en el siglo XIII.

En una concepción economicista de la sociedad, contrapuesta a una concepción social de la economía, la "mentalidad mercantil" pasa a ocupar el eje en torno del cual gira todo lo demás: "entran en juego" los factores económicos antes que los humanos y, como dijo Romero del discurso neoliberal en Argentina, "todo el debate público se redujo a la economía" (Romero [*Breve historia*] 324). Y con estos criterios, se manejan también las políticas urbanas en la ciudad de Buenos Aires, de gran incidencia obviamente en todo lo relacionado con el problema habitacional:

> Todo aquello que está fuera del marco de una visión economicista del mundo desaparece de la realidad. Para esta visión sesgada del universo hay un solo desarrollo posible: el económico, nunca el humano. Esta es la razón de los desalojos, la demolición del patrimonio, la construcción para mantener el valor de inversiones, la devastación de la ciudad y su remate al mejor postor. (Massuh 300)

La situación así descrita por Massuh no solo no se ha revertido desde la fecha de publicación de su libro (2014), sino que se ha agravado y no solamente en la capital del país, sino también en otras ciudades de la Argentina. En relación con todo esto, hay que mencionar la proliferación de las villas miseria, por un lado, y, por otro, de los "barrios cerrados" (*countries*), que obedecen a los mismos criterios economicistas y especulativos que han guiado todas estas transformaciones urbanas, en detrimento siempre del factor humano. Por su parte, hace cuarenta años, Ralph Nader observó lo mismo en Estados Unidos, donde las grandes empresas y sus "valores mercantiles" no solo moldean a su imagen las fuerzas del mercado, sino que también dominan el gobierno, la política, las leyes, los impuestos, el ambiente, la educación, las comunicaciones, las fundaciones, los deportes e incluso aquellas instituciones que antes se creían al margen de su influencia, como la familia y la religión (cf. Nader 100; artículo publicado en *The Nation* el 29 de marzo de 1980). Hay que agregarle a esta lista, las políticas relacionadas con la vivienda y la crisis habitacional a que han dado origen.

Según reseña Amadae, la práctica contemporánea de la monetización desplaza todo valor moral en el obrar humano, de manera tal que todos los valores se "financializan" y todas las decisiones pueden ser "monetizadas" (cf. Amadae 6, 9, 43). Pero, por supuesto, no son estos fenómenos nuevos en Occidente y hay que remontarse a los siglos finales del medioevo para encontrar sus primeras manifestaciones. Hito fundamental en el tratamiento de este tema es el libro de Max Weber sobre la ética protestante y el espíritu del capitalismo, publicado por primera vez en 1904-05.[3] Ingente es la bibliografía que desde entonces se ha dedicado a la exégesis de esta obra, aceptando o rechazándose las tesis allí expuestas desde muchas y diversas perspectivas. Fuera de los alcances de este artículo y de la competencia de su autor es el análisis del libro de Weber, pero aun así, se pueden extraer algunas observaciones que ayudarán a encuadrar mejor los argumentos de este trabajo. Admitiendo desde ya que se va a incurrir en abusivas simplificaciones, se podrían distinguir tres modalidades: 1) pre-capitalismo; 2) capitalismo basado en principios éticos y teológicos; 3) capitalismo carente de principios morales y religiosos.

Dos observaciones, primero: el término 'capitalismo' se entiende aquí en el sentido de Weber, a sabiendas de que las definiciones de este sistema son muchas y no siempre concordantes y que las fronteras temporales entre un "precapitalismo medieval" y un capitalismo moderno no son fáciles de precisar, pero, aunque lo fueran, estos procesos históricos no se presentan al mismo tiempo en todas las regiones europeas durante la Baja Edad Media; segundo, estas tres modalidades no son fases sucesivas de un proceso que se desenvolvería linealmente, sino que pueden coexistir en sincronía temporal.

Según Weber, no hay que esperar la llegada del capitalismo para que se desaten la avaricia y la sed de dinero (*auri sacra fames*) porque ambas actitudes se hallan, por ejemplo, en los mandarines chinos, los aristócratas romanos o los campesinos modernos. En efecto, el impulso de ganar dinero y la adquisición a toda costa de riquezas se dan en todos los períodos de la historia, pero con la diferencia de que en tiempos precapitalistas, no se encuentra ni una utilización racional del

---

[3] Max Weber, "Die protestantische Ethik und der Geist des Kapitalismus", *Archiv für Sozialwissenschaft und Sozialpolitik*, 1905-05.

capital en empresas permanentes, ni una organización igualmente racional del trabajo (cf. Weber 56-58). Sea como fuere, para los fines de este estudio, es más importante distinguir entre actividades económicas encuadradas en normas éticas fundadas en concepciones religiosas y teológicas previas, y aquellas otras carentes de todo fundamento moral. Y esta es la tesis central de Weber, la de que el capitalismo se funda en la ética protestante. Pero, por supuesto, hay que matizar bastante. En resumen (cf. Weber 43, 80-81, 121), es, ante todo, en el Calvinismo, donde se combinan un sentido capitalista de los negocios con intensas formas de piedad religiosa. Más concretamente, se postula que la única forma de vida aceptable a Dios es la de cumplir con las obligaciones impuestas a los individuos por su posición social en *este* mundo y de acuerdo con las normas morales dictadas por la fe. A lo largo de toda su existencia terrena, el cristiano debe ser (como) un monje, pero no huyendo del *saeculum*, como en el monasticismo medieval, sino atendiendo a sus actividades y deberes *en* la sociedad, con espíritu ascético e inquebrantable fervor religioso.

Pero la fe de los capitalistas puritanos en la doctrina de la predestinación y la perfección moral del ser humano puede flaquear y sucumbir ante el empuje de varias fuerzas de un poder al parecer arrollador, entre ellas, el espíritu racionalista, el aumento de las riquezas, la creciente secularización del mundo, los triunfos del individualismo y el utilitarismo: en suma, el victorioso capitalismo ya no necesita de un fundamento teológico que lo justifique, ni de una moral religiosa que frene y contenga sus excesos (cf. Collins xiv). Weber desarrolla estas ideas en varios pasajes de su libro: las personas imbuidas del espíritu capitalista tienden a ser indiferentes, si no hostiles, a toda iglesia y el hombre vive para sus negocios y no a la inversa; el capitalismo se basa en una filosofía racionalista y en el espíritu de cálculo dirigido principalmente hacia el éxito económico; el ascetismo medieval se disuelve finalmente en un puro utilitarismo (cf. Weber 70, 76, 183). En esta situación, se ha desembocado al cabo de este proceso bosquejado aquí en trazos muy gruesos y en un brevísimo resumen que, por supuesto, no le hace justicia a la densa argumentación de Weber, ni tiene en cuenta todos sus desarrollos e implicaciones para la comprensión del mundo actual, pero que puede bastar para enmarcar las secciones siguientes de este artículo.

En la Argentina, el retroceso social, el deterioro de la calidad de vida y la ausencia de posibilidades, temas incluidos en la propuesta para el presente libro, no pueden tener manifestación más clara que en el aumento de las villas miseria dentro del distrito federal y en el Área Metropolitana de Buenos Aires (AMBA). Esto es más evidente aún en los "nuevos pobres" y la movilidad descendente en que han quedado atrapados, generada por la implementación de las políticas neoliberales y por las sucesivas crisis económicas que sufrió el país a lo largo de las últimas décadas, antes y después del período menemista, cumpliéndose así los temores expuestos por Santo Tomás siete siglos antes.[4] Y como si esto no bastara, en el momento de escribir estas líneas (agosto de 2020), se cierne sobre el país una nueva crisis como resultado de la pandemia del COVID-19. Se pronostica que en este colapso económico y social que se avecina, si es que ya no ha llegado, habrá más pobres, una caída en los ingresos, más exclusiones y, en lo que respecta a las villas miseria en particular, a todas estas calamidades, hay que sumarles ya mismo la propagación del virus como consecuencia del hacinamiento y la falta de instalaciones sanitarias en que viven sus habitantes. Mientras tanto, continúan las ocupaciones y usurpaciones ilegales de terrenos para la construcción de más asentamientos "de emergencia" que, con el correr del tiempo, se consolidarán en villas miseria permanentes.

Hay que volver a aclarar que no todo comienza en la década de 1990, ya que se trata de situaciones que se venían arrastrando desde mucho más atrás: así, por ejemplo, se considera que la primera villa miseria en Buenos Aires se remonta a la década de 1930, cuando se produce una "explosión urbana" a causa de la incipiente industrialización y la emigración de los habitantes de las zonas rurales hacia las metrópolis, fenómeno que se observa también en muchos otros países latinoamericanos, según explica José Luis Romero (cf. 322-31). Y la "cuesta abajo" económica en Argentina se inicia en los años setenta y se va

---

[4] "En lenguaje corriente, la conjunción de competitividad, ostentación de logros inmobiliarios a través de la gentrificación de barrios, la aniquilación del espacio urbano común, la creación de enclaves para ricos paralelo al incremento del hábitat indigente, la especulación con el suelo, la proliferación de grandes centros de compra (u hoteles cinco estrellas) que aniquilan al pequeño y mediano comercio… son características que se conjugan en 'la ciudad neoliberal'" (Massuh 213).

acelerando con el paso de las décadas (cf. Minujin 9, Murmis-Feldman 56). Junto con esta disminución en la calidad de vida, se aprecia esa ausencia de posibilidades de todo tipo, ante todo, la de salir de la pobreza. En este sentido, es interesante observar la diferencia que traen las décadas de decadencia económica y social.

VILLAS MISERIA Y LITERATURA

La literatura argentina, desde sus comienzos en el siglo XIX, nunca se apartó demasiado de las realidades sociales y por ello no debe sorprender que en una serie ya considerable de narraciones, las villas miseria pasen a primer plano y tanto es así, que la denominación misma de "villas miseria" se debe a la novela de Bernardo Verbitsky de este nombre. En *Villa miseria también es América* (1957) y *Ladrones de luz* de Rubén Benítez (1959), algunos habitantes de estas villas abrigaban aún la esperanza de salir de la pobreza, gracias a una "cultura del trabajo" en la que aún creían algunos personajes de ambas obras. El contraste entre ambas actitudes ya se aprecia en la novela de Verbitsky, en la cual varios personajes contemplan la posibilidad de salir de la villa (18, 21, 161), de "resistir, hacer pie" (35) y no admitir que para los niños "allí no había futuro" (75). Para los habitantes de Villa Rezago, en la novela del segundo autor, la posibilidad de salir de pobres vendría con la electricidad (47): "Ahora solo hay que mirar para adelante, hacia el progreso." (152), representado por la luz (155).

Ambas novelas se publicaron en la década de 1950. En tiempos más recientes, el cuadro social y laboral que presentan las villas miseria es mucho más desolador y para comprobarlo no hay más que leer el drama de Marcelo Marán *Antígona 1-11-14 del Bajo Flores*, estrenado en la ciudad de La Plata en 2014, versión de la obra de Sófocles, que tiene por escenario esa villa miseria, cuyo nombre oficial es "Barrio Padre Ricciardelli", la misma en que se desarrolla parte de la acción en la novela *La villa* de César Aira (1998).

El drama de Marán se basa en un hecho real, el "ajuste de cuentas entre dos bandas de traficantes de paco" (cf. Saravia 276), y en la obra se oponen, a su vez, los traficantes de la droga a los habitantes de la villa que quieren vivir al margen del delito y del crimen. Y justamente, uno de los problemas que se agudizó en la década de 1990 fue el del aumento de la violencia y los crímenes y delitos de todo tipo (cf. Massuh 136-37). ¿Cuál es ese futuro del que hablan los personajes en las novelas de Verbitsky y Benítez para los de la tragedia de Marán? Se pueden citar varios pasajes en los cuales queda patente la desesperanza de los personajes, empezando por Antígona, cuyos sueños no van a convertirse en la realidad: "Alguna vez soñé con un hombre trabajador llegando cansado a la casa luminosa entre las copas de los árboles. Sus manos acariciando un par de niños revoltosos… […] Comer, besarlo, hacer el amor… Era tan simple en el sueño." Pero es un mundo rondado por la muerte, que, como dice la misma Antígona, se puede producir de las maneras más indignas: "Podría ser en una camilla de hospital, en la casa de una partera por un aborto mal hecho, por la bala de un policía, a puro paco… ". Como la Antígona sofoclea, ella también va a padecer la muerte por desobedecer las órdenes de su tío Creonte y querer darle sepultura a su hermano Polinices, considerado traidor a la villa por haberse aliado con los extranjeros, en este caso, una banda de traficantes peruanos. También en la villa de la novela de Aira, la misma 1-11-14, impera el tráfico de drogas: "Todos sabían que ahí se vendían drogas en gran cantidad, pero nadie sabía cómo entraban y cómo salían."(47).

En este largo proceso de decadencia, que la Argentina comparte con otras naciones del mundo, las desigualdades sociales y económicas se fueron acentuado cada vez más y, en el contexto específico de la vivienda, el aumento de las villas miseria, por un lado, y de los barrios cerrados —como el *country* de la novela *Las viudas de los jueves* (2005) de Claudia Piñeiro—, por otro, pareciera presentarse como la última fase, al menos por ahora, de estos desarrollos, con sus "ganadores" y "perdedores" (Svampa), y para demostrarlo, hay que observar dónde viven unos y otros. La sociedad argentina está constituida por varias clases, cuya definición y delimitación depende de los criterios que se empleen para su clasificación y los tipos de viviendas que ocupan sirven muchas veces para identificarlas. No obstante, y a riesgo de caer en los reduccionismos y simplificaciones a que conduce una visión dicotómica de realidades siempre mucho más complejas, se ha dicho que el país se ha "dualizado" y su sociedad, "escindido", de lo cual son manifestaciones muy claras las villas miseria y los "barrios privados" (c.f. Romero [*Breve historia*] 325). En una sociedad entendida binariamente, compuesta de "ganadores" y "perdedores", los primeros tienen la opción de irse a vivir en los *countries* y los segundos, no solo los que ya eran pobres, sino también los "nuevos pobres", muchos de ellos integrantes de las "clases medias", se fueron aglomerando cada vez más en las "villas de emergencia". Las políticas neoliberales, las de los "hombres de negocios" al margen de marcos éticos y morales, como los describe Weber, dieron lugar a lo que Maristella Svampa llama la "sociedad excluyente", con el aumento de los índices de pobreza, que se hicieron más altos durante la década de 1990 (c.f. Romero [*Breve historia*] 326-27). Se profundizaron las desigualdades y la sociedad se fue escindiendo y no solo en Argentina: Amadae nota, entre los resultados del *neoliberalismo*, las crecientes disparidades en el acceso a los recursos, los ingresos y la riqueza y la aceptación de que en estos procesos habrá, inevitablemente, vencedores y vencidos (cf. Amadae XVIII, XXV 7).

En Argentina, uno de los símbolos de esa escisión y "dualización" geográfica y social es la avenida General Paz, que sirve de límite entre el distrito federal y la provincia de Buenos Aires. A pesar de que Villa Rezago se encontraba a pocos metros de dicha avenida, un abismo infranqueable la separaba de Buenos Aires, según piensan los personajes de *Ladrones de luz* de Benítez (54): "La avenida General Paz era el límite con la Capital Federal, pero era también la valla entre dos mundos" (55). Si Buenos Aires era la "civilización", la villa representaba el atraso aludido en su nombre, atraso que se manifestaba otra vez en la carencia de los servicios que en una ciudad "civilizada" se dan por sentados: el agua potable, pero también la energía eléctrica a la que alude el título de la novela.

Las realidades, ya se sabe, son siempre más complejas, y así como no puede encasillarse a todos los argentinos en dos grupos, así tampoco se puede "dualizar" el urbanismo, dividiéndolo entre centros y periferias, ya que, en primer lugar, se pueden distinguir varios "cordones" urbanos, cuatro por lo menos, en grados crecientes de deterioro en su infraestructura y de pobreza en sus habitantes (c.f. Romero [*Breve historia*] 327). En estos casos, se trata de una doble marginalidad, geográfica y social (c.f. J. L. Romero 343). En segundo lugar, la existencia de estos "cordones" situados fuera del distrito federal no debe hacer olvidar que hay numerosas villas miseria *dentro* de este sector, supuestamente el "centro" de esa vasta conurbación. Así, por ejemplo, el periódico *La Nación* informaba hace unos años (9 de setiembre de 2014) que, según la Dirección General de Estadística y Censos local, había en la ciudad de Buenos Aires catorce villas, veinticuatro asentamientos y dos núcleos habitacionales transitorios. Y la acción de varias obras literarias transcurre dentro de los límites capitalinos: la Villa 1-11-14 del drama de Marán y la novela de Aira se encuentra en el barrio de Flores, y la Villa 24, escenario del cuento "Villa Medea" (2007) de Cristian Mitelman, está ubicada en los barrios de Barracas y Nueva Pompeya, próximos al Riachuelo, que marca el límite sur de la Capital Federal.

Es en estos contextos urbanos y socio-económicos donde se puede advertir claramente esta "decadencia de Occidente", en la medida en que estas sociedades han sido incapaces de procurar soluciones mínimas a los problemas más concretos, como el del acceso al agua. Obviamente, el problema no era nuevo, ni solamente privativo de las villas argentinas. Ya Lewis Mumford lo había indicado como una de las deficiencias más notorias de las nuevas ciudades industriales europeas del siglo XIX, con sus inevitables consecuencias sobre la limpieza, la higiene personal y la salud de sus habitantes (cf. Mumford [*Technics*] 246-47 Mumford [*The City*] 463), condiciones que se prolongan hasta hoy y que en las villas miseria de la Argentina constituyen un problema crónico y no siempre resuelto. Y lo mismo sucede en este "planeta de villas miseria" estudiado por Davis. En efecto, la carencia de agua es uno de los problemas más acuciantes que deben enfrentar los habitantes de la villa en *Villa Miseria también es América* de Verbitsky, obra que, como ya se dijo, consagró el uso de la expresión "villa miseria" para designar a estos barrios (187-88). Debido a que el problema de la falta de agua potable atraviesa todo el relato, de los tantos pasajes que a él se refieren, conviene aducir los más representativos para hacerse una idea de las condiciones de vida en estos entornos urbanos. Para empezar, en ese barrio, había una sola bomba para proveer de agua a las mil doscientas personas que lo habitaban (144) y por si esto fuera poco, podía descomponerse y dejar sin agua a toda la villa. Se podía recurrir a la bomba particular de una vecina, por medio de un pago previo (106-08, 152), pero una mejor solución sería instalar una segunda bomba, y esta aspiración, al parecer tan modesta (141, 151, 177, 181), constituiría, al decir de uno de los personajes, "nuestra revolución" (150), en referencia a la Revolución Francesa. Pero nada más revelador de cómo se vivía allí que el siguiente pasaje, en el que se visualiza muy bien lo penoso que era en Villa Miseria algo tan sencillo en la ciudad como el acto de proveerse de agua:

Al volver a su casa descubrió que necesitaba ir a buscar agua. Dejó a la nena en la cama y salió con el balde, que luego, lleno, representaba casi la mitad de su propio peso. Su casa estaba a una cuadra de la bomba, una cuadra que no era recta ni se recorría por una pulida vereda. Debía evitar baches, esquivar charcos, atravesar zanjas angostas, sobre las cuales era preciso saltar con su carga. El arrugado fondo de los charcos ya secos, los montones de basura acumulados en algunos lugares, un inseguro puentecito de madera sobre un zanjón que la lluvia convertía en foso, alargaban el camino de la niña. (139)

Los habitantes de la Villa Rezago en *Ladrones de luz* también tienen problemas con el agua: está "agusanada" (15, 78) y en el mejor de los casos, se abastecían de ella por medio de un camión-tanque enviado una vez a la semana por el municipio (29).

A la falta de un suministro de agua potable y electricidad propios de la gran ciudad, hay que sumarle el hacinamiento en que se vive en las villas miseria y por partida doble: de las viviendas, debido a las limitaciones impuestas por el espacio disponible, y de las personas dentro de ellas, por lo reducido de las casas y por el número de sus residentes, multiplicados sin cesar por los nacimientos y por los que llegaban de las provincias y de los países limítrofes con la Argentina. En este sentido, es emblemático el caso de Melina, en "Villa Medea" de Mitelman, cuento basado en el drama de Eurípides: nacida en la Villa 24, de padres chaqueños, tuvo al primero de sus dos hijos a los dieciséis años y tres años después, al segundo, frutos de su unión con Aurelio, un inmigrante paraguayo. Cuando este se iba de la villa e incluso del país, Melina tenía que mudarse de casa: "En sus ausencias me vi obligada a volver a lo de mi mamá, pero con las dos criaturas a cuestas. Se imaginará el lío que era eso. Poco espacio y más personas" (43).[5] Aumento de la población, emigración interna e inmigración externa, he aquí todos los ingredientes de una situación que Aira sintetiza muy acertadamente así en *La villa*:

---

[5] Los datos de la realidad confirman hasta qué punto llega el hacinamiento en que se puede vivir en las villas miseria: en estas, se puede "alquilar una pieza de tres por cuatro metros cuadrados, en cualquiera de esos asentamientos, sin baño, servicios u otra infraestructura". Massuh recoge el testimonio de una inmigrante boliviana que fue a vivir con su hija a la Villa 20 y junto con su compañero, vivían alojados en "una habitación de cuatro metros por cuatro, sin agua, sin sanitarios" (cf. Massuh 279, 280).

El hacinamiento era increíble, las casillas de un tamaño ridículo de tan reducido, y literalmente apiladas unas contra otras; esto era comprensible, y
al parecer sucedía lo mismo en todas las villas: se levantaban en sitios limitados, que no podían extenderse, y su población aumentaba sin cesar, por
el crecimiento vegetativo descontrolado y por las migraciones del interior
y países limítrofes. (35)

Este tipo de vivienda tenía su contrapartida en los departamentos
también reducidos en los edificios de propiedad horizontal de Buenos
Aires, esa otra forma de apilar unidades habitacionales unas encima
de otras, como "un departamento de un ambiente en Caballito", donde vivía el padre de uno de los personajes de *Las viudas de los jueves*
(129). Precisamente, de este pasado querían escapar los residentes de
Altos de la Cascada, el *country* de la novela de Piñeiro, y en un departamento de ese tipo y en un barrio nada "aristocrático" de la ciudad,
no se imaginan su futuro, tal como dice otro personaje: "¿Te imaginás
viviendo en un monoambiente y mandando a Ariana al Bernasconi
de Parque Patricios?" (273-74). Es decir, para el matrimonio Urovich,
es impensable mudarse a un departamento de un solo ambiente en la
Capital Federal y enviar a su hija a una institución educativa que no sea
la del barrio cerrado.

En agudo contraste con las realidades de las villas miseria, véase el
caso de este barrio privado. En primer lugar, la extensión: los terrenos
ocupados por cada casa no tienen menos de mil quinientos metros
cuadrados (27, 178) y una de las viviendas tenía dos mil metros cuadrados de terreno y doscientos cincuenta metros cubiertos, con tres
baños *en suite* y dependencias de servicio (34). En segundo lugar, las
casas mismas: "una de las casas más grandes y llamativas de Altos
de la Cascada, con dos grandes columnas en la entrada, escalera de
mármol que se ve a través de la puerta vidriada, y balaustrada en todas
las ventanas" (215). Pero ninguna descripción como la siguiente, de
la casa del matrimonio Scaglia ("una de las más grandes del *country*"),
puede dar una idea más elocuente de los contrastes entre las casas y
mansiones de ese barrio y las casillas y casuchas de las villas miseria
descriptas por Verbitsky, Benítez y Aira:

De ladrillo enrasado, con techo de teja pizarra negra a varias aguas y car-
pintería de madera blanca, tenía dos plantas, seis dormitorios, ocho baños,

sin contar el de la pieza de servicio. Salió en dos o tres revistas de decoración gracias a los contactos del arquitecto que la construyó. En la planta alta funcionaba un *home theatre*, y junto a la cocina, un *family* con muebles de ratán y una mesa de madera y hierro patinado color óxido. El living estaba frente a la pileta de natación y desde los sillones color arena, frente al ventanal que iba de pared a pared y del piso al techo, uno tenía la sensación de que estaba en el *deck* de madera que se extendía en cuanto terminaba la galería. (19)

Compárese: las fotos de Villa Miseria en la novela de Verbitsky aparecen en el diario de Buenos Aires *Noticias gráficas* para dar noticia de la existencia de este asentamiento (187); en este barrio, es muy común que los techos sean de chapas (61), mientras que en los de las casas de Villa Rezago de *Ladrones de luz*, "predominaba el castaño oscuro de las latas oxidadas." (8), en tanto que el color óxido de la mesa de los Scaglia corresponde al diseño y no a la herrumbre; en Villa Miseria, las "maderas viejas" eran uno de los materiales de construcción de las casas (243) y en cuanto a la cantidad de habitaciones, huelgan los comentarios. En Villa Miseria, un rancho no tenía puerta, ni ventanas y por único mobiliario había en la habitación un catre (81), y el baño podía reducirse a "una casillita de arpillera deshilachada" (33). Este era el tipo de construcción más común en el barrio y la excepción que confirma la regla era la casa de un enfermero "con ciertas comodidades que allí parecían lujos fastuosos": según la describe Verbitsky (12), era de ladrillo y aunque constaba de una sola pieza, podían deslindarse tres ambientes: salita de recibo, dormitorio, y cocina y baño interno, el único en toda la villa, pero, eso sí, sin agua corriente, por lo que había que acudir a la única bomba compartida por todos sus habitantes.

LA CULTURA DE LA BASURA

Como en las mejores novelas del naturalismo decimonónico, la literatura argentina sobre el tema de las villas miseria se hunde en la basura maloliente y putrefacta y para confirmar esta asociación entre basura y villa miseria no hay que pasar más allá de la primera oración de *Villa Miseria también es América*: "El recuerdo terrible de Villa Basura, deliberadamente incendiada para expulsar con el fuego a su indefenso vecindario, era un temor siempre agazapado en el corazón de los pobladores de Villa Miseria." (11). Y se puede seguir leyendo porque son bastantes los pasajes en los que la novela de Verbitsky presenta a los basurales como un elemento constante del paisaje urbano (16). "Montones de basura" por doquier (139), en Villa Miseria, no hay recolección de residuos y mucho menos se puede esperar la construcción de un horno para quemarla (143-44). Otro personaje amontona la basura contra una pared (81), al parecer, sin los beneficios siquiera de un volquete, como aquel en el cual arrojan los desperdicios los vecinos de la villa Puerto Apache, en la novela *Santería* (2008) de Leonardo Oyola (151). No hay más que leer este otro pasaje del relato de Verbitsky para hacerse una idea cabal de lo que eran los basurales de Villa Miseria:

> La basura, revuelta por los perros, se abre como un monstruoso ramo inmundo de papeles sucios, verdura descompuesta, cáscara de papa y un amarillo pedazo de zapallo. Y esa flor de vaciadero se vuelve terriblemente repulsiva. Llaga purulenta de un cuerpo descompuesto, armoniza la tristeza de los ranchos costrosos, las tablas podridas y el barro reseco, y proyecta alrededor una intolerable desolación, una irremediable e irredimible putrefacción. (243-44)

También el desecho es constitutivo de la villa miseria en la novela de Benítez, que no por nada se llama "Villa Rezago", nombre doblemente simbólico, ya que "rezago" es sinónimo de "atraso" y de "residuo que queda de algo". Del atraso no hay que insistir y en cuanto a lo que de "residual" tiene la villa, esta es, en efecto, un "residuo" al margen geográfico y social de la gran ciudad.

En estos mundos de descomposición, podredumbre y putrefacción, las viviendas mismas están construidas con todos los desechos que quepa imaginarse. Ese tipo de edificación ya se anticipa en el mundo de Cacodelfia de *Adán Buenosayres* (1948) de Leopoldo Marechal: en la "primera espira", un barrio infernal como todas las otras, sumido en el barro (350), hay "casuchas" con "patiecitos llenos de neumáticos rotos y viejas latas de sardinas" (356); en otro tramo, "las construcciones raleaban y se reducían a simplísimos tugurios cavados en la misma tierra o improvisados con dos o tres materiales heterogéneos" (361); uno de esos "cubiles" "era una especie de chiquero en el cual, bajo dos chapas de zinc, dormían echados un hombre y una mujer" (361). En la "séptima espira" de este descenso al "infierno", se encuentra un basural como los de los suburbios de Buenos Aires y en ellos se acumulan "tembladerales de latas viejas, tablones podridos y arcos de barril" (498), es decir, un paisaje de "materiales heterogéneos" y en medio de la omnipresente basura, como se lee igualmente en *Villa Miseria también es América*: "Estaba tupido de ranchos de latas, y lleno de basura, trastos viejos." (200). En "Villa Medea" de Mitelman, así describe Melina su vivienda: "Yo sabía que mi casa era pobre; la de Aurelio era peor todavía. Unas chapas que en verano se calentaban como un horno y en invierno atraían el frío" (41). Pero no son solo latas y chapas, porque, paradójicamente, en estas viviendas edificadas con desechos, nada "se desperdicia" y a la hora de construirlas, se echa mano de todos los materiales que estén al alcance de los improvisados albañiles. En efecto, los habitantes de estas comunidades socialmente marginadas no solo viven "a costa de las sobras de una sociedad opulenta" y de "los desperdicios sin valor de la sociedad industrial", según dice José Luis Romero, sino que también han creado lo que él llama "una cultura material de los desperdicios":

casas, muebles, utensilios, todo salió de lo que les sobraba a otros. Y en ese marco se constituyeron familias, se criaron niños y crecieron adolescentes, confrontando lo que les faltaba con lo que les sobraba a otros, o peor aún, a ese mundo indefinido de los productos industriales que dejaba en los vaciaderos de basura bolsos de nylon, pedazos de madera, chapas inservibles, latas diversas, trapos o prendas de vestir, y hasta sobras de alimentos, que podían llegar a ser suculentas si provenían de restaurantes de lujo. (J. L. Romero 376)

Esta afirmación, hecha por un historiador del urbanismo latinoamericano, se confirma una vez más recurriendo a la literatura, al relato de Verbitsky, en primer lugar, cuya novela, conviene recordarlo, está basada en las realidades que su autor observó en persona en la Villa Maldonado, situada a orillas del arroyo de este nombre, en la provincia de Buenos Aires:

En el hueco baldío de una esquina descubrió, en el ángulo formado por dos grandes paredes, varios ranchos, menos que ranchos, gallineros muy bajos, remiendo de latas y maderas, pedazos de persianas viejas, arpillera, alambre tejido. Sobe las chapas del techo, ladrillos, piedras, un adoquín. (61)

No es este, sin embargo, el único texto que podría citarse de *Villa Miseria también es América* y son bastantes también los pasajes de otras narraciones en los cuales se enfrenta el lector con estas realidades, las mismas que los periódicos argentinos documentan gráficamente cada vez con mayor frecuencia a medida que se propaga el virus COVID-19 en estos barrios de la ciudad de Buenos Aires y del conurbano bonaerense.

En relación con la basura y esta cultura de los desperdicios, capítulo aparte merece lo que en Argentina se llama "cartoneo". En sustancia, esta actividad está a cargo de personas que, a partir del atardecer y durante la noche, se dedican, con fines de reciclado, a la recolección del cartón y otros productos derivados del papel, dejados por los habitantes de las ciudades en las aceras de sus casas para ser recogidos por los servicios municipales de recolección de residuos. Pero, empujados por la pobreza y la indigencia, los cartoneros se llevan todo lo que encuentren entre la basura que pueda serles de alguna utilidad, incluso desperdicios de comida con los que puedan mitigar el hambre. En su estudio sobre la "larga crisis argentina", Luis Alberto Romero indica que este fenómeno forma parte de "la pobreza organizada" (Romero [*La larga crisis*] 111), y para apreciarlo mejor, se puede recurrir una vez más a la literatura. El cuento de María Carman "Diario del 22 de noviembre de 2000" (2010) relata una jornada en la vida de unos cartoneros en Buenos Aires desde las 18:48 de la tarde hasta las 00:05 de un nuevo día. Se narra cómo los cartoneros, o "cirujas", se trasladaban en el llamado "tren blanco", que los llevaba, hasta que el servicio fue levantado, desde la localidad de José León Suárez, en la zona norte del Gran Buenos Aires, hasta el barrio Belgrano R, en el norte de la capital argentina, "barrio aristócrata" en cuya estación de tren se congregan "los comensales de la basura" (23). Uno de los carros va cargado con "diarios, escobas, un triciclo, una lámpara" (24), los carros "huelen mal" (25) y en ese barrio, "las clases sociales se rozan sin mirarse": grieta entre las clases y retroceso social para los cartoneros, en suma, la sociedad "escindida" y "dualizada", según se la suele denominar en la actualidad.

Otro texto corresponde a la novela *La villa* de Aira, que narra la vida de los cartoneros de una villa miseria en el bajo de Flores, en la zona sur de la ciudad de Buenos Aires, la misma en que transcurre la acción de *Antígona 1-11-14* de Marán. Dice Aira:

Salían a rebuscárselas, y no le hacían ascos a nada, ni siquiera a los restos de comida que encontraban en el fondo de las bolsas [dejadas en las aceras para la recolección a primeras horas de la noche]. A fin de cuentas, bien podía ser que esos alimentos marginales o en mal estado fueran el verdadero objetivo de sus trabajos, y todo lo demás, cartón, vidrio, madera o lata, la excusa honorable. (8)

Una vez más, las comparaciones ayudan a comprender mejor esta situación. Véanse ahora estos dos pasajes de la novela de Piñeiro *Las viudas de los jueves* para medir la distancia que media entre los habitantes del *country* Altos de la Cascada y estos cartoneros de la Villa 1-11-14:

La mesa estaba lista, impecable. Vajilla Villeroy Bosch sobre mantel de hilo blanco. Sándwiches, bocaditos, a un costado una mesa auxiliar con un *lemon pie*, y un *cheese cake*. Y un poco más allá una bandeja con copas y dos botellas de champán en hieleras de plata con el hielo picado, que Mariana se encargó de señalar a Carla, con un gesto parecido al suspiro del auto, como si ella supiera. (157)

Los mozos iban y venían con bandejas de saladitos, fiambre y champán. En cada mesa había un pequeño menú que indicaba cada plato. Entrada: vittel toné. Plato principal: pato a la naranja. Postre: helado con salsa de arándanos. Y más abajo: mesa de frutos secos, confituras y pan dulce. (166)

Como dice Carman, los cartoneros son "comensales de la basura" porque a tales niveles de indigencia y subsistencia ha llegado este segmento de la sociedad argentina. Y para ejemplificarlo, nada más ilustrativo que una imagen de *La villa* de Aira, con la lucha que a diario se libra por la posesión de la basura entre los trabajadores municipales que la recogen por la noche y los cartoneros que se les tienen que adelantar, llegar primero y ponerse a revolver en las bolsas de residuos los desperdicios con que puedan alimentarse: "En realidad siempre estaban apurados, porque corrían una carrera con los camiones recolectores, que en algunas calles venían pisándoles los talones" (13). En resumen, estas dos imágenes, la de las mesas bien tendidas en un barrio privado y la de los cartoneros de una villa miseria alimentándose de los restos de comida encontrados entre la basura, ilustran gráficamente esta decadencia del país que, mucho es de temer, se agravará en los próximos años.[6] Finalmente, hay que notar, aunque sea muy de pasada, que en el arte argentino, esta "estética del desecho" se ve en los *collages* de varios pintores, en particular, Antonio Berni (1905-81).[7] El tema merece un estudio aparte, pero aun así, hay que mencionar a *Juanito ciruja* (1978), pintado con la técnica del *collage*. Como otros cuadros suyos, este también está compuesto de varios "materiales heterogéneos", como diría Marechal, es decir, desechos como los que se emplean en la construcción de las casas en las villas miseria y que Juanito habría encontrado en la basura que lo rodea. En esta pintura al óleo, Berni ha utilizado latas de estaño, papel *mâché*, arpillera, lona de zapatos, goma, plástico, metales, alambres, cuerdas, clavos, grapas sobre madera, es decir, que al contemplar el cuadro, el espectador está frente a los desechos reales. Y mientras la literatura y la pintura re-presentan los desechos, los *collages* de Berni los presentan directamente: la basura se hace arte o, si se quiere, forma parte concreta del espacio pictórico, de modo tal que si el espectador no va en persona a una villa miseria, el cuadro que tiene a la vista de alguna manera lo traslada mentalmente a esos lugares. En otras palabras, la pintura funciona metonímicamente con respecto a dichos sitios y al espectador lo pone en contacto directo con los materiales de descarte de que están construidas las viviendas. Al margen de los juicios de valor que puedan hacerse de la obra de Berni y de otros pintores argentinos —Kenneth Kemble (1923-98), por ejemplo—, es para reflexionar el hecho de que los desperdicios mismos sean objeto de arte y preguntarse si no puede haber un símbolo más claro de la decadencia de Argentina (¿y de Occidente?).

[6] En el año 2010, Osvaldo Guariglia resumía de esta manera, sucinta y contundente, la situación del Gran Buenos Aires: "El ejemplo más conspicuo de una regresión social y política como la indicada es provisto por la enorme área ocupada por el Gran Buenos Aires, en la que los indicadores de pobreza e indigencia, de salud, de educación, de seguridad y de vivienda han ido gradualmente empeorando hasta niveles muy difíciles de revertir, de manera que, luego de un cuarto de siglo de democracia, el área presenta una situación más precaria que antes" (Guariglia 193). Y a una década de este diagnóstico, se puede agregar que hay niveles ya irreversibles y que la precariedad de la situación es más acentuada que hace diez años. Ciertamente, es el caso de las villas miseria y la crisis habitacional en que se engloban.

[7] La expresión "estética del desecho" empleada aquí no es original, ni mucho menos. En el Museo de Arte Latinoamericano de Buenos Aires (MALBA), se desarrolló un curso de cuatro clases, en octubre y noviembre de 2014, con el título "Antonio Berni y la poética del desecho" y entre los temas indicados en el programa, se incluían "su particular manejo de los materiales extra artísticos para crear sus inolvidables Juanitos y Ramonas" y "las transformaciones generadas por la experimentación plástica, que lo llevarán a incorporar el *collage* y el xilograbado".

Aira, César. *La villa*. Buenos Aires, Emecé, 2001.

Amadae, S. M. *Prisoners of Reason: Game Theory and Neoliberal Political Economy*. Cambridge, Cambridge University Press, 2015.

Aristotle. *Politics*. Cambridge, MA, Harvard University Press, 1932.

Benítez, Rubén. *Ladrones de luz*. Buenos Aires, Centro Editor de América Latina, 1968.

Carman, María. "Diario del 22 de noviembre de 2000." AA. VV. *Buenos Aires, la ciudad como un plano: Crónicas y relatos*. Buenos Aires, La Bestia Equilátera, 2010, pp. 23-32.

Collins, Randall. "Introduction." Max Weber. *The Protestant Ethic and the Spirit of Capitalism*. Los Angeles, California, Roxbury Publishing Company, 1996, pp. vii-xxxix.

Davis, Mike. *Planet of Slums*. London, Verso, 2007.

El Día. Periódico editado en la ciudad de La Plata, provincia de Buenos Aires, Argentina.

Guariglia, Osvaldo. "La república y la ética: una relación conflictiva." *Argentina 2010: Entre la frustración y la esperanza*, editado por Natalio R. Botana, Buenos Aires, Taurus, 2010, pp. 183-215.

Harvey, David. *A Brief History of Neoliberalism*. Oxford, Oxford University Press, 2005.

La Nación. Periódico editado en Buenos Aires.

La Prensa. Periódico editado en Buenos Aires.

MacLean, Nancy. *Democracy in Chains: The Deep History of the Radical Right's Stealth Plan for America*. New York, Penguin Books, 2017.

Marán, Marcelo. *Antígona 1-11-14 del Bajo Flores. Versión libre sobre Antígona de Sófocles*. Mar del Plata, inédita.

Marechal, Leopoldo. *Adán Buenosayres*. Madrid, ALLCA XX, 1999.

Martel, Julián. *La Bolsa: estudio social*. Buenos Aires, Editorial Huemul, s/f.

Massuh, Gabriela. *El robo de Buenos Aires: la trama de corrupción, ineficiencia y negocios que le arrebató la ciudad a sus habitantes*. Buenos Aires, Sudamericana, 2014.

Minujin, Alberto. "Prólogo." *Cuesta abajo: Los nuevos pobres: efectos de la crisis en la sociedad argentina*, editado por Alberto Minujin et al., Buenos Aires, UNICEF/Losada, 1997, pp. 9-12.

Mitelman, Cristian. "Villa Medea." *Cuadernos de Odiseo*. Buenos Aires, Guiasterion, 2007, pp. 39-45.

Mumford, Lewis. *Technics and Civilization*. New York and Burlingame: Harcourt, Brace and World, 1963.

——. *The City in History: Its Origins, Its Transformations, and Its Prospects*. San Diego-New York-London, Harcourt Brace & Company, 1989.

Murmis, Miguel - Silvio Feldman. "La heterogeneidad social de las pobrezas." *Cuesta abajo: Los nuevos pobres: efectos de la crisis en la sociedad argentina*, editado por Alberto Minujin et al., Buenos Aires, UNICEF/Losada, 1997, pp. 45-92.

Nader, Ralph. "Corporate Power in America." *The Ralph Nader Reader*. New York, Seven Stories Press, 2000, pp. 100-03.

Oyola, Leonardo. *Santería*. Buenos Aires, Negro absoluto, 2008.

Piñeiro, Claudia. *Las viudas de los jueves*. Buenos Aires, Clarín-Alfaguara, 2005.

Romero, José Luis. *Latinoamérica: las ciudades y las ideas*. Buenos Aires, Siglo Veintiuno Editores, 2011.

Romero, Luis Alberto. *Breve historia contemporánea de la Argentina 1916-2010*. Buenos Aires, Fondo de Cultura Económica, 2013.

——. *La larga crisis argentina: del siglo XX al siglo XXI*. Buenos Aires, Siglo Veintiuno Editores, 2013.

Saravia, María Inés. "*Antígona 1-11-14* del Bajo Flores. Versión libre sobre *Antígona* de Sófocles de Marcelo Marán. Una lectura." *O Livro do Tempo: Escritas e reescritas. Teatro Greco-Latino e sua recepção*, editado por Maria de Fátima Sousa e Silva, Maria do Céu

Grácio Zambujo Fialho & José Luís Lopes Brandão, Coimbra, Imprensa da Universidade de Coimbra, 2016, II, pp. 275-88.

Steger, Manfred B. and Ravi K. Roy. *Neoliberalism: A Very Short Introduction*. Oxford, Oxford University Press, 2010

Svampa, Maristella. *Los que ganaron. La vida en los countries y barrios privados*. Buenos Aires, Biblos, 2001.

—. *La sociedad excluyente - La Argentina bajo el signo del neoliberalismo*. Buenos Aires, Aguilar, Altea, Taurus, Alfaguara, 2005.

Thomas d'Aquin. *La Royauté au Roi de Chypre*. Paris, Librairie Philosophique J. Vrin, 2017.

Verbitsky, Bernardo. *Villa Miseria también es América*. Buenos Aires, Sudamericana, 2003.

Weber, Max. *The Protestant Ethic and the Spirit of Capitalism*. Los Angeles, California, Roxbury Publishing Company, 1996.

UNA NUEVA POESÍA PARA UNA NUEVA EDAD MEDIA

Juan Herrero Diéguez
Profesor de lengua y literatura
castellana y Poeta

LA POESÍA EN LOS TIEMPOS DE LA TIRANÍA DEL *LIKE*

No ha mucho tiempo que, en un lugar de internet, uno de mis profesores de la universidad, el poeta David Pujante, señalaba su preocupación ante este retorno "a una Edad Media tecnológica en la que parece que, como tenemos ordenadores y teléfonos de última generación, estamos por encima de otras épocas, y no es verdad. El humanismo está perdiendo terreno de forma muy peligrosa" (Arco, 2018). Aunque solo se trate de una afirmación con la que —ya sea como parte de la generación más preparada o habiéndonos subido al carro de la modernidad via *Insta Stories*— podamos estar más o menos de acuerdo, es evidente que la irrupción de la tecnología ha propiciado un cambio de paradigma en la cultura global similar para algunos al descubrimiento de la imprenta, que, paradójicamente, vino a coincidir en el tiempo con el final de la primera Edad Media. Ahora bien, ¿cómo podemos explicar esa contradicción que para algunos existe entre el auge de los *smartphones* y el retroceso cultural? Y, sobre todo, ¿qué tiene que decir a esto un poeta?

Podríamos comenzar respondiendo a la primera pregunta apelando a nuestra credulidad y recurriendo, como tantas otras veces, al *Quijote*. En concreto, en el capítulo XXXII de la primera parte, cuando toda la cuadrilla del ingenioso hidalgo se encuentra en la venta de Juan Palomeque y el cura se dispone a leer *El curioso impertinente*, surge la cuestión de la verosimilitud de la novela y el ventero no da crédito a que un libro que narra las aventuras de los caballeros andantes pueda ser tan solo una fantasía "estando impreso con licencia de los señores del Consejo Real, como si ellos fueran gente que habían de dejar imprimir tanta mentira junta". Es tan tierno que dan ganas de abrazarlo. Sin embargo, esta anécdota cervantina pone de manifiesto una situación terriblemente cruda: formamos parte una sociedad que se cree todo lo que le dicen; y más aún si está por escrito.

Partiendo de esto, desde que autores como Hyden White nos iluminaron el camino, entendemos que la historiografía no es sino la construcción de un discurso. ¿Y qué ocurre entonces con los medios de comunicación? Tres cuartas partes de lo mismo, tomando además como agravantes la exposición continuada y la omnipresencia de la imagen: está claro que no es posible comparar el carácter estático de la letra impresa tal y como hasta hace poco se concebía con la inmersión de las cámaras de un *webdoc*, donde el espectador vive la ilusión de ser corresponsal de guerra; un videojuego de hiperrealidad gráfica, en el que el un niño de doce años se convierte en un pistolero del Bronx después de su clase de violín; o la interacción en un medio digital mediante enlaces —normalmente también acompañados de imágenes— que hacen creer al usuario que dispone de posibilidades de elegir visualizar unos contenidos u otros (Domínguez-Martín [2015] 416-20). Evidentemente, eso no es así; y a la credulidad inherente al ser humano respecto a la letra escrita habría que añadirle el efecto narcótico de las luces y las imágenes en movimiento. Así, el ser humano no solo no es libre de elegir, sino que además debe tratar de hacerlo cargando con el lastre del *marketing*, internet y las redes sociales.

La primera conclusión —u obviedad— que se puede extraer de todo esto es que el canal de comunicación ha cambiado: cada vez es menos importante la oralidad; y el lenguaje escrito, aunque sigue siendo uno de los principales cauces en el intercambio de información, hemos visto que ya no es el único. La consecuencia inmediata de este cambio de canal es que también cambia el objetivo, es decir, la dimensión ilocutiva y perlocutiva del acto de habla. ¿Para qué se comunica? Para obtener *likes*, que después otros se encargarán de convertir en dinero y, por ende, en poder. Un ejemplo: ¿Qué tienen en común los nombres de Rayden, Aretha Fusté, Defreds, Redry, Albanta San Román, Ana Jara o Chris Pueyo? Que son jóvenes con miles de seguidores en Instagram, algunos de ellos dedicados a la música o la interpretación, y han publicado libros que se venden en la sección de poesía de La Casa del Libro o Fnac; eso sí: no en una editorial independiente, más o menos grande y especializada en poesía, sino dentro del sello Espasa, es decir, del Grupo Planeta.

Con esto último ya hemos entrado en materia, puesto que al hablar de la influencia que las redes sociales, internet y los medios de comunicación ejercen sobre las letras y la cultura, es inevitable pensar en la autodenominada nueva poesía. En este punto, convendría poner sobre la mesa una serie de cuestiones para las que el desocupado lector podría comenzar a trazar las líneas de un mapa mental al que muy poco a poco habrá de ir dando forma. De este modo, podríamos darle otra vuelta de tuerca a la típica y tópica pregunta "¿Qué es poesía?" añadiendo un segundo interrogante: ¿Qué es lo nuevo? O, mejor dicho, ¿qué entendemos en poesía por novedad?

En las siguientes páginas, trataré de adentrarme en esta cuestión a la que no calificaré de espinosa, ya que los nuevos escenarios de la historia producen de forma natural nuevas manifestaciones artísticas que solo al tiempo le corresponde juzgar. Aunque en modo alguno pretendo transitar este camino sin ofender a nadie —nada más lejos de mi intención—, al menos que siempre nos quede el derecho a rectificar.

La poesía líquida y su desapego a la herencia cultural

Considero que uno de los aspectos fundamentales para abordar el estudio de este hundimiento de la cultura en general y de la poesía en particular es el de la renuncia a la tradición y al canon. En un trabajo reciente, Andrés García Cerdán diferenciaba entre la crítica y excitación del lenguaje y conseguía ubicar muchas de las corrientes poéticas de la actualidad en un encomiable trabajo de condensación y sistematización de un objeto de estudio aún en movimiento (García Cerdán [2018] 118-25). Lo curioso, aparte de que en esas páginas no aparezca ni uno solo de los nombres a los que me referiré como "nueva poesía" en el próximo apartado del capítulo, es el concepto de "canon atomizado" y el distanciamiento que algunas líneas plantean respecto al discurso hegemónico. Ahora bien: el problema no surge por el simple hecho de plantear nuevas formas de sensibilidad artística, sino cuando el distanciamiento de la tradición se lleva a cabo desde el desconocimiento y la ignorancia más profunda. Es en esos casos en los que podríamos ir más allá y hablar de rechazo frontal y desprecio por la historia de la literatura, en tanto que no son pocas las ocasiones en las que estos poetas *influencers* se sirven de las redes sociales para atacar el "culturalismo", herramienta válida para Guillermo Carnero a la hora de combatir el intimismo más directo y que, sin embargo, "se ha querido caricaturizar como negación de la autenticidad de la emoción y de la experiencia" (Carnero [2004] 23).

Asimismo, no está de más recordar que las publicaciones en internet y redes sociales carecen de filtro y, por lo tanto, no hay nadie que legitime lo que debe ser publicado y lo que no. Este hecho, que no es en sí ni bueno ni malo, presenta algunas consecuencias negativas, entre las que podríamos señalar la "contaminación […] producida por un exceso de voces" (Corral Cañas [2018] 130) y la abulia que provoca en el lector universal el exceso de oferta en la red. Es cierto que es difícil para la sociedad de hoy concebir, por un lado, la inmediatez de Snapchat, Tik Tok o las historias de Instagram; y por otro, "aceptar una cultura que rechaza lo durable" (Bauman [2004] 137); lo que me lleva a considerar que, cuando priorizamos la inmediatez de la era tecnológica y la colocamos por encima del tiempo que requieren la observación y el conocimiento del mundo que nos rodea, nos estamos metiendo en problemas. Y, como lo único que sabemos hacer con los problemas es taparlos, surge el maravilloso oxímoron de la corrección política.

No quisiera desaprovechar estas páginas para poner encima de la mesa un hecho que no por anecdótico deja de ser significativo: en una de las mesas redondas celebradas en 2019 con motivo de la Feria del Libro de Valladolid, titulada "De vuelta al campo" y moderada por Germán Vivas, coincidieron el periodista Emilio Gancedo y los poetas Fermín Herrero y María Sánchez para hablar —supuestamente— de escritores que tengan o hayan tenido el mundo rural como un elemento importante de su obra (DeReojo Producciones 2019). En realidad, si nos paramos a ver la charla, vemos cómo María Sánchez se dedica a hablar de las deficientes infraestructuras del medio rural y de la situación desfavorecida de las mujeres en el campo, pero no de literatura; a lo que Fermín Herrero respondió que "hay que deslindar la cuestión política de la calidad literaria". Al finalizar el acto, Lena Saad, que se encontraba entre el público y no desaprovechó la ocasión de hacer publicidad de su libro, afeó al ganador del Premio de la Crítica el haber usado la expresión "no quiero entrar en ese lodazal" en referencia a la paridad aplicada a la literatura, a lo que el poeta contestó ofreciendo dos opciones que podríamos aplicar a un buen puñado de polémicas relacionadas con la cuestión literaria: limitarnos "a lo políticamente correcto o intentar que la gente que va a los sitios simplemente para escuchar aquello que quiere oír oiga las cosas que no quiere oír".

Por otro lado, más adelante señalo que una de las características de la nueva poesía es la de contar con hordas de seguidores en las redes sociales; y no es casual la elección de la palabra *horda*. Esta voz, en su segunda acepción del *DRAE*, se define como "grupo de gente que obra sin disciplina y con violencia". Es un hecho que esta nueva poesía ha desatado en las redes un fenómeno fan, que como siempre ocurre, cuenta con una pequeña parte de seguidores que se vuelve agresiva cuando lee opiniones desfavorables hacia sus ídolos. Por ejemplo: aun reconociendo que no hay nada más español que la burla y el cachondeo y desde mi postura como profesor de instituto, llamar *bullying* en Twitter a los memes que se han escrito y compartido a raíz de la publicación de un libro escrito por tal o cual famoso —y cuya calidad está claramente en entredicho— no tiene ninguna gracia. El *bullying*, para quien no lo sepa, es cualquier forma de acoso físico o psicológico al que es sometido un alumno por parte de sus compañeros y que, para ser considerado como tal, tiene que producirse de una forma continuada en el tiempo. Dicho de otro modo: el *bullying* consiste en querer hacer sufrir a un compañero, menor de edad en la mayoría de los casos, de forma persistente y deliberada; no en una serie de bromas más o menos mordaces sobre un famoso. Sin embargo, en internet cualquiera es libre de decir una barbaridad y claro: luego pasa lo que pasa.

Ahora, si en lugar de ser los seguidores quienes se ponen agresivos con las críticas son los propios autores quienes insultan, el asunto se vuelve más serio. A raíz de la crisis originada por la COVID-19, Marwan publicó en su cuenta de Twitter un texto escrito por Elvira Sastre, Leiva, Loreto Sesma, Raquel Lanseros, Irene G. Punto, Andrea Valbuena, Jorge Drexler, Guille Galván, Rozalén, Andrés Suárez, Benjamín Prado y él mismo en homenaje al personal sanitario que hizo frente a la pandemia durante los momentos más duros. El texto, que según el cantautor pretendía ser un poema y que después se convirtió en canción, decía así:

Por los ángeles de alas verdes de los quirófanos.
Por los ángeles de alas blancas del hospital.
Por los que hacen del verbo ayudar
su bandera y tu casa
y luchan porque nadie muera en soledad.

Por las trabajadoras que no duermen
para que sueñen que se salvan los heridos.

Por los que al defendernos usan su piel un escudo
y mueven las camillas como el vals del peligro.
Por los que hacen del trabajo sucio
la labor más hermosa del mundo.

Por los que nunca miran el reloj mientras curan.
Por las que pintan tu dolor de azul.
Para los que merecen los abrazos prohibidos,
y se meten contigo en la boca del lobo
y riegan nuestro miedo con su luz.

Todos os aplaudimos,
con las barandillas de los balcones erizadas
con manos que recuerdan que encontrar otras manos
es la única verdad.
Y mientras, la esperanza escribe en nuestros labios:
"Cuando esto pase, nunca nos volverá a pasar."

Entre las reacciones a esta publicación del 22 de marzo de 2020, se encontraba el dardo de Juan Soto Ivars, el prometedor autor de *Siberia*, quien volvió a estar en el candelero hace unos pocos años gracias a su ensayo *Arden las redes*, donde habla precisamente y valga la redundancia del linchamiento a través de las redes sociales. Su contestación decía simplemente: "Por si el virus fuera poco malo…". Como era de esperar —o no, teniendo en cuenta que un personaje público debería ser más prudente en sus declaraciones—, Marwan no tardó en responder lanzando un incendiario tuit, que borró poco tiempo después y donde cae en las más bajas e infantiles descalificaciones: "Juan, la verdad es que eres un mierda seca de libro. Ya lo pensaba leyéndote y ahora lo compruebo en persona. Entiendo que vivas de la polémica, pero que en un momento así, ante un homenaje, mejor o peor, no te calles la boca, te convierte en un SUB NOR MAL". La conclusión de esta anécdota es, a mi modo de ver, evidente: antes de que finalizara la segunda semana de confinamiento por el virus, ya se habían escrito libros sobre la pandemia a los que el sector más carroñero de la industria editorial doró la píldora y lanzó al mercado, vistiendo de seda la desgracia ajena. Además, no podemos olvidar que no fue la del coronavirus la primera vez que Benjamín Prado se puso al frente de un espantoso ridículo en un intento de hacer cultura en directo: recordemos el poema titulado "La lección de Julen", que escribió cuando encontraron al niño muerto en un pozo (Lorena G. Maldonado 2020). Sin poner en duda las buenas intenciones, considero que esa clase de homenajes que se producen y se consumen en tiempo real, lejos de prestar un servicio a las personas, atiborran de cursilería la capacidad crítica de la sociedad que los recibe.

Dejando a un lado ya las anécdotas, lo interesante de todo esto es cómo la poesía y la literatura han caído, gracias en parte a la socialización electrónica a la que antes me refería, en lo que Daniel Bernabé llamaba la trampa de la diversidad, obviando el carácter literario y legitimando textos por el simple hecho de dirigir la mirada —una mirada condescendiente, a mi parecer— hacia grupos sociales que hayan podido estar olvidados o silenciados en el pasado y a los que ahora se pretende compensar de algún modo, como las mujeres y el colectivo LGTBIQ. Como docente, admito que es cierto que la mayoría de mujeres que escriben en la actualidad no han recibido por parte de la escuela —al menos hasta hoy— otro estímulo que no sea el de un canon eminentemente masculino; y que esto haya podido dificultar la construcción de su propia identidad literaria. Sin embargo, los libros de Laura Casielles, Ada Salas, Raquel Lanseros, María García Zambrano, Ana Pérez Cañamares, Olalla Castro, Ana Gorría, Amalia Iglesias, Blanca Andreu, Ángela Álvarez, Esther Muntañola, Eva Yárnoz, María Elena Higueruelo, Maribel Andrés Llamero o la propia María Sánchez, entre otras muchas poetas —sin salir del ámbito nacional y sin entrar a hablar de poesía catalana, gallega, vasca o asturiana—, son excelentes y no precisan de una faja sobre las cubiertas que haga explícito que tienen un valor añadido por haber sido escritos por mujeres. Se trata de obras que merecen entrar en el canon por el propio derecho que les confieren su calidad y envergadura, no como esa otra nueva poesía que paradójicamente pretende acabar con la literatura.

La cuestión, como digo, es que la crítica literaria de hoy se ha vuelto en general muy políticamente correcta, muy "buenista"; y tiende a morderse la lengua por miedo a que acusen de dogmática, fascista, clasista, elitista, machista o intelectualoide a la persona que pretende emitir un juicio de valor estrictamente literario ajustándose a los parámetros del estructuralismo o la estilística. Creo que es ahí donde reside el comienzo de la autocensura porque, como sostiene Ana

Rossetti a este respecto (2007 33), muchas veces la crítica no hace sino alimentar la vanidad de quien escribe y ponerle muy difícil el cambio de registro después de haber dado con una técnica que le funciona.

Parece claro, insisto, que el tópico juanramoniano de la torre de marfil que hacía posible aquel *clariver* del que hablaba el poeta constituye hoy una afrenta hacia la opinión pública. Vivimos en una sociedad que rechaza de pleno todo lo que conlleve retiro y distanciamiento: pensemos si no en aquella famosa frase que venía a decir que si uno no está en las redes no existe. Sin embargo, considero que cuando hablamos de poesía lo hacemos también de un cierto misterio y un retiro que, lejos de significar volver la espalda a la sociedad, implica una necesaria altura de miras; una condición *sine qua non* para mirar desde el asombro incluso los elementos más nimios de la cotidianeidad y, de esa forma, hallar lo íntimo en lo que nos es común y viceversa.

LA NUEVA POESÍA: ¿QUIÉNES SOIS Y QUÉ HABÉIS HECHO CON EL PARNASO?

A finales de 2016, Antonio Rivero Taravillo tuvo la osadía de escribir un post en su Facebook donde lamentaba que entre las listas de los libros de poesía más vendidos del año no hubiera ningún poeta y, dado que se trata de un autor reconocido y la inmensa mayoría de las publicaciones de su cuenta son públicas, el resto es historia: centenares de reacciones, enfervorizadas opiniones en las redes a favor o en contra de su postura y, en definitiva, una epidemia de *ofendiditis* absurda que prendió como la gasolina y cuyo fuego no tardó en extenderse a los foros de las revistas especializadas. Diego Álvarez Miguel tiró la primera piedra no solo contra la nueva poesía, sino contra los poetas de la experiencia al afirmar que "su poesía está muerta, […] que los textos que defienden no valen nada" y que se han convertido en los orgullosos padres "de un bebé de gugu-tata" (Álvarez Miguel 2017). Está feo, es cierto, pero no más que defender lo indefendible: ¿Es cierto que Luis Alberto de Cuenca, que posee un perfecto dominio de la métrica y el ritmo, le ha dado a Redry un premio dotado con 20.000 euros? ¿En serio es Elvira Sastre "la poeta que desde hace mucho estaba pidiendo la poesía española", como ha afirmado Benjamín Prado? Como si por algo se caracteriza el panorama editorial en la actualidad es por la variedad —a cuyos vicios también me referiré después—, también hay voces que afirman que el auge de esta nueva poesía "sólo puede explicarse por el grado de estulticia máxima y de ignorancia institucionalizada al que ha llegado la juventud española, gracias a las redes sociales y a otras degeneraciones de la revolución tecnológica" (Salvador 2017).

El caso es que la discusión no se quedó ahí y a los pocos días Fernando Valverde le contestó a través del mismo medio con un artículo en el que afirmaba que nos encontramos "ante el nacimiento de un nuevo género, el de la Poesía Juvenil, que no es ni mejor ni peor, tan sólo tiene unos códigos diferentes que no pueden ser analizados desde el punto de vista de la crítica tradicional" (Valverde 2017). Es decir, la polémica está servida, pero ya partimos de un punto de vista interesante: se está cubriendo un hueco en el mercado editorial que hasta hace unos pocos años no existía y, cuando algo no existe, una de las formas con las que cuenta una lengua para darle nombre es echar mano de una palabra que ya forma parte del léxico de la misma: *poesía*. He ahí el bucle del que aún hoy no hemos salido y hace que escritores, docentes, investigadores, petardos de la farándula, juguetes rotos de la industria musical y polemizadores nos sigamos tirando de los pelos.

Por tanto, es perentorio comenzar esta disertación delimitando el objeto de estudio: ¿podemos poner a todos los libros escritos en verso por autores nacidos en las dos últimas décadas del siglo XX la etiqueta de nueva poesía? Parece claro que no. Aunque después me referiré también a la fisicidad de estos libros, creo que todos estaremos de acuerdo en que no es lo mismo encontrarse en el estante de una librería con un poemario de Aurora Luque, Ben Clark, Carla Badillo Coronado o los jovencísimos autores de Hiperión Carlos Catena Cózar, Rosa Berbel, Rodrigo García Marina, Jorge Villalobos y Juan Gallego Benot que con uno de Redry, Defreds o Marwan. Ojo, digo *encontrarse con*: antes siquiera de abrirlo, las diferencias entre unos y otros son ya muy notables. Considero, por tanto, que un primer paso podría consistir en establecer una serie de puntos en común entre estos autores que los diferencian radicalmente de otros con los que, aun perteneciendo por edad a la misma generación, no tienen nada que ver:

a) Se trata de autores jóvenes —podríamos considerar al rapero Nach y a Luis Ramiro, nacidos en 1974 y 1976, respectivamente, los mayores del grupo, si bien la poética de Carlos Salem (1959) se encuentra muy cercana a sus postulados— que cuentan con hordas de seguidores en internet, lo que hace que las editoriales se fijen en ellos.

b) Muchos de ellos se dedican a la canción de autor. Es el caso de los ya citados Luis Ramiro y Marwan, Rayden, Diego Ojeda o las flamantes incorporaciones al mundo editorial que ficharon por Alfaguara tras su paso por la academia de Operación Triunfo: Aitana Ocaña, que no tuvo reparos en reconocer haber escrito *La tinta de mis ojos* "con ayuda de una coach escritora a la que estoy súper agradecida" (Lorena G. Maldonado 2018); y Alfred García, autor de la controvertida bitácora *Otra luz*, que se convirtió en carne de meme a las pocas horas de pisar las librerías.

Aunque parece ser cierto eso de que "desde que volvió OT con el simpático presentador canoso y sureño, el programa coge a los jóvenes, les opera las caries, les da dos clases de la nueva urbanidad y los lobotomiza" (Nieto Jurado, 2019), no quisiera pasar por alto las consideraciones que en un artículo posterior a *La trampa de la diversidad* expuso Daniel Bernabé acerca del programa —equiparables a otros *talent shows* como Got Talent, que también tiene su producto literario en el ecuatoguineano César Brandon Ndjocu—, poniendo el foco en el lado más perverso del formato (Bernabé 2018). Y es que parece que, de tanto decirnos que el esfuerzo es la llave del éxito, se nos ha olvidado que en el camino hacia la victoria existen otros factores como la clase social y la igualdad de oportunidades. Precisamente, he ahí el cepo: hemos de admitir que la mentira de que todos los seres humanos son iguales no va a convertirse en verdad por más veces que queramos repetírnosla.

Tampoco reniego de volver a destapar el tufo que desprende el fenómeno Brandon, cuya exitosa historia de superación, como señala Celia Corral (2018 135) presenta sospechosos vínculos con Risto Mejide, Atresmedia y el Grupo Planeta, propietario último del sello ESPASAesPOESÍA.

c) Restan importancia al conocimiento de la métrica y la construcción de tropos en busca de un lenguaje más directo. En palabras de Fernando Valverde, hombre nada sospechoso de ser cicatero con esta nueva poesía, "el canal penaliza la función poética" (Valverde 2018 54). La razón es sencilla: el nivel de elaboración —aparente, al menos— de un texto es inversamente proporcional a su impacto inmediato en Instagram o Twitter. Y eso se traduce en una menor rentabilidad.

Con todo y con eso, es interesante reconocer con Iuri Tinianov "cómo el significado constructivo del metro se salva mediante la ruptura del sistema mismo" (1972 14). Ahí tenemos ejemplos como el ciclo *Bronwyn* de Juan Eduardo Cirlot, que cuenta con una serie de sonetos cuya poeticidad se justifica precisamente por introducir elementos rupturistas con la tradición. Decía Pushkin que le aburría el yambo de cuatro pies (Tinianov [1972] 15), pero para que eso ocurra hay que conocerlo muy bien.

d) Algunos de ellos han autoeditado sus libros o han formado sus propios sellos editoriales. Son los casos de Frida —renacida en 2017 bajo el nombre de Mueve Tu Lengua— y Noviembre poesía, las editoriales de Diego Ojeda y Marwan, respectivamente. Otro de los autores del grupo, Esteban Belmonte, va más lejos y se ofrece en su página web como asesor de jóvenes talentos que quieran publicar su obra y no sepan cómo. Bueno, que tengan talento o eso se crean ellos. Mientras los libros se vendan, todo vale; y si no se venden, siempre gana la banca. En eso es, básicamente, en lo que consiste la autoedición.

Además, como indicaba al principio, hay quien sostiene que esta nueva poesía está abriendo el camino de un nuevo género, el de la poesía juvenil, que no deja de ser lo mismo que ocurría con la novela para jóvenes a partir de la entrada en vigor de la LOGSE —aquella ley educativa que resultó ser pionera en igualar a toda la sociedad por abajo—, pero aplicado a la lírica: temas intrascendentes tratados desde una perspectiva infantiloide, edición de bolsillo y papel recauchutado de ínfima calidad; todo ello revestido de muchos colorines e ilustraciones que imitan el estilo de Paula Bonet. Ahora que son *bestsellers* empiezan a ponerles tapa dura, pero, por lo demás, siguen siendo libros que llevan escrita en la dedicatoria una inscripción que dice: "Tíreme después de usarme". Me explico: la propia fisicidad de títulos tan empalagosos como *Abrázame a los monstruos, Mi chica revolucionaria* o *Cuando abras el paracaídas* dista mucho de la elegancia de los libros editados por Bartleby, La Bella Varsovia, las clásicas Visor, Hiperión y Pre-textos o la ya desaparecida DVD. Editoriales que, pudiendo cambiar algunas imágenes o colores de las cubiertas de sus libros, elaboran productos que llevan años siendo perfectamente reconocibles para cualquier lector de poesía. Solo hay que pensar en las cubiertas negras de Visor, los colores de Hiperión, el blanco de DVD o el tacto rugoso de los libros de Pre-textos. Asimismo, los autores que sean además buenos lectores de poesía sabrán perfectamente elegir la editorial en la que tal o cual manuscrito suyo pudiese tener cabida y a cuáles es mejor ni siquiera molestarse en escribir. A este simple hecho de seguir o no una línea editorial, entre otros muchos planteamientos, es a lo que me refiero cuando digo que en la actualidad existen varias formas de entender este mundo de la poesía; y que en las librerías quienes tratan de mantener contentos a sus pocos —pero fieles— lectores tienen que convivir y competir con quienes ofrecen un producto destinado a la lectura rápida, ligera, amparado en ocasiones por un gran sello editorial y dirigido a un sector de la población muy específico: el de los jóvenes que se mueven en las redes sociales y cuyos hábitos de consumo están perfectamente estudiados.

En este sentido, me parece muy significativa la publicación del volumen *Mi vida es un poema*, cuyo autor, Javier García Rodríguez, es investigador y profesor de Teoría de la Literatura en la Universidad de Oviedo, además de un escritor de indudable solvencia tanto en narrativa como en poesía. Con semejante currículum, García Rodríguez se lanza en 2018 a publicar un poemario con la editorial SM, especializada *a priori* en libros de texto y literatura juvenil. Además, desde la propia página de la editorial se recomienda a lectores de edades comprendidas entre catorce y dieciocho años y yo, que lo leí con veintiséis, digo que es una auténtica maravilla. Calidad literaria aparte, el envoltorio, que es lo que ahora me interesa, es impecable: portada colorida en tapa dura, impresión a color, gramaje generoso y toda una declaración de intenciones en la contracubierta, que reza lo siguiente: "En este libro cabe todo/ en este libro cabes tú". Predominio total de la función apelativa y directo al corazón. ¿Dónde se vende? ¿En la sección de poesía? No, en la de literatura juvenil.

e) En palabras de Vicente Luis Mora (2012 52), "el pensamiento es cada vez más imagen". Partiendo de esa idea, es cierto que hasta hace poco se decía que los autores de la nueva poesía solían acompañar sus textos con una imagen o un vídeo en las redes sociales. Sin embargo, creo que es al revés: se acompaña una fotografía, canción o cualquiera que sea el formato multimedia de entre seis y diez palabras y se le da el nombre de poema.

Ahora, una vez definidos los rasgos, solo queda preguntarse ¿quiénes son ellos? Normalmente, apuestas seguras antes de pisar las tiendas: jóvenes que cuentan por miles a sus seguidores en redes, como Irene X, Sara Búho, Loreto Sesma, Redry, Defreds, Ana Barrero, Elvira Sastre o Roy Galán; cantautores como Marwan, Zahara, Rozalén, Luis Ramiro, Diego Ojeda, Rayden; personajes televisivos, como Laura Escanes y César Brandon; y extriunfitos, como Aitana Ocaña y Alfred García. Es decir, poco o nada que ver con aquellos poetas reunidos por Vicente Luis Mora en el volumen *La cuarta persona del plural*, donde se hablaba de autores que habían reciclado su formación a partir de la filosofía y las ciencias, como era el caso de Jorge Riechmann, Antonio Méndez Rubio o Agustín Fernández Mallo; la filología, en las voces de Ada Salas, Álvaro Tato o Álvaro García; o los estudios jurídicos, como sucedía con Pablo García Casado y el propio Vicente Luis Mora. Casi todos ellos tenían además en común haber practicado la traducción y todos ellos continúan siendo singulares en su poesía.

En cualquier caso, reconozco que es cierto que hay casos en los que la autodenominada nueva poesía se desarrolla en una doble vertiente y que no es lo mismo la imagen de Instagram con los tipos de una máquina de escribir deletreando una frase anodina que lo que podemos encontrar dentro de los libros de estos escritores, pasando por alto que hay frases, como la ya conocida "¿Y ahora qué? / Ahora nosotros", que podemos encontrar tanto en Instagram —en este caso en el perfil de Redry— como en su *merchandising* y en su primer libro, *Abrázame a los monstruos*. Sin embargo, yo sí me he tomado la molestia de abrir alguno de los poemarios escritos por estos autores y considero que, aun siendo distintos, siguen manteniendo similitudes con los textos de las redes sociales: 1) En ambos casos se aprecian episodios de sus vidas personales en bruto, sin haber pasado por ningún tamiz estético; y 2) ambos productos parecen el fruto de muy poco trabajo y aún menos conocimiento.

Quiero decir que, aunque el libro esté algo más elaborado, sigue sin apreciarse un esfuerzo por construir imágenes originales, por acercarse a la métrica clásica y a partir de ahí innovarla, por optar por una línea más próxima al ritmo de pensamiento y el versículo surrealista, por estrujarse un poco las ideas en busca de una metáfora algo elaborada… *Rien de rien*, como cantaba Edith Piaf. Es más: casi siempre el núcleo temático orbita en torno a un desamor adolescente —por no decir infantil— que en ocasiones da pie a un vómito de espumarajos de asunto social. Sirva como muestra este "Efecto borrego", extraído del libro *Carrete velado* de Irene G. Punto y publicado por Aguilar —es decir, por el Grupo Penguin—, donde la reivindicación de la propia identidad frente al rebaño se desinfla entre un intento de rima asonante y una mezcla de versos yámbicos y trocaicos que, aunque podría resultar aceptable como ejercicio escolar, se queda muy lejos de sonar armoniosa:

Es mejor que te dicten el camino,
es más fácil que se equivoquen otros.
Yo les sigo. Yo me acoplo.

Decidir supone esfuerzo,
mejor mañana, hoy hay sueño;
mejor en otra vida, hoy hay miedos.
¿Cómo elegir el camino correcto?

Cuenta la leyenda
que vence el que arriesga.
Dice mi experiencia
que el peón tumbó a la reina.
A veces no gana el que más tiene
si no el que mejor se las ingenia.

No quiero seguir tu ejemplo
y no me quito el sombrero.
Repito, no soy como tú,
me quité la piel de borrego
y me hice una chaqueta para el invierno,
por lo menos no pasaré frío en mi trozo de terreno,
donde YO elijo y donde YO siembro.

Por otro lado, según Raquel Lanseros "la poesía juvenil compartida en las redes sociales sigue bebiendo de las fuentes de la tradición poética amorosa" (Lanseros [2018] 162), pero no es que haya bebido, sino más bien que se ha emborrachado. Contrariamente a aquello que decía Keats de que la poesía es siempre una sorpresa y que los formalistas rusos reformularon al hablar del extrañamiento, emperrarse en seguir tratando los temas de la misma forma genera una paradoja; y es que, si entendemos que la lírica consiste en emplear un lenguaje desautomatizado, es decir, que llama la atención en sí mismo, repetirse en unos determinados clichés es destruir el efecto de la poesía y echar sal sobre sus cenizas. He aquí un ejemplo de lo que se puede encontrar en el libro de Laura Escanes *Piel de letra*: "Te quiero bien, / libre, / tuya, / loca, / feliz. / No te quiero mucho / te quiero bien". ¿Puede que el tiempo les dé la razón y terminen por convertirse en la nueva poesía con la ayuda de las redes y de las editoriales vendidas al capital? Sí, pero si hasta Loreto Sesma (Setuaín 2015) reconoce que es posible que un día todo esto termine y maten por sobreexplotación a la gallina de los huevos de oro, igual es que se nos están subiendo las burbujas de amor a la cabeza.

¿NOVEDAD? ¿PERO ESO EXISTE?

Dice Luis García Montero (2018 16-8) —y es verdad— que en algunos periodos de la historia de la literatura ha habido textos que han funcionado como una reivindicación de su momento: "Del cinema al aire libre / vengo, madre, de mirar / una mar mentida y cierta / que no es la mar y es la mar", escribía Rafael Alberti. También Gil de Biedma, como expone García Montero en el texto citado o, ya en el siglo XXI, poetas como Agustín Fernández-Mallo y Vicente Luis Mora en libros como *Carne de píxel* o *Mester de cibervía*, respectivamente, introducen en sus textos líricos las novedades propias de su tiempo. Por tanto, partimos en este punto de dos consideraciones: Por un lado, no resulta extraño que los autores de la nueva poesía se valgan de elementos como las redes sociales o el doble *check* azul de WhatsApp; pero, por esto mismo, debemos tomar ciertas precauciones cuando hablamos de lo nuevo. Y es que, de introducir un elemento novedoso en la realidad a que ese elemento sea poéticamente novedoso, va un trecho. *Nihil novum sub sole*, que decían los latinos.

Por otro lado, respecto a la inclusión de un lenguaje extrapoético o los vulgarismos que tan gratos parecen resultar a los textos de la nueva poesía, podríamos pensar en autores no tan lejanos en el tiempo que ya los incorporaban a sus escritos, como es el caso de Gil de Biedma ("Si no fueses tan puta! / Y si yo supiese, hace ya tiempo, / que tú eres fuerte cuando yo soy débil"); retrotraernos hasta la vertiente más obscena de autores de nuestro Siglo de Oro, como Quevedo y Góngora; e incluso pensar en poetas latinos, como Marcial y Catulo, con lo que de novedad, poco. Quizá sí que exista una cierta voluntad de epatar con el realismo sucio de algunos textos como este "Aves capaces" de Irene X, si bien están muy lejos de darle la vuelta al romanticismo a la manera en que Bukowski sabía provocar en el lector una mezcla de sensaciones a caballo entre la mística y el asco. Más bien se queda en una poesía de *slam* que fía todo su artefacto formal a la enumeración asindética y a algún que otro juego de palabras no muy ingenioso para terminar en una suerte de arenga en favor de lo anodino:

> Te he visto sufrir como una puta,
> callar como una enfermera,
> follar como la primera vez,
> abrazar como la última,
> dormir como si tuvieses seis meses,
> tocarte la espalda como si tuvieses ochenta,
> contra la pared.
>
> querer morirte y no hacerlo
> vivir sin ganas,
> mentir sin fuerzas,
> reírte con rabia,
> crecer sin tocar techo,
> bajar la basura y no el nivel,
> perder trenes y alguna vez los nervios,
> arrancarte el pelo por no sujetártelo,
> mientras sostienes el futuro y a veces la mirada,
> perdida
> con una mano en las bragas y otra en el gatillo,
> el sexo de la prisa,
> vomitar el corazón pero nunca escupirlo,
> no conozco a nadie que escribe y no esté triste,
> tampoco a nadie que pueda salvar el mundo
> y lo sepa.

Así, podríamos afirmar junto a Jordi Doce que el punto de partida de este problema es que la materia prima de la poesía —de la literatura en general— es la palabra, es decir, un elemento de uso común a todos los seres humanos. Por eso, el poeta tiene la misión de ser "un vigilante del lenguaje, un cuidador de las palabras que sabe infundirles nueva vida [...] librándolas de adherencias sentimentales y excrecencias retóricas, protegiéndolas de la manipulación a que las someten los *massmedia*, la publicidad, la mendacidad de los políticos y la hipocresía de los sacerdotes de cualquier credo" (Doce [2008] 26-7).

En este sentido, cabe también recordar la afirmación con la que Ernesto Cardenal abría su *Antología de poesía primitiva*: "El verso es el primer lenguaje de la humanidad: la forma más natural del lenguaje". Lo cierto es que si tuviéramos que establecer un elemento capaz de diferenciar la poesía de otros usos del idioma, ese mecanismo no sería otro que el ritmo. Hombres y mujeres de los tiempos, lenguas y culturas más dispares han cantado a lo largo de los siglos construyendo una cosmogonía de todos los pueblos del mundo. Decía Octavio Paz en *El arco y la lira* que el ritmo "nos coloca en actitud de espera"; o, como más recientemente ha propuesto Ana Rossetti: "Las palabras son sólo verso cuando se organizan en sílabas convirtiéndolas en melodía induciendo al oído al captar sus reiteraciones" (Rossetti [2007] 25), para concluir afirmando que la poesía es "técnica" y "elaboración". Es decir: quien se adentra en ese acto tan íntimo que supone asomarse a un poema sabe que el ritmo predispone al lector para un ritual irrepetible y concreto. Por eso no es baladí el uso del hexámetro en la poesía grecolatina, como tampoco lo son los usos de las distintas estrofas que defendía Lope en el *Arte nuevo*. Incluso para el verso libre disponemos de algunos intentos de sistematización de los acentos del verso desde estudios como los de López Estrada o Isabel Paraíso.

Debido a eso, aunque en distintos momentos algunas corrientes hayan querido plantear otras alternativas —pienso por ejemplo en la defensa de la metáfora como elemento definitorio de la poesía que plantea Ortega y Gasset en *La deshumanización del arte*—; el paso y el poso del tiempo y de la tradición han hecho una vez más su trabajo. De este modo, admitiendo todas las limitaciones que tiene tratar de delimitar el hecho poético y reconociendo la validez de todo razonamiento distinto a este, considero que el ritmo, la cadencia sonora, la musicalidad... es uno de los rasgos distintivos del género lírico. Esta es solo una de las razones por las que opino que no hay nada que diste más de la poesía que la relación que mantienen con el lenguaje quienes se llaman a sí mismos la nueva poesía: porque muchas veces detrás de unas palabras bonitas hay un intento de escritor con un oído enfrente del otro.

Sin embargo, mi propósito "ahora que la torre de la historia / sufre asedios que pueden ser los definitivos" (González Iglesias 2007) no es ese, sino simplemente el de discutir el adjetivo *nueva* aplicado como complemento especificativo del sustantivo *poesía*. De este modo, volviendo a los latinos, hago mía la afirmación de que "sólo siendo muy consciente de la tradición se puede hacer algo nuevo [...] No hace falta que escribamos mucho, porque lo esencial ya está dicho. Eso permite que nos concentremos en hacerlo bien" (González Iglesias [2008] 28-9). Según Joaquín Sabina, una buena canción tenía "una buena letra, una buena música, una buena interpretación, un buen sonido y algo más, que nadie sabe lo que es pero es lo único que importa"; y algo parecido sucede con la poesía. ¿Qué es escribir bien cuando existen tantas voces tan distintas y todas ellas válidas? Quizá lo primero sea abrir bien los ojos y los oídos, pero también leer y estudiar a los poetas antiguos y contemporáneos, así como trabajar con disciplina sobre la métrica clásica para poder superarla. En este sentido, parece que la rima suena ya un tanto arcaica, pero debemos seguir atendiendo a otros elementos como el cómputo silábico, la alternancia de acentos, las figuras y los tropos. Finalmente, podríamos decir algo muy similar también respecto a la prosa poética, que no por renunciar al verso deja de lado las isotopías y los ritmos de pensamiento.

Volviendo a la idea de que no es necesario escribir mucho sino hacerlo bien, Antonio Gamoneda dijo con motivo de la publicación de su poesía completa en los dos volúmenes que componen *Esta luz* "que los poetas de obra amplia al final son poetas de unas cuantas páginas" (Lucas 2019). Por tanto, ¿qué hemos de pensar de aquellos que, además de lanzar al mercado un libro de poemas cada año, publican a diario en las redes sociales textos que pretender ser poesía? ¿Qué puede aportarse sin disponer del tiempo necesario para reposar aprendizaje y experiencia antes de plasmarlo en una *story* de Instagram?

¿INMEDIATEZ Y POESÍA? PERMÍTEME QUE LO DUDE

La palabra *poesía* viene del griego *poíēsis*, término que hace referencia al proceso creativo, a todo lo que entenderíamos como la producción de un determinado texto. En palabras de Valeria Secchi (2013), la virtud del poeta consiste en "lograr que lo informal de su caos poético se determine y se traduzca en formas capaces de ser manifestadas. En términos aristotélicos, lograr que sus posibilidades pasen de la potencia al acto". Desde el momento en el que esto requiere tiempo y trabajo, lo inmediato entra en un conflicto frontal con el concepto de poética: Juan Antonio González Iglesias, pero esta vez a lo largo de su libro *Jardín Gulbenkian*, expone que la poesía es como el curso que dibuja el agua de un río a su paso. Es decir, bordea la esencia de las cosas, pero sin llegar a tocarlas. He ahí una explicación tan válida como otra cualquiera (y sin embargo mucho más reciente) del concepto de extrañamiento que los formalistas rusos propusieron hace un siglo, pero con el valor añadido de estar unido a la tradición, puesto que el curso de un río —si bien puede llevar más o menos caudal o bajar en una corriente más o menos rápida— no es algo que se fije en un día. En este sentido, aunque Jaime Gil de Biedma admite en el prólogo a *Compañeros de viaje* que ser un escritor lento hace más difícil "la composición de cierto género de obras [...] concebidas en torno a una primera intuición", también señala las ventajas de escribir despacio y respetar los tiempos necesarios para la adecuada corrección y reescritura de la poesía. Así, un libro cocinado a fuego lento "lleva dentro de sí tiempo de la vida de su autor" que "es ya la vida de todos los hombres, o por lo menos [...] de unos cuantos entre ellos" (Gil de Biedma [2010] 93-4). Parece claro que, siendo el carácter universal de todo buen texto literario a lo que alude el poeta en este brevísimo apunte, la poética de la autodenominada nueva poesía no casa bien con el concepto de universalidad desde el momento en el que se limita a la esfera de lo más personal, se niega la posibilidad de buscar lo trascendente entre lo contingente o rehúsa los juegos metaliterarios, llegando incluso a tacharlos de elitistas.

Dentro de esta misma línea, Andrés Sánchez Robayna, catedrático de Literatura en la Universidad de la Laguna y poeta de amplia y reconocida trayectoria, expresaba hace poco su opinión de que "Los textos de la "ciberpoesía" no resisten el más pequeño análisis fuera del contexto sociológico y comunicativo en que nacen y del público al que van destinados" (Sánchez Robayna [2020] 20). En esta misma charla, celebrada en la Fundación Juan March como parte de su ciclo Poética y Poesía, Robayna planteó el interesante concepto de la "socialización electrónica". Es evidente que en la actualidad no hay más que asomarse a las redes sociales para ver cómo algunos de los textos que circulan por internet aspiran a ser recibidos como poesía "cuando en realidad ni por su naturaleza, ni por sus aspiraciones ni por sus características más definitorias podrían ser asociados a la indagación del "sentir absoluto"" (Sánchez Robayna [2020] 18-9). Cierto es que estas producciones de los *instapoetas*, pese a todas las críticas que podamos esgrimir en su contra, tendrán que ser debidamente estudiadas aunque solo sea por constituir una muestra de cómo las comunicaciones se han transformado en el mundo actual; pero sin obviar el problema de que el canal "haya sido utilizado […] como un intento de instaurar el modo verdadero […] de lo poético y de su circulación" (Sánchez Robayna [2020] 19). Fuera de esto, solo el tiempo nos dirá qué le depara a la producción, difusión y recepción de esta poesía escrita bajo la tiranía del *like*. Hasta entonces, todas las valoraciones que podamos emitir sobre esos textos no serán más que elucubraciones más o menos fundamentadas.

A MODO DE CONCLUSIÓN: ¿POR QUÉ ENTONCES LA NUEVA POESÍA?

Con todo lo dicho hasta ahora, la pregunta está clara: ¿Por qué vende la nueva poesía? ¿Por qué hay legiones de fans defendiendo lo indefendible? La única explicación que puede llegar a convencerme es la que ofrece Raquel Lanseros en el volumen coordinado por Remedios Sánchez y que se justifica en la existencia de cierta similitud entre los *instapoetas* y la tradición en el tratamiento de los temas.

Además, desde un punto de vista sociológico, se ha trabajado mucho y muy bien para despertar el deseo del consumidor en nuestra era de modernidad líquida. No la necesidad de satisfacer una cierta inquietud intelectual, que de eso cada vez hay menos; no. Hablo de un deseo consumista potenciado tanto por los vendedores como por el más salvaje competidor creado por el capitalismo neoliberal: los demás consumidores. Quiero con esto decir que, por una parte, tanto editoriales como distribuidoras y centros comerciales presuntamente especializados —como Fnac o La Casa del Libro, que prefieren contratar como encargado a alguien que ya lo haya sido en Primark o Inditex antes que ascender a alguno de sus trabajadores que sepa algo de literatura— han entendido a la perfección cómo dar con la tecla de un producto fácil, que requiere un escaso tiempo de elaboración y además se ofrece a un consumo rápido por parte de un comprador que tampoco puede elegirlo libremente, al encontrarse sobrepasado por las luces del capital y no disponer de la suficiente capacidad crítica, por mucho que él crea que así lo hace. Del otro lado, tenemos individuos que expresan su pertenencia a unos u otros grupos sociales por medio de los artículos que adquieren: los *skaters* y sus monopatines, los traperos y sus riñoneras, los veganos y su enjambre de alpiste, los adictos al aire y sus vaporetas para sustituir al tabaco, los quinquis y sus oros, los que están suscritos al catálogo de Apple aunque para pagarlo hayan tenido que solicitar varios préstamos al banco, los ecologistas y sus coches híbridos y, finalmente, los intensos y su querencia por la pseudopoesía, porque la cultura de boquilla lleva ya muchos años siendo un negocio al alza.

Por todo ello, considero que quienes somos más críticos con esta nueva poesía no deberíamos poner el foco en sus autores, encumbrados por las redes sociales, las editoriales y los poetas de la experiencia que han intentado extender su minuto de gloria en la literatura española sin importar el coste. Ellos, que no han hecho sino aprovechar la oportunidad como hubiese hecho cualquiera, no son los auténticos culpables de este medievo tecnológico. En cualquier caso, la historia nos dice que bajo el cri cri de las margaritas siempre acecha un regreso a las formas puras tras aquellos periodos en los que impera un romanticismo más directo y pueril. Entretanto, que los citados autores, buitres editoriales y mercaderes del libro disfruten del momento acordándose de Lope "porque, como las paga el vulgo, es justo / hablarle en necio para darle gusto".

OBRAS CITADAS

Álvarez Miguel, Diego (2017), "Tras el boom de los nuevos poetas, llega la poesía", en *Oculta Lit*, 12 de enero de 2017, sitio web: https://www.ocultalit.com/opinion/poesia-nuevos-poetas/

Arco, Antonio (2018), "David Pujante: "Estamos volviendo, tristemente, a una especie de Edad Media"", en *La verdad*, 10 de octubre de 2018, sitio web: https://www.laverdad.es/culturas/libros/volviendo-tristemente-especie-20181010011319-ntvo.html?ref=https:%2F%2Fwww.google.com%2F

Bauman, Zygmunt (2004), *La modernidad líquida*, Buenos Aires, Fondo de Cultura Económica. Traducción de Mirta Rosenberg y Jaime Arrambide Squirru.

Bernabé, Daniel (2018), "La izquierda y Operación Triunfo: una celebración de la impotencia", en *lamarea.com*, 31 de enero de 2018, sitio web: https://www.lamarea.com/2018/01/31/la-izquierda-operacion-triunfo-una-celebracion-la-impotencia/

Carnero, Guillermo (2004), *Poética y poesía*, Madrid, Fundación Juan March.

Cervantes, Miguel de (2004), *El ingenioso hidalgo don Quijote de la Mancha*, Alicante, Biblioteca Virtual Miguel de Cervantes.

Corral Cañas, Celia (2018) "Poesía española emergente en el entorno virtual", en Remedios Sánchez (coord.), *Nuevas poéticas y redes sociales: Joven poesía española en la era digital*, Madrid, Siglo XXI, pp. 129-139.

DeReojoProducciones (2019), "Mesa redonda: De vuelta al campo", en *YouTube*, junio de 2019, sitio web: https://www.youtube.com/watch?v=YhEiraDfty4&t=26s

Doce, Jordi (2008), *Poética y poesía*, Fundación Juan March.

Domínguez-Martín, Eva (2015), "Periodismo inmersivo o cómo la realidad virtual y el videojuego influyen en la interfaz e interactividad del relato de actualidad" en *El profesional de la información*, 2015, julio-agosto, v. 24, n. 4. ISSN: 1699-2407.

G. Maldonado, Lorena (2018), "Poesía de baratillo, 15 ilustraciones y una "negra" literaria: el fraude del libro de Aitana", en *El Español*, 17 de octubre de 2018, sitio web: https://www.elespanol.com/cultura/libros/20181017/poesia-baratillo-ilustraciones-negra-literaria-fraude-aitana/346216377_0.html

G. Maldonado, Lorena (2020), "Por favor, que el coronavirus no nos traiga (también) una cultura basura", en *El Español*, 27 de marzo de 2020, sitio web: https://www.elespanol.com/cultura/20200327/favor-coronavirus-no-traiga-cultura-basura/477703832_0.html

García Cerdán, Andrés (2018), "Los hijos de Proteo. Contracanon, crítica y excitación del lenguaje en la poesía reciente", en Remedios Sánchez (coord.), *Nuevas poéticas y redes sociales: Joven poesía española en la era digital*, Madrid, Siglo XXI pp. 113-127.

Gil de Biedma, Jaime (2010), *Obras: poesía y prosa*, Barcelona, Galaxia Gutenberg.

González Iglesias, Juan Antonio (2007), *Eros es más*, Madrid, Visor.

González Iglesias, Juan Antonio (2008), *Poética y poesía*, Madrid, Fundación Juan March.

González Iglesias, Juan Antonio (2019), *Jardín Gulbenkian*, Madrid, Visor.

Lanseros, Raquel (2018), "Tratamiento del amor en la joven poesía española", en Remedios Sánchez (coord.), *Nuevas poéticas y redes sociales: Joven poesía española en la era digital*, Madrid, Siglo XXI, pp. 155-162.

Lucas, Ramón (2019), "Antonio Gamoneda: "Llamamos democracia a una ficción"", en *El Mundo*, 8 de septiembre de 2019, sitio web: https://www.elmundo.es/cultura/la esferadepapel/2019/09/08/5d72735a21efa08e408b45cf.html

Mora, Vicente Luis (2012), *El lectoespectador*, Barcelona, Seix Barral.

Nieto Jurado, Jesús (2019), "Alfred, el monosilábico", en *El Español*, 22 de diciembre de 2019, sitio web: https://www.elespanol.com/opinion/20191222/alfred-monosilabico/453574641_12.html

Regueira, Samuel (2019), "Redry: "Quienes nos critican se quedan en la frase del Twitter"", en *El norte de Castilla*, 30 de abril de 2019, sitio web: https://www.elnortedecastilla.es/culturas/libros/redry-critican-quedan-20190430130055-nt.html

Rossetti, Ana (2007), *Poética y poesía*, Madrid, Fundación Juan March.

Salvador, Álvaro (2017), "De la otra sentimentalidad a la nueva banalidad", en *Pensar desde abajo*, Nº. 6, 2017 (Ejemplar dedicado a: El inconsciente de la libertad: Para y desde Juan Carlos Rodríguez), ISSN 2253-9735, pp. 241-250, sitio web: http://pensardesdeabajo.org/articulos/de-la-otra-sentimentalidad-la-nueva-banalidad/

Sánchez Robayna, Andrés (2020), *Poética y Poesía*, Madrid, Fundación Juan March.

Secchi, Valeria (2013), "*Mímēsis, poíēsis* y *kátharsis* en la teoría estética de Leopoldo Marechal. Un diálogo con Platón y Aristóteles", en *Recial, Revista del Centro de Investigadores de la Facultad de Filología y Humanidades*, Áreas Letras, vol. 4, n. 4, Córdoba, Editores Universidad Nacional de Córdoba, pp. 1- 15.

Setuaín, Estrella (2015), "El libro que salvó de un naufragio", en *Zero Grados*, 23 de marzo de 2015, sitio web: http://www.zgrados.com/loreto-sesma-libro-naufragio-338/

Teja, Verónica (2017) "Redry (David Galán): "Escribir me libera, me deja hacer lo que yo quiero con mi realidad"", en *Poémame, revista abierta de poesía*, 29 de mayo de 2017, sitio web: https://revista.poemame.com/2017/05/29/redry-david-galan-escribir-me-libera-me-deja-hacer-lo-que-yo-quiero-con-mi-realidad/

Tinianov, Iuri (1972), *El problema de la lengua poética*, Buenos Aires, Siglo XXI Argentina Editores, traducción de Ana Luisa Poljak.

Valverde, Fernando (2017), "También son poetas: sobre el boom de la poesía juvenil", en *Oculta Lit*, 17 de enero de 2017, sitio web: https://www.ocultalit.com/poesia/poesia-juvenil/

Valverde, Fernando (2018), "Poesía juvenil: el futuro o la muerte de la función poética (o todo lo contrario)", en Remedios Sánchez (coord.), *Nuevas poéticas y redes sociales: Joven poesía española en la era digital*, Madrid, Siglo XXI, pp. 49-63.

LAS CADENAS DORADAS EN *CHISPAS,* DE LUIS GOYTISOLO

Carlos Javier García
Arizona State University

Las cadenas que amamos —título del presente libro—, bien podrían ser las cadenas doradas que amamos y que conforman la temática de *Chispas,* la última novela de Luis Goytisolo, publicada en 2019. En ella se muestra el predominio de esas cadenas doradas en diversos estilos de vida y en la mentalidad que caracteriza a los personajes de la novela. Sobresalen entre otros los dominados por la pulsión de progresar para acercarse a la meta de un futuro prometedor y alcanzar así el destino ganador y triunfador perseguido. Ahora bien, el examen de los dispositivos estructuradores del lenguaje muestra que esa fuerza del destino se manifiesta a través de múltiples excesos afirmativos que, provocados por una pulsión de avidez insaciable, ocultan la falta de acreditación de la propia identidad y la busca de reconocimiento del otro; en última instancia, reflejan una falsa capacidad agencial. La avidez de alcanzar riqueza y distintas formas de reconocimiento se revelará así como un progreso encadenador. Junto con ese modelo narrativo dominante, la novela deja entrever un contramodelo suscitado por la lectura irónica que problematiza las certezas de los personajes.

Destacan en *Chispas* los impulsos de personajes que se internan en escenarios llenos de tentaciones y apunta su relación con los conflictos que desencadena su seguimiento. Las ambiciones acaban a menudo convirtiéndose en cadenas, puntos ciegos que atrapan a los personajes, cada uno a su modo, y en su mundo. Así, por ejemplo, la mercadotecnia está dirigida al único objetivo de acumular riqueza, produciendo el efecto de reducir la agenciación crítica y, en el campo cultural y en la educación, realzar lo último y lo inmediato dejando fuera el diálogo interrogativo entre tradición y progreso; diálogo que incitaría a cuestionar el modelo de progreso que gira en torno a criterios económicos con sentido acumulativo. En ese modelo, opera la educación precaria y la otredad permanece en la sombra, ajena a la conciencia de quienes se afanan por alcanzar un futuro ganador autosuficiente que, sin embargo, acaba por revelarse en la narración como un espejismo, una imagen de lo que parece y no es. Al mostrar esa realidad y sus principios organizadores, la novela lleva al lector a cuestionar el orden dominante y favorece la formación de una mirada preventiva orientada a desvelar los signos del modelo de progreso encadenador.

Por lo demás, es preciso considerar que esta problemática se presenta a través de una estructura narrativa fragmentaria compuesta por viñetas que conforman un mosaico desordenado, el cual impone una recepción activa, orientada a analizar los conectores de sentido entre ellas. Esta forma narrativa es precisamente un componente clave que interpela a quien lee a desvelar esos nexos o dispositivos que conectan las partes y hacen visible la trama subyacente sobre la que se articula la construcción de la realidad social, impulsada por un modelo de progreso cuyo destino oculta signos perturbadores.

En la medida en que la fragmentación fuerza una recepción activa para vincular las viñetas, también potencia la visibilidad y el reconocimiento de las convenciones, intereses y modos de conducta y pensamiento que mueven los hilos conductores y organizan la realidad de la novela. Junto con la visión que da cuenta de conductas derivadas del desmesurado afán de lucro, propongo que —en esta novela y en su mundo de referencia—, dicho exceso genera en la mirada de los personajes un punto ciego, el cual produce el paso de las ideas a la ideología del dinero y a diversas formas de acreditación. El análisis muestra que de ser un simple medio de intercambio, el dinero y las distintas manifestaciones de pulsión acumulativa se han transformado en un fin en sí mismo que somete al individuo restándole capacidad agencial. Las herramientas hermenéuticas a las que remite el planteamiento del análisis son múltiples: de un lado, veremos la lectura crítica de la lógica binaria que propone Rafael Sánchez Ferlosio y, en relación con ella, la lógica sintomática formulada por Freud; de otro, el concepto de dispositivo propuesto por Foucault y Agamben. Finalmente, abordaré la forma narrativa fragmentaria vinculándola con las ideas de Sianne Ngai sobre la relación de la estética de la cultura con la realidad social y política. Al estudiar la problemática relación de las palabras con las cosas, propongo que la novela de Luis Goytisolo incita a considerar el presente desde una perspectiva interrogativa que pone en conexión ideas frecuentemente asociadas con los parámetros de la modernidad. Al fondo de la historia, los dispositivos retóricos de la novela constituyen un contrapunto que la interrogan y socaban la idea dominante de progreso —marcado por la avidez acumulativa— y los efectos inquietantes que produce. Todo ello destaca la importancia de la toma de conciencia reflexiva de las circunstancias que conforman las situaciones cotidianas, en su dimensión estética a la vez que política.

CARÁCTER Y DESTINO

El esquema propuesto por Sánchez Ferlosio en "Carácter y destino" aporta claves de interés para examinar las viñetas y los dispositivos comunicativos que usan los personajes para hacer inteligible su situación y responder al entorno en que viven.[1] Destino y carácter son categorías que el pensador español remite a Walter Benjamin y desarrolla con detalle. La primera, destino, responde a la avidez por ganar y triunfar mirando al futuro para progresar y alcanzar el destino, mientras que en la segunda, carácter, la vida se afirma sin hacerla depender de la impaciencia por ganar. Las tramas narrativas y vitales pueden dividirse conforme a la diferente concentración de ambos sustratos pasionales. Si la primera apuesta por el futuro y se orienta en esa dirección, la segunda se entrega al presente acompañado por una actitud contemplativa de la existencia.

En la trama con personaje de carácter, según Sánchez Ferlosio, la historia "no es más que un argumentillo ocasional, que se tira después de usarlo, o sea de haber servido de catalizador de la manifestación, y lo que se manifiesta es el carácter" (350). En la trama con personaje de destino, sin embargo, prevalece la acción: "y es la acción, la acción con sentido, la proyección de intenciones y designios, los trabajos racionalmente dirigidos al logro de los fines lo que constituye un 'argumento' en el sentido fuerte, y no pertenece por lo tanto al orden del carácter, sino al orden del destino" (351). Por lo tanto, ahondando en la propuesta de Walter Benjamin, para Sánchez Ferlosio hay dos clases de personajes, los de destino y los de carácter. Los de destino son aquellos que tienen su identidad atada y sometida a los valores de la trama del destino, la cual les impulsa a moverse en dirección a una meta a cuyo final prometedor supeditan todo lo demás; los de carácter

---

[1] "Carácter y destino" es el texto del discurso que Sánchez Ferlosio leyó en la ceremonia de entrega del Premio Cervantes Sánchez. Es una parte del ensayo más extenso publicado posteriormente con el mismo título y que aquí manejamos.

son personajes que detienen la historia y el destino en el orden de los bienes, donde las cosas existen en el presente sin estar sujetas a control ni a la impaciencia y avidez de un final. Por otro lado, veremos más adelante que la resistencia al destino permite abrir nuevos modos de pensar desviándose del pensamiento encadenado por "nexos de sentido" (361). Apunto esta hipótesis a partir del contramodelo narrativo que se vislumbra en algunas viñetas de *Chispas*, las cuales, como veremos, agrietan y a la par estructuran el conjunto.

Estas categorías propuestas por Sánchez Ferlosio proporcionan pautas para desvelar las tramas conceptuales de la novela, cuyos hilos narrativos se presentan segmentados a modo de viñetas. Compuesta la novela por un mosaico de situaciones y personajes, aparentemente sin relación entre sí, el agrupamiento del lector creará resonancias que doten de coherencia al conjunto de viñetas.[2] Veremos que son precisamente las reverberaciones entre las partes las que constituyen el método de acercamiento a la realidad del mundo contemporáneo. La interdependencia de las unidades narrativas se configura a través de ecos que cabe agrupar en núcleos temáticos, a saber: la educación, las nuevas tecnologías, las diferencias generacionales, la relación de pareja, el dinero como fuerza motriz, el triunfo y el reconocimiento de los demás, las perspectivas sexuadas, la comida, el deseo, el cuerpo, el sexo más o menos crudo, la escatología, el campo y la ciudad, lo social y lo político, y, entre otros, el nacionalismo y sus mitologías. Como veremos más adelante, los esquemas mentales estructuradores de la realidad ocultan de modo velado el espejismo del progreso y permiten entrever otros componentes configuradores de un contrarrelato interrogativo.

El segmento titulado "Cómo triunfar en la vida" (37-8), señala desde el propio título el impulso de una de las claves de la novela. Frente al modelo de educación que prestaba atención tanto a las ciencias como a las letras, profundizaba en el conocimiento histórico de las materias y se demoraba años, uno de los hablantes dice que en el mundo actual el campo de estudio se reduce y el tempo se acelera:

---

[2] La narración fragmentaria de *Chispas* forma parte del modo expresivo que encontramos en *Coincidencias*, al cual, aunque con distinto enfoque, cabe sumar las fábulas de *Ojos círculos, búhos*; *Devoraciones* y *Una sonrisa a través de una lágrima*, agrupadas posteriormente en *Fábulas*; recientemente se han publicado reunidas, junto con "El atasco", en el libro *El atasco y demás fábulas*. Se trata de viñetas narrativas, algunas brevísimas, otras más extensas, que explayan su mirada por materias que en algunos puntos son recurrentes y forman variaciones.

Lo que hoy cuenta de verdad se aprende en cursillos mucho más rápidos, cuestión de meses y hasta de semanas. Y a tu elección, según te tire más uno que otro. Unos estudios, además, que parecen hechos a tu medida, de forma que puedes elegir los que más encajen con tus gustos, con tu manera de ser. Es decir: lo esencial para encontrar tu propio camino y así tener una ocurrencia innovadora y poder desarrollarla y *triunfar y forrarte*, con suerte, hasta límites insospechados. […]. Claro que también puedes no tener esa suerte, pero eso ya es cosa tuya. Así es la vida. *Como un deporte. El que no pierde, gana. O una cosa o la otra.* (38; itálicas mías)

Cabe asociar esta visión de la vida como un deporte competitivo con la lógica que propone Sánchez Ferlosio al aludir precisamente al deporte para ilustrar el antagonismo entre carácter y destino. Remitiéndose al *Homo ludens*, de Huizinga, Sánchez Ferlosio introduce el "agón", el principio competitivo del deporte y, a continuación, establece "una contraposición mucho más tajante y decisiva que la de juego y seriedad" de Huizinga: "la de juegos competitivos y juegos no competitivos, o […] juegos agónicos y juegos 'anagónicos'" (357). Desafío, lucha, reto y triunfo son los desencadenantes que producen la dinámica del argumento característico de los deportes competitivos.

La cuestión entonces es: para qué luchar y competir. Según las categorías que propone en su ensayo, tiene que haber algo por lo que se lucha: "Hemos entrado en el deporte 'agónico, en el deporte con sentido y argumento, y, por tanto, en el orden del destino" (359). Ilustra esta lógica competitiva del deporte con el fútbol. Al preguntarse por las razones de los sacrificios de los deportistas del balompié, responde: "Pues ¿para qué va a ser?, ¡para ganar!, ¡para ser los primeros, los mejores!'; […], delirio solipsista, narcisista, autista, del '¡I did it!', del egocéntrico furor de autoafirmación" (359). La temporalidad del deporte agónico se corresponde con el "tiempo del destino"; carente de presente, es el tiempo de la historia, entendiendo por historia el "acontecer que está, como diría un periodista, 'preñado de sentido', que es una bien trabada y consecuente sucesión argumental de designios propuestos, perseguidos, contendidos" (360). La vida como contienda se reitera en *Chispas*, aunque el acontecer dominante allí no está exento de componentes desestabilizadores que implican consideraciones de naturaleza ética.

En efecto, la vida del emprendedor y del empresario aparece en la novela como un juego competitivo cuyo motor es la avidez. En la viñeta "Recursos humanos" (71-2), la competitividad fomenta actitudes que no reparan en formalizar conductas orientadas a privilegiar la ganancia y someter todo a ella:

—¡Pero, hombre, una empresa no está gestionada por hermanitas de la caridad! Cualquier planteamiento realista presupone todo lo contrario: los empleados constituyen uno de los recursos con los que cuenta la empresa y esta los tiene que utilizar con el objetivo de sacar de ellos el máximo provecho posible. Ser competitivos, poder brindar sus productos a precios sin competencia [...].
—Solo que esto es lo que está acabando con el pequeño comercio, con los talleres e industrias de carácter familiar... Y lo que temo es que acabe afectándome a mí.
—Lo siento, pero este *es el juego. Como un partido de tenis. Si uno gana, el otro pierde. Así es la vida.* (71-2; itálicas mías)

La caricatura no deja de ser inquietante por su familiaridad. El juego deshumanizado sitúa por encima el capital y la ganancia e instrumentaliza al empleado abiertamente y sin miramientos. Podemos decir que si el argumento del deporte agónico es "A ver quién corre más", aquí, la cifra del argumento de la vida con sentido de destino es "A ver quién gana más".

El empeño de manifestarse categórico y seguro se reitera en estas situaciones comunicativas, tanto en la reacción al calificar la conducta general del triunfador cuanto al definirse a sí mismo como agente, dueño de una voluntad afirmativa y del lenguaje contundente con que reacciona ante un mundo dominado por la competitividad. Hay que preguntarse a qué responde en el mundo de la novela la avidez por ganar.

Veamos una hipótesis hermenéutica que permita dar consistencia a esa realidad sin suplantar el texto. De acuerdo con lo que Freud llama lógica sintomática, tal como aparece formulada en su estudio sobre el fetichismo, los excesos afirmativos se leen como síntoma de una carencia (*"Fetichism"*). Es decir, junto con la estructura coexiste el síntoma de lo reprimido. Por ejemplo, al afirmarse de modo recurrente e insistente la autoridad y la voluntad de dominio, dicha retórica escondería el temor del sujeto a que el otro imponga su voluntad. Y es que la afirmación insistente de la propia fuerza esconde el miedo a su carencia (lógica afín a la del refrán, a menudo dicho con retintín, "dime de qué presumes y te diré de qué careces"). En suma, la lógica sintomática se apoya en el presupuesto de que al afirmarse o imponerse una estructura, algo se reprime o esconde.

Al examinar la lógica sobre la que se asienta el lenguaje rotundo aparece un denominador común que, en principio, responde a lo que Freud llama "lógica sintomática". De acuerdo con esta lógica, como digo, los excesos afirmativos se leen como síntoma de una carencia. Y es que la afirmación insistente del propio rigor ocultaría el temor a su carencia o a la caída (al igual que, por ejemplo, el exceso repetido de puntualidad esconde y reprime el temor a llegar tarde). La clave es, entonces, la insistencia como exceso y la repetición como retórica.

La comparación con esta hermenéutica pone en primer plano la lógica sintomática de viñetas como la recién citada, la cual se hará especialmente visible a través de su reiteración en la novela y, de acuerdo con la lógica del fetichismo apuntada, guarda relación con la carencia, el miedo a perder y la necesidad de acreditación que caracteriza a muchos de los personajes.

EDUCACIÓN E IGNORANCIA COMO NEGOCIO

En algunos diálogos se producen contrapuntos irónicos que tienen un efecto desestabilizador. Así ocurre, por ejemplo, en "El loco" (123-5). Remitiéndose a una entrevista que ha leído, uno de los interlocutores dice que estaríamos en un declive cultural que se manifiesta en el desconocimiento de la realidad y de uno mismo. El otro, categórico, replica que internet ha puesto la cultura al alcance de todos: "Buscas algo, quieres saber algo y no tienes más que mirar el móvil" (123). Pero el interlocutor interrogativo —haciéndose eco de las líneas principales de la entrevista— replica que algunas de las cosas que ha leído son interesantes: "por ejemplo, que la humanidad está empezando a dejarse regir por unos principios tecnológicos y una realidad digital *que escapan por completo a nuestro control,* anulando no ya el conocimiento del mundo circundante sino también las normas de conducta acordes con esa realidad" (123; itálicas mías). Dirigido por la voluntad de realizar actos deliberados de agencialidad, el usuario de las redes sociales actuaría sin percibir que está sujeto y regido por un repertorio de elecciones controladas y se dejaría llevar por su deseo impulsivo, considerando irrelevantes determinadas circunstancias que cuestionarían o socavarían la capacidad agencial de acciones que, en última instancia, "escapan por completo a nuestro control" (123). Al señalar así el interlocutor interrogativo la limitación de la voluntad individual, sus palabras contundentes provocarán la réplica del interlocutor categórico, que defiende a ultranza su iniciativa por encima del control tecnológico.

En efecto, a él le parece que ese tipo de consideraciones son producto de la ceguera de quienes se niegan a aceptar que "ahora sabemos más, que los conocimientos anteriores son pues eso, antiguos" (124). Se trata de "degradar los cambios de gusto. Lo antiguo era bueno y lo nuevo es malo. Es de alguien que ha perdido el tren. O el seso. O las dos cosas" (124). Por su parte, sin negar que la cultura y los gustos siempre han sido cambiantes, el interlocutor interrogativo afirma que, en determinados momentos históricos, se produce un declive frente a otros en que los logros culturales son más brillantes. Y termina con un comentario final remitiéndose de nuevo a lo que leyó en la entrevista:

> hoy por hoy, la cultura y el arte predominantes son los del cómic, y el conocimiento, el que te encuentras en el mundo digital. Y que del mismo modo que *la alimentación* promovida crea un *sobrepeso generalizado* cuyo tratamiento constituye también un *negocio, la ignorancia generalizada* por la adicción al móvil facilita asimismo nuevos tipos de *negocio.* (124-5; itálicas mías)

El paralelismo verbal establece así la equivalencia entre el "sobrepeso generalizado" y la "ignorancia generalizada", fijándose el negocio como principio impulsor en los dos casos. De nuevo, la ganancia materialista se sitúa por encima de otras consideraciones. A lo que el otro interlocutor replica que el entrevistado está loco y reitera que todo eso son "tonterías" (124, 125) y lo que dice carece de fundamento. Con todo, el hablante interrogativo contesta que no se había encontrado antes con ese tipo de razonamientos, a lo que el categórico responde:

> —Ni yo. Y mira que hoy día hay más locos que nunca. *No ven la realidad.* No ven, por ejemplo, que *en la vida real la clave* de todo está en los fondos, *en hacerte con una buena cartera de fondos y forrarte.*

—No, si ya lo sé. Por cierto, ¿qué significa aquella frase de antes, aquello de *tocar fondo*?

—*Vete tú a saber. Son cosas antiguas.* (125; itálicas mías)

Se fija así una conexión entre conocimiento, educación y cultura, todo ello dentro de un argumento de la vida con sentido de destino cuya cifra es, como vengo diciendo, "A ver quién gana más". El cierre final ironiza lo leído, conecta la cartera de fondos con tocar fondo y, de este modo, interroga sobre las facultades que permiten ver con profundidad la realidad. En la ignorancia con aires de superioridad se apunta el trazado de la caricatura. Si el sobrepeso es algo constatable que genera negocio en el mundo actual, una buena cartera de fondos impulsada por la avidez y el exceso ocultaría otro plano de la realidad en cuya naturaleza se plasmaría el sentido de tocar fondo que retratan muchas viñetas de *Chispas*.

El núcleo temático de la educación aparece también entrelazado con aspectos sociales y con la conformación de los modos de inducir la percepción del mundo. Ya en *Antagonía* un colegial señala el papel conformador y represivo de la educación: "en el recreo, *al cole* le llamaban *la jaula*, y hablaba de los profesores por lo bajo, como si fueran los guardianes de la prisión y ellos estuvieran preparando un motín" (Goytisolo [*Antagonía*] 80; itálicas mías). De modo análogo, *Chispas* postula la complicidad de la lectura crítica para ver desvelar la jaula dorada de las redes sociales y los excesos del modelo económico impuesto a la educación y a la cultura. Se trata del mundo velado que permanece oculto en el lenguaje y en las cadenas doradas.

Tanto los ecos temáticos como los del propio lenguaje están diseminados por la novela y hacen pensar a menudo en los mismos personajes. En el mundo actual hay que privilegiar el tiempo rápido de la educación, un modelo para "triunfar y forrarte" (38), dice un hablante en la primera parte de la novela. La clave de todo está en "hacerte con una buena cartera de fondos y forrarte" (125), leemos en las últimas páginas. En otra viñeta, titulada "El infierno del pasado" (67-9), se alude a lo vivido por las generaciones anteriores y se contrastan estilos de vida y expectativas cambiantes.[3] El hablante señala allí temas

---

[3] "Fíjate: nuestros antepasados no tenían otra distracción que la lectura. Nuestros abuelos podían ya ir al cine. Pero nada parecido a volar por internet, por no hablar ya de los videojuegos siempre a mano. Ni nada comparable a la enseñanza superior actual, unos

que reaparecen en viñetas como la comentada más arriba, y tanto las referencias como el propio lenguaje hacen pensar en el mismo interlocutor. Ahora bien, no cabe hablar de desarrollo psicológico; se trataría más bien de la manifestación de un tipo de mentalidad y de lugares comunes de un lenguaje estereotipado. Los interlocutores a menudo son prototipos y, en ese sentido, a veces son intercambiables. Por lo demás, es de notar que si en una viñeta un interlocutor introduce en forma interrogativa cuñas irónicas sugeridas por una entrevista que ha leído, en otras, los interlocutores asienten.[4] Son voces de figuras cuyo perfil se manifiesta con rasgos identificables que, sin tener por ello que remitir a la misma entidad, forman una trama de resonancias con duplicaciones y contrapuntos estructuradores del conjunto.

Las actividades recreativas mostradas en "Juguetes" (107-9) destacan los juegos competitivos —agónicos, según el planteamiento de Sánchez Ferlosio—, conformadores de un argumento orientado por el destino. Dos interlocutores de cierta edad hacen un repaso de los juegos de infancia de su generación y coinciden en que ya nadie juega con los juguetes de entonces: soldaditos de plomo, juegos de mesa como el parchís, la oca, las damas, el ajedrez, juegos de experimentos químicos que tenían componentes tóxicos y, a veces, venenosos; también las armas, dice uno de los interlocutores: "escopetas y pistolas de aire comprimido. Yo ya jugaba con ellas a los seis o siete años. Bueno, y la verdad es que una vez herí en el brazo a otro niño" (108). El otro realza su valor: "Pero así aprendes lo que es la vida. ¿Y los juegos de negocios? ¿Te acuerdas de Monopoly?" (108). Los dos recuerdan con nostalgia esos juguetes que te preparaban para la vida, entendida según el modelo agónico. De ahí que junto con los soldaditos de plomo figuren los coches de carreras y los castillos que había que construir, en especial los que incluían un componente épico: "A mí me encantaban los castillos, con sus defensores y sus asaltantes" (107), comenta un

---

cuantos cursos que te preparan para montar tu propia empresa y, con un poco de suerte, dar en el clavo y hacerte millonario. A veces todo empieza a partir de una ocurrencia. Qué se yo, desde idear un tipo de envoltorio o de cierre de algo hasta un invento gastronómico que te convierta en masterchef de moda. Un abanico de posibilidades de lo más emocionante" (68-9).

[4] Si uno se refiere a la educación acelerada y a las nuevas y emocionantes posibilidades de negocio en la actualidad, el otro responde asintiendo: —"Ya, ya. Eso de antes podía tener muchas pretensiones, pero para nosotros es ya como la Edad Media. / —Ni más ni menos" (69). Aquí es la coincidencia generacional de los interlocutores jóvenes la que parece marcar su asentimiento frente a quienes consideran mayores.

interlocutor. Juegos agónicos de los que "aprendes lo que es la vida" (108). Se jugaba y se juega para ganar conforme a un argumento en el que junto con los juegos que tienen un componente épico figuran los juegos de negocios. Se establece así de nuevo una conexión entre conocimiento, educación, modelos competitivos de cultura recreativa y verbalizaciones asertivas recurrentes que se manifiestan de modo rotundo. Excesos afirmativos que, según la lógica sintomática del fetichismo, se leen como síntomas de una carencia y apuntan la vulnerabilidad de determinados hablantes necesitados de reconocimiento; al reiterar de modo insistente afirmaciones categóricas, pondrían de manifiesto su talón de Aquiles. Las repeticiones en diferente contexto producen un eco que subraya su relevancia y suscita la reflexión crítica. La repetición no es una mera duplicación, sino que al repetirse se recalca la idea. En el caso de los personajes que veremos a continuación, resuena el efecto prolongado que ha tenido sobre ellos la sombra dominadora de la carencia relativa a la falta de acreditación.

EL "ME GUSTA" ACREDITADOR Y EL NARCISISMO DEL NACIONALISTA INSATISFECHO

"De incógnito" (119-21) ilustra la importancia de lo cuantificable en el mundo de la novela y su relación con las nuevas tecnologías, en particular con el móvil y las redes sociales. Por un lado, el valor de uno se mide por los "me gusta" que le acreditan; por otro, el móvil es el dispositivo por excelencia para lograr interiorizar la sensación de poder. Así, el protagonista de la viñeta pasea sin prisas acera adelante con la expresión de quien sabe lo que ignoran cuantos le rodean: "Lo propio de la sensación de dominio que le poseía, de *control* no solo sobre su propio *destino* sino también sobre la realidad circundante. Le pasaba con frecuencia tras haberse sumido un buen rato en el manejo del *móvil*" (119; itálicas mías). Inducido por el móvil, el transeúnte cree que tiene poder con capacidad de iniciativa agencial y puede controlar su destino. Pero el desarrollo de la viñeta incita a una lectura en la que el paseante es ironizado y, de acuerdo con la cual, la imagen ambivalente que se proyecta entonces sería producto de un mitómano. En la situación coexisten el relato asertivo del personaje y el contexto que cuestiona su verdad y da forma al mitómano. La creación del mitómano responde a esa doble lógica, la afirmativa y la interrogativa, la cual marca distancia sobre la verdad afirmada e incita a la lectura irónica. Es preciso detenerse brevemente en este punto.

Si el móvil es un dispositivo de poder que impulsa los pasos del transeúnte, es en "la lluvia constante de los "me gusta" desde los lugares más diversos" (Nueva Zelanda y Estonia, Omán y las Islas Vírgenes) donde él ve que sus contactos y reconocimientos son tangibles y cuantificables:

> Así, a día de hoy, como suele decirse, consolidada su expansión por el mundo entero, *el seguimiento alcanzado* era prácticamente infinito, susceptible de promover una movilización sin fronteras. La cuestión era logar mantenerlo y solo mostrar su poder si, en un momento dado, así lo deseaba o le convenía, a fin de no malgastar semejante activo por *simple vanidad*. Aquello era su secreto. Y para que siguiera siéndolo había que saber mantenerlo como tal.
>
> Ahora bien: debía ser consciente de que el *control* de sus conexiones significaba *poder*. Sin que nadie de su entorno lo supiera, él era, de hecho, uno de los hombres más poderosos del planeta. Alguien capaz, si se le antojaba, de provocar poco menos que ¡una guerra mundial! (120-1; itálicas mías)

Todo había comenzado de niño, en el colegio. Una sensación de superioridad y poder le llevaba a aprender sin el menor esfuerzo tanto los libros de letras como los de ciencias. Eso sí, "¡Menuda pérdida de tiempo!" (120), exclama al preguntarse para qué le iban a servir la geografía, la historia, la filosofía o las ciencias naturales. Será luego, en el ámbito laboral, donde descubra la clave:

> lo que comenzó siendo un útil más de su trabajo como jefe de sección en la oficina —un *teléfono* que no estaba vinculado a su escritorio, que podía llevar consigo en todo momento— acabó convirtiéndose en *un instrumento de poder* de alcance inimaginable (120). A partir de ese momento, *el seguimiento* de sus juicios sobre las cuestiones más diversas [...] no tardaron en conseguir un alcance mundial. (120; itálicas mías)

El relato requiere la participación activa del lector para dilucidar cómo la viñeta incita a una lectura en la que el paseante es ironizado y emerge la imagen del mitómano.

El móvil le acompaña a todas partes y se convierte en una herramienta epistémica con la que poder alcanzar la visión de sí mismo a la vez que le permite disponer de capacidad agencial. El personaje se identifica con la imagen proyectada en el móvil y no busca exhibirla, "por simple vanidad", salvo que en un momento dado le convenga (121). Su realidad está acreditada por los "me gusta" e interiorizada en función del deseo que afianza su narcisismo. La necesidad de reconocimiento y acreditación crea el deseo de coincidir con el reflejo de la imagen ideal proyectada en el móvil, con la infinidad de los "me gusta" que lo validan e invitan a gustarse.

Centrado en la autoafirmación, al igual que Narciso, tiene una relación con su imagen que desencadena la coincidencia con su doble. El espejo/pantalla confiere la ilusión del sí mismo y establece una relación consigo que le hace coincidir con su doble, llevándole a creer que su identidad es de una pieza. A través de la identificación con la imagen, el personaje asume que es él y no percibe que el acceso a sí mismo no es transparente, directo, sino que es el resultado de una sustitución en la que él identifica la figura acreditada y reflejada en la pantalla con el ideal deseado. La figura que el personaje ve es un sustituto, una representación que está en su lugar; para él, sin embargo, pasa por ser el ente auténtico. La identidad se le hace así evidente y se manifiesta gracias a esa imagen que la representa, que está en lugar de sí misma y pasa por ser ella. La imagen del espejo/móvil es un dispositivo productor de sentido existencial ontológico.

Su inclinación a desfigurar la realidad le lleva a creerse la representación de su propia imagen a la vez que sus palabras producen la distancia del lector.[5] Los esquemas cognitivos del personaje van dando forma al mitómano y sugieren las deficiencias de una mirada que transmite una visión incompleta. Esta viñeta y *Chispas* en su conjunto cobran sentido a la luz de la dificultad de saber. De ahí la importancia de dilucidar cómo la novela presenta una visión interrogativa de la construcción de la realidad.

El paseante no es el único necesitado de acreditación y reconocimiento de los demás. El nacionalista de "Trámites burocráticos" muestra ante el funcionario una necesidad acuciante de que le otorguen plenitud a su identidad:

---

[5] El alcance de la ironía se apunta —a menudo con gesto ridiculizador— por el uso de paradojas, choques de perspectivas y disonancias que centran la atención en la situación comunicativa de la viñeta y en su relación con el mundo de la novela.

—¿Nacionalidad?

—Española, qué remedio. Porque supongo que no se admite poner catalana.

—No, claro.

—¿Claro? Pues es una injusticia que me pone enfermo.

—¿Se encuentra usted mal?

—¡Pues sí! Me entra una sensación como de ahogo, de que me falta el aire...

—¿Quiere que llame a un médico?

—No, no es eso. Es por la injusticia de no *poder poner lo que soy*... Como para echarse a llorar. ¡Un pueblo cuyos orígenes se remontan a la noche de los tiempos...! ¡A la prehistoria! ¿Ha oído usted hablar del Hombre de Tautavel? Es una localidad... (29; itálicas mías)

A continuación, el separatista recapitula ante el funcionario un resumen de dos páginas de los episodios más significativos de la mitología nacionalista de la historia de Cataluña. Y concluye diciendo que Cataluña es: "*Un pueblo idéntico a sí mismo* a través de los siglos y de los milenios. Y con un idioma tan precioso. *Y, sin embargo, nadie se lo reconoce*. ¡Y es que no puede ser! ¡Es que no hay derecho! ¿Comprende ahora por qué me siento herido en lo más íntimo?" (32; itálicas mías). Identificado con una Cataluña idéntica a sí misma, la falta de reconocimiento por otros afecta a la carencia de su propia identidad y pone de manifiesto el orgullo herido por "la injusticia de no *poder poner lo que soy*" (29). También aquí, el hablante tiene una relación consigo ("lo que soy") que sin solución de continuidad se identifica con el "pueblo idéntico a sí mismo" y, como efecto, desencadena la coincidencia con su doble imaginario.

Tanto en el caso del paseante del móvil como en el del nacionalista subyace una trama que muestra la vulnerabilidad del yo y la necesidad de sentirse acreditado y reconocido por los demás para lograr una identidad plena. Es esencial para la definición del yo la afirmación de la identidad que los otros le reconocen. Si la aprobación y el visto bueno del otro son avales que el transeúnte mitómano ve y necesita seguir viendo en el espejo-móvil, el nacionalista busca frustrado el reconocimiento de los demás con el que certificar su esencia. El espejo creado por la fantasía que afianza el reconocimiento de los demás confiere la ilusión del sí mismo y crea el efecto de que su identidad es de una pieza. El que nadie se lo reconozca es una injusticia que le causa una herida íntima.

Estos dos casos presentan en miniatura cómo la novela pide la colaboración de la lectura para desvelar la trama velada en la que los ecos y resonancias van dando una forma unificadora a la narrativa fragmentaria. Lejos de una historia con desarrollo psicológico de personajes distintivos que unifique las partes, son los esquemas interpretativos de los personajes los que hilvanan una continuidad y crean hilos conductores que producen la trama temática y conceptual del conjunto.

La fragmentación plantea una demolición del sentido lineal guiado por el principio de causalidad. Alejada de la linealidad y del psicologismo, la narración fragmentaria es una forma interrogativa que pone en cuestión los discursos dominantes que se despliegan viñeta a viñeta mediante la utilización de recursos que, a menudo, suscitan la lectura irónica a contrapelo. Lo hace a través de la visibilidad de la construcción, de los puntos ciegos y los intereses sobre los que se funda la maquinaria que incide en formas de control social y cultural.

Perturbador es el mundo que aparece en *Chispas* e inquietantes son los dispositivos de inteligibilidad dominantes que usan los personajes de las viñetas examinadas. De acuerdo con la hermenéutica de Foucault, "dispositivos de inteligibilidad" son los esquemas interpretativos cuyos mecanismos a veces nos controlan y constituyen como sujetos disciplinados; una vez interiorizados, aparecen como naturales y normales dando forma a nuestra experiencia y a nuestros deseos. A veces, la perspectiva activa de la mirada abre vías de resistencia y el sujeto pasa a ser agente con iniciativa para desvelar los mecanismos creadores que le constituyen como sujeto y normalizan su percepción.[6] Pero en el modelo dominante de *Chispas*, los personajes a menudo no perciben los mecanismos que les controlan. Con todo, la construcción del mundo narrativo revela al lector determinados puntos ciegos de los

---

[6] Pienso aquí en aquellas viñetas en las que asoma una perspectiva contemplativa y reflexiva que no se ajusta al modelo del ganador del argumento de destino. En "El efecto llamada" (101-2) hay una mirada crítica que muestra la trama subyacente de los modelos culturales sexuados de la moda, la educación, las noticas, la violencia contra las mujeres, el machismo o las violaciones. Conecta con lucidez la interiorización de patrones sexuados que operan a través de esquemas de pensamiento diseminados por el cuerpo social. Es una mirada reflexiva y privada, que opera sin la avidez que mueve la necesidad del reconocimiento. Es cierto que son pinceladas y que el esbozo que se traza queda abierto en la última parte al aludir una de las interlocutoras a la interiorización de las pautas de comportamiento de las fiestas de botellón.

personajes. A través de la ironía el texto sugiere que la mirada del personaje está desenfocada y proyecta unos dispositivos de inteligibilidad deficientes para desvelar su experiencia y el entorno que le rodea. En otras palabras, la lectura irónica problematiza las certezas de los personajes haciendo visibles las deficiencias de sus categorías perceptivas y su relación con los dispositivos de inteligibilidad que subyacen a ellas. En la medida en que un dispositivo tiene la capacidad de orientar y moldear la perspectiva, la presión condicionante del móvil en *Chispas* muestra su poder modelador del lenguaje, comportamientos, expectativas y deseos.[7] Los esquemas para ordenar la realidad, sus valores y el seguimiento ciego sin apenas resistencia ni cuestionamiento, todo ello apunta al predominio de un argumento de destino que genera puntos ciegos en los personajes. Por otro lado, la fragmentación incita al lector a activar dispositivos organizadores con los que desvelar los conectores de sentido. Hemos visto que a través de ellos aparecen puntos ciegos desestabilizadores del argumento de destino orientado a un futuro prometedor, el cual, insaciable, se pospone y difiere una y otra vez.[8] A través de los nexos que conectan las partes asoman las cadenas doradas. Si, según vimos, los escolares de *Antagonía* llamaban al cole la jaula y hablaban de los profesores como si fueran guardianes de la prisión, la novela postula la complicidad de la lectura para ver las cadenas doradas y dar forma a un contrarrelato interrogativo.

LA FRAGMENTACIÓN COMO RESISTENCIA INTERROGATIVA

De las viñetas observadas surge una pregunta relativa a la conexión de la forma narrativa fragmentaria y discontinua con la realidad social. Recordemos que el pensamiento moderno señala la ruptura entre las palabras y la experiencia, entre el signo y su referente; Foucault apuntó esa dirección de la modernidad en el propio título de su libro *Las palabras y las cosas*. A la problemática relación de las palabras con las

---

[7] En *¿Qué es un dispositivo?* Agamben conecta su planteamiento con Foucault e incluye el móvil como un dispositivo clave de nuestra época.

[8] Rodríguez Fischer se refiere a las viñetas que componen el libro como un "mapa de la estulticia que nos rodea". Para Hidalgo, hay "algo subversivo en *Chispas*, sí, algo que transmite ganas de salir a incendiarlo todo". El estilo sarcástico con humor que atraviesa la creación de las situaciones comunicativas explicaría las dos características resaltadas por los dos críticos. El propio autor parece citarse a través de Ludwig Goitialone y en la última página alude a nuestra época calificándola de "boba".

cosas hay que sumar la discontinuidad narrativa, la cual es desestabilizadora y convierte a quien lee en cómplice necesario para ensamblar las viñetas en un conjunto significativo. La forma de contar exige en la recepción un grado de distanciamiento para poder ordenarlas y desvelar cómo diferentes dispositivos crean sentidos diferenciados desde múltiples perspectivas.

La discontinuidad narrativa hace visibles los dispositivos de inteligibilidad y muestra una realidad cambiante a la vez que desvela cómo las ideas imperantes de la realidad obedecen a un lenguaje y a unas convenciones, a normas y prácticas sociales que dan forma, naturalizan y justifican la idea de realidad. La fragmentación fuerza la atención de la lectura y mueve a explorar las fuerzas en disputa, las tensiones que producen las múltiples ideas de realidad dentro del texto.[9] El análisis muestra que no existe una única idea de realidad y pone de manifiesto cómo se construye su significación cambiante y plural.

Las diferencias entre los interlocutores dan forma a perspectivas que van matizando una composición coral. Se acentúan las diferencias en el ámbito cultural, la literatura, la música, la pintura, destaca la educación atada a las nuevas tecnologías, sobre todo al móvil, que es una parte integral de la identidad y un objeto inseparable del sujeto cognoscente. Lo que se conoce forma parte de quien conoce a través del espejo del móvil. En el curso de la lectura se va configurando un tiempo narrativo dominado por argumentos de destino, de proyección a un futuro sin perspectiva crítica anclada en la historia. Si antes lo sólido se tornó líquido, ahora prevalece lo gaseoso.[10]

La fragmentación incita a considerar el presente desde una perspectiva interrogativa. Al fondo de la historia, los conectores de sentido que usan los personajes y la propia composición narrativa se hacen visibles y constituyen un contrapunto de la historia, en la medida en que

---

[9] A lo largo de la lectura tengo presente el planteamiento Barbara Johnson sobre la lectura, entendida como "the careful teasing out of warring forces of signification within the text itself" (5).

[10] Como contraste de lo líquido con lo fijo, lo estable y lo sólido, recuérdese la estructura líquida de Zigmunt Bauman y sus manifestaciones en torno al amor líquido, la vida líquida, los miedos líquidos, la sociedad líquida. Bauman desarrolla figuras de la mentalidad líquida en la que las que estructuras sólidas, resistentes y duraderas se desvanecen y disuelven imponiéndose lo flexible, lo cambiable, lo cambiante y lo inestable, es decir, lo líquido que cambia como la forma del agua. En esa dirección, véase la viñeta "Mejor que líquido, gaseoso" (93-5). El propio título cifra la condición actual presentada en *Chispas* bajo el signo de lo gaseoso.

postulan una lectura crítica y socaban la idea de progreso dominante y los efectos inquietantes que produce. Todo ello destaca la importancia de la toma de conciencia en las situaciones cotidianas, en su dimensión estética a la vez que política.

La novela interpela al destinatario a no confundir las palabras con las cosas y a descifrar el papel del lenguaje en la configuración de las tramas que atribuyen sentido al mundo. Induce a no confundir la realidad lingüística con la fenoménica.[11] Sin confundirlas, el fragmentarismo impone distancia en la recepción y visibiliza las constelaciones que el lenguaje va creando en la configuración de la realidad de la novela. Ahí se ve que el argumento del destino impone una lógica ganadora a la vez que muestra de modo velado cómo la avidez por ganar y el triunfo giran sobre un punto ciego del argumento de destino, sobre una meta final, un futuro inalcanzable, siempre diferido por sujetos deseantes necesitados de ganar y producir para continuar generando sentido. Con la iniciativa agencial suspendida, el sujeto queda sometido al deseo de seguir una línea de progreso productivo, dirigido a lograr el destino final y ganador, siempre diferido.

La forma fragmentaria diluye la historia fuera del flujo narrativo y sitúa la recepción en una posición estética con relación al mundo de la novela y a su contexto.[12] Produce una distancia observadora e intensifica la conciencia reflexiva que convierte los conectores de sentido en el centro de atención. Dado que la forma fragmentaria crea una posición estética distante, el significado del movimiento de la historia aparece entonces unido a la toma de conciencia crítica de la propia actividad generadora de sentido.

[11] Tengo presente aquí la escueta definición de ideología de Paul de Man: "What we call ideology is precisely the confusion of linguistic with natural reality, of reference with phenomenalism" (11). Cuando se produce la confusión de la realidad lingüística con la fenoménica, los hechos se convierten entonces meros ejemplos ilustrativos de la ideología, la cual produce ideaciones que sirven como causa explicativa del acontecer. Opera en términos afines a lo que Foucault llamaba la microfísica del poder. Los esquemas de pensamiento dominantes no operan con un lenguaje represivo que se limita a decir no, sino que el lenguaje "produce cosas, induce placer, forma saber, produce discursos; es preciso considerarlo como una red productiva que atraviesa todo el cuerpo social más que como una instancia negativa que tiene como función reprimir" (Foucault [*Microfísica del poder*] 182). Ahora bien, hemos visto que a veces en *Chipas* se vislumbra una mirada irónica que pone de manifiesto cómo condicionan los automatismos interpretativos y los puntos ciegos que la microfísica del poder genera. Así, por ejemplo, vimos que el pensamiento esbozado en "El efecto llamada" (101-2) aparece en forma interrogativa y cuestiona la mentalidad de la otra viñeta del mismo título "El efecto llamada" (51-2).

[12] Para la dimensión estética y la política de la cultura, ver Sianne Ngai.

A la vez que los hablantes a menudo se aferran a su posición interpretativa, los diálogos y la novela en su conjunto manifiestan ceguera a unos valores que conllevan sumisión y pérdida de agencialidad. Es en la lectura donde uno se ve impelido a esclarecer las tramas argumentativas de los dialogantes y sus puntos ciegos. Lejos de cumplirse, las expectativas insaciables del argumento de destino acaban encadenando, aun cuando parezca que van a liberar a quienes se acogen a sus pautas organizadoras del mundo. Una lectura figurativa del mundo actual. El conjunto de viñetas invita a elucidar nuestra condición y a plantearse la construcción cultural e histórica de la mentalidad generadora de la avidez productiva. Sus excesos tóxicos son visibles en los puntos ciegos del argumento de destino impulsado por el afán de ganar y situarse en el futuro.

Leer *Chispas* incita a confrontar el presente a través de situaciones comunicativas que instan a imaginar el momento presente cuestionando lo que se tiene por natural. Lo hace alejándose del didactismo monológico de la ideología política, en la medida en que no fija un punto central para que todo gire en torno a él. A través de la ironía desenfadada se aleja de categorías rígidas y apela a la lectura activa que desvela el sueño narcisista bajo el entusiasmo rotundo y hueco de algunas voces. La cita de la última página de un tal Ludwig Goytialone, que apenas oculta el nombre del firmante de la novela, refuerza una vez más la óptica distante sobre el conjunto del texto leído: "El mundo ha pasado por épocas peores; tan boba como esta ninguna" (129). *Chispas* muestra que la literatura continúa desempeñando un papel vital dentro de la cultura cuyo alcance interrogativo desnaturaliza lo convencional y sitúa la mirada en un plano reflexivo. Desde ahí se ilumina la interdependencia de las partes configuradoras de la realidad, se toma conciencia de los mecanismos que la hacen inteligible y se reconoce la alteridad constitutiva de la idea de identidad.

Leída desde esta perspectiva, *Chispas* avanza en la formación de una mirada preventiva del mundo y de uno mismo. Alejada del discurso complaciente que busca preservar el orden de cosas dominante, la novela muestra signos perturbadores en el modelo de progreso actual y cuestiona las certezas del lector que participa y asume como naturales sus esquemas. Desde este punto de vista, sus certezas aparecen como cadenas cuando la mirada interrogativa muestra que la forma de progreso de ese modelo es encadenador y resta agenciación individual y social.

Obras citadas

Agamben, Giorgio. *¿Qué es un dispositivo? Seguido de El amigo y de La Iglesia y el Reino.* Barcelona: Anagrama, 2015.

Foucault, Michel. *Microfísica del poder.* Madrid: Las Ediciones de La Piqueta, 1978.

Freud, Sigmund. "Fetichism." *Standard Edition of the Complete Psychological Works.* Trad. James Strachey. London: Hogarth Press and the Institute of Psycho-Analysis, 1953-74. 24 vols., vol. 21. 147-57.

Goytisolo, Luis. *Antagonía.* Edición, prólogo y notas de Carlos Javier García. Epílogo de Gonzalo Sobejano. Madrid: Cátedra, 2016.

—. *Chispas.* Barcelona: Anagrama, 2019.

Hidalgo, Manuel. "Luis Goytisolo, peligro de incendio". *El Cultural* 20 de junio de 2019.

Johnson, Barbara. *The Critical Difference. Essays in the Contemporary Rhetoric of Reading.* Baltimore and London: Johns Hopkins UP, 1980.

Man, Paul de. *The Resistance to Theory.* Forword by Wlad Godzich. Minneapolis: U of Minnesota P, 2002.

Ngai, Sianne. "Our Aesthetic Categories". *PMLA* 125.4 (2010): 948-58.

Rodríguez Fischer, Ana. "Polvo de diamante". *El País* 30 de septiembre 2019.

Sánchez Ferlosio, Rafael. "Carácter y destino". *Páginas escogidas.* Selección Ignacio Echevarría. Barcelona: Literatura Random House, 2017, pp. 343-368.

UTOPÍA Y REVOLUCIÓN DEL MANDO A DISTANCIA: CUANDO LA REBELIÓN SE REDUCE A UNA PELÍCULA

Jorge González del Pozo
University of Michigan-Dearborn

... la distopía como advertencia. En el siglo XX aprendimos que no había esperanza en la ideología y, en el XXI, comenzamos a atisbar que la tecnología tornó en ideología y que no hemos mejorado como seres humanos.

Rebeca Yanke

Nostalgia de un pasado, anhelo de un presente

La nostalgia por las revoluciones pasadas y la confirmación del desencanto tras la caída del muro de Berlín en 1989, han devenido en una apatía generalizada y una falta de respuesta social a la pérdida de libertades y al detrimento de la justicia social, ya que la ética está fuera de toda iniciativa institucional dominada por el capitalismo/consumismo extremo contemporáneo.[1] En esta línea, la cultura como subversión

---

[1] El consumo promueve la satisfacción sin límites, pero su carácter efímero delata el vacío tras un comportamiento compulsivo, el círculo vicioso que genera el consumismo sin medida está detrás de esta vana revolución del mando a distancia:

Consumption promises satisfaction in substitution and then denies it because all objects are rest-stops amid the process of remaining unsatisfied counts for being alive under capitalism, in the impasse of desire, then hoarding seems like a solution to something. Hoarding controls the promise of value against expenditure, as it performs the enjoyment of an infinite present of holding pure potential. The end, then, is the story's tableau of the contradiction that shakes, stuns, and paralyzes its protagonists. Under capitalism, being in circulation denotes being in life, while an inexhaustible hoard denotes being in fantasy, which is itself a hoarding station against a threatening real, and therefore seems like a better aspirational realism. (Berlant 12)

El consumo promete satisfacción en la sustitución y luego la niega porque todos los objetos son paradas en el proceso de permanecer insatisfecho bajo el capitalismo, a modo de callejón sin salida del deseo, y la acumulación se presenta como una solución. La acumulación controla la promesa de futuro, ya que materializa el disfrute de un presente infinito con potencial puro. El final, entonces, es el cuadro de la historia de la contradicción que sacude, aturde y paraliza a sus protagonistas. Bajo el capitalismo, estar en circulación denota estar en la vida, mientras que un tesoro inagotable denota estar en la fantasía, que es en sí mismo una estación de atesoramiento contra una realidad amenazante y, por lo tanto, parece una

también se ha visto envuelta dentro del carácter apaciguador que calma los conatos de rebelión. El cine y su representación de las utopías/distopías han generado una fantasía de rebelión que consigue suplantar cualquier revolución necesaria y aboca a los individuos a mantenerse en sus parámetros sin agitar el *status quo* actual que les condena al precariado mientras apaga la llama de cualquier cuestionamiento socio-político. La propia cultura que numerosos individuos adoran consigue generar una ilusión de rebelión por la trama de insubordinación que numerosas cintas proponen, intencionadamente o no, como es el caso del filme objeto de estudio en este trabajo: *Vulcania* (2015) de José Skaf, una distopía basada en el control autoritario y la sublevación hacia el mismo. El aislamiento actual y el individualismo cada vez más excluyente se representan en esta cinta conectando con el espectador, para permitir que este desarrolle la idea de revolución y plantear numerosas dudas acerca del sistema actual, siempre en la ficción, para que la preocupación se libere y se cierre en el visionado sin trascender a la realidad. Este mecanismo de revolución del mando a distancia permite que el individualismo crezca y la falta de empatía se instale en la sociedad ampliando la brecha ética entre iguales para cebar el amor, paradójicamente, hacia lo que encadena a los seres humanos a su detrimento.

El convulso siglo XX, con una intensa actividad política y social, ha dejado atrás sin miramientos los movimientos colectivos que propiciaron el avance en materia de derechos que hoy en día se ven amenazados, si no directamente mutilados, por parte de políticos, economistas y corporaciones, de la misma forma que muchos individuos se dejan llevar por la apatía hacia la pérdida de libertades:

> Con sus revoluciones, guerras, golpes de estado, dictaduras y exterminios, el siglo XX se proyecta sobre nosotros como un siglo de imágenes de desaparecidos, de personajes de una novela de Patrick Modiano en la que la identidad es un territorio frágil e inestable. Con las catastróficas consecuencias del capitalismo indiscriminado, que ha continuado la terea de borrarnos a todos sin apenas trámites, el siglo XXI será el de los detectives salvajes con quienes soñó Roberto Bolaño, o no será. (Rodríguez 17)

---

realidad a la que aspirar. (Traducción del autor)

El capitalismo, vendido como la gran salvación de la sociedad contemporánea debido a su extrema e indiscriminada forma de expandirse, ha tenido unas consecuencias sumamente negativas para la cohesión social y el avance colectivo, que se pueden comprobar cotidianamente en la sociedad española, pero también por extensión en buena parte de occidente, ya que la realidad de los ciudadanos de estas regiones se ve cada vez más limitada a la hora de expresarse y acceder a posibilidades económicas, sociales y vitales, consumando la deficiencia de un modelo reproducido hasta la extenuación, que lo último que tiene en cuenta es el bienestar.

NARRATIVAS DISTÓPICAS, FANTASÍAS DE OTRAS REALIDADES

El cine, como ocio, industria y reflejo de los entornos en los que se desarrolla, ha tratado la pérdida de la sociedad del bienestar largo y tendido desde numerosos ángulos: con esta temática se han producido películas comerciales de gran alcance como *V de Vendetta* (2005) de James McTeigue, sin dejar de lado otras más alegóricas y experimentales como la alemana *La ola* (2008) de Dennis Gansel, o piezas clásicas que tratan la rebelión de la sociedad, como *Espartaco* (1960) de Stanley Kubrick, *El planeta de los simios* (1968) de Franklin J. Schaffner, o incluso más actuales y fantásticas como *Los juegos del hambre* (2012) de Gary Ross, sin olvidar piezas de calado político, fundacionales como son *El acorazado Potemkin* (1925) Sergei M. Eisenstein, icónicas como *The Matrix* (1999) de las hermanas Wachowski, contextuales y de género como *Motín a bordo* (1962) de Lewis Milestone y Carol Reed, superproducciones tales como *La guerra de las galaxias* (1977) de George Lucas, obras de autor para la posteridad como lo fuera *La batalla de Argelia* (1966) de Gillo Pontecorvo, hasta experimentos visuales en 3D como puede ser *Avatar* (2009) de James Cameron. En esta amplia selección de obras cinematográficas con la temática de la rebelión, más o menos centralmente expuesta en su trama, encaja perfectamente la obra de estudio en cuestión. *Vulcania*, como una de las cintas de reciente estreno en España que retrata una sociedad distópica con una estética retro-futurística, plantea cómo sería una revolución en un mundo ultracontrolado, como si de un gran hermano inspirado en *1984*, la obra de George Orwell publicada en 1949, se tratara.

El auge de la narrativa distópica, especialmente en la escena cinematográfica internacional, ha superado:

> la época de los vampiros adolescentes, los más jóvenes se sumergen hoy en sagas literarias distópicas —*El corredor del laberinto, Los juegos del hambre, El piso mil, Divergente, Trilogía Glow...*—, además de en sus correspondientes versiones fílmicas. Mientras, los adultos hacen lo mismo con novelas y series que imaginan futuros en los que la Humanidad se toma el pulso; un pliegue histórico en el que los conceptos sobre los que se sostenía tradicionalmente la distopía —los peligros del totalitarismo y el capitalismo, el control social, la amenaza nuclear— han ido mutando a medida que se adentraba el Tercer Milenio. Como nosotros. (Yanke)

Tomarle el pulso a la humanidad, así como a los avances del totalitarismo y del capitalismo, se ha convertido en un debate público que ha pasado de ser una preocupación a una temática recurrente en el ocio audiovisual de este siglo XXI, que no hace más que quitar carga a cualquier situación, por muy grave que sea, eliminando la cuita y convirtiéndola en una forma más de interactuar con la realidad social, pero ahora desde un punto de vista distanciado y casi frívolo, en ocasiones.

El miedo inspiró obras como *Un mundo feliz* (1932) de Aldous Huxley y las utopías/distopías que catalizan el peligro del totalitarismo y del control social absoluto como objetivo institucional y fomentan que el futuro se convierta en incierto y deprimente, ya que se trata de un porvenir sin libertad.[2] De la misma forma, el pasado no

---

[2] La utopía socialista busca contestar el control totalitario que está desplegando su alcance hasta lo más íntimo y privado de la vida individual, con la permisividad de los seres humanos: *Socialist utopia was deeply linked to a workers' memory that disappeared during the last crucial decades. The fall of communism coincided with the end of Fordism, that is, the model of industrial capitalism that had dominated the twentieth century. The introduction of flexible, mobile, and precarious work as well as the penetration of individualist models of competition among salary men eroded traditional forms of sociability and solidarity. The advent of new forms of production and the dislocation of the old system of big factories with enormous concentration of labor forces had many consequences: on the one hand, it deeply affected the traditional left, putting into question its social and political identity; on the other hand, disarticulated the social frameworks of the left's memory, whose continuity was irremediably broken. The European workers movement lost both its social basis and its culture.* (Traverso 9) La utopía socialista estaba profundamente vinculada a la memoria de los trabajadores que desapareció durante las últimas décadas cruciales. La caída del comunismo coincidió con el fin del fordismo, es decir, el modelo de capitalismo industrial que había dominado el

reconforta, más allá de la nostalgia de un tiempo mitificado en el que la sociedad se preocupaba por el bien común que nunca volverá y que se desvanece en un presente en el que se confirma cómo las ilusiones de mejora de la sociedad desaparecen con cada legislación. En esta situación, pesimista cuando menos, parece más fácil abrazar la zombificación y la anestesia social generalizada para poder sobrevivir, que adoptar cualquier tipo de acción que suponga un paso en la dirección correcta a la hora de liberar comportamientos, colectivos e individuos de cualquier tipo de alienación:

A relation of cruel optimism exists when something you desire is actually an obstacle to your flourishing. It might involve food, or a kind of love; it might be a fantasy of the good life, or a political project. It might rest on something simpler, too, like a new habit that promises to induce in you an improved way of being. These kinds of optimistic relation are not inherently cruel. They become cruel only when the object that draws your attachment actively impedes the aim that brought you to it initially. (Berlant 1)
Existe una relación de optimismo cruel cuando algo que deseas es en realidad un obstáculo para tu florecimiento. Puede implicar comida o una especie de amor; puede ser una fantasía de la buena vida o un proyecto político. También podría tratarse algo más simple, como un nuevo hábito que promete inducir a una mejor forma de ser. Este tipo de relación optimista no es inherentemente cruel. Se vuelven crueles solo cuando el objeto deseado y el apego que demanda impide explícitamente el desarrollo y consecución del objetivo que lo atrajo inicialmente. (Traducción del autor)

El concepto de optimismo cruel desarrollado por este crítico se disemina por esta sociedad actual de forma que cualquier objeto, actitud o estado deseable es un obstáculo para el avance de una persona, un grupo o incluso una sociedad. Estos objetos o comportamientos de deseo son muy variados y van desde una comida, un tipo de relación,

siglo XX. La introducción de trabajo flexible, móvil y precario, así como la penetración de modelos de competencia individualistas entre los hombres asalariados erosionaron formas tradicionales de sociabilidad y solidaridad. El advenimiento de nuevas formas de producción y la dislocación del antiguo sistema de grandes fábricas con una enorme concentración de la fuerza laboral tuvo muchas consecuencias: por un lado, afectó profundamente a la izquierda tradicional, poniendo en tela de juicio su identidad social y política; por otro lado, desarticuló los marcos sociales de la memoria de la izquierda, cuya continuidad se rompió irremediablemente. El movimiento obrero europeo perdió tanto su base social como su cultura. (Traducción del autor)

una fantasía o incluso un proyecto político, a una forma de ser o un estilo de vida.[3] Estas relaciones optimistas con lo deseado no son inherentemente crueles, pero se convierten en detrimentos cuando se tornan estorbo para alcanzar eso mismo por lo que generaron una atracción. Como si se tratase de una adicción que va más allá de los físico o psicológico y de la satisfacción inmediata, este optimismo cruel hace que las personas se obsesionen y crean que disfrutan de algo, cuando en realidad no hace más que lastrarles y mantenerles, desde la confusión ilusoria que permite la falta de visión panorámica y el aislamiento individual, oprimidos. Las mismas cadenas que se aman suponen este optimismo cruel que engaña a las sociedades actuales.

De aquellas utopías nostálgicas de finales de los 60, pasando por los movimientos sociales de los 70 y las ilusiones generadas tras la caída definitiva y simbólica del telón de acero y el muro de Berlín, solo queda el vago recuerdo:

> *The obsession with the past that is shaping our time results from eclipse of utopias: a world without utopias inevitably looks back. Emergence of memory in the public space of Western societies is a consequence of this change. We entered the twenty-first century without revolutions, without Bastilles or Winter Palace assaults, but we a shocking, hideous ersatz on September with*

---

[3] El objeto de deseo, como un tótem que se ha instalado en las sociedades occidentales, sea cual sea ese objeto, se ha llevado hasta las últimas consecuencias para los individuos que los persiguen a toda costa, sin tener en cuenta las consecuencias incluso personales, ni que decir tiene las colectivas y sociales:

All attachments are optimistic. When we talk about an object of desire, we are really talking about a cluster of promises we want someone or something to make to us and make possible for us. This cluster of promises could seem embedded in a person, a thing, an institution, a text, a norm, a bunch of cells, smells, a good idea-whatever. To phrase "the object of desire" as cluster of promises is to allow us to encounter what's incoherent or enigmatic in our attachments, not as confirmation of our irrationality but as an explanation of our sense of our endurance in the object, insofar as proximity to the object means proximity to the cluster of things that the object promises, some of which may be clear to us and good for us while others, not so much. (Berlant 23-4)

Todas las ligazones son optimistas. Cuando hablamos de un objeto de deseo, realmente estamos hablando de un grupo de promesas que queremos que alguien o algo haga y nos haga posible. Este grupo de promesas podría parecer incrustado en una persona, una cosa, una institución, un texto, una norma, un montón de células, olores, una buena idea, lo que sea. Formular "el objeto del deseo" como grupo de promesas es permitirnos encontrar lo incoherente o enigmático en nuestros apegos, no como una confirmación de nuestra irracionalidad, sino como una explicación de nuestro sentido de nuestra resistencia en el objeto, en la medida en que nos acercamos a el objeto significa proximidad al conjunto de cosas que promete el objeto, algunas de las cuales pueden ser claras para nosotros y buenas para nosotros, mientras que otras, no tanto. (Traducción del autor).

the attacks on the Towers and the Pentagon, which spread terror instead of hope. (Traverso 9)

La obsesión con el pasado que está dando forma a nuestro tiempo resulta del eclipse de utopías: un mundo sin utopías inevitablemente mira hacia atrás. El surgimiento de la memoria en el espacio público de las sociedades occidentales es una consecuencia de este cambio. Entramos en el siglo XXI sin revoluciones, sin asaltos a las Bastillas o al Palacio de Invierno, pero tuvimos un espantoso y espantoso ataque el 13 de septiembre con los ataques a las Torres y al Pentágono, que extendieron el terror en lugar de la esperanza. (Traducción del autor)

Las sociedades occidentales no dejan de mirar atrás porque la fe en un futuro mejor ha desaparecido completamente. El siglo XXI comenzó con el atentado a las Torres Gemelas de Nueva York y sin grandes revoluciones, o con las ocurridas fuera de occidente acalladas tras emerger orgánicamente. El miedo, en lugar de la esperanza, y la desidia, en vez de la expectativa, se han apoderado del discurso dominante para que los individuos ni siquiera conciban un atisbo de rebelión.

Alegorías soñadas a través de la pantalla

Tal es el caso de *Vulcania*, la película que ilustra cómo el ciudadano/espectador medio se conforma con la tibia ilusión de la rebelión y la nostalgia de una izquierda cercenada, que encuentra en la gran pantalla un placebo, pero que confirma cómo las cadenas que son el capitalismo y el consumismo individualista que conduce al vacío existencial, pueden ser amadas por un gran número de sujetos embelesados y cegados con las sedas en las que están envueltas.[4] La sensación de

---

[4] El olvido como destino es el gran miedo de la izquierda a que las capas incesantes de consumo lapiden por completo la verdadera necesidad de luchar por los derechos sociales cada vez más enterrados:
Positing oblivion as a possible destiny for communism means that its defeat at the end of the twentieth century could be more than a lost battle; it could be a lost war, a final defeat. In fact, Marxist thinkers disposed to admit such a possibility have always been very rare. Of course, the road to socialism was fraught with pitfalls, but in any case the final victory was assured. Of course, the history of revolutions is a history of defeats, because all of them have been followed by restorations, authoritarian turns, and Thermidorian reactions, but to learn the "upright walk" of human beings is a difficult task. (Traverso 32).
Posicionar el olvido como un posible destino para el comunismo significa que su derrota a fines del siglo XX podría ser más que una batalla perdida. Podría ser una guerra perdida, una derrota final. De hecho, los pensadores marxistas dispuestos a admitir tal posibilidad

libertad, falsa, que otorga el consumismo y la personalización, acompañada del libre albedrío circunscrito a un área muy limitada, es generada por la cultura, en forma de filme, la que despliega ese sentimiento de libertad, pero que realmente solo es una quimera. Este sueño conecta con *The Matrix*, como obra fundamental de este género distópico mediante el cual los árboles no dejan ver el bosque y la sociedad se ha perdido en el camino. Este cúmulo de metáforas no hacen más que confirmar que la pregunta acerca de cuál es el sentido de la vida y una posible respuesta se aleja más que nunca para el común de la sociedad, que se encuentra perdida y ni siquiera sabe que lo está. *Vulcania* formula en su trama cómo rebelarse ante la autoridad, pero individualmente, contra un sistema que controla y oprime, aniquilando cualquier perspectiva posible. El nivel de control y de consumo de individuos por parte de esta macro-maquinaria, como si de canales de carne se tratara, destapa que ni siquiera las clases dirigentes mandan ni son libres, solo son marionetas manejadas por hilos invisibles de otros, por encima de ellas, que deciden en la sombra. Las sociedades aman a los líderes, pero los que figuran como tal no lo son, las sociedades disfrutan de este engaño, es más fácil así, haciendo ver que la realidad casi siempre es más dura.

Vulcania, como una más de estas manifestaciones culturales, permite la fantasía o ilusión de revolución retratada en la gran pantalla, la revolución del mando a distancia o de la sala de proyecciones, que avanza cada vez más hacia la desconexión social. Desde la pantalla individual se adentra en un túnel que aísla y condena, pero que paradójicamente es adictivo hasta límites insospechados. El control total a través del ocio, que los individuos no perciben ya que pueden elegir, recae en la categoría de ilusorio, pues el poder efectivo de controlar los contenidos o el destino de la vida es mínimo. Concretamente las distopías, y especialmente las opresoras como la que ofrece *Vulcania*, que narran la decadencia o presentan cómo el individuo puede revertir el sistema, intentando salir de él, calman el ansia social de libertad y el posible conato de rebelión. Los espectadores se quedan satisfechos con la identificación con los personajes, como si hubieran vivido en

---

siempre han sido poco comunes. Por supuesto, el camino hacia el socialismo estaba lleno de trampas, pero en cualquier caso la victoria final estaba asegurada. De hecho, la historia de las revoluciones es una historia de derrotas, porque a todas ellas les han seguido restauraciones, giros autoritarios y reacciones termidorianas, pero aprender el "caminar erguido" de los seres humanos es una tarea difícil. (Traducciónn del autor)

ese contexto fílmico de revolución, propio de la nostalgia hacia una realidad desconocida. La vida representada en la ficción se convierte de forma inconsciente en un mito, ya que vivir en la realidad sería insoportable, llevada a cabo mediante esta fantasía alternativa desarrollada en la gran pantalla y usando manifestaciones culturales como esta película, como el mejor vehículo, estableciendo el filme como evasión o alegoría, y como crítica, ya sea en una lectura superficial o en una lectura más profunda, que a casi todos apacigua, a medida de cada espectador.[5]

En *Vulcania*, de forma similar a otras distopías estrenadas en el cine, la familia es el núcleo principal de asociación social, y todos aquellos que no encajan dentro de la familia tradicional quedan de una forma u otra marginados de la vida social y pública de la comunidad. La familia sigue siendo uno de los elementos de cohesión e identidad más determinantes en la sociedad española, la ficción no escapa de esta realidad, a pesar de que la unidad familiar esté evolucionando hacia otras opciones. Por este motivo, los protagonistas de la película no dejan de ser una *rara avis,* ya que viven en soledad. La relación precaria o de falta de entendimiento entre ellos y el resto de la sociedad justifica su aislamiento (cf. Standing 245). El contexto opresivo en el que se despliega *Vulcania* fomenta la reproducción de valores tradicionales anclados en la familia y la extrapolación del cuestionamiento de cualquier tipo de institución, incluida la familia, se hace visible en la obra objeto de estudio. De esta forma, la revolución de la pantalla no busca solo el cuestionamiento del sistema o las instituciones oficiales, también cuestiona la realidad diaria y más privada que implica el tipo de creencias que una comunidad usa como moneda de cambio.

---

[5] Las fantasias quedan en eso, sin ir más lejos, pero también apaciguan la necesidad de alzamiento, ya que la fanstasía es suficiente para la sociedad contemporánea:
... *what happens to fantasies of the good life when the ordinary becomes a landfill for overwhelming and impend crises of life-building and expectation whose sheer volume so threatens what it has meant to "have a life" that adjustment seems like an accomplishment. Tracks the emergence of a precarious public sphere, an intimate public of subjects who circulate scenarios of economic and intimate contingency and trade paradigms for how best to live on, considering.* (Berlant 3)
... qué sucede con las fantasías de la buena vida cuando lo ordinario se convierte en un vertedero para abrumar e imponer crisis de construcción de vida y expectativa cuyo gran volumen amenaza tanto lo que ha significado "tener una vida" que el ajuste parece un logro. Hace un seguimiento del surgimiento de una esfera pública precaria, un público íntimo de sujetos que circulan escenarios de contingencias económicas e íntimas y paradigmas comerciales sobre la mejor forma de vivir, considerando el contexto. (Traducción del autor)

Lo que destapan las distopías en el celuloide como *Vulcania* es la crisis de ideales enmascarada en una falsa felicidad que no es más que la efímera relación contemporánea de los individuos con la sensación de felicidad por los impulsos inmediatos que se pueden satisfacer. Esta situación no tiene en cuenta la erosión de la vida en sociedad a largo plazo, ni profundiza en la relación del placer y el poder adquisitivo, que indefectiblemente, aunque sea para adquirir una felicidad falsa, hace necesario cierto capital y cuanto mayor sea este, mayor la sensación de felicidad impostada, lógicamente:

> *What is striking is that the crisis in happiness has not put social ideals into question and if anything has reinvigorated their hold over both psychic and political life. The demand for happiness is increasingly articulated as a demand to return to social ideals, as if what explains the crisis of happiness is not the failure of these ideals but our failure to follow them. And arguably, at times of crisis the language of happiness acquires an even more powerful hold.* (Ahmed 7)
>
> Lo sorprendente es que la crisis de la felicidad no ha puesto en tela de juicio los ideales sociales y, en todo caso, ha revitalizado su control sobre la vida psíquica y política. La demanda de felicidad se articula cada vez más como una demanda de volver a los ideales sociales, como si lo que explica la crisis de la felicidad no sea el fracaso de estos ideales sino nuestro fracaso en seguirlos. Y podría decirse que, en tiempos de crisis, el lenguaje de la felicidad adquiere una influencia aún más poderosa. (Traducción del autor)

Nadie puede establecer para otros lo que debe ser la felicidad en cada momento, pero la realidad es la crisis sobre la felicidad y su búsqueda, de tal forma que los ideales se tambalean. Esta demanda actual por una vida feliz se basa en ideales aparentemente mutantes y menguantes, aunque lo cierto es que no son los ideales los que se han modificado o perdido, sino las sociedades las que han dejado de perseguir esos ideales y se apoyan en valores que se están desvaneciendo. Así, la ciencia-ficción permite aproximarse a una cuita social a aquellos que paran y reflexionan acerca de la deriva de la sociedad del siglo XXI hacia una serie de obsesiones personales que generan placeres inmediatos, pero que realmente lastran el avance y la mejoría social debido al optimismo cruel que nubla la vista de los individuos.[6]

---

[6] La estructura afectiva que establece los apegos a cuestiones materiales en la vida actual genera un falso optimismo acerca de lo que realmente se puede hacer en esta sociedad,

La revolución cultural que comenzó en la segunda mitad del siglo XX continúa latente, no termina de eclosionar e impregnar el tejido social; es más, está viviendo un retroceso ya que las instituciones y los vínculos sociales con la cultura se han visto muy limitadas desde la crisis de 2008, pues los gobiernos han recortado y gravado la iniciativa cultural hasta la saciedad. El discurso peyorativo y derogatorio hacia la cultura ha sido constante desde ciertos sectores políticos, calando en la sociedad y arrinconando a la cultura y a sus oficios a una marginación y necesidad de subsistencia casi agónica. Pero la necesidad personal tanto de individuos como de sociedades de encontrar en la cultura una forma de recreo así como de evasión no desaparece, pues es innata. Así, la revolución cultural, aunque aletargada, sigue esperando su momento escondida en ciertos colectivos o en recodos mentales de cualquier individuo. *Vulcania*, como tantas otras películas, hace que el cine se convierta en esa vía de escape ineludible, aunque no suficiente, para dar rienda suelta a la necesidad de libertad de cualquier persona, a pesar de que esto mismo haga que la acción social permanezca en la mente y en la retina tras el visionado, sin saltar a la calle y a la acción cultural pertinente:

---

acerca de los derechos, y los placeres aparentemente inagotables y accesibles pronto confirman el vacío del ser humano en el siglo XXI si es capaz de parar y reflexionar:

Whatever the experience of optimism is in particular, then, the affective structure of an optimistic attachment involves a sustaining inclination to return to the scene of fantasy that enables you to expect that this time, nearness to thing will help you or a world to become different in just the right way. Again, optimism is cruel when the object/scene that ignites a sense of possibility actually makes it impossible to attain the expansive transformation for which a person or a people risks striving; and, doubly, it is cruel insofar very pleasures of being inside a relation have become sustaining regardless of the content of the relation, such that a person or a world finds itself bound to a situation of profound threat that is, at the same time, profoundly confirming. (Berlant 2)

Cualquiera que sea la experiencia del optimismo en particular, supone para la estructura afectiva de un apego optimista que implica una inclinación sostenida a regresar a la escena de la fantasía que te permite esperar que esta vez, la cercanía a las cosas te ayudará a ti o al mundo a ser diferente. Una vez más, el optimismo es cruel cuando el objeto/escena que enciende un sentido de posibilidad realmente hace imposible lograr la transformación expansiva por la cual una persona o personas se arriesgan a luchar; y, doblemente, es cruel en la medida en que los placeres de estar dentro de una relación se han vuelto sostenibles, independientemente del contenido de la relación, de tal manera que una persona o un mundo se ven forzados en una situación de profunda amenaza. (Traducción del autor)

Yet there remains a third revolution, perhaps the most difficult of all to interpret.
We speak of a cultural revolution, and we must certainly see the aspiration to
extend the active process of learning, with the skills of literacy and other advan-
ced communication, to all people rather than to limited groups, as comparable
in importance to the growth of democracy and the rise of scientific industry. This
aspiration has been and is being resisted, sometimes openly, sometimes subtly, but
as an aim it has been formally acknowledged, almost universally. (Williams 11)
Sin embargo, queda una tercera revolución, quizás la más difícil de interpretar. Hablamos de una revolución cultural, y ciertamente debemos ver
la aspiración de extender el proceso activo de aprendizaje, con las habilidades de alfabetización y otras comunicaciones avanzadas, a todas las personas en lugar de a grupos limitados, como comparable en importancia
al crecimiento de la democracia y al auge de la industria científica. Esta
aspiración ha sido y se está resistiendo, a veces abiertamente, a veces sutil-
mente, pero como objetivo se ha reconocido formalmente, casi universalmente. (Trad. del autor)

La revolución cultural no recae solo en la manifestación cultural o la
alta cultura, ni siquiera en la cultura popular, esta revolución deberá
anclarse a la educación, al proceso de aprendizaje generalizado que
haga avanzar al común de la sociedad. La comunidad y su cohesión,
sin limitaciones, serán cruciales para el crecimiento de la democracia y
las libertades individuales y colectivas. La situación actual de esta revolución cultural que impacte en la sociedad de forma positiva está muy
lejos de ser idónea. De hecho, está limitada en gran medida, de manera
muy similar a la sociedad que metafóricamente muestra *Vulcania*, ya
que el nivel de control por parte de las autoridades aumenta y las capacidades de los individuos para pensar y actuar libremente disminuyen.

El origen de buena parte de esta nostalgia sobre un pasado más
comprometido socialmente y, además, más propicio a la reflexión con
una velocidad más comedida, parece provenir del derribo de barreras
simbolizado físicamente con la caída del muro de 1989 que escondía
la confirmación de la defunción ya alargada del comunismo:

The turn of 1989 is the moment in which the changes accumulated over the
previous decades suddenly condensed, leading to collapse. The end of commu-
nism introduced new tropes into our historical consciousness: the remembrance
of the victims replaced that of the vanquished; only perpetrators and victims

remained. Nowadays, the actors of the past need to achieve the status of
victim in order to conquer a lace in public memory. (Traverso 57)

El giro de 1989 es el momento en que los cambios acumulados durante las
décadas anteriores se condensaron repentinamente, lo que llevó al colapso. El fin del comunismo introdujo nuevos tropos en nuestra conciencia
histórica: el recuerdo de las víctimas reemplazó al de los vencidos; solo
quedaban los perpetradores y las víctimas. Hoy en día, los actores del pasado necesitan alcanzar el estado de víctima para conquistar un encaje en
la memoria pública. (Trad. del autor)

Si bien el sistema comunista se ha probado fallido, parte de sus valores
todavía siguen vigentes y son aplicables a la sociedad contemporánea,
que necesita de valedores y sistemas que aseguren la protección del
bienestar, con la importancia de preservación de la memoria, como
pilar fundamental de las sociedades occidentales si aspiran a mantener
un equilibrio entre desarrollo y humanidad propicio para la sostenibilidad democrática. El potencial del socialismo y la revolución como
ideal se ha desvanecido en este siglo XXI y ya no supone un contrapunto al avance capitalista. La melancolía de la izquierda recordando
tiempos de mayor compromiso no olvida la necesidad de establecer
un marco en el que las comunidades puedan pensar, mejorar y mantenerse, sin la obligación de crecer a toda costa.[7]

Un manifiesto contrario al Futurismo, en diálogo y contraste con las
máximas de Filippo Tommaso Marinetti, ofrece una serie de mandamientos para la sociedad contemporánea:

We are on the extreme promontory of the centuries... We must look behind to
remember the abyss of violence and horror that military aggressiveness and
nationalist ignorance is capable of conjuring up at any moment in time. We
have lived in the stagnant time of religion for too long. Omnipresent and eter-
nal speed is already behind us, in the Internet, so we can forget its syncopated

---

[7] La diferencia entre nostalgia y melancolía se ha difuminado con su uso, pero la nostalgia
hace referencia al dolor por un lugar, ya sea del que se viene o en el que se ha estado,
siguiendo su etimología griega. Por el contrario, la melancolía recae en la triste confirmación de algo que ha desaparecido y no volverá. Este es el caso de las revoluciones de
la segunda mitad del siglo XX: *"Melancholy was always a hidden dimension of the left,*
even if it came to the surface only at the end of the twentieth century, with the failure
of communism" (Traverso 38) // "La melancolía siempre fue una dimensión oculta de
la izquierda, incluso si salió a la superficie solo a fines del siglo XX, con el fracaso del
comunismo". (T. del A.)

rhymes and find our singular rhythm. (Berardi 137)

Estamos en el promontorio extremo de los siglos... Debemos mirar hacia atrás para recordar el abismo de la violencia y el horror que la agresividad militar y la ignorancia nacionalista son capaces de evocar en cualquier momento. Hemos vivido estancados en la religión durante demasiado tiempo. La velocidad omnipresente y eterna ya está detrás de nosotros, en Internet, por lo que podemos olvidar sus rimas sincopadas y encontrar nuestro ritmo singular. (Trad. del autor)

Las palabras de Berardi entroncan directamente con lo que plantea *Vulcania* para criticar el sistema que retrata: los nacionalismos extremos como caldo de cultivo de violencia militarizada e institucionalizada y la velocidad de la vida actual en la era digital que no permite reflexionar en ningún momento, se establecen como los factores principales para esta perdida sensibilidad y solidaridad social.

De forma concreta, las limitaciones de los individuos representados por los protagonistas de la película, vienen dadas porque el sistema bajo el que se encuentran controla todos sus movimientos, específicamente por la falta de recursos económicos. La ausencia de independencia financiera y la situación de los protagonistas de la cinta, les coloca laboralmente cerca de una especie de precariado que, aunque no es una clase en sí misma, se encuentra en desventaja. Las tensiones dentro del precariado se están imponiendo entre sí, lo que les impide reconocer que la estructura social está produciendo un conjunto común de vulnerabilidades que los personajes sufren (cf. Standing 25). A pesar de todo esto, los personajes principales son los diferentes a la norma, ya que laboralmente se encuentran estables pero frustrados porque entienden que el sistema esconde algo que no les permite ser libres. La presión no cesa y la sociedad se basa en la idea de felicidad como algo deseado y alcanzable si se siguen las normas sociales (cf. Ahmed 5-6). El matrimonio y la familia, así como la carrera profesional, se convierten en pilares básicos de la sociedad retratada en *Vulcania*, como si fuera algo que se puede lograr sin más, cuando realmente está en el interior de cada individuo: *"Hapinness becomes, then, a way of maximizing your potential of getting what you want, as well as being what you want to get"* (Ahmed 10) // "La felicidad se convierte, entonces, en una forma de maximizar su potencial de obtener lo que se desea, además de ser lo que se desea obtener" (Traducción del autor). La felicidad impuesta en sociedad dista bastante de la verdadera posibilidad de obrar a su voluntad de estos individuos, la importancia del libre albedrío individual para ellos no encaja con su contexto porque la libertad es negada por los poderes autoritarios; por lo tanto, los protagonistas suponen una alternativa a todo su entorno y a la sociedad, desafiándolos en su rebelión, para disfrute efímero del espectador medio.

¿DE LA PANTALLA A LA CALLE? SOLO EN LA MENTE

Las fuerzas de producción de la época contemporánea están marcando la manera en que las sociedades se desarrollan y los individuos se relacionan; así, la productividad y la economía ha adquirido una hegemonía sobre el componente humano que no parece salvable, como sufren los habitantes de Vulcania (cf. Debord 27). En las sociedades contemporáneas las comodificaciones se han convertido en la esencia central del mundo y los placeres o deseos se han tornado en necesidades que hay que satisfacer inmediatamente:

> *The fantasies that are fraying include, particularly, upward mobility, job security, political and social equality, and lively, durable intimacy. The set of dissolving assurances also includes meritocracy, the sense that liberal-capitalist society will reliably provide opportunities for individuals to carve out relations of reciprocity that seem fair and that foster life as a project of adding up to something and constructing cushions for enjoyment.* (Berlant 3)
> Las fantasías deshilachadas incluyen, en particular, la movilidad ascendente, la seguridad laboral, la igualdad política y social y la intimidad viva y duradera. El conjunto de garantías de disolución también incluye la meritocracia, el sentido de que la sociedad liberal-capitalista brindará oportunidades confiables para que los individuos forjen relaciones de reciprocidad que parezcan justas y que fomenten la vida como un proyecto de sumarse a algo y construir cojines para el disfrute. (Traducción del autor)

Las fantasías que generan en el individuo los sistemas actuales mediante los cuales la apariencia de libertad es plena, destapan que las únicas libertades residen en consumir y seguir el camino prefijado por los intereses neoliberales. *Vulcania*, en su trama, juega con la perversión de un sistema que cada vez esconde menos la realidad de un control totalitario y la ausencia de libertad. Precisamente por este motivo, las distopías en el cine y las revoluciones del mando a distancia son atractivas ya que el público entiende que es una de sus pocas vías de escape.

El optimismo cruel en el que se ven envueltos numerosos sujetos y colectivos ofrece un tipo de relación con el sistema dominante que fuerza a aceptar la sensación de bienestar aunque películas como la que se analiza aquí demuestren que, en esencia, las posibilidades de un individuo dado son mínimas: *"Cruel Optimism gives a name to a personal and collective kind of relation and sets its elaboration a historical moment that is as transnational as the circulation of capital, State liberalism, and the heterofamilial, upwardly mobile good-life fantasy have become"* (Berlant 11) // "El optimismo cruel da nombre a un tipo de relación personal y colectiva y establece su elaboración en un momento histórico que es tan transnacional como la circulación del capital, el liberalismo del Estado y la fantasía de buena vida heterofamiliar" (Traducción del autor). La promesa constante de un futuro mejor, muy comparable a la promesa atávica religiosa de un paraíso tras la muerte, convierte al futuro en un objeto de deseo más que se puede materializar y conseguir lo anhelado, cerrando así el círculo perverso mediante el cual las sociedades siguen avanzando hacia un oasis que nunca llega, un espejismo *ad eternum*. La felicidad, englobada en este anhelo futuro de muy incierta existencia, al menos en los parámetros que se plantean desde la mercadotecnia, no deja de ser otra quimera a la que aferrarse para poder soportar lo efímero del ser humano y la mínima capacidad de decisión sobre su propia vida que posee: *"The promising nature of happiness suggests happiness lies ahead of us, at least if we do the right thing. To promise after all is to make the future into an object, into something that can be declared in advance of its arrival"* (Ahmed 29) // "La naturaleza prometedora de la felicidad sugiere que la felicidad nos espera, al menos si hacemos lo correcto. Después de todo, prometer es convertir el futuro en un objeto, en algo que pueda declararse antes de su llegada" (Traducción del autor). La proclamación de la necesidad de una felicidad total ha generado legiones de frustrados que siguen soñando con una falsa realidad, embebidos en ella, para negar su miseria, tal y como *Vulcania* demuestra a medida que se desvelan los secretos de la oligarquía que gobierna tiránicamente en la sombra.

El grado de compromiso con la cotidianidad, así como el nivel de ocupación mediante el cual no se deja tiempo para reflexionar, hacen que los individuos no cuestionen el mundo que les rodea y por ello la revolución no se lleve a cabo:

> *It is no accident that revolutionary consciousness means feeling at odds with the world, or feeling that the world is odd. You become estranged from the world as it has been given: the world of good habits and manners, which promises your comfort in return for obedience and good will. As a structure of feeling, alienation is an intense burning presence; it is a feeling that takes place before others, from whom one is alienated, and can feel like a weight that both holds you down and keeps you apart.* (Ahmed 168)
> No es casualidad que la conciencia revolucionaria signifique sentirse en desacuerdo con el mundo, o sentir que el mundo es extraño. Te alejas del mundo como se te ha dado: el mundo de los buenos hábitos y modales, que promete tu comodidad a cambio de la obediencia y la buena voluntad. Como estructura del sentimiento, la alienación es una presencia ardiente intensa; es un sentimiento que tiene lugar antes que otros, de los cuales uno está alejado, y puede sentirse como un peso que te mantiene presionado y te mantiene separado. (Traducción del autor)

La alienación de la vida diaria contemporánea pronto se convierte en zombificación y aceptación de la realidad para caer en un letargo constantemente cebado por el consumismo vacuo. Este gran mal de la sociedad moderna es el que alegóricamente *Vulcania* busca descubrir como fachada postiza a los espectadores que se debaten ante la oferta cultural fílmica de distopías como la aquí analizada entre el optimismo cruel, la cadena que se ama sin ser consciente del daño que hace, y la búsqueda interna de una reacción ante el totalitarismo del que no parece que sea posible salir.

Con el reflejo de *The Matrix* en mente, como la mayor fantasía de control y revolución al mismo tiempo del cine contemporáneo, la idea de un héroe que emerge en un mundo totalmente manipulado que el común de la sociedad no puede ni siquiera advertir y solo él es capaz de darse cuenta, es la forma en la que se desenvuelve *Vulcania*. La ceguera de los habitantes de Vulcania, al igual que la de los ciudadanos de la obra de las hermanas Wachowski, o la realidad actual de la sociedad, entronca con ese optimismo cruel que permite dar rienda a las fantasías para no caer en la desidia de la realidad. Las cadenas amadas alejan a los individuos de cualquier revolución posible para caer en su rutina y dejar que las manifestaciones culturales, en este caso el cine, ofrezcan una realidad virtual paralela que calme las ansias de lanzarse a la calle y sublevarse. Esta condena a una existencia fútil viene provocada por la misma cadena que se los seres humanos se enrollan al cuello, como si boa de plumas fuese: *"The phrase slow death refers to the physical wearing out of a population in a way that points to its deterioration as a defining condition of its experience and historical existence"* (Berlant 95). // "La expresión muerte lenta se refiere al desgaste físico de una población de una manera que señala su deterioro como una condición definitoria de su experiencia y existencia histórica" (Traducción del autor). La muerte lenta disfrazada de festival consumista hace que las poblaciones se deterioren paulatinamente, definiendo su condición de oprimidos, felizmente adormilados, mientras se autogenera una sensación de satisfacción para no sucumbir inmediatamente.

El protagonista de *Vulcania*, al igual que su contraparte femenina, se encuentra en un estado melancólico que conecta directamente con la ausencia del espíritu contestatario y revolucionario del socialismo de segunda mitad del siglo XX, que hoy en día se echa en falta y no tienen cabida.[8] El poso político de la película retoma esa melancolía del personaje principal como el resultado de un duelo por una forma de entender la vida denostada de crítica, en la que la militancia cívico-social, fundamentalmente desde la izquierda (cf. Traverso 45), ha sido desterrada de la vida pública y relegada, en el mejor de los casos, a un filme. Este atisbo de revolución circunscrito al cine hace que el gran

---

[8] El protagonista de *Vulcania* es también melancólico, aletargado, de forma que le cuesta salir de su estado zombificado y se encuentra vacío:
Most contemporary representations of melancholy express a feel of emptiness, like the metaphysical paintings of Giorgio De Chirico where sad, meditating statues lie in the middle of deserted, geometrical squares darkened by powerful shadows. We cannot exclude the possibility that our descendants will remember the historical experience of twentieth-century socialism as an isolated monument in an empty square, a vestige of the past whose charm will lie in its "age value". (Traverso 42-3)
La mayoría de las representaciones contemporáneas de melancolía expresan una sensación de vacío, como las pinturas metafísicas de Giorgio De Chirico, donde estatuas tristes y meditativas se encuentran en medio de cuadrados geométricos desiertos oscurecidos por sombras poderosas. No podemos excluir la posibilidad de que nuestros descendientes recuerden la experiencia histórica del socialismo del siglo XX como un monumento aislado en una plaza vacía, un vestigio del pasado cuyo encanto radicará en su "valor de edad". (Traducción del autor)

público se calme y deje las utopías, así como la necesidad de mejoría social a la magia del cine para que no transpire en la sociedad:

> *Abandoned by the principle of hope, our age of post-totalitarian, neoliberal humanitarianism does perceive the past as a time of revolutions, but rather as an era of violence, its witnesses speak in the name of the victims and the task of collective memory lies in an inexhaustible work of mourning: we have impede their oblivion and learn the lessons of their suffering for the generations. Young people are not summoned to change the world, but rather to not repeat the mistakes of those who, blinded by dangerous utopias, finally contributed to the building of a despotic order.* (Traverso 57)
> Abandonada por el principio de la esperanza, nuestra era de humanitarismo neoliberal post-totalitario percibe el pasado como un tiempo de revoluciones, pero más bien como una era de violencia, sus testigos hablan en nombre de las víctimas y la tarea de la memoria colectiva reside en una inagotable obra de duelo: hemos impedido su olvido y hemos aprendido las lecciones de su sufrimiento durante generaciones. Los jóvenes no son convocados para cambiar el mundo, sino para no repetir los errores de aquellos que, cegados por utopías peligrosas, finalmente contribuyeron a la construcción de un orden despótico. (Traducción del autor)

El emplazamiento a la sociedad, especialmente a los sectores más jóvenes de la misma, no es tanto a la acción, que se incrementa con el caballo de batalla de la sostenibilidad medioambiental, sino a la necesidad de aplicar la memoria, individual, colectiva e histórica, para no permitir que los totalitarismos, ahora disfrazados de neoliberalismos personalizados al alcance de un dedo, adquieran el poder absoluto que buscan.

VISIÓN, COMPROMISO Y FELICIDAD
IMPOSTADA: EL CINE COMO CATALIZADOR

El cine político y nostálgico de un tiempo pasado en el que la izquierda global se alzaba contra la tiranía fascista ha quedado atrás. *Vulcania*, solo juega con la fantasía retro-futurista para goce del espectador, tanto estéticamente atractivo como ilusoriamente político: *"The end of real socialism did not produce any significant film on the of the communist hope. It inspired a wave of aesthetic creations described the collapse of a world, ranging from tragedy to comedy moral dilemmas and everyday lies to which a totalitarian submitted individuals and human relations*" (Traverso 85) // "El fin del socialismo real no produjo ninguna película significativa sobre la esperanza comunista. Inspiró una ola de creaciones estéticas que describían el colapso de un mundo, que abarcaba desde la tragedia hasta la comedia, dilemas morales y mentiras cotidianas a las que un totalitario sometía a las personas y las relaciones humanas" (Traducción del autor). El fin de un socialismo real que ya hace tiempo que se ha consumado en las sociedades occidentales, dejando en un segundo plano los dilemas morales y la mejoría del conjunto de la sociedad como principal objetivo, tiene en estos cines un aliado que ceba la melancolía por un tiempo, quizá mejor, que no va a volver. Obras como *Las vidas de los otros* (2006) de Florian Henckel von Donnersmarck, *Good Bye Lenin* (2003) de Wolfgang Becker, *Taurus* (2001) de Alexander Sokurov, *Khrustalyov, My Car!* (1998) de Aleksay German, *Underground* (2005) de Emir Kusturica, sin olvidar la importancia e influencia del Tercer Cine y del cine militante Latinoamericano de los 60 y los 70, son las fuentes de las que bebe *Vulcania*, para homenajearlas, pero sin llegar a más, como síntoma contemporáneo de una sociedad superficial.

La utopía y la distopía con la que juega *Vulcania* se basan en organizaciones sociales que todavía existen, aunque no tengan tanto peso en sociedad actualmente, e interactúan con la ilusión de un anarquismo, siempre controlado y limitado a la gran pantalla, para calmar la ansiedad generada por la esclavitud posmoderna del consumo imparable. *Vulcania* retrata una realidad actual, más que una fantasía, y es bastante realista si se elimina la pátina vintage que la cubre, confirmando que las sociedades actuales han perdido la ilusión (cf. Debord 84).[9] El

---

[9] La falsedad que impregna el común de la sociedad por los mecanismos de mercadotecnia al frente de un capitalismo que no es más que una cortina de humo para que la esencia de la vida no se contemple y los ciudadanos se pierdan en el bombardeo consumista constante, cobra forma de espectáculo, e incluso la cultura categorizada como comprometida usa la plataforma de consume para alcanzar al mayor público posible:
The spectacle erases the dividing line between self and world, in that the self, under siege by the presence/absence of the world, is eventually overwhelmed; it likewise erases the dividing line between true and false, repressing all directly lived truth beneath the real presence of the falsehood maintained by the organization of appearances. The individual, though condemned to the passive acceptance an alien everyday reality, is thus driven into a form of madness in which, by resorting to magical devices, he entertains the illusion that he is reacting to this fate. The recognition and consumption of commodities are at the pseudo-response to a communication to which no response is possible. (Debord 153)

gran hermano casi total al que las poblaciones están sometidas, ahora por aparente voluntad, ha forzado una alienación, ya que el individuo nunca tiene el control de los efectos de sus acciones y las consecuencias macroestructurales de sus actos bien pueden invertirse en contra de él (cf. Žižek 216). Por lo tanto, la pregunta que sobrevuela este estudio, la película que analiza y el planteamiento de este libro es: ¿Qué es real? Pregunta seminal que ya el drama clásico de Pedro Calderón de la Barca, *La vida es sueño*, se planteara y que *The Matrix* renovara, sigue estando latente en *Vulcania* y no se ha podido responder hasta el momento. Pero el espectador, y la sociedad por extensión, se ha recreado en la fantasía de la pantalla y queda cubierta, gentrificada y domesticada de tal forma que distorsiona la percepción de la realidad (cf. Žižek 220-1).[10] La felicidad, como sueño a seguir, prevalece ante

El espectáculo borra la línea divisoria entre el yo y el mundo, ya que el yo, asediado por la presencia/ausencia del mundo, se ve abrumado. Asimismo, borra la línea divisoria entre lo verdadero y lo falso, reprimiendo toda verdad vivida directamente debajo de la presencia real de la falsedad mantenida por la organización de las apariencias. El individuo, aunque condenado a la aceptación pasiva de una realidad cotidiana ajena, se ve así llevado a una forma de locura en la que, al recurrir a dispositivos mágicos, alberga la ilusión de que está reaccionando a este destino. El reconocimiento y el consumo de productos están en la pseudo-respuesta a una comunicación a la que no es posible responder. (Traducción del autor)

[10] El círculo vicioso de una vida que no parece real, como falacia que *The Matrix* revisa para la sociedad del siglo XXI, enfatiza cómo la fantasía que engaña a las sociedades actuales es tal, que caen en la adoración de lo mismo que las ata, y de ahí la clarividencia a la hora de denunciar, al menos artísticamente, estas cadenas amadas:

Therein resides the correct insight of The Matrix: *in its juxtaposition of the two aspects of perversion—on the one hand, reduction of reality to a virtual domain regulated by arbitrary rules that can be suspended, and on other the concealed truth of this freedom, the reduction of the subject utter instrumentalized passivity. In other words,* The Matrix *gets it but in a wrong (inverted) way. That is, we just have to turn around the terms in order to get at the true state of things: what the film renders as the scene of our awakening into our true situation is effectively its exact opposition, the very fundamental fantasy that sustains our being. We are in VR that we are free agents in our everyday common reality, while we are actually passive prisoners in the prenatal fluid exploited by the matrix; it is rather that our reality is that of the free agents in the world we know, but in order to sustain this situation, we have to supplement it with the dis-avowed, terrible, impending fantasy of being prisoners in the prenatal fluid exploited by the matrix. The mystery of the human condition, of course, is why the subject needs this obscene fantasmatic support of his existence.* (Žižek 231)

Ahí reside la visión correcta de *The Matrix*: en su yuxtaposición de los dos aspectos de la perversión; por un lado, la reducción de la realidad a un dominio virtual regulado por reglas arbitrarias que pueden suspenderse y, por otro lado, la verdad oculta de esta libertad. La reducción del sujeto pronuncia la pasividad instrumentalizada. En otras palabras, *The Matrix* lo consigue pero de una manera incorrecta (invertida). Es decir, solo tenemos que cambiar los términos para llegar al verdadero estado de cosas: lo que la película representa como la escena de nuestro despertar a nuestra verdadera situación es efectivamente su oposición exacta, la fantasía fundamental que sostiene nuestro ser. Vivimos en una reali-

la realidad y la imposibilidad de controlar el rumbo de la propia vida, para dejarse llevar por la promesa de una vida mejor y recrearse en la entelequia de la revolución de otros.

Este concepto de la felicidad anhelada pero alcanzable que las sociedades actuales han inculcado en los elementos que las forman no deja de ser una esperanza, más que una posibilidad. Con esta idea en mente, y aunque parezca contra-intuitivo, lo más lógico sería forzar la infelicidad, o al menos ser consciente de ella, para generar una motivación suficiente como punto de apoyo para tratar de cambiar el mundo, aunque sea el entorno inmediato, como intenta hacer el protagonista de *Vulcania*:

> *We have to struggle for such freedoms, and we inherit the labor of such histories of struggle. The struggle against happiness as a necessity is also a struggle for happiness as a possibility. I now think of political movements as hap movements rather than happiness movements. It is not about the unhappy ones becoming the happy ones. Far from it. Revolutionary forms of political consciousness involve heightening our awareness of just how much there is to be unhappy about. Given that the desire for happiness can cover signs of its negation, a revolutionary politics has to work hard to stay proximate to unhappiness. And yet, a politics of the hap does not simply hold on to unhappiness or turn unhappiness into a political cause.* (Ahmed 222-3)
>
> Tenemos que luchar por tales libertades y heredar el trabajo de tales historias de lucha. La lucha contra la felicidad como una necesidad es también una lucha por la felicidad como una posibilidad. Ahora pienso en los movimientos políticos como movimientos de danza más que como movimientos de felicidad. No se trata de que los infelices se conviertan en los felices. Las formas revolucionarias de conciencia política implican aumentar nuestra conciencia de cuánto hay de ser infeliz. Dado que el deseo de felicidad puede cubrir los signos de su negación, una política revolucionaria tiene que trabajar duro para mantenerse cerca de la infelicidad. Y sin embargo, una política de la suerte no se aferra a la infelicidad o convierte la infelicidad en una causa política. (Traducción del autor)

---

dad virtual en la que creemos que somos agentes libres, mientras que no somos más que prisioneros pasivos en el fluido prenatal explotado por la matriz; es más bien que nuestra realidad es la de los agentes libres en el mundo que conocemos, pero para mantener esta situación, tenemos que complementarla con la fantasía negada, terrible e inminente de ser prisioneros en el fluido prenatal explotado por la matriz. El misterio de la condición humana, por supuesto, es por qué el sujeto necesita este obsceno apoyo fantasmático de su existencia. (Traducción del autor)

Las emociones relacionadas con el sufrimiento, así como las conectadas con la frustración son necesarias para los seres humanos para crecer y mejorar, esta premisa parece clara para cualquier persona; no obstante, resulta extraño que no se comprenda paralelamente cómo la infelicidad debe crear un impulso suficiente para salir de ella, más aún si cabe si esta viene impuesta por estructuras superiores. Pero al contrario de lo que la razón clama, la necesidad de sentir una felicidad, o una apariencia de la misma, constantemente está creciendo a pasos agigantados hasta tal punto que un individuo no se puede permitir la tristeza un solo momento. Nada más lejos de la realidad, y retomando la idea principal de mejorar la vida en la medida de lo posible, la lucha por la justicia social para hacer de las comunidades lugares más habitables y, por tanto, felices sin absolutos, debería ser una obligación y no tal y como es ahora, una gran cortina de humo que tapa cualquier reflexión sobre la falta de calidad de vida y derechos con un placebo inmediato.

Quizá el objetivo no debe ser feliz, ni amar, ni perseguir los sueños, sino estar molesto, cultivar una mentalidad crítica y seguir luchando diariamente, para mejorar en vez de amar de forma conformista y aburguesada. Como Neo, el héroe de *The Matrix*, el protagonista de *Vulcania* es capaz de ver el tejido de engaño para atrapar a los seres humanos cubiertos de falsas ilusiones, como si se colocaran las gafas de la verdad de *They Live* (1988) de John Carpenter o hubieran bebido el caldo de cultivo de muchas obras sobre la necesidad de rebeldía que supuso *Akira* (1988) de Katsuhiro Ôtomo. Es cierto que resulta imposible la revolución fuera del capitalismo, pero la lucha, la huelga, la asamblea y el rechazo al rodillo neoliberal es posible dentro del mismo capitalismo, como actividad social y como marco semiótico donde liberar la mente a través de la actividad productiva en términos humanos y no materiales, para llevar al capitalismo hacia una dirección más innovadora y progresiva (cf. Berardi 72). La represión tanto institucional como económica, así como social e incluso autoimpuesta está avanzando a pasos agigantados y la revolución cada vez tiene menos cabida,[11]

---

[11] La represión, crucial para el pensamiento Marxista, consigue aclarar cómo las patologías neuróticas y psicológicas se trasladan a los seres humanos, pero cada vez quedan más circunscritas al aspecto mental/emocional y no se consuman:
Nonetheless, repression plays a crucial role in both philosophies [Marxist and anti-authoritarian] because, as a concept, it serves as an explanation for the neurotic pathologies that psychological therapy takes as its object, as well as the capitalist social contradiction

a no ser que se produzca exclusivamente en el mando a distancia. El sueño revolucionario de la izquierda ha fallecido, al menos virtualmente, las utopías del siglo XXI deben ser inventadas y mientras tanto las sociedades se conforman con imaginarlas a través de la fantasía del celuloide, la gran pantalla o la pequeña pantalla:

> Today, after the collapse of twentieth-century revolutions, utopia does not appear as a 'not yet,' but rather as u-topia, a no-longer-existing place, a destroyed utopia that is the object of melancholy art. Realms of memory are places (topoi) created in order to remember hopes turned into no-places, something that no longer easts. The utopias of the twenty-first century still have to be invented. (Traverso 119)

> Hoy, después del colapso de las revoluciones del siglo XX, la utopía no aparece como un 'todavía no', sino como una utopía, un lugar que ya no existe, una utopía destruida que es el objeto del arte melancólico. Los reinos de la memoria son lugares (topoi) creados para recordar las esperanzas convertidas en no-lugares, algo que ya no se calma. Las utopías del siglo XXI todavía tienen que ser inventadas. (Traducción del autor)

Mientras tanto, estos sueños han quedado en la memoria como lugares de anhelo, nostalgias socio-políticas de un tiempo mejor convertidas en reliquias del pasado. Para uno de los más relevantes evocadores de melancolía en la escena literaria española actual, Agustín Fernández Mallo, este recuerdo es claro y no va a cejar en volver al imaginario colectivo:

> "Ambiente y ficciones trabajan juntos, retroalimentándose, en el dibujo de un panorama sombrío, un futuro que nos parece un tiempo no habitable", dice el escritor mallorquín Agustín Fernández Mallo, para quien, sin embargo, aunque turbio, el escenario resulta atractivo. "Ninguna distopía se cumple, como tampoco se cumple ninguna utopía", sosiega Mallo. "Pero lo interesante es lo que van dejando por el camino, sus restos, sus residuos,

---

that revolutionary movements aim to abolish to create the conditions of possibility for the overcoming of exploitation and alienation itself. (Berardi 105-6)

Sin embargo, la represión juega un papel crucial en ambas filosofías [marxista y antiautoritaria] porque, como concepto, sirve como explicación de las patologías neuróticas que la terapia psicológica toma como objetivo, así como la contradicción social capitalista que los movimientos revolucionarios pretenden abolir para crear las condiciones de posibilidad para la superación de la explotación y la alienación en sí. (Traducción del autor)

su basura, que podemos reciclar para pensar cómo es la sociedad en un momento dado, no cómo será, ya que el futuro es literalmente incognoscible". (Yanke)

Pero eso no quiere decir que la situación cambie y la revolución se arme, nada más lejos de la realidad, las utopías quedan recluidas al espacio de la fantasía, para no cumplirse y el futuro sigue siendo incierto y sin un viso de mejoría social para los seres humanos.

La revolución del mando a distancia no es más que la confirmación de que se busca un camino en la cultura, como puede ser el caso de *Vulcania*, o muchas otras cintas, ya que en la vida cotidiana los individuos se encuentran perdidos en un naufragio oscuro de cohesión social, que se pone en pausa y parece arrojar un punto de luz aislado desde las pantallas, para apagarse tras terminar la película. El aislamiento, el individualismo y la rebelión en abstracto desde la conexión que asegura el sillón de casa, contribuye a la desestructuración social, a la falta de solidaridad por un neoliberalismo extremo que sigue ofreciendo productos culturales que sacien la angustia ante la pérdida de derechos y al detrimento de la sociedad del bienestar. El cine de revolución se convierte así en una cadena que amamos, el gusto del espectador por estas narrativas visuales no se transforma en una activación de la conciencia sobre la opresión y necesidad de libertades; al contrario, sirve paradójicamente como una droga perversa que deja que la imaginación se recree en la posibilidad ficcional de subversión que el ente cinematográfico y su magia a nivel de identificación genera. De esta forma, el sistema consigue aniquilar por completo la verdadera necesidad de rebelión y rechazo a las limitaciones político-sociales impuestas por el capitalismo radical y convertirse, de nuevo y de forma aparentemente natural, en una cadena que no identificamos como opresiva, sino como necesaria para apaciguar la ardiente sumisión disfrazada de placer, cuando realmente se trata de una forma nueva y contemporánea de esclavitud.

OBRAS CITADAS

Ahmed, Sara. *The Promise of Happiness*. Durham: Duke University Press, 2010.
Berardi, Franco "Bifo". *Precarious Rhapsody. Semiocapitalism and the pathologies of the post-alpha generation*. Nueva York: Minor Compositions, 2009.
Berlant, Laurent. *Cruel Optimism*. Durham: Duke University Press, 2011.

Debord, Guy. *The Society of the Spectacle*. Nueva York: Zone Books, 1994.

Rodríguez, Hilario J. *Nostalgia del futuro. Contra la historia del cine*. Murcia: Micromegas, 2016.

Standing, Guy. *The Precariat. The New Dangerous Class*. Nueva York: Bloomsbury, 2011.

Traverso, Enzo. *Left-Wing Melancholia. Marxism, History, and Memory*. Nueva York: Columbia University Press, 2016.

Williams, Raymond. *The Long Revolution*. Peterborough (Canada): Broadview Press, 2001.

Yanke, Rebeca. "El boom de la distopía: por qué nos gusta tanto mirar un final catastrófico". En *El Mundo.es* URL: https://www.elmundo.es/papel/cultura/2019/10/15/5da49878fc6c8354538b45ca.html Oct. 15, 2019.

Žižek, Slavoj. *Enjoy Your Symptom! Jacques Lacan in Hollywood and Out*. Nueva York: Routledge, 2001.

UN
HOMBRE
NO
PUEDE
TENER
PEOR
DESTINO
QUE
ESTAR
RODEADO
DE
ALMAS
TRAIDORAS

William Burroughs

EL OPTIMISMO CRUEL DE LA CULTURA DOMINANTE: ECOCRÍTICA Y LENGUAJE POÉTICO[1]

Luis I. Prádanos
Miami University

INTRODUCCIÓN

Después de más de una década desarrollando la investigación ecocrítica en el ámbito de la cultura española quisiera detenerme un instante a reflexionar y compartir algunas impresiones. Durante este tiempo me he acostumbrado a ver una mueca de incomprensión en los rostros de las personas que en algún momento se preguntaron por el tema de mi investigación al escuchar de mi boca las palabras "ecocrítica" y "humanidades ambientales." ¿Y eso qué es? Pues ni más ni menos que teorizar el sentido común: concebir la cultura y la ecología como un todo inseparable; entender que el ser humano es inevitablemente un ser ecosistémico que depende de la relativa estabilidad de los ciclos ecológicos; sospechar que la crisis ecológica es una crisis cultural en la que el imaginario social dominante asume erróneamente que progreso significa crecimiento económico constante a pesar de que, en realidad, cuanto más crece la economía global más rápido colapsan los sistemas vivos de los que depende nuestra supervivencia biofísica. Sin embargo, siempre he pensado que lo que debería extrañar y causar incomprensión es justo lo contrario: el hecho de que la mayoría de las disciplinas académicas todavía operen como si no hubiese conexión alguna entre la ecología y la cultura, el lenguaje y la realidad, la economía y el medioambiente, lo simbólico y lo material o lo humano y lo no humano.

Este ensayo pretende servir de respuesta pausada a todas aquellas muecas de incomprensión y ofrecer mi perspectiva ecocrítica sin recurrir a marcos teóricos intimidatorios ni jergas procedentes de los estudios literarios y culturales. Para ello, me embarco a escribir este texto como si lo normal fuese pensar en términos de ecología cultural, donde ya desde el principio se difuminen hasta desaparecer las fronteras disciplinares que con tanto ahínco construyó la modernidad

[1] Una versión más corta de este ensayo se publicó originalmente en *Paraíso. Revista de Poesía* 15 (2019)

capitalista patriarcal y que tan celosamente defienden algunas instituciones educativas. Esas fronteras un tanto arbitrarias que, en no pocas ocasiones, dificultan el pensamiento sistémico, integral o ecológico. Tampoco caeré en la insana costumbre académica de intentar justificarme ante mi propia disciplina durante varias páginas para que después se me permita la osadía de pensar un milímetro más allá de sus autoimpuestos parámetros. Bastará con reconocer que todas somos víctimas de nuestra propia socialización en la fragmentación de conocimientos y, por tanto, la única manera de atisbar los puntos muertos de las disciplinas académicas que nos moldearon es desaprender la ideología de la desconexión que ellas mismas perpetúan.

CONFLICTO CAPITAL-VIDA Y OPTIMISMO CRUEL

Reviso este texto desde el confinamiento que ha provocado la pandemia del coronavirus a mediados de abril del 2020. Esta ralentización de la actividad económica global ha forzado a muchas regiones del planeta a desacelerar la inercia productivista y consumista que está haciendo el planeta Tierra inhabitable. Como bien reconoce el ecofeminismo, esta situación provoca que muchas personas comiencen a valorar los trabajos de reproducción de la vida (de cuidados, de limpieza, de producción de alimentos) que el propio sistema capitalista tiende a invisibilizar, minusvalorar, feminizar y, en tiempos neoliberales, privatizar (ver Pérez Orozco). Estos son algunos de los pocos trabajos que son tan cruciales para la supervivencia humana que no han podido dejar de acometerse durante la pandemia. Esto debería hacernos reflexionar sobre las diferencias entre la economía productiva, que incluye muchos de los trabajos que hay que desempeñar constantemente para que la sociedad se reproduzca, y la economía extractiva (rentas, intereses, fondos de inversión, etc.) que acelera innecesariamente los ritmos económicos, precariza comunidades y explota sociedades en una vorágine de acumulación sin sentido que es la que obliga a la economía a crecer constantemente aunque su crecimiento choque con los límites planetarios. Amaia Pérez Orozco explica en *Subversión feminista de la economía* cómo el conflicto capital-vida al que nos aboca el capitalismo ha llegado a un punto imposible de sostener sin colapsar los ecosistemas. En este punto debemos decidir si queremos priorizar la vida de todas las personas o la acumulación de capital para la clase capitalista. Pérez Orozco nos invita a preguntarnos, como sociedad, qué vamos a garantizar colectivamente a partir de ahora: ¿la reproducción social o la reproducción del capital?

Esta deceleración forzada por la pandemia nos debería hacer pensar por qué el sistema dominante nos obliga siempre a ir cada vez más deprisa en una espiral de destrucción irreflexiva y estrés insostenible. La ralentización de la actividad económica, si se organiza de manera equitativa y redistributiva, podría abrir espacios y tiempos para regenerar el alma y el suelo. Este cambio de ritmo en la temporalidad ecocida del sistema alberga el potencial para reconocer que el productivismo y el consumismo apresurado, desmesurado y patológico no es una virtud opuesta a la pereza como tiende a creer el protestantismo. Al contrario, el productivismo y consumismo irreflexivo quizá sea la consecuencia nefasta de una enorme pereza espiritual en la que no nos atrevemos a dedicar el tiempo suficiente a responsabilizarnos de nuestro estado interior. Lo fácil y perezoso es movernos automáticamente como máquinas descerebradas para producir y consumir cada vez más deprisa sin pararnos nunca a pensar por qué y para qué nos dejamos la vida corriendo hacia ninguna parte a un ritmo frenético que destruye la biosfera.

Sin embargo, muchas personas en países occidentales parece que solo quieran volver a la normalidad anterior a la pandemia. Una normalidad tóxica (cada vez más precaria e insostenible) en la que la adicción al crecimiento económico del capitalismo global siempre nos fuerza a elegir entre continuar teniendo un planeta mínimamente habitable o acelerar un poco más la actividad económica para que no colapse el castillo de naipes (sin entender que esos naipes ni siquiera existirían en un planeta sin vida). Este querer volver a una supuesta normalidad perversamente injusta y biofísicamente imposible de mantener en el tiempo sin cargarnos los sistemas vivos planetarios de los que dependemos demuestra hasta qué punto amamos nuestras cadenas. En otras palabras, querer volver a una normalidad en la que "lo normal" es la desigualdad inaceptable, el estrés generalizado, la precariedad cada vez más asfixiante y la extinción masiva de especies es un claro ejemplo de lo que Lauren Berlant denomina "optimismo cruel." Sufrimos de optimismo cruel cuando deseamos retornar a una realidad tóxica que impide nuestro florecimiento emocional, físico, psicológico y material (Berlant 24). Optimismo cruel significa mantenernos apegados a un hedonismo triste y a una forma de vivir que nos esclaviza y enferma.

Para escapar del optimismo cruel y dejar de alimentar el sistema que nos aplasta es crucial cuestionar el paradigma de la cultura dominante y sus fantasías neoliberales. Dicho cuestionamiento es necesario, pero no suficiente: para desplazar la cultura dominante es preciso no solo criticarla, sino también sustituirla por otras maneras de sentipensar.

MÁS PERSONAS, MENOS MUNDOS

Dos reflexiones principales vertebrarán este ensayo:

La primera atiende al hecho de que hoy hay mucha más gente en el planeta que hace cien años (en un siglo la población humana se ha multiplicado por cuatro) y, sin embargo, existen muchísimas menos palabras para narrar el mundo (en esos cien años se han extinguido muchísimas lenguas indígenas y alrededor de 2680 están hoy en peligro de extinción según las Naciones Unidas). Dicho de otro modo, hay una correlación entre el aumento de seres humanos y la disminución de universos lingüísticos que doten de sentido sus experiencias. Hoy hay más personas y menos cosmovisiones. Este empobrecimiento léxico y epistemológico también coincide con el creciente empobrecimiento biológico (se extinguen de 40 a 200 especies al día).

La segunda reflexión sugiere que el lenguaje poético desafía dicha aceleración necrótica. La crisis ecológica y epistemológica —la simultánea extinción de biodiversidad y de diversidad cultural a escala planetaria— se puede entender como una crisis de temporalidades en la que el ritmo creciente del tiempo de producción y consumo industrial supera tanto el tiempo pausado de la regeneración de los ecosistemas como el tiempo intergeneracional de transmisión cultural. Hoy vivimos un patológico desfase en los tiempos. Urge ralentizar la tendencia suicida del metabolismo económico global. En este sentido la lectura poética favorece una temporalidad pausada y reflexiva capaz de demorarse y recrearse en sutilezas lingüísticas y variados ritmos. Esto la hace subversiva a la aceleración turbocapitalista y resistente a las tentaciones de su ideología de muerte.

Vivimos tiempos de colapso ecológico y desigualdad inaceptable. En las últimas cuatro décadas ambas crisis (la ecológica y la social), caras de una misma moneda, no han hecho más que escalar. Desde los años 70 hasta la actualidad las poblaciones de animales salvajes han disminuido en un 60% (World Wildlife Fund) y, durante ese mismo periodo, la desigualdad ha ido aumentando hasta el punto de que 8 personas poseen hoy más riqueza que la mitad de la población global (Oxfam). Sabemos que estas tendencias son corrosivas social y ecológicamente. La comunidad científica advierte de que la ventana de oportunidad para evitar el caos climático se puede cerrar durante la próxima década y que ello supondría un probable colapso civilizatorio. Simultáneamente, numerosos estudios en epidemiología muestran que cuanta más desigualdad existe más empeoran todos los problemas sociales y más aumenta el poder de las élites capitalistas y, por ende, más difícil resulta implementar medidas políticas eficaces para solventar los problemas socio-ecológicos (Wilkinson and Pickett).

Todo lo anterior sugiere que la expansión global de la modernidad capitalista patriarcal se traduce en varias aceleraciones necróticas interconectadas. La aniquilación biológica y cultural va tan deprisa que no hay tiempo para guardar luto por las especies y palabras extintas ni para escuchar los múltiples llamamientos de deceleración y lentitud que son ninguneados por los frenéticos altavoces de la publicidad corporativa, el techno-optimismo desinformado y el economicismo reduccionista.

Me preocupa e intriga esta correlación entre los aumentos de lo superfluo, dañino o tóxico y las disminuciones de lo importante, vital y saludable: prolifera el lenguaje cuantitativo y mengua la imaginación poética; se cubre la tierra con monocultivos tóxicos e infraestructuras extractivas y desaparecen insectos, aves, mamíferos, anfibios y microorganismos que dotan de fertilidad al suelo; se multiplican las pantallas, los mundos digitales y los discursos sobre integración económica global y se fragmentan las comunidades locales y sus vínculos solidarios; se propagan los discursos neoliberales y se extinguen las lenguas ancestrales, se acumula la basura y mengua el tiempo para la meditación y el juego desestructurado.

¿Y qué tiene que ver todo esto con el lenguaje hegemónico y sus fantasías? Mucho, Arran Stibbe, en *Ecolinguistics: Language, Ecology, and the Stories We Live By*, demuestra cómo algunas metáforas dominantes en el imaginario neoliberal fomentan y normalizan comportamientos individuales e institucionales con consecuencias social y ecológicamente devastadoras. Por ejemplo, la equiparación de progreso y desarrollo con crecimiento económico constante y adopción de una cultura consumista promueve que las sociedades cuantifiquen su éxito en términos de crecimiento del PIB y los individuos en términos de consumo material. Priorizamos y valoramos lo que medimos. Sin embargo, lo realmente importante permanece en la sombra, pues suele ser difícil de cuantificar. La paz interior y la belleza no se pueden medir. La poesía, en cambio, desafía la cuantificación y obstaculiza la aceleración. No acepta lecturas veloces ni escrituras apresuradas. El lenguaje poético nos invita seductoramente a la ralentización, sirviendo como antídoto a la crisis ecológica —una crisis de atención fragmentada y de tiempos en conflicto.

El neoliberalismo ha normalizado una retórica empobrecida y necrótica, una no-poesía que desemboca en ignorancia de alta tecnología y en "monocultura de la mente," como lo llama Vandana Shiva. Las consecuencias de estas fantasías neoliberales son el aumento de la precariedad y vulnerabilidad en cada vez más cuerpos, comunidades y ecosistemas. Lo semiótico y lo material forma una amalgama inseparable. Por ello no debe extrañar que los discursos basura generen deseos basura que hagan proliferar la basura nuclear, espacial, atmosférica, emocional e intestinal. A no ser que la toxicidad mental, semiótica y discursiva comience a remitir seguirá aumentando la cantidad de plástico que se acumula en océanos, estómagos de pájaros y heces humanas.

Necesitamos revitalizar lenguas dormidas y generar nuevos lenguajes capaces de construir historias diferentes y pluriversos más allá de las letanías mono-lógicas de la modernidad capitalista patriarcal (Escobar). Hoy hay 8 veces más personas en el planeta que en 1800 y muchas menos palabras, por lo que tenemos menos capacidad para describir el presente y articular el futuro que queremos construir. El fin de la historia significa que somos pobres en futuro. El lema neoliberal "no hay alternativa" solo refleja una grosera falta de imaginación des-futurizadora; una incapacidad para pensar, verbalizar y materializar futuros socialmente deseables y ecológicamente viables. El capitalismo necrótico, extractivo y carcinogénico no solo extermina la vida planetaria, sino que constriñe severamente nuestra capacidad de narrar nuestra existencia de tal modo que fuéramos capaces de inventar futuros alternativos no autodestructivos.

Hoy hay menos comunidades cohesionadas y más monoculturas petromodernas que comen, piensan y defecan petroquímicos. Muchas personas pasan más tiempo desarrollando el auto-márquetin narcisista y solipsista en las pantallas de sus teléfonos "inteligentes" que interaccionando con otros seres de la comunidad biótica. Proliferan los animales de ojos secos que, mientras ven su reflejo en pantallas negras, no están viendo que desaparecen las especies polinizadoras, los bosques y los espacios públicos. El problema no solo radica en los mundos virtuales que ven esos ojos atrofiados, sino en lo que no están viendo. A esta sociedad del hedonismo triste donde los niveles de soledad, ansiedad, suicidio y depresión infantil y juvenil aumentan exponencialmente la llaman "sociedad de la información." Ese nombre indica claramente lo que el pensamiento dominante ignora o no quiere ver: la drástica aniquilación de la información biológica y cultural planetaria que estaba codificada genética y lingüísticamente en cada una de las especies y lenguas que se extinguen al galope. La información relevante para nuestra supervivencia disminuye mientras que los niños emocionalmente frágiles que van a heredar un planeta ecológicamente devastado son capaces de enumerar más personajes de videojuegos que animales o plantas reales.

A diario contribuimos al genocidio y ecocidio intrincado en nuestras aburridas rutinas colectivas. Sin embargo permanecemos ciegos y lingüísticamente desconectados de las violencias resultantes de nuestros triviales menesteres. Nuestras inercias urbano-agro-industriales matan (Fernández Durán). Pero no encontramos las palabras ni las historias que nos ayuden a escapar de este onanismo genocida y esta competición frenética contra no se sabe qué, para llegar a no se sabe dónde. El empobrecedor lenguaje neoliberal no concibe la posibilidad de decelerar para reflexionar y nos incita a una desesperada huida hacia delante en la que solo es posible imaginar el colapso total o la salvación tecnológica para las élites. Se trata de un lenguaje atrofiado y pomposo que no da para más.

Dejemos de malgastar las pocas energías lingüísticas, espirituales, corporales y afectivas que nos quedan en imaginar futuros tecno-optimistas o catastrofistas (Prádanos "La crisis ecosocial"). No limitemos nuestras opciones a decidir entre colonizar Marte o agonizar en *Mad Max*, pues estaríamos reduciendo significativamente nuestras posibilidades de futuro al dar por hecho que no existen soluciones post-capitalistas para los problemas de la modernidad capitalista. El debate debe enmarcarse y reformularse de otra manera para que las opciones no estén prefabricadas y predeterminadas. La cuestión real sería si continuar con diferentes versiones socialmente corrosivas y ecológicamente inviables de la modernidad capitalista patriarcal o inventar colectivamente futuros diversos de regeneración y transición ecosocial. Para ello necesitamos construir imaginarios más sobrios y menos espectaculares que los techno-apocalípticos que nos ofrece el turbocapitalismo.

Las diferentes historias que nos contamos activan diferentes deseos y materializan diferentes infraestructuras. Las historias del imaginario dominante hablan de crecimiento ilimitado, poder tecnológico y negación de límites biofísicos. Hablan también de controlar, maximizar y monetizar la realidad, de competición y acumulación, de seguridad nacional y guerras preventivas, de productividad e innovación tecnológica, de mercados globales e inversiones financieras. Dichas historias se materializan en océanos acidificados donde hay más micropartículas plásticas que plancton, en caos climático, extinción masiva de especies, enfermedades autoinmunes, desertificación, disrupción del ciclo de nutrientes, degradación del suelo, refugiados desplazados por el proceso de acumulación por desposesión, guerras por recursos, casas sin personas y personas sin casas, nacionalismos xenófobos y precarización masiva. Discursos tóxicos generan realidades tóxicas. Precisamos historias, sensibilidades culturales y poéticas diferentes que activen nuevas condiciones de posibilidad para otros mundos posibles: lo que yo llamé "Postgrowth Imaginaries" (Prádanos).

Si todas las respuestas apropiadas para navegar la actual crisis ecosocial parecen irrealizables desde el marco de pensamiento hegemónico, nuestra única opción para evitar el colapso civilizatorio es desactivar el imaginario dominante y ensanchar los límites de lo pensable, lo decible, lo deseable y lo factible para que las respuestas apropiadas sean no solo posibles, sino imaginables, deseables y probables. Lo que debería ser impensable es asumir el coste de no intentarlo: un presente sin futuro, des-futurizado.

DESAPRENDIZAJE E IMAGINACIÓN POÉTICA

Hoy nos toca desaprender la tan interiorizada antipoética necrótica y reaprender lo que siempre supimos, pero que la arrogancia del capitalismo patriarcal y colonial nos hizo olvidar a golpe de explotación, desposesión, violencia, consenso manufacturado, deseos sintéticos y quema de combustible fósil.

El des-aprendizaje y la descolonización del imaginario dominante no requieren inteligencia artificial, sino inteligencia emocional, eco-lógica y poética. La inteligencia artificial automatiza la catástrofe y des-futuriza, pues codifica el pasado y lo amplifica al futuro de ma-nera más eficiente. Pero facilitar que un sistema destructivo se vuelva más inteligente es una estupidez. El sistema tecno-capitalista "sabe calcular, pero no sabe entender qué o para qué calcula" (Pigem 64). Sabemos calcular y acelerar, pero no contextualizar por qué y para qué aceleramos. Así acabamos en una frenética búsqueda de eficiencia para llegar cuanto antes a no sabemos dónde. Siempre corriendo, ocu-pados en las pequeñas minucias sin sentido que implican las rutina-rias producciones y consumos de bienes superfluos que deben suplir los vacíos que, en realidad, solo pueden llenarse reconectando con nuestros cuerpos, comunidades y entornos. Pero para reconectar se requiere tiempo, presencia y lentitud, no automatización. Donde hay piloto automático, no hay presencia.

Precisamos una imaginación poética que conciba al ser humano como facilitador de la continuidad de la vitalidad planetaria y no como su analizador, dominador, conquistador, extractor o aniquilador. Urge reinventar poéticas del re-encantamiento que faciliten el des-aprendi-zaje de la modernidad capitalista patriarcal y permitan apreciar la plu-ralidad de saberes y maneras de "sentipensar." Poéticas cuyo verbo fa-vorito sea "tejer" y no "vallar", "jugar" y no "comprar", "contemplar" y no "extraer", "regenerar" y no "poseer", "comunalizar" y no "pri-vatizar", "abrazar" y no "competir", "respetar" y no "analizar". Bus-quemos palabras capaces de articular una sintaxis de la interconexión y no una retórica de la fragmentación; con más verbos que sustantivos y más fluidez y vibración que objetos inertes. Hay que favorecer una gramática permacultural que desplace a la monocultural, en la que la prosperidad recíproca de lo humano y lo no humano sea la prioridad. Inventemos historias donde se celebre a aquellas personas y comuni-dades que regeneran el suelo y el alma para generar abundancia, no a las que los venden; donde se valoren los diseños bioculturales que aumentan la diversidad y no las macro-construcciones que la aniquilan para acumular capital; donde el modelo a imitar no sea aquel imposi-ble de universalizar sin matar o esclavizar a otros seres. "Un mundo donde quepan muchos mundos," como enseñan los zapatistas, precisa lenguajes poéticos que faciliten una ecología política pluriversal.

El imaginario dominante aborrece la lentitud, el lenguaje poético, el juego desestructurado y la contemplación porque no favorecen la acumulación de capital ni exacerban privilegios y desigualdades. En cambio, facilitan la fermentación material y semiótica, la regeneración ecosocial, la deceleración del proceso necro-capitalista, la apreciación de la belleza, la reducción del estrés, la cohesión comunitaria, la creatividad y la paz interior.

Hay que redefinir el concepto de progreso, para que en lugar de equipararse con esquilmar el planeta para aumentar el PIB se equipare con el desarrollo del potencial comunitario, lingüístico, imaginativo, lúdico, espiritual, poético, musical, psicomotriz... Hay que exigir poesía y belleza, hay que exigir el derecho a diversas formas de existir y de aprender a morir.

OBRAS CITADAS

Berlant, Lauren. *Cruel Optimism*. Durham: Duke University Press, 2011.
Escobar, Arturo. *Designs for the Pluriverse: Radical Interdependence, Autonomy, and the Making of Worlds*, Durham: Duke University Press, 2018.
Fernández Durán, Ramón. *El antropoceno: La expansión del capitalismo global choca con la biosfera*, Barcelona: Virus editorial, 2011.
Oxfam International. 'Just 8 Men Own Same Wealth as Half the World Population', 16 January, 2017, https://www.oxfam.org/en/pressroom/pressreleases/2017-01-16/just-8-men-own-same-wealth-half-world.
Pérez Orozco, Amaia. *Subversión feminista de la economía: Aportes para un debate sobre el conflicto capital-vida*. Madrid: Traficantes de sueños, 2014.
Pigem, Jordi. *La nueva realidad: Del economicismo a la conciencia cuántica*, Barcelona: Kairós, 2013.
Prádanos, Luis I. "La crisis ecosocial no requiere ni catastrofismo apocalíptico ni tecno-optimismo", *CTXT: Revista contexto* 193, 31 de octubre, 2018
Prádanos, Luis I. *Postgrowth Imaginaries: New Ecologies and Counterhegemonic Culture in Post-2008 Spain*, Liverpool: Liverpool University Press, 2018.
Shiva, Vandana. *Monocultures of the Mind: Perspectives on Biodiversity and Biotechnology*. Zed Books: 1993.
Stibbe, Arran. *Ecolinguistics: Language, Ecology, and the Stories We Live By*. New York: Routledge, 2015.
United Nations. www.un.org/development/desa/dspd/2019/01/2019-international-year-of-indigenous-languages/
Wilkinson, Richard, and Kate Pickett. *The Spirit Level: Why Greater Equality Makes Societies Stronger*. New York: Bloomsbury Press, 2010.
World Wildlife Fund. *Living Planet Report—2018: Aiming Higher*. Edited by Grooten, Monique and Rosamunde E. Almond. World Wildlife Fund, 2018. www.wwf.org.uk/updates/living-planet-report-2018.

LA CONCIENCIA FEMINISTA

Marta Madruga Bajo
Dtra. en Filosofía. Profesora de Filosofía en Enseñanza Secundaria.
Miembro de la Cátedra de Estudios de Género de la UVA

EL FEMINISMO: UN PENSAMIENTO QUE ROMPE LAS CADENAS

El feminismo es una teoría crítica. El pensamiento crítico no se limita a describir la realidad, sino que la examina desvelando la irracionalidad de aquello que convierte en objeto de reflexión. Al irracionalizar lo que piensa, el análisis crítico deslegitima lo que teoriza y abre el camino a la acción que se dirige a erradicar eso que queda deslegitimado. La teoría feminista *hace ver* que la organización de todas las sociedades, incluidas las democráticas, es patriarcal.[1] Muestra la irracionalidad de la estructuración jerárquica de la sociedad en función del sexo/género de las personas que la componen, y al hacerlo la deslegitima. La operación teórica que muestra la falta de legitimidad de la organización sociopolítica impele, en sí misma, a la acción por transformarla. Pensar el orden social establecido como ilegítimo e injusto es pensar cómo subvertirlo. Estamos, pues, ante un pensamiento emancipatorio cuyo objetivo es la transformación integral de la realidad. Por tanto, hablar de feminismo significa hablar de pensamiento filosófico riguroso y complejo que articula un proyecto ético y político de emancipación y de transformación social. Conviene no olvidar que estamos ante más de tres siglos de teoría y praxis que han transformado el mundo como pocos movimientos. Convendría asimismo plantearse la posibilidad de tomar como modelo la forma en la que el feminismo ha luchado históricamente contra la dominación y la opresión de las mujeres, siempre pacífica, nunca violenta.

La filósofa española Celia Amorós ha afirmado insistentemente que "conceptualizar es politizar", algo que bien puede asumirse como lema feminista. La creación de conceptos con los que pensar y analizar el mundo concede estatuto de realidad a ciertos acontecimientos y fenómenos que antes de ser pensados podríamos decir que no existían. Los conceptos generados por la teoría feminista nos han puesto

---

[1] La filósofa Celia Amorós recurre con frecuencia a la etimología del término *teoría* refiriéndose a ese "hacer ver" como algo esencial de la reflexión feminista.

ante asuntos que de no haber sido examinados críticamente no hubieran sido considerados como problemas que requieren la adopción de medidas políticas para su solución. En la España de finales del siglo XX, los asesinatos de mujeres, por ejemplo, eran denominados "crímenes pasionales". Y así eran considerados por la ciudadanía en su conjunto. En la actualidad estamos asistiendo a la interpretación de ciertos comportamientos de algunos hombres como acoso sexual, comportamientos, por cierto, que han formado y forman parte de la más absoluta cotidianidad de las vidas de las mujeres. Cuando la teoría feminista ha puesto nombre a las violencias ejercidas contra las mujeres, en sus múltiples manifestaciones, estas han comenzado a ser consideradas como un problema social. Solo entonces han podido ser interpretadas como hechos incompatibles con la estructura democrática de la sociedad y con la igualdad real entre mujeres y hombres. El análisis feminista de la realidad pone de manifiesto las contradicciones entre ciertos fenómenos y los principios democráticos de convivencia, evidenciando así que estos no son auténticamente universales. En la medida en que, de hecho, no afectan a la mitad de la ciudadanía, se muestra que su universalidad es ficticia. Con ello, la labor teórica feminista se presenta simultáneamente como una labor práctica que reconstruye la realidad mediante conceptos que abren el camino a la implementación de medidas políticas de corrección de la desigualdad. La teoría feminista explica hechos como las violencias machistas, los asesinatos de mujeres, su infrarrepresentación política, su escasa presencia en puestos de poder y de liderazgo o las restricciones de sus derechos sexuales y reproductivos como efectos del sistema de dominación patriarcal. No estamos ante hechos aislados ni, desde luego, ante cuestiones íntimas o personales. Se trata de asuntos políticos que requieren soluciones políticas.

Al mismo tiempo que la teoría feminista politiza fenómenos como los referidos al pensarlos críticamente, produce un discurso emancipador y de transformación social. La historia de la teoría feminista nos muestra un pensamiento que resignifica a las mujeres como *individuas* iguales y libres; nos presenta un pensamiento articulado en torno a conceptos y principios cuya naturaleza es esencialmente emancipadora. En España, el feminismo filosófico de raíz ilustrada ha insistido en una vindicación: la conquista de la individualidad para las mujeres como clave para que puedan convertirse en auténticos sujetos de los derechos de igualdad y autonomía. La resignificación feminista de los principales conceptos y principios como los de igualdad y libertad que han articulado las sociedades formalmente igualitarias buscan la emancipación de las mujeres y la transformación del orden vigente en tanto que patriarcal. Son, pues, conceptos y principios que alientan la lucha por la erradicación definitiva de una estructura social que, lejos de ser igualitaria, conserva la ancestral jerarquía en función del sexo/género.

Las sociedades formalmente igualitarias parecen, en principio, incompatibles con la existencia de formas de dominación y de opresión. Los principios de igualdad y libertad que las articulan, formulados como universales, están consagrados jurídicamente para que afecten a toda la ciudadanía. Puesto que el reconocimiento legal de la igualdad tiende a considerarse como la culminación de las demandas de los pensamientos y movimientos emancipatorios, la percepción de la dominación queda dificultada. Las dificultades para percibir la desigualdad son producto de sofisticadas estrategias —algunas sutiles y otras no tanto— que el sistema de dominación patriarcal fabrica para seguir operando en las sociedades democráticas. Una de las que está resultando más eficaz es el énfasis en la libertad individual que inunda el discurso académico y la cultura popular, obviando las desigualdades estructurales que atraviesan nuestro mundo. A la defensa de la libertad individual se acude desde posiciones ideológicas diversas, contrarias incluso. El argumento de la libre elección lo encontramos reiteradamente, por ejemplo, en el tratamiento de cuestiones como la prostitución o los mal denominados *vientres de alquiler*.[2] ¿Es posible conciliar una postura feminista que asume la existencia del sistema de dominación patriarcal, desde el que cobran sentido, por ejemplo, las violencias ejercidas contra las mujeres, con la defensa de su libertad individual para elegir la prostitución como una actividad profesional más o para alquilar su cuerpo para gestar para otras personas? ¿El análisis de nuestras sociedades que se realiza desde posicionamientos políticos progresistas y de izquierda, y que, en principio, asume la existencia de desigualdades estructurales, es compatible con la defensa de la libertad de elección como argumento?

[2] Nos referiremos a esta práctica como "alquiler de mujeres para gestar". Las razones por las cuales consideramos que esta conceptualización es la más adecuada nos alejan en exceso de nuestro propósito. Solo diremos que las denominaciones de "vientres de alquiler" o "gestación subrogada" contribuyen a ocultar la naturaleza de un fenómeno que entendemos como explotación reproductiva.

La lucha por la igualdad real requiere, en primer lugar, una toma de conciencia de la desigualdad. Las condiciones en las que se reproduce y se perpetúa la dominación en las sociedades formalmente igualitarias obliga a trabajar en la línea de hacer emerger la conciencia de la dominación y la opresión que sufren las personas que pertenecen a un grupo cuya inferioridad es funcional para el sistema de poder. De lo contrario, lo que ocurre es que los sistemas de dominación siguen operando con la complicidad y por la connivencia de quienes la sufren. Para dejar de amar las cadenas que nos atan es imprescindible hacer visible la naturaleza de las mismas y la fuerza con la que nos sujetan. Es preciso también analizar algunas de las razones que pueden explicar por qué esas cadenas son invisibles a pesar de amarrar tan firmemente y pensar si es posible contar con alguna herramienta para romperlas. Habremos de conocer, pues, qué rasgos caracterizan la conciencia feminista, así como la importancia de adquirirla a la luz de algunas de las estrategias de las que se sirve el patriarcado para perpetuar la desigualdad de las mujeres y para preservar una estructura social jerárquica.

La toma de conciencia feminista

Sin pretender hacer aquí y ahora un recorrido histórico que sería obligadamente vago, es necesario señalar que el feminismo encuentra su raíz teórica en la Ilustración. Las relaciones entre Ilustración y feminismo, efectivamente complejas y problemáticas, fueron ampliamente estudiadas en nuestro país por el Seminario "Feminismo e Ilustración" que fue creado por la filósofa española Celia Amorós en el año 1987 en la Universidad Complutense de Madrid. Entre Ilustración y feminismo existe un vínculo temporal reconocible, pero también, quizá sobre todo, un vínculo teórico difícil de negar. El desarrollo del feminismo filosófico y la fecunda praxis feminista desde finales del siglo XX en España tiene mucho que ver con la labor iniciada por aquel Seminario (cf. Madruga Bajo 365-444).

Las investigadoras que conformaron el Seminario "Feminismo e Ilustración" estudiaron muy en profundidad el pensamiento de muchos de los grandes filósofos de la modernidad ilustrada, desde Thomas Hobbes o John Locke hasta Jean Jacques Rousseau o Immanuel Kant. Aquel trabajo reveló un discurso que había construido una naturaleza femenina para la subordinación y el sometimiento y que concibió las relaciones entre los sexos en términos de dominación. El pensamiento hegemónico estaba sentando las bases de un modelo de Estado cuyo origen y legitimidad descansaba en el contrato que configuraba un nuevo orden sociopolítico. Pero la crítica feminista realizada por nuestras teóricas recogió los análisis de la teórica política Carole Pateman para mostrar que el pacto originario era social-sexual. Así, la forma que adquiere el patriarcado en la Modernidad es contractual y fraternal. El patriarcado moderno estructura la sociedad civil capitalista (cf. Pateman 39). El nuevo Estado era, además de contractual, patriarcal. Se pensó como escindido en dos esferas —la pública y la privada-doméstica— adecuadas a dos naturalezas diferentes pero complementarias, la masculina y la femenina. El discurso dominante se estructuró en torno a un argumento que sostenía que mujeres y hombres son dos naturalezas diferentes, pero que se complementan para organizar una nueva forma de sociedad. Los hombres, pensados como sujetos racionales, individuos iguales y libres, serán los ciudadanos del Estado. Las mujeres, conceptualizadas simultáneamente como *sexo débil* y como *bello sexo*, no podrán acceder a la ciudadanía en virtud de una pretendida naturaleza que las hace ser pasión irracional o inteligencia débil al mismo tiempo que seres no contaminados; por esta última razón serán perfectas madres y esposas. En un mundo en el que los lugares sociales dejan de ser naturales, la sociedad nueva se organiza en dos espacios debidamente diferenciados, debidamente complementados, adecuados a dos naturalezas diferentes. El público, el ámbito del poder, será masculino. Las mujeres quedarán enclaustradas en la esfera doméstica-privada, desde cuyos estrechos límites ejercerán, como mucho, influencia en lo público. En principio, el argumento de la naturaleza diferente y complementaria de los sexos representa una contradicción con el pensamiento que se articula en torno a la igualdad de todos los hombres; sin embargo, resultaba ser perfectamente coherente con la construcción del nuevo Estado burgués que seguirá siendo patriarcal. El despliegue del ámbito público tal y como fue concebido por el pensamiento de la modernidad ilustrada exigía la configuración de otro espacio, el privado-doméstico, donde las necesidades del ciudadano estuvieran debidamente satisfechas para poder dedicarse plenamente a su actividad público-política. Rastrean do los orígenes del patriarcado moderno, el trabajo de Amorós y del

Seminario "Feminismo e Ilustración" desvelaba la intencionalidad política del discurso que construyó la feminidad normativa. Ello obliga a replantearse la incoherencia del discurso patriarcal en el seno de un pensamiento que pretendía establecer racionalmente los principios que fundaran el Estado.

Junto a esta crítica feminista al pensamiento hegemónico, el Seminario y el trabajo posterior de muchas de sus investigadoras descubrieron lo que la filósofa Alicia Puleo ha denominado la *Ilustración olvidada*, otra Ilustración dentro de la Ilustración, una Ilustración feminista (cf. Puleo [1993]). En la más estricta contemporaneidad con la articulación del pensamiento moderno patriarcal, existió un discurso que supo percibir la quiebra en la universalidad de los principios en los que las sociedades democráticas hunden sus raíces: igualdad y libertad, y también fraternidad. Las feministas ilustradas que estaban asistiendo a la formulación de un discurso que aparentemente se dirigía a la humanidad en su conjunto advirtieron que su alcance estaba limitado; se percataron de que todo su sexo quedaba fuera de los principios que aspiraban a convertirse en los ejes del nuevo orden sociopolítico y que prometían emancipación. Si leemos con atención los textos que dan cuerpo a esa "Ilustración olvidada" observaremos que su discurso pivotó en torno a la idea de que aquello que el pensamiento dominante había definido como naturaleza femenina era en realidad la construcción interesada de una pretendida identidad. La identidad femenina resultaba ser, por tanto, impuesta. El pensamiento feminista se distanció de la identidad que les había sido asignada a las mujeres, de su definición como *sexo débil* y/o *bello sexo*. Aquellas feministas se concibieron a sí mismas como grupo oprimido; conceptualizaron a los hombres como "adversarios", a los esposos como "aristócratas" (Madame la M. de M. en Puleo [1993] 136) y al orden social que pretendía instaurarse como "imperio tiránico" (De Gouges 70); establecieron una analogía entre los "hombres orgullosos de su poder" y los "reyes tiránicos y ministros venales" (Wollstonecraft 100). Esta línea argumentativa se mantiene en un siglo XIX en el que el sufragismo elabora un proyecto de reforma social cuyo eje es la igualdad entre los sexos (Miyares). Encontramos un discurso que conceptualiza a las mujeres como esa parte de la humanidad a la que "la naturaleza, las leyes y las costumbres han conspirado para mantener sujeta e indefensa bajo los inmitigados agravios de la parte masculina de sus congéneres" (Thompson y Wheeler 90). Leemos que el filósofo feminista John Stuart Mill define a los hombres como "amos" de sus esposas y a las mujeres como "favoritas", un tipo particular de esclavas. Subraya el filósofo que ningún hombre desea como esposa a una esclava forzada (cf. Mill 92). Los hombres no quieren mujeres que les teman, quieren mujeres que les amen. Emplean, pues, toda la fuerza de la educación para conseguir que su obediencia sea voluntaria, o al menos que lo parezca.

La operación teórica que resignifica a las mujeres en estos términos, como esclavas, como género dominado y sometido, y que al mismo tiempo identifica a los hombres como opresores, representa una nueva conceptualización que politiza tanto la construcción de los géneros como las relaciones entre los sexos. Asumiendo la idea de Amorós según la cual "conceptualizar es politizar", esta nueva conceptualización que politiza es el acicate que incita a la acción de una transformación social y política; es la base de la vindicación que se articula para dar lugar a una transformación del mundo. La crítica de la heterodesignación y la redefinición de las relaciones entre los sexos en términos de dominación y opresión fueron acompañadas de la vindicación de la igualdad de las mujeres; es decir, de su redefinición como *iguales* y *libres* en el mismo sentido que los hombres que se convertirían en ciudadanos del nuevo orden sociopolítico. Pero para que todo ello se produjera, hubo de darse una toma de conciencia de la situación fáctica de opresión en que vivían las mujeres y de la incoherencia que representaba pensar su naturaleza como diferente, inferior, con los nuevos postulados que defendían la igualdad natural y que prometían emancipación.

El pensamiento moderno que convierte la razón en la única instancia de legitimación del nuevo orden sociopolítico y que se articula en torno a la idea de la igualdad natural de todos los hombres establecía un marco desde el que fue posible reconocer que el nuevo mundo que se trataba de construir, y que pretendía acabar con un ilegítimo orden estamental, preservaba un resto feudal. Cuando la remisión a rasgos no elegidos, como el nacimiento, dejaba de ser válida para legitimar la ubicación social de las personas, el sexo con el que se nace, uno de esos rasgos no elegidos, seguía siendo significativo para distribuir a las personas en sociedad. La concepción moderna de la feminidad conservaba una serie de implicaciones normativas que mantenían a la mitad de la humanidad en una situación de desigualdad. Sin embargo, al hacer de la razón la única autoridad y al articularse en torno a principios abstractos formulados como universales, ese mismo pensamiento establecía las bases que hicieron posible la toma de conciencia feminista desde la que vindicar la igualdad para las mujeres. Celia Amorós ha caracterizado la conciencia feminista, en sus propias palabras:

> como una peculiar existencia reflexiva del ser mujer (es decir del ser efecto de una "heterodesignación" y de la asunción del discurso del otro como un discurso constitutivo del género, o sea, de las implicaciones culturales normativas de la pertenencia al sexo biológico femenino). Esta existencia reflexiva del ser-mujer se caracteriza por una permanente re-interpretación, una re-significación bajo el signo de lo problemático, la impugnación, la transgresión, el desmarque, la re-normativización siempre tentativa. (Amorós [2000] 359)

De esta definición interesa resaltar que hablamos de conciencia feminista cuando las mujeres hacen consciente su pertenencia a un grupo subordinado, dominado y oprimido. La dominación no se percibe como una situación individual, sino como consecuencia de la pertenencia a un grupo concebido como inferior. Las feministas que toman la palabra para deslegitimar el orden establecido y para vindicar igualdad no lo hacen atendiendo a sus características y circunstancias individuales; lo hacen considerándose integrantes de un conjunto de personas que comparten, al margen de otras circunstancias, un rasgo no elegido en el que reside la clave de su condición de dominadas: el ser mujeres. La teórica estadounidense Catharine MacKinnon sostiene que crear conciencia "indaga en una situación intrínsecamente social, en esa mezcla de pensamiento y materialidad que comprende el género en su sentido más amplio" (156). Se trata de analizar el mundo y las vidas de las mujeres no como individuos, sino como ser social, como grupo atravesado por una desigualdad que la crítica feminista evidencia como estructural.

En el origen mismo del pensamiento y de la praxis feministas encontramos los rasgos que según Amorós caracterizan la conciencia feminista. Un momento clave en la toma de conciencia nos lo proporciona el marco del feminismo radical estadounidense. En el final de los años 60 del siglo XX se organizaron en diferentes lugares de

Estados Unidos los denominados "grupos de liberación de mujeres". Uno de los primeros fue el de Nueva York, el *New York Radical Women*. Una de sus integrantes, Anne Forer, sugirió la idea de trabajar en lo que casi inmediatamente comenzaría a denominarse *consciousness raising* (cf. Sarachild 144), término que suele atribuírsele a otra de las mujeres que participaban en ese grupo, Kathie Sarachild[3]. El planteamiento básico era que todo cuanto tenían que saber y demostrar lo podían extraer de las realidades de sus propias vidas. En aquellos encuentros, las conversaciones versaban sobre maternidad, infancia, trabajo, sexo... Las mujeres que participaban ponían en común con el resto del grupo sus experiencias más íntimas, los acontecimientos o situaciones que tenían por más privados. Las relaciones sexuales son un buen ejemplo del carácter íntimo de las cuestiones que compartían. Lo que descubrieron fue que, en palabras de MacKinnon, "la división entre lo público y lo privado, al menos en el contexto de las relaciones entre los sexos, tenía poquísimo sentido" (172). El pensar en la maternidad o las relaciones sexuales a través de las experiencias vividas y compartidas puso de manifiesto que precisamente esos hechos que se consideraban absolutamente personales e íntimos eran los que resultaban más estereotipados, los que configuraban la expresión pública de lo que significaba ser mujer. Descubrieron que "los problemas personales eran problemas políticos" (Hanisch 75). En la actualidad es bastante popular el lema "lo personal es político" que surge en el feminismo de la tercera ola[4].

Al final de los años 60 del siglo XX, el programa del feminismo sufragista había alcanzado un grado razonable de cumplimiento y los derechos educativos elementales, buena parte de los derechos civiles y los derechos políticos más básicos habían sido formalmente reconocidos. En ese momento las mujeres se enfrentaban a otros problemas, tales como el reconocimiento de los derechos sexuales y reproductivos, el divorcio, la patria potestad o las violencias ejercidas contra ellas. Desde otros frentes, también activos en la lucha por los derechos civiles y políticos, las demandas feministas eran tildadas de asuntos

---

[3] Esta escritora y activista estadounidense cambió su apellido original, Amatniek, por Sarachild, creado a partir del nombre de su madre, Sara.

[4] El feminismo anglosajón considera al movimiento de los años 60 y 70 del siglo XX la segunda ola. Sin embargo, si consideramos el feminismo producido en la propia Ilustración como la primera ola, la segunda correspondería con el sufragismo y esta a la que nos referimos con la tercera.

personales que no tenían nada que ver con la política. Insistir en la consideración de que cuestiones como las referidas eran y son asuntos personales impedía que se filtraran en el espacio público, que es el del poder, el de la toma de decisiones y donde acontece todo lo que se entiende como significativo.

Aquella puesta en común de las historias personales permitía que cada mujer encontrara semejanzas extraordinarias con sus propias experiencias. Podía observarse la homogeneidad que recorría las vidas de las mujeres, por diversas que fueran sus circunstancias materiales y vitales. Este análisis de lo personal como algo político derivaría en varias conclusiones importantes. Una de ellas es la idea de que las mujeres como grupo están dominadas por los hombres, como grupo (cf. MacKinnon 173). Los problemas que se ponían en común en los grupos de autoconciencia se mostraban como algo que no tenía nada de personal, sino que eran compartidos por todas. El orden social entero está dominado por una hegemonía masculina que impregna y determina todas las relaciones sociales; ninguna escapa a la lógica del dominio masculino patriarcal. Por tanto, las relaciones entre los sexos son relaciones de poder. Desde esta perspectiva hay que analizar las relaciones sexuales y amorosas, la maternidad, el trabajo doméstico, la apariencia, las violencias sufridas por las mujeres y prácticamente todo lo que caracteriza sus vidas. Al mismo tiempo, a través de esta práctica de autoconciencia se consolidó la idea, denunciada por el feminismo desde sus orígenes, de que la subordinación social de las mujeres no tiene nada que ver con una naturaleza inferior ni psicológica ni biológicamente. La supuesta naturaleza femenina es una construcción coherente con la configuración de un orden sociopolítico patriarcal. Ya no es posible subestimar la división sexual del trabajo y su reverso ético, el doble código de moralidad, en la construcción de las identidades de las mujeres. Lo que se insistía en considerar como personal tenía que salir a la arena pública y cobrar la relevancia merecida. Si los problemas de las mujeres dejaban de ser personales, su solución tampoco podría ser personal. La solución a los problemas políticos requiere la acción colectiva. Los problemas estructurales requieren soluciones estructurales.

El grupo de liberación de mujeres de Nueva York pretendía lograr que todas las mujeres comprendieran la lucha feminista como propia, no como activismo para ayudar a otras. Las mujeres "tenían que ver la verdad sobre sus propias vidas antes de luchar de forma radical por nadie" (Sarachild 145). Los grupos de autoconciencia de mujeres buscaban despertar la conciencia feminista, hacer emerger la conciencia de la opresión, lo que en definitiva suponía una reinterpretación de sus vidas en términos políticos. Esa toma de conciencia es el punto de partida para legitimar las vindicaciones feministas de una igualdad real entre los sexos; es el punto de partida para iniciar la lucha por la auténtica emancipación de las mujeres y por la transformación integral de la sociedad. Sarachild concebirá la autoconciencia como un arma —a *radical weapon*—, como una herramienta crítica moldeable en virtud de los objetivos a alcanzar: "El nuevo conocimiento es la fuente de la fuerza y del poder de la autoconciencia" (Sarachild 148). El conocimiento sustenta la acción y la acción nutre la reflexión. En los encuentros del grupo de autoconciencia de Nueva York participaron mujeres como Sulamith Firestone, Anne Koedt, Pat Mainardi, Carol Hanisch, Cindy Cisler, Ellen Willis, Rosalyn Baxandall, Irene Peslikis, Ellen Willis, Robin Morgan o Kate Millett. De sus debates saldrán textos básicos de la teoría feminista, hoy clásicos, como la obra *Dialéctica del sexo* de Firestone, *El mito del orgasmo vaginal* de Anne Koedt, *Política sexual* de Kate Millett o el artículo "Lo personal es político", de Carol Hanisch. Estos y otros importantes escritos dan cuerpo al feminismo radical. A él le debemos, entre otras cosas, la definición del *patriarcado* como sistema de dominación masculina que, además, es el sistema básico sobre el que reposan el resto de las dominaciones. Las feministas radicales identificaron como centros de dominación patriarcal esferas de la vida que hasta entonces se habían confinado al ámbito de la privacidad más absoluta; concibieron como políticos asuntos que nunca se habían pensado como tales o como siquiera relacionados con la política. Este nuevo enfoque revolucionó la teoría política, pues comenzaron a analizarse las relaciones personales, familiares y sexuales en términos de poder. Y además de referirse a los factores económicos y políticos de la dominación, comenzaron a incidir en la importancia de la dimensión psicológica de la opresión (cf. Puleo [2005]).

El intercambio intelectual en los grupos de autoconciencia y el dirigir el análisis crítico hacia las experiencias vitales de todas las mujeres lograron no solo producir muy notables planteamientos teóricos, sino también organizarse eficazmente. Teoría y praxis feministas van siempre de la mano. Junto a la producción teórica se diseñaron, planificaron y organizaron diversos actos públicos de vindicación feminista que buscaban llegar a la sociedad en general y convertir en relevantes asuntos que podían parecer insignificantes, como la cuestión de la apariencia. Una de las acciones públicas más conocidas, aún en nuestros días, fue el acto de protesta contra el concurso de belleza *Miss America* en el año 1968 en el que se lanzaron zapatos de tacón, sujetadores, fajas y otros "objetos de tortura femenina a un contenedor de basura de la libertad" (Sarachild 147). En lo que respecta a las mujeres no hay cuestiones insignificantes, y concebir los cánones estéticos exigidos para ellas en términos de tortura significaba convertir la apariencia femenina en una cuestión política.

En los inicios del siglo XX, Occidente conoció la práctica de los *pies de loto*, el vendado de los pies de las mujeres chinas de clase alta; las mujeres pobres, como en todos los lugares del mundo, trabajaban también fuera del hogar y no eran sometidas a estas prácticas que limitaban sus movimientos hasta anularlos. El escándalo internacional fue considerable. La vulneración explícita de los derechos humanos no se admite tan fácilmente, tampoco cuando se produce en las sociedades democráticas. Sin embargo, no parece tan sencillo interpretar los zapatos de tacón, por seguir con este símil, como elementos que provocan daños irreversibles en los cuerpos de las mujeres. Pensar las imposiciones estéticas que se producen en las sociedades formalmente igualitarias como aspectos que son mucho más que una cuestión de apariencia es convertir este tipo de fenómenos en significativos políticamente.

La conciencia de pertenencia a un grupo dominado y oprimido no nace por sí sola; se adquiere tras un complejo proceso de reinterpretación del mundo que nos rodea y de cada una/o de nosotras/os como parte de una estructura de poder que sitúa a grupos de personas en la parte inferior de la jerarquía social. Adquirir conciencia feminista implica sospechar y distanciarse críticamente de lo que se pretende que sean las mujeres, de lo que se presume natural para ellas y para sus vidas, de lo que se asume como normal para la existencia femenina. Solo así los fenómenos y acontecimientos que las mujeres que habitamos sociedades formalmente igualitarias vivimos en nuestra cotidianidad comienzan a interpretarse como problemáticos, como asuntos sobre cuya naturaleza intolerable no se había reparado. Las diversas formas de dominación que se conservan en las sociedades democráticas deben ser desenmascaradas primero para poder luchar contra ellas con eficacia.

LIBERTAD INDIVIDUAL: ¿UN ARGUMENTO VÁLIDO?

En las sociedades formalmente igualitarias la consagración de la igualdad como principio jurídico genera importantes dificultades para hacer visible la persistencia de la dominación y de la opresión en general. Para lo que aquí nos ocupa, lo que se constata es que incluso cuando existe legislación explícita dirigida a garantizar la igualdad efectiva de mujeres y hombres, como es el caso de España, los datos evidencian que la desigualdad por razón de sexo/género persiste. Cualquiera puede consultar las estadísticas que ponen de manifiesto la existencia de la brecha salarial de género, la inferior tasa de empleo femenino, la superior tasa de desempleo en las mujeres, su mayor dedicación a las tareas domésticas y de cuidado de la descendencia y de las personas dependientes, etc. (INE).[5] Cualquiera puede, también, interpretar los datos que revelan que, a pesar de contar con una formación suficiente, e incluso con la misma cualificación profesional que los hombres, las mujeres encuentran más dificultades para su desarrollo personal, laboral y económico; o que las ramas educacionales y profesionales siguen estando diferenciadas en función del sexo/género (OECD). No podemos extendernos aquí en ello, pero los asesinatos de mujeres constituyen el reflejo más escandaloso e insoportable de la persistencia de la desigualdad de las mujeres y de la profundidad con la que el sistema de dominación patriarcal está arraigado en el corazón de nuestras sociedades, por más que estas sean formalmente igualitarias.

El feminismo ha tenido que dedicar considerables esfuerzos a visibilizar qué mecanismos se ponen en funcionamiento para que la desigualdad entre mujeres y hombres se perpetúe y se reproduzca en sociedades que tienen la igualdad consagrada como principio jurídico-legal. Hace ya más de veinte años, Alicia Puleo diferenció entre dos tipos de patriarcado, los de coerción y los de consentimiento. En el patriarcado de coerción la desigualdad es, por así decir, legal, lo cual significa que

---

[5] El Instituto Nacional de Estadística actualiza por capítulos los datos que publica. En esta publicación la actualización más reciente que encontramos es de junio de 2020. Disponible en: https://www.ine.es/ss/Satellite?L=es_ES&c=INEPublicacion_C&cid=125992482 2888&p=1254735110672&pagename=ProductosYServicios%2FPYSLayout&param1= PYSDetalleGratuitas Consultado el 25 de septiembre de 2020.

se utiliza la violencia explícita para sancionar aquellas conductas que contravienen lo establecido legalmente o lo asumido consuetudinariamente como normas de comportamiento para las mujeres. En cambio, en el patriarcado de consentimiento la reproducción de los roles de género se consigue a través de otros mecanismos que, en principio, no implican el ejercicio explícito de la violencia. En palabras de Puleo, las "imágenes atractivas y poderosos mitos vehiculados en gran parte por los medios de comunicación" ([1995] 31) inducen a perpetuar los roles, a acatar las normas y a reproducir las conductas que tradicionalmente se han considerado propias de las mujeres. Es imprescindible precisar que esta diferenciación no debe llevar a suponer que la violencia desaparece en el patriarcado de consentimiento. Hablar de patriarcado implica, siempre, hablar de violencia; lo que ocurre es que la forma en la que esta es ejercida es diferente. Tan diferente es que a menudo no se percibe, incluso llegando a tener que observar estupefactas cómo se niega hasta en sus manifestaciones más explícitas.

Una de las claves que ayudan a explicar el funcionamiento del patriarcado en las sociedades formalmente igualitarias la encontramos, precisamente, en la noción de *consentimiento*, que se convierte en categoría política en la modernidad ilustrada. Desde el pensamiento político moderno, la única fuente de legitimidad del orden social es el contrato que los sujetos racionales e iguales firman sobre la base del consentimiento. Los ciudadanos consienten en subordinarse a la autoridad que ellos mismos configuran, de modo que esa subordinación queda legitimada por el consentimiento de quienes se someten. Esta idea implicará una nueva forma de concebir todas las relaciones sociales, ahora impregnadas de la ideología del contrato desde la cual cualquier relación contractual es válida si quienes la suscriben lo hacen libre y voluntariamente. Este planteamiento, que contenía toda la fuerza argumentativa para acabar con el mundo medieval del estatus —que distribuía a las personas en función de rasgos no elegidos como el nacimiento—, en la actualidad genera serios problemas. En primer lugar, este marco hace enormemente difícil pensar la dominación, puesto que incluso aquellas relaciones que impliquen sometimiento quedarían legitimadas por el consentimiento de quienes suscriben el contrato del que resultan. En segundo lugar, esta perspectiva contempla un mundo compuesto por individuos iguales y autónomos, capaces, en principio, de adoptar libremente las decisiones que más les convengan. Ello hace que las relaciones de sometimiento no se comprendan como enmarcadas en sistemas de poder que configuran desde las identidades de las personas hasta sus comportamientos y actitudes. El mundo en el que vivimos está muy lejos de garantizar las condiciones de igualdad desde las que es posible ejercer la auténtica libertad.

En esta categoría de *consentimiento* se encuentra buena parte de lo que puede explicar cómo se ejerce la dominación patriarcal en las sociedades formalmente igualitarias. En ellas, las mujeres no están explícitamente obligadas a vestir, a comportarse, a pensar, a vivir de una determinada manera. Las mujeres "eligen libremente", por ejemplo, maquillarse, llevar zapatos de tacón, depilarse, dejarse el pelo largo y teñírselo, o ser maestras o profesoras, enfermeras o médicas antes que ingenieras o arquitectas. Deciden, incluso, prostituirse o alquilar sus cuerpos para gestar para otras personas. Quienes se sitúan en posturas que proponen regular la prostitución como una actividad laboral más encuentran en el consentimiento en la relación que se establece y en la libertad de la elección de las mujeres prostituidas el núcleo de su argumentación. La apelación al consentimiento y a la libertad de elección, que es siempre individual, para legitimar la prostitución sirve como modelo que ayuda a esclarecer la enorme fuerza que este tipo de argumentos tiene para ocultar la vigencia de la opresión y de la dominación en las sociedades democráticas. Sirve, además, para analizar el funcionamiento de la propia lógica de la dominación que, como ha puesto de manifiesto la filósofa Angélica Velasco Sesma, recorre no solo las relaciones entre los sexos, sino también con la naturaleza y con los animales no humanos. La dominación ejercida contra las mujeres, la utilización de la naturaleza, enteramente disponible para la satisfacción de las necesidades humanas —las únicas consideradas dignas de ser satisfechas a toda costa— y nuestra relación con los animales no humanos, comparten la misma lógica. Todos ellos son conceptualizados como inferiores y, por tanto, susceptibles de ser dominados. Por otra parte, conviene tener presente que la libre elección, calificada por Ana De Miguel como mito, como pura ficción en las sociedades neoliberales, hace recaer la responsabilidad única y exclusivamente en la persona que "decide". Desde esta idea no cabe reclamar ninguna responsabilidad social o colectiva.

No es posible desarrollar aquí en profundidad el asunto de la prostitución. Interesa destacar la contradicción que entraña aceptar la vigencia del patriarcado al tiempo que se reconoce a las mujeres la capacidad de decidir libremente comerciar con sus cuerpos por un precio variable. Asumir que el patriarcado existe significa partir del hecho de que nuestras sociedades están ordenadas jerárquicamente en función del sexo/género; implica aceptar que el marco en el que se producen las relaciones sociales es una estructura social no igualitaria y que sitúa a las mujeres en el lugar más desfavorecido de la misma. La desigualdad estructural explica la brecha salarial, la segregación laboral, el techo de cristal y la infrarrepresentación de las mujeres en los puestos de poder y de prestigio, las violencias machistas, el acoso sexual, etc. No hay razón para suponer que este escenario desaparece cuando lo que se analiza es la prostitución.

Una de las conclusiones más interesantes que pueden extraerse del estudio que el Seminario "Feminismo e Ilustración" realizó del pensamiento de la modernidad ilustrada es la capacidad de adaptación del patriarcado a las nuevas condiciones de la Modernidad. Ese momento histórico-filosófico permite observar con claridad que el sistema patriarcal es capaz de acoplarse a cualquier circunstancia, por nueva que sea, con el fin de perpetuarse. El patriarcado es, como ha sostenido Amorós, un sistema "metaestable" ([2007] 127), esto es, muestra una extraordinaria capacidad de adaptación a las diversas formas de organización sociopolítica y económica que se han dado a lo largo de la Historia. De acuerdo con ello, es más que razonable suponer que el patriarcado ha desarrollado nuevas estrategias para perpetuar la dominación en nuestras sociedades neoliberales. Todo análisis riguroso y completo de cualquier fenómeno que acontece en nuestro mundo debe tener en cuenta la lógica neoliberal que lo domina y que convierte cualquier cosa imaginable en mercancía con la que comerciar. Patriarcado y neoliberalismo se retroalimentan dando lugar a nuevas argumentaciones y prácticas que perpetúan una estructura social jerarquizada en función del sexo/género, que reproducen las formas más tradicionales de ser mujer y hombre en sociedades que se insiste en presentar como compuestas por individuos libres e iguales. En lo que ahora nos ocupa, debería resultar extraordinariamente sospechoso que cuando parece que las mujeres pueden elegir en libertad y decidir sobre sus vidas, lo que eligen sea seguir siendo objetos de cambio o reproducir la feminidad más tradicional contra la que el feminismo lleva luchando más de tres siglos.

La ideología neoliberal sustenta la idea de que las mujeres pueden hacer con sus cuerpos lo que sea que quieran, desde someterse a tratamientos estéticos carísimos o a cirugías de riesgo hasta alquilarlos por el precio que fije el mercado. La maniobra patriarcal se alía y se articula con la ideología neoliberal y realiza una transmutación de la vindicación feminista de la autonomía de las mujeres en un sospechoso derecho de autodeterminación que les confiere la capacidad de decidir sobre sus cuerpos de un modo tal que conviene perfectamente a perpetuar y a reproducir la desigualdad; conviene también a los intereses del mercado neoliberal. Argumentar apelando a la idea de que las actitudes y comportamientos de las mujeres son el resultado de una elección libre implica una ceguera ante el funcionamiento del sistema de dominación patriarcal, capaz de urdir todas aquellas tácticas que le sirvan para resistir y subsistir aun en medios que, en principio, no toleran la desigualdad; expresa una incapacidad para comprender y explicar la opresión, un déficit de valoración de todos los condicionamientos que influyen en la construcción de las identidades y una incompetencia para explicar satisfactoriamente un mundo atravesado por una desigualdad material y simbólica estructural. No puede dejar de sorprender que desde un ideario progresista se apele a la libertad individual para defender la capacidad de establecer cualquier relación contractual en sociedades estructuralmente desiguales, mucho más cuando el objeto de cambio es la propia persona de la mujer que interviene. Defender la libertad individual convierte en individual toda la responsabilidad de la situación vivida; anula toda posibilidad de pensar las situaciones de dominación en general como reflejo y resultado de organizaciones sociales que no solo no son igualitarias, sino que se articulan en torno a desigualdades estructurales. Aceptar la vigencia de la dominación patriarcal en las sociedades formalmente igualitarias implica asumir la desigualdad en la situación de partida desde la que las mujeres "eligen libremente" determinadas profesiones o "deciden" reproducir ciertos comportamientos y actitudes.

Por todo ello, en los argumentos de quienes desde posiciones progresistas, incluso feministas, defienden el consentimiento y la libertad de elección se detecta una contradicción importante. Si se acepta que las mujeres son asesinadas por el hecho de serlo, si se asume que son víctimas, reales o potenciales, de agresiones sexuales, si se admite que son discriminadas económica, laboral y socialmente, lo que se está reconociendo es su desigualdad. Entonces, si se asume la existencia del patriarcado como sistema de dominación que atraviesa todas las sociedades, ¿qué lleva a suponer que es posible elegir libremente en condiciones de desigualdad? ¿Cómo es posible aceptar que las mujeres suscriban relaciones contractuales igualitarias desde una situación inferior? ¿Cabe aceptar el salto ilegítimo que implica sostener que es posible el pleno ejercicio de la libertad sin que se den condiciones de estricta igualdad material y simbólica? ¿Qué hace suponer que la igualdad y la autonomía que el feminismo ha reivindicado desde sus orígenes para las mujeres se haya conseguido, precisamente, para convertir sus cuerpos en objetos con valor de cambio? No debería resultar demasiado difícil percibir que la reproducción de la feminidad más tradicional es perfectamente compatible con el sistema neoliberal para el que todo es susceptible de ser mercancía.

La forma de perpetuar una sociedad estructurada jerárquicamente en función del sexo/género es conseguir que la desigualdad pase desapercibida. Y una forma muy eficaz de lograrlo es tratar de que las desiguales no se perciban como tales. La obstrucción de la conciencia de la dominación encuentra en las imágenes difundidas en los medios de comunicación y en la publicidad un aliado muy conveniente que produce grandes réditos patriarcales. Pero desde el punto de vista discursivo, la recurrente apelación a la libertad individual contribuye de una manera incontestable a ocultar la dominación en la medida en que genera la ficción de la igualdad. Lo que sorprende sobremanera es la expansión de este argumento, que ya no se produce únicamente desde los planteamientos liberales o neoliberales desde los que cabe esperarlo. También desde la izquierda se alude a la libertad individual como argumento. La realidad es que si se consigue mantener la división sexual del trabajo, junto con su otra cara, el doble código de moralidad, los estereotipos de género, la reproducción de la feminidad tradicional por parte de las mujeres, o se legitima que comercien con sus cuerpos como resultado de la libertad de elección, será difícil que las dominadas se perciban como tales.

No estamos socializadas para compartir la opresión

En las sociedades formalmente igualitarias el patriarcado no tiene otra forma de operar que incidiendo en la socialización de las personas.

En la actualidad, cualquiera que se haya aproximado mínimamente a la teoría feminista sabe que la socialización es un proceso en el que el factor sexo/género es determinante. La filósofa Ana de Miguel se ha referido a una "vuelta al rosa y al azul" para referirse a la involución a la que la socialización de los géneros está asistiendo en las sociedades formalmente igualitarias (cf. De Miguel [2015] 55-88). Las marcas de género que se prescriben incluso antes del nacimiento superan con mucho la cuestión de la apariencia externa de niñas y niños. En realidad, ordenan diferentes formas de vivir. Por otra parte, es sabido que en los primeros años de vida la imitación desempeña un papel fundamental. Lo que las niñas y los niños observan, tanto en el ámbito doméstico como en el espacio público, es un reparto de roles sociales diferenciados para mujeres y hombres de lo más tradicional y una perfecta división sexual del trabajo. Aunque perfecta, tiende a presentarse como resultado de la autonomía de las mujeres para elegir libremente su modo de vida. Por eso no se percibe con facilidad a menos que se haya adquirido conciencia feminista.

Más allá de estas cuestiones, suficientemente desarrolladas por la teoría feminista, lo que es fundamental para el tema que nos ocupa es la idea de que las mujeres no estamos socializadas para compartir nuestra opresión, o para comprendernos a nosotras mismas como parte de un grupo oprimido. Es más frecuente de lo deseable encontrar resistencias por parte de mujeres ante los análisis y las demandas del feminismo. Quienes no han adquirido conciencia feminista no suelen reconocer el análisis de la condición de las mujeres en términos de dominación y de opresión. Simplemente, ellas no se sienten dominadas, no perciben la opresión, y a menudo reciben la crítica feminista como un ataque a la forma de vida que "libremente" han elegido, a su capacidad de decisión y a su individualidad y, muy probablemente, como una agresión al hombre/padre/pareja/amigo que forma parte de sus vidas. Pero lo que hemos de considerar es que un proceso de socialización en el que el factor sexo/género es tan relevante, las mujeres asumen e interiorizan las identidades que el sistema patriarcal les asigna, acatan las normas morales y sociales consuetudinarias, reproducen los comportamientos y las actitudes que se esperan de ellas y desempeñan los roles que se les suponen propios.

Celia Amorós ha producido una sólida teorización filosófica feminista que trata de huir del esencialismo cuyas repercusiones para las mujeres han sido tan negativas. Desde un planteamiento filosófico no-minalista, que concede existencia únicamente a los individuos, Amo-rós sostiene que en la realidad extramental no existe algo así como la esencia femenina o masculina. Los géneros existen, pero no como esencias. Sus referentes son conjuntos de individuos creados por el sistema patriarcal y que, además, son reforzados práctica y simbólica-mente por el propio sistema (cf. Amorós [1992]). Las mujeres, sostie-ne la filósofa, son construidas como "las idénticas". Los hombres, en cambio, son "los iguales". Ellos son quienes designan y asignan, son los amos del Logos (Valcárcel [1994] 99), por lo que tienen el poder para construirse a sí mismos como individuos racionales, iguales y libres que conforman un grupo en el que rige la relación de igualdad. Con esa operación configuran el ámbito público del poder como su espacio propio. Simultáneamente construyen una supuesta naturaleza femenina, una esencia, compartida por todas y cada una de las mujeres concretas. A ellas les corresponde otro ámbito propio, el doméstico-privado en el que desempeñan las tareas domésticas y de cuidado. Las mujeres construidas como "las idénticas" son una especie de continuo ontológico conformado por seres indiscernibles que habitan un lugar sin poder (Amorós [2007] 102-7). No llegan a ser sujetos distintos en sentido cartesiano, es decir, diferenciables entre sí. No alcanzan la individuación y, puesto que no llegan a ser individuos, entre ellas no puede mediar la relación de igualdad. Que sean idénticas significa que son reemplazables, intercambiables, sustituibles. Tanto da una que otra, porque se supone que todas las mujeres comparten la misma esencia que las define. En un medio en el que no existe igualdad no hay posibilidad de que se produzca una relación de homologación que equipare a unas con otras. Esa fabricación de una naturaleza fe-menina que únicamente capacita para proveer de satisfacción sexual a los hombres y para ejercer las funciones de madre y esposa, pero no las de ciudadana de pleno derecho, consigue además que tampoco las mujeres se perciban a sí mismas como individuos. Se configura una especie de yuxtaposición de seres aislados entre sí que funcionan atómicamente, sin que unas tengan que ver con otras y sin que cada una perciba las experiencias de las demás como real o potencialmente análogas a las suyas. Lo que le pasa a cada mujer es vivido como algo individual y, a menos que se tenga conciencia feminista, desde fuera se interpreta también como algo individual.

La heterodesignación patriarcal de las mujeres como "las idénticas" no solo pretende interrumpir la individuación para todo el sexo femenino, es decir, construir una esencia femenina con su espacio propio alejado del poder; procura también desactivar la posibilidad de que las mujeres se perciban a sí mismas como *individuas* que integran un grupo, más concretamente un grupo oprimido. Y ello interrumpe las posibles iniciativas de acción colectiva de lucha por la igualdad. Los comportamientos de los individuos concretos, que obviamente responden a la forma en que son socializados, perpetúan la construcción jerárquica de los géneros y la dominación de uno sobre otro. Las mujeres se relacionan con el mundo, con los hombres y con las demás mujeres como se espera que lo hagan; se perciben a sí mismas como lo hace el grupo dominante, que es quien designa y quien configura los espacios. La inveterada idea de que las mujeres son astutas, volubles, poco fiables, inestables, desconfiadas, maliciosas, envidiosas, etc. penetra igualmente en las mentes de las mujeres, y con esos mimbres construyen las relaciones entre sí.

Las resistencias que algunas mujeres ofrecen al discurso feminista puede dar lugar a pensar en una complicidad con el sistema de dominación patriarcal. Si, como decimos, las propias mujeres contribuyen con sus prácticas a la perpetuación de la jerarquía sexual, la dominación persiste. La cuestión es que aquellas a quienes se dirige el núcleo del análisis crítico y de las vindicaciones feministas no se reconocen como víctimas en el marco de un sistema de poder. La feminista estadounidense Kate Millett afirmó que "el patriarcado es el sistema de dominación universal, el más longevo de todos" (124). La persistencia de sistemas de dominación en las sociedades formalmente igualitarias se explica más fácilmente si a su perpetuación contribuyen quienes son oprimidas/os, dominadas/os. Sin que ello signifique que exista una complicidad consciente, consentida, por así decir, la colaboración del grupo dominado con los sistemas de poder parece hacerse necesaria para que estos puedan perpetuarse en medios que, en principio, son incompatibles con la dominación, la subordinación y la opresión. En el caso del patriarcado, Millett sostuvo que las mujeres funcionan como cualquier otra minoría, presentan los mismos rasgos que cualquier otro de los grupos oprimidos. De tanto oír su inferioridad acaban asimilándola como un hecho. Escribe Millett:

> Esa obsesión que corroe a las minorías, en su temor de que, al fin y al cabo, pudieran ser ciertas las fábulas propagadas en torno a su inferioridad, alcanza proporciones inusitadas en la inseguridad femenina. Algunas mujeres consideran tan inadmisible su posición inferior, que terminan por reprimirla y negarla rotundamente. (122)

Como decíamos, la construcción social de las personas que elabora el patriarcado implica que las mujeres interiorizan sus identidades tal y como son configuradas por el grupo dominante. Su ser en el mundo depende de aquello que se pretende que sea una mujer, con unas supuestas cualidades naturales y específicas que las capacitan para determinados papeles sociales. Como afirmó Millett, "el patriarcado se halla tan firmemente enraizado, que la estructura característica que ha creado en ambos sexos no constituye solamente un sistema político, sino también, y sobre todo, un hábito mental y una forma de vida" (130). Por tanto, aunque efectivamente se pueda hablar de complicidad de las mujeres con la dominación patriarcal, dicha complicidad no obedece a su maldad o a un incomprensible masoquismo (Romero 67), sino a un sistema político y social que construye sus identidades y dirige sus comportamientos y actitudes hacia el refuerzo de la jerarquía sexual.

A todo lo expuesto hay que añadir un factor que no es menor para explicar las resistencias por parte de las mujeres a identificar sus relaciones con los hombres como relaciones de poder. Las características de las cadenas que atan a las mujeres son especiales, están teñidas de una serie de vínculos emocionales muy difíciles de cuestionar, mucho más de quebrar. Pensar las relaciones con los hombres que forman parte de sus vidas en términos de dominación requiere todo un proceso de análisis y asimilación que no es fácil. El análisis de la violencia machista en el seno de la pareja ilustra con extraordinaria claridad esto que decimos. En la producción social de las vidas, la formación afectiva resulta ser un factor determinante. En los años ochenta del siglo XX el feminismo socialista estadounidense sostuvo que las mujeres llevan a cabo una actividad productiva que no da lugar únicamente a bienes materiales, como los necesarios para el mantenimiento del hogar o el alimento (cf. Molina [2005]). Su actividad incluye la producción de otros bienes, intangibles, de afecto, de cuidado y de satisfacción sexual. La producción de este tipo de bienes es trabajo específicamente femenino. La cuestión capital para lo que aquí nos ocupa es que las mujeres producen estos bienes pero no los reciben, es decir, no existe reciprocidad en las relaciones afectivas, emocionales y sexuales entre hombres y mujeres. Ellas nutren emocionalmente a los hombres sin obtener una respuesta correlativa, lo cual convierte a aquellos hombres para quienes trabaja en emocionalmente fuertes a costa de su propia autoestima. La asimetría en las relaciones entre los sexos sitúa a las mujeres en una situación de partida deficitaria en lo que se refiere a sus capacidades afectivas, y es desde esa situación desde donde acceden al mundo laboral, desde donde entablan relaciones con los hombres y con las demás mujeres.

Un último apunte. No se puede olvidar que nuestras sociedades se sustentan en modelos teóricos que han construido un espacio público vedado para las mujeres, y esa exclusión ha implicado su incapacitación para el pleno ejercicio del poder. Cuando acceden a él, lo detentan, en palabras de Celia Amorós, "sin la completa investidura" (Amorós [2007] 429). Compartiendo esta idea de Amorós, Amelia Valcárcel ha señalado que la falta de poder real de las mujeres se aprecia, entre otras cosas, en el hecho de que no pueden investir a otras. Así, las que alcanzan ciertas cotas de poder lo hacen individualmente, de modo que lo viven y lo perciben "externamente como inestable, casual, accidental, moda incluso" (Valcárcel [2012] 126). Esta carencia de poder en el nivel material y simbólico pertinente tiene repercusiones en todos los órdenes. La carencia de auténtica autoridad se manifiesta, por ejemplo, en el déficit de credibilidad de las mujeres. Sobre las manifestaciones de las mujeres siempre puede sembrarse la duda y menoscabar, con ello, cualquiera que sea su testimonio. Disponemos de suficientes ejemplos para ilustrar esto. En los últimos años, uno de los más reveladores es el acoso sexual. Cuando en la actualidad se difunden las declaraciones de mujeres que, después de años, acusan públicamente a hombres célebres y reputados de conductas que hoy se interpretan como acoso sexual, la reacción inmediata es propagar la desconfianza. ¿Por qué ahora? ¿Después de tantos años? ¿Por qué no lo denunció en su momento? La puesta en duda de la credibilidad de las denunciantes es, de hecho, una estrategia que goza de cierto éxito. Y dicha duda es expresada indistintamente por mujeres y hombres. Lo que ocurre es que las mujeres no perciben como intolerables muchas situaciones que viven en la cotidianidad más absoluta hasta que el feminismo no "hace ver" que eso que parecen ser asuntos personales sin causa social son en realidad problemas estructurales. Hasta que no se adquiere conciencia, colectiva e individual, de la estructura patriarcal que articula toda la sociedad y que impregna todos los órdenes de la vida, cuestiones como el acoso sexual, las violencias ejercidas contra las mujeres, su infrarrepresentación pública y política, su desigualdad económica o la segregación educacional y laboral, entre otras cosas, no comienzan a comprenderse como problemas sociales que exigen soluciones estructurales.

LA IMPORTANCIA DE LA SOLIDARIDAD

Cuando pensamos las sociedades democráticas como organizadas jerárquicamente, todos los fenómenos que se producen han de ser interpretados en el marco de sistemas de poder que sitúan a determinados grupos de personas en una posición de superioridad y de privilegio con respecto a otros. Las personas que forman parte de aquellos grupos inferiorizados solo podrán acabar con la dominación y opresión que sufren a través de acciones colectivas que partan de la asunción de que su causa es común, de que la dominación que se vive individualmente se ejerce sobre el grupo concebido y tratado como inferior. El principio de solidaridad, junto con la igualdad y la libertad, es un fundamento teórico de nuestras democracias.

La autodesignación de los hombres como individuos, sujetos racionales, iguales y autónomos a la que nos hemos referido garantiza también su funcionamiento como una *fratria*. Buena parte de la clave de su igualdad no está en que se autodefinan como iguales, sino en que se reconocen como iguales entre sí. Es decir, cada individuo se reconoce a sí mismo como igual a los demás porque los demás le reconocen como un igual. En este sentido, como sostiene Amorós, la subsistencia de cada miembro del grupo depende de que este se mantenga (cf. Amorós [1992]). Por tanto, la solidaridad entre ellos es condición indispensable para que el conjunto de iguales no se desintegre. Al mismo tiempo, la pervivencia del otro grupo, el de "las no iguales", condiciona su mantenimiento, por lo que "las idénticas" deben seguir siéndolo para que los iguales no pierdan su condición. Puesto que la igualdad se la conceden individuos que se reconocen como tales y dado que las mujeres no han alcanzado la individuación, ellas no pueden funcionar como una hermandad. El feminismo filosófico de raíz ilustrada producido en nuestro país ha insistido en una vindicación: la salida de las mujeres del mundo de "las idénticas", es decir, convertirlas en *las iguales*. Se trata, pues, de que las mujeres conquisten la individualidad desde la que puedan ser sujetos de derechos, puedan reconocerse entre sí como tales y sean capaces, desde esa condición de iguales, de entablar una relación de solidaridad. Amelia Valcárcel, ha sostenido que la solidaridad entre mujeres, que "se construye entre *individuas* que libre y mutuamente se la concedan" (Valcárcel [1994] 137), es sobre todo una "necesidad supervivencial" (Valcárcel [2012] 151). El concepto feminista *sororidad* remite al análisis crítico del principio de fraternidad que, como la igualdad y la libertad ilustradas, tampoco alcanzó a las mujeres.

Como producción del pensamiento crítico que es el feminismo, el de *sororidad* es un concepto que pretende, por un lado, denunciar las insuficiencias del principio y de la práctica de la fraternidad; por otro, promover un tipo de relación entre las mujeres que trate de conseguir que funcionen como una *fratria*. En esa concepción de sí mismos como *hermanos* reside buena parte del éxito de su posición privilegiada y el mantenimiento de la dominación sobre las mujeres. En el mismo sentido, la ausencia de un sentimiento de solidaridad entre las mujeres tiene bastante que ver con la perpetuación de su condición de dominadas. Resulta mucho más fácil ejercer la dominación y mantener la opresión sobre un conjunto de seres aislados unos de otros, sin conciencia de su dominación y opresión, que, además, se presentan como eternas enemigas eternas entre sí. No en vano, una de las estrategias patriarcales abiertamente antifeministas se vale con frecuencia de la falta de unidad entre las mujeres para desprestigiar al feminismo y neutralizar sus vindicaciones. Amelia Valcárcel ha hablado con agudeza del "síndrome Victoria Kent" (Valcárcel [2009] 191). Como es sabido, junto a Clara Campoamor, Kent era la única mujer en el Congreso de los Diputados en el que aquella defendió el derecho al sufragio para las mujeres.[6] Victoria Kent se opuso en sede parlamentaria al reconocimiento del más elemental de los derechos políticos. En las sociedades democráticas no es aceptable una

---

[6] Aunque Margarita Nelken había sido elegida también como diputada, sus problemas con la adquisición de la nacionalidad española hicieron que se incorporara tardíamente a la actividad parlamentaria. Cuando Clara Campoamor pronuncia su conocido discurso defendiendo el derecho al voto para las mujeres españolas ella misma y Victoria Kent eran las únicas mujeres diputadas en el Congreso.

oposición frontal al reconocimiento de derechos para las mujeres. La obstrucción de las vindicaciones feministas ha de ser mucho más sutil cuando se realiza en un marco jurídico-legal que reconoce la igualdad de todas las personas. Por ello, sostiene Valcárcel, no aparecerá un hombre manifestando explícitamente el rechazo. El sistema se encargará de poner a una mujer a que lo haga. Exhibir la disconformidad de una beneficiaria directa de las vindicaciones feministas deslegitima la vindicación misma. El hecho de que alguna de las destinatarias de lo que se pretende conseguir se oponga a ello cuestiona la bondad misma del fin vindicado. Pero además, la falta de unanimidad en los objetivos y reivindicaciones feministas alimenta y sustenta esa idea de las mujeres como enemigas entre sí, incapaces de conformar un grupo con intereses y fines comunes.

La sororidad es un principio ético-político que debería articular las relaciones entre las mujeres en términos de alianzas basadas en el reconocimiento y apoyo mutuos. Conviene matizar, no obstante, que la relación de solidaridad entre mujeres no significa manifestar aceptación y acuerdo con cualquier mujer por el hecho de serlo, independientemente de ideologías o del contenido de aquello que exprese u opine. La disidencia y el desacuerdo entre mujeres es un hecho que debe seguir admitiéndose. De lo que se trata es de que, más allá de la discrepancia, entre las mujeres no debería producirse el desprestigio y la descalificación con argumentos que aludan al hecho de ser mujeres. De eso ya se encarga el patriarcado. Lo deseable sería lo que Amelia Valcárcel denomina *solidaridad asertiva*, que consistiría, en sus propias palabras, en "la práctica sistemática de dar ayuda y solicitar ayuda. A despecho de incomprensiones e incluso desagradecimiento, con cualquier mujer tiene cualquier otra, la obligación de comportarse mejor y más allá de donde el mero deber la llevaría" (Valcárcel [2012] 144). Si partimos de la idea de que las mujeres, todas y cada una de ellas, tienen en común su condición de desigualdad y comparten situaciones de dominación y de opresión por el hecho de serlo, las relaciones de apoyo y ayuda mutuos pueden generar un grupo cohesionado de *individuas* sobre el que es más difícil ejercer dominación. Cuanto más compacto sea el grupo, más dificultades encontrará el sistema de dominación patriarcal para adentrarse por las grietas que le permitan seguir operando. La solidaridad entre mujeres tiene, en sí misma, una enorme fuerza para erosionar la dominación y opresión patriarcales.

Como se ha pretendido exponer, el pensamiento dominante conceptualizó a las mujeres y las relaciones entre los sexos en términos de dominación. El pensamiento moderno patriarcal pensó a las mujeres como sexo. Construyó una feminidad normativa que se tradujo en la imposibilidad de acceder al estatuto de ciudadanía. Conceptualizó para oprimir. El feminismo ha conceptualizado, por decirlo muy sucintamente, para emancipar. Resignificar a las mujeres como *individuas* iguales y libres y reivindicar la auténtica universalidad de esos principios de igualdad y de libertad es una maniobra de emancipación y de transformación social.

La filósofa María Ávila Bravo-Villasante ha analizado con detalle y rigor las formas que han tomado los argumentos y las estrategias de oposición a las reivindicaciones feministas. Según sostiene, en la actualidad estamos asistiendo a una reacción que ella entiende como una expansión a escala global de la reacción que se produjo los años ochenta del siglo XX y que la periodista estadounidense Susan Faludi analizó en su obra *Reacción: la guerra no declarada contra la mujer moderna*, publicada en 1991 (Ávila Bravo-Villasante [2019]). Patriarcado y capitalismo neoliberal resultan ser dos sistemas de dominación que colaboran a la perfección para mantener estructuras sociales no igualitarias en las que la peor parte se la llevan las mujeres. Una de las razones por las cuales esta reacción está mostrando tener tanta fuerza, coincidimos con el análisis de Ávila, la encontramos en la asombrosa capacidad con que se transmutan las categorías de análisis feminista. Desde hace algunos años estamos asistiendo a una utilización espuria de los conceptos feministas, resignificándolos hasta convertirlos en auténticas armas de reacción contra el feminismo. En el año 2018, una asociación española en defensa del alquiler de mujeres para gestar lanzó una campaña a través de las redes sociales y de carteles enormes que colocó en lugares muy visibles del centro de las ciudades de Madrid y Barcelona. El lema de esa campaña era "Nosotras parimos, nosotras decidimos". Es conocido el origen de esta consigna feminista y el objetivo con el que fue acuñada, que no era otro que la defensa de los derechos sexuales y reproductivos de las mujeres. El asunto del alquiler de mujeres para gestar se convirtió en relevante en nuestro país a raíz de que un partido político presentara un proyecto de ley para regular esta práctica. Su argumento estrella para defenderla es la libertad de elección. Parece que no hay nada que objetar si una mujer decide libremente suscribir un contrato por el que alquila su cuerpo para que otras personas que desean tener una criatura hasta el punto de convertir el deseo en necesidad cumplan su sueño. La práctica se justifica desde la ideología del contrato a la que nos referíamos más arriba y, por la firma libre y consentida del mismo, queda legitimada. Ahora de lo que se trata es de hacerla legal. El análisis feminista del alquiler de mujeres para gestar es rotundo y no puede sino entenderlo como explotación reproductiva, como una expresión extrema de la reificación de las mujeres y de su utilización para los fines del patriarcado y del capitalismo neoliberal.[7] Pero de este caso, lo que más llama la atención es lo evidente que resulta la tergiversación de los conceptos y de los lemas feministas. Ni siquiera estamos ante una profunda resignificación conceptual. Estamos ante una burda utilización, deformándolo hasta desfigurarlo, de un lema que nació para defender los derechos sexuales y reproductivos de las mujeres. Tan explícita es la naturaleza reaccionaria de esta maniobra que no requiere mucha más explicación.

A la estrategia de resignificación que utiliza la reacción patriarcal ha contribuido de un modo muy particular el pensamiento postmoderno. Es sabido que la postmodernidad produce una crítica tan profunda de la Modernidad que culmina con el rechazo a la Ilustración y a todo su legado. La crítica postmoderna a los grandes conceptos de la modernidad ilustrada es muy atinada en muchos aspectos, pero genera serios problemas difíciles de solventar. Está claro que no es posible prescindir del análisis que concluye que todo sujeto está situado, emplazado en un contexto sociohistórico y lingüístico que no elige y que lo condiciona. Sin embargo, el énfasis en la contextualidad y en la situalidad radical, en la diversidad absoluta, en la fluidez y fragmentación del sujeto conlleva una deriva relativista difícilmente compatible con un pensamiento y un movimiento social emancipatorio como es el feminismo. Las vindicaciones de igualdad y autonomía para las mujeres apelan, necesariamente, a la universalidad de dichos principios, por lo que no hay forma de conservar el carácter emancipatorio del pensamiento y la praxis feministas sin invocar una argumentación universalista. El feminismo es un universalismo. El derecho a la diferencia

[7] La politóloga Laura Nuño ha elaborado un interesante análisis de este asunto que ella conceptualiza como "industria de los vientres de alquiler".

y el respeto y la atención a la diversidad presuponen la igualdad. No hay modo de reclamar la dignidad de todas las personas y demandar su derecho a desarrollar un proyecto vital propio sin partir de la igualdad como principio normativo que posibilita la vindicación. Si partimos, como lo hacemos, de la idea de que el patriarcado es un sistema de dominación que sigue vigente en las sociedades democráticas; si asumimos, en general, la existencia de situaciones de opresión y de dominación sobre grupos de personas, la emancipación de las identidades oprimidas únicamente es viable si se apela a los presupuestos comunes a ellas y a la opresión que sufren. La deconstrucción postmoderna de los principales conceptos y principios ilustrados, aunque sin duda ha contribuido a esclarecer muchos de los puntos ciegos que la luz de la razón ilustrada no iluminó, ha influido en la desarticulación de su naturaleza emancipadora. La postmodernidad se revela como un marco que no activa la percepción de los individuos como parte de grupos subordinados y que, por tanto, obstaculiza la capacidad de emprender luchas colectivas. De hecho, la insistencia en lo subjetivo encaja perfectamente con el marco neoliberal que domina el mundo globalizado. Sin conciencia de la dominación no hay posibilidad de luchar contra ella. Y sin lucha contra la dominación y la opresión el resultado es más desigualdad. La reacción patriarcal que vivimos en nuestros días tiene mucho que ver con una conceptualización que despolitiza, que convierte en personales todos los problemas, que individualiza las soluciones.

Recordemos que la tercera ola feminista destacó por convertir en políticos problemas que se tenían por asuntos personales. Reinterpretar como políticas cuestiones como la maternidad, la infancia, la sexualidad o el trabajo significó sacarlas al espacio público y facilitó la coordinación de acciones de resistencia y de lucha contra la opresión y la dominación patriarcal. Si convertir lo personal en político tuvo importantes réditos para la acción feminista, colectiva, una estrategia que resultará muy efectiva para neutralizarla será la maniobra contraria, esto es, convertir en personal, en asunto individual, cualquier situación vivida como problemática. Si se consigue convencer de que la injusticia sufrida o el malestar experimentado son experiencias individuales, la responsabilidad es también individual y así queda anulada toda posibilidad de percibirlos como problemas sociales estructurales. Si se individualizan los problemas no existe forma posible de entenderlos como resultado de un sistema de poder, de una estructura social jerarquizada, ilegítima. Individualizar los problemas consigue individualizar las soluciones, es decir, logra que sea cada sujeto quien tenga que lidiar personalmente con las situaciones vividas y enfrentarse a ellas de manera aislada. Cuando lo político se convierte en algo personal, los problemas se despolitizan y la lucha social se desactiva. Esta es la estrategia estrella del mundo en el que vivimos, en el que todo, desde los problemas laborales hasta las situaciones más íntimas, parecen ser asuntos personales que resultan de una mala gestión de las emociones o del propio tiempo, de una mala elección o simplemente de mala suerte. Cuando los problemas se hacen personales, lo público-político no puede intervenir.

La mirada feminista hace ver que lo que se supone que es y debe ser una mujer es una heterodesignación impuesta, constrictiva y opresora, que sitúa a la mitad de la especie humana en condiciones de desigualdad material y simbólica. Y esa mirada crítica, en sí misma, impele a producir una resignificación de las mujeres en términos de igualdad con sus congéneres, a impugnar el orden establecido y a proponer una reestructuración del mundo atendiendo a la auténtica universalidad de los principios democráticos más elementales de igualdad y libertad. Por tanto, el objetivo ulterior del feminismo es la transformación del mundo, la subversión del orden establecido en tanto que patriarcal o, dicho de otro modo, la construcción de un mundo mejor.

Desde los años ochenta del siglo XX, se ha desarrollado un planteamiento ético que propone añadir a los principios universales abstractos, como el de justicia, otros preceptos que puedan contribuir a construir un mundo no violento, un mundo sin dominación, tales como el cuidado, la responsabilidad con las demás personas y con las generaciones futuras, la empatía, la ayuda o el respeto. Estos valores, tradicionalmente asociados a las mujeres, han sido despreciados por la cultura hegemónica androcéntrica. El androcentrismo es la visión del mundo que sitúa a los hombres, su mirada y sus experiencias, como centro y medida de todas las cosas, haciendo que lo masculino se identifique con lo genéricamente humano e invisibilizando y ocultando las experiencias y las aportaciones de las mujeres a la historia de la humanidad y del pensamiento (cf. Madruga Bajo y Perales Blanco). Uno de los pilares de la dominación patriarcal es esta visión androcéntrica del mundo, que acaba legitimando la dominación de los hombres, que son quienes tienen el poder para designar y adjudicar espacios, sobre las mujeres, conceptualizadas como inferiores y, por tanto, susceptibles de ser dominadas. Este análisis feminista, cuya raíz podemos localizar en Simone de Beauvoir, es ensanchado por la teoría ecofeminista, que encuentra una conexión conceptual entre todas las formas de dominación. La dominación ejercida sobre las mujeres, sobre los grupos de personas concebidos como inferiores, sobre la naturaleza y sobre los animales no humanos comparten la misma lógica: conceptualizados como diferentes a quienes designan, su diferencia se traduce en inferioridad, esto es, en desigualdad. Y a quien es desigual se le puede dominar (Velasco Sesma 118, 296). Todos los sistemas de dominación tienen en común esta misma lógica. El objetivo es, pues, denunciarla, rechazarla e idear estrategias encaminadas a erradicar toda forma de dominación. La propuesta filosófica de Alicia Puleo, el ecofeminismo crítico, aspira a construir otro mundo, uno justo y sostenible en el que ninguna forma de dominación, ni la ejercida contra las mujeres, ni contra la naturaleza, ni contra los animales no humanos, tenga cabida (cf. Puleo [2011] [2019]). Desde una redefinición del ser humano, de la naturaleza y de los animales no humanos, propone universalizar las virtudes del cuidado, para que dejen de asociarse únicamente a las mujeres, para que sean auténticos valores humanos que orienten las relaciones entre todas las personas, con la naturaleza y con el resto de animales. Pero además de ética, el ecofeminismo crítico de Puleo es una propuesta política que reconoce que la crisis ecológica, que es una crisis ecosocial, es una crisis de la democracia que es urgente abordar ([2019] 85). Esta propuesta ético-política, que resignifica la justicia social en términos de *eco-justicia* y que ensancha el principio de solidaridad en términos de sostenibilidad, debe entenderse como una teoría contra la dominación, contra toda dominación. Ahora bien, combatir la dominación exige que esta sea consciente. Por eso, es necesario observar la realidad, en toda su complejidad, con el ojo crítico que permita extrañarnos ante todo aquello que no cuadra, que no debería producirse si los sistemas democráticos lo son realmente.

Percibir la propia opresión es siempre más difícil que detectarla fuera de nosotras. Pero lo es mucho más cuando se ponen en funcionamiento sutiles y sofisticadas estrategias dirigidas a ocultarla y a neutralizar toda posibilidad de comprenderla como estructural. O cuando esas estrategias encuentran sorprendentes aliados antinaturales que se esfuerzan, por ejemplo, en presentar como progresista la defensa de la libertad individual como solución a problemas que no son individuales. Hablar de dominación y de opresión implica hablar de grupos de personas dominadas y oprimidas, y la lucha por la emancipación no puede perder de vista lo que subyace de común a las situaciones de dominación y opresión. El feminismo ha demostrado que una conceptualización adecuada da lugar a una praxis emancipadora eficaz. No puede negarse que las condiciones de vida de las mujeres que habitamos el mundo enriquecido del siglo XXI han mejorado sustancialmente. Este avance, está claro, no se ha producido por sí solo. Pero lo que también está claro es que no se puede bajar la guardia, pues el patriarcado sigue operando a pesar de las leyes que formalmente consagran la igualdad en las sociedades democráticas. Estas no solo no son inmunes a la dominación, sino que conservan los viejos órdenes latentes que hay que desenmascarar para aniquilarlos definitivamente.

Un arma de la actual reacción patriarcal, producida desde muchos frentes, ataca al núcleo mismo del feminismo tratando de desactivar la naturaleza emancipadora de sus conceptos y principios. Las resignificaciones de las mujeres como *individuas* iguales y libres no han sido meras operaciones lingüísticas; son resignificaciones emancipatorias cuyo objetivo declarado es la transformación del orden vigente patriarcal. Habrá, pues, que sospechar de aquellas conceptualizaciones que vacían de contenido o directamente transmutan los principios que han mostrado ser beneficiosos para las mujeres y esforzarse por generar lazos de solidaridad que ayuden a conseguir que finalmente seamos "las iguales".

OBRAS CITADAS

Amorós Puente, Celia. *La gran diferencia y sus pequeñas consecuencias... para las luchas de las mujeres*. Madrid: Cátedra, Colección Feminismos, 2007.

—, "Notas para una teoría nominalista del patriarcado." *Asparkía, 1* (1992): 41-58.

—, *Tiempo de feminismo. Sobre feminismo, proyecto ilustrado y posmodernidad*. Madrid, Cátedra, Colección Feminismos, 2000.

Asociación Feminista Leonesa Flora Tristán, *Prostitución: Análisis y opciones para su erradicación*. León: Asociación Flora Tristán, 2006.

Ávila Bravo-Villasante, María, *La máquina reaccionaria. La lucha declaradad a los feminismos*, Tirant Humanidades, Valencia, 2019.

—, "Reacciones antifeministas y publicidad." *Asparkía, 36* (2020): 61-67

Beauvoir, Simone de. *El segundo sexo*. Madrid: Cátedra. Colección Feminismos, 2000.

De Gouges, Olympe. "Declaración de los derechos de la mujer y de la ciudadana." De

Gouges, Olympe. *Escritos políticos*. Valencia: Alfons el Magnànim, 2005. 70-82

De Miguel Álvarez, Ana, *Neoliberalismo sexual. El mito de la libre elección*. Madrid: Cátedra. Colección Feminismos, 2015.

Firestone, Sulamith y Anne Koedt, *Notes from the second year. Women's Liberation: Major Writings of the Radical Feminists (Magazine)*. 1970, New York.

Hanisch, Carol. "The personal is political." *Notes from the second year. Women's Liberation: Major Writings of the Radical Feminists (Magazine)*. Ed. Suamith Firestone y Anne Koedt. New York, 1970. 76-78.

Instituto Nacional de Estadística, *Mujeres y hombres en España*. 2020.

MacKinnon, Catharine. Hacia una teoría feminista del Estado. Madrid: Cátedra. Colección Feminismos, 1995.

Madruga Bajo, Marta. *Feminismo e Ilustración. Un seminario fundacional*. Madrid: Cátedra. Colección Feminismos, 2020.

Madruga Bajo, Marta y Verónica Perales Blanco. "Androcentrismo". *Ser feministas*. Ed. Alicia Puleo. Madrid: Cátedra. Colección Feminismos, 2020.17-19.

Mill, John Stuart. *El sometimiento de las mujeres*. Madrid: Edaf, 2005.

Millett, Kate. *Política sexual*. Madrid: Cátedra. Colección Feminismos, 2010.

Miyares, Alicia. "El sufragismo." *Teoría feminista: de la Ilustración a la globalización. Vol. 1*. Eds. Celia Amorós Puente y Ana de Miguel Álvarez. Madrid: Minerva, 2005. 245-293.

Molina Petit, Cristina. *Dialéctica feminista de la Ilustración*. Barcelona: Anthropos, 1994.

—, "El feminismo socialista estadounidense desde la "Nueva Izquierda". Las teorías del sistema dual (Capitalismo + Patriarcado)." *Teoría Feminista. De la Ilustración a la globalización. Vol. 2*. Eds. Celia Amorós Puente y Ana de Miguel Álvarez. Madrid: Minerva, 2005. 147-187.

Nuño, Laura. *Maternidades S. A. El negocio de los vientres de alquiler*. Madrid: Los Libros de la Catarata, 2020.

OECD, *Edutacion at a Glance 2017: OECD Indicators*. Paris: OECD Pub., 2017. Print.

—, *Edutacion at a Glance 2020: OECD Indicators*. Paris: OECD Publishing, 2020. Print.

Pateman, Carole. *El contrato sexual*. Barcelona: Anthropos, 1995.

Puleo, Alicia. *Claves ecofeministas para rebeldes que aman a la Tierra y a los animales*. Madrid: Plaza y Valdés, 2019.

—, *Ecofeminismo para otro mundo posible*. Madrid: Cátedra. Colección Feminismos, 2011.

—, *La Ilustración olvidada. La polémica de los sexos en el siglo XVIII*. Barcelona: Anthropos, 1993.

—, "Lo personal es político: el surgimiento del feminismo radical." *Teoría feminista: de la Ilustración a la globalización. Vol. 2*. Eds. Celia Amorós Puente y Ana de Miguel Álvarez. Madrid: Minerva, 2005. 35-67.

—, "Patriarcado." *10 palabras clave sobre mujer*. Dir. Celia Amorós Puente. Pamplona: Verbo Divino, 1995. 21-54.

Romero, Rosalía. *Kate Millett. Género y política*. Madrid: Ediciones Sequitur, 2018.

Sarachild, Kathie. "Consciousness-Raising: A Radical Weapon." *Feminist Revolution*. New York: Random House, 1978. 144-150.

Tohmpson, William, y Anna Wheeler. *La demanda de la mitad de la raza humana, las mujeres, contra la pretensión de la otra mitad, los hombres, de mantenerla en la esclavitud política y, en consecuencia, civil y doméstica*. Granada: Comares, 2000.

Valcárcel, Amelia. *La política de las mujeres*, Madrid, Cátedra, Col. Feminismos, 2012.

—, *Feminismo en el mundo global*. Madrid: Cátedra. Colección Feminismos, 2009.

—, *Sexo y Filosofía. Sobre mujer y poder*. Barcelona: Anthropos, 1994.

Velasco Sesma, Angélica. *La Ética Animal. ¿Una cuestión feminista?* Madrid: Cátedra. Colección Feminismos, 2017.

Wollstonecraft, Mary. *Vindicación de los derechos de la mujer*. Madrid: Istmo, 2005.

PROMETEO EN SILICON VALLEY.
TECNOLOGÍA Y EMANCIPACIÓN MÁS ALLÁ DE MITOS

Jesús Rodríguez Rojo[1]
Universidad Pablo de Olavide

Vivimos en una sociedad que presenta una actitud ambigua, incluso contradictoria, ante su propio desarrollo y lo que este trae consigo. Aunque el halo que antaño envolvía la idea de progreso se ha deteriorado seriamente, seguimos mirando con expectación hacia el futuro, aguardando cada nuevo utensilio que, como los teléfonos móviles, cambie nuestra forma de vivir y relacionarnos. Las marcas se esfuerzan por incorporar "tecnologías" a sus productos, desde los automóviles hasta las cuchillas de afeitar presumen de portar diseños y accesorios que nos producirán nuevas y más completas experiencias. Pero si levantamos un poco la vista, si miramos con decisión al mañana, no es expectación lo único que encontramos. El miedo es poderoso. Tememos las consecuencias de lo que producimos, ¿y si con cada avance estuviésemos tensando una cuerda que, cuando menos lo esperemos, se romperá, y nosotros con ella? La ficción, que no deja de representar nuestros anhelos y recelos, da buena cuenta de ello. Hace años ya que se vienen consolidando los villanos cabezudos vestidos de bata blanca; no se pueden contar los archienemigos de nuestros superhéroes preferidos que cuentan con el título de doctor; y cuando no nos ofrecen un "genio del mal" a quien culpar, es usual que los desastres se liberen cuando la creación de bienintencionados científicos se escapa de su control.

Esta paradójica ambivalencia sale a relucir con fuerza en el plano político. Y de eso hablaremos en este texto, de cómo esa caricatura que enfrenta embelesadoras imágenes de un futuro tecnológicamente avanzado con las distopías catastrofistas se manifiesta en los discursos que, genéricamente, podemos llamar transformadores. No obstante, antes de adentrarnos en el variopinto escenario de perspectivas y propuestas de acción, es conveniente exponer de manera sintética las fuerzas que hoy impulsan eso a lo que llamamos desarrollo. Dado que estas fuerzas, más que con la humanidad en sentido abstracto, tienen

---

[1] Sociólogo. Politólogo. Investigador en el Laboratorio de Ideas y Prácticas Políticas (LIPPO) de la Universidad Pablo de Olavide. Director del seminario "Marx y *El capital* en el mundo contemporáneo". (jesusrrojo@gmail.com)

que ver con el metabolismo social que la domina, el capital, la crítica marxiana de la economía política nos ofrece unas coordenadas sin igual en las que ubicar el problema.

1. LA FORMA CAPITALISTA DEL DESARROLLO DE LAS FUERZAS PRODUCTIVAS Y SUS POTENCIAS

El ser humano tiene una capacidad inequívocamente sobresaliente para apropiarse de su entorno. Más que ningún otro animal, ha demostrado ser capaz de planificar el proceso a través del cual satisface sus propias necesidades. Estas facultades se han ido agudizando con el paso del tiempo gracias a la naturaleza gregaria de los hombres y mujeres; sin embargo, existe un amplio consenso en que ha sido en los últimos cientos de años cuando se ha disparado abruptamente su capacidad para influir en el medio en que vive. Mientras que para practicar la agricultura la humanidad requirió de una decena de miles de años, el salto de la producción campesina, casi de subsistencia, a las plantaciones asistidas por todo tipo de herramientas que multiplican la productividad ha tenido lugar en apenas unas décadas. Lo mismo, o muy similar, podría decirse de tantos y tantos otros ámbitos de la producción material. Raro es el sector económico que no ha experimentado una revolución que transforme radicalmente los métodos y resultados de la aplicación del esfuerzo humano sobre la naturaleza.

Aunque podría pensarse entonces que la raza humana está pasando por su época dorada (hay quien habla del "antropoceno"), si prestamos atención al desarrollo concreto de sus potencialidades, veremos que no es ella la que está pilotando esta transformación. Nosotras, las personas, no somos más que pasajeros en un frenético viaje cuya trayectoria no podemos alterar. Tempranamente Marx ya advertía que, a los productores, su fuerza se les muestra "como un poder ajeno, situado al margen de ellos, que no saben de dónde procede ni a dónde se dirige y que, por tanto, no pueden ya dominar" (Marx y Engels [2014] 28). Lo peculiar de la etapa histórica en la que nos encontramos es que no son los hombres los que comandan la producción social a través de vínculos de dependencia personal (como pudieran ser la esclavitud o el vasallaje), sino que tal tarea ha sido delegada en las mercancías. Trocamos la servidumbre hacia las personas por la subordinación a los objetos. Hemos cedido la capacidad de dirigir nuestras propias capacidades a una lógica muy peculiar, la del capital. Una dinámica social enajenada del albedrío de sus presuntos protagonistas que únicamente responde inmediatamente a un estímulo, el de la valorización, toma las riendas del destino de la humanidad. Es en la desenfrenada carrera por generar valor que se justifica y promueve con vigor el despliegue productivo.

El capital social requiere incrementar la tasa de explotación de sus obreros para así concentrarse en mayor grado. Para conseguirlo puede o bien aumentar la jornada de trabajo, lo que lleva aparejada una lógica resistencia por parte de la clase obrera, o bien reducir el valor de los medios de consumo de los trabajadores. De cara a implementar esta segunda —y más atractiva— vía, debe acrecentar incesantemente la capacidad productiva del trabajo en las ramas que los producen. Este proceso, al que llamamos producción de plusvalía relativa, hoy tiene lugar movido por la competencia generalizada que involucra al conjunto de capitales individuales en una marejada en la que, para mantenerse a flote, deben aplicar diferentes formas para incrementar la productividad de su plantilla. Cada capital debe, por mor de su propia supervivencia, llevar a cabo una frenética revolución de las condiciones de trabajo, que comienza por la coordinación, más tarde pasa por la división manufacturera del trabajo y, finalmente, desemboca en el empleo de la maquinaria. Cada paso en este sentido redunda en una mejora de las pautas generales para la consecución de plusvalía abaratando el precio de los bienes que abastecen a los obreros. Esta es la forma en que se desarrollan las fuerzas productivas bajo el imperio del capital: no se procura la optimización de la apropiación de la naturaleza más que para conseguir plusvalía.

Siendo esta la razón que mueve el metabolismo social, es de esperar que lo que podría ser motivo de regocijo general para la humanidad se muestre en ocasiones como un verdadero tormento. La revolución de las condiciones productivas segrega, al menos por ahora, a los obreros entre quienes tienen la capacidad de planificar y dirigir la línea de producción, quienes son meros apéndices de los utensilios que utilizan y quienes solo están de más en el proceso productivo, colocándolos como desempleados. A la vez que deposita sus más progresivas potencialidades en una parte de la clase obrera, el capital martiriza —o aniquila— grandes contingentes de obreros relegados a la condición de población sobrante. Esta contradicción que porta consigo no niega el desarrollo de las fuerzas productivas, todo lo contrario, es la forma concreta en que este tiene lugar. Lo que se refleja en la clase obrera no es otra cosa que la contradicción fundamental del modo de producción capitalista, aquella que puede acabar por superarlo.

Solo el propio desarrollo capitalista es capaz de llevarlo hasta sus límites históricos. Producir plusvalía es el acicate que lleva al sujeto rector de nuestra vida a degradar progresivamente las premisas de su existencia. Esto ocurre a partir de la lucha de clases, dado que es ella la única fuerza capaz de centralizar el capital a nivel mundial en manos de su forma política, el Estado. Así se erradicaría la rémora burguesa al tiempo que se instituye una república democrática desarrollada en su plenitud, en la que la ciudadanía no tiene ya ámbitos vetados a su participación política a causa del imperio de la propiedad privada[2].

De esta forma se potencia la producción reuniendo al conjunto del proletariado bajo una única dirección, en una sola entidad. Sobre esta nueva base, el capital sigue viéndose forzado, a través de la presión que ejerce la clase obrera mediante su pugna política por el valor de su fuerza de trabajo (tratando de contener o reducir la jornada laboral), a mejorar la productividad con tal de engendrar plusvalía relativa. Ese proceso reclama combinar un espectacular despliegue de la conciencia técnico-científica del obrero con una paulatina —aunque no lineal— universalización de sus atributos productivos que contrarreste la mentada diferenciación de la fuerza de trabajo cerrando las brechas los órganos del obrero colectivo. La conjugación de ambas dinámicas lleva a los productores a apropiarse progresivamente del proceso de producción social global. Por su parte, el capital se ve obligado a irlo cediendo con tal de optimizar sus propias condiciones de acumulación. El desarrollo de las fuerzas productivas, resultado de la acción de la clase obrera en el modo de

---

[2] El conflicto, y en particular el conflicto político protagonizado por la clase obrera, es la forma en que se despliegan las más progresistas potencialidades del modo de producción capitalista (véase un desarrollo en este sentido en: Rodríguez Rojo 2019c). Para ejemplificarlo no tenemos más que mencionar que un desarrollo suficiente de las fuerzas productivas no puede dejar de pasar por el agotamiento histórico del papel de la clase capitalista. Ella acaba siendo un lastre para el avance de la acumulación de capital, no solo por no poder aportar nada al desarrollo técnico-científico, también por mantener fragmentada la titularidad sobre el capital social mediante la propiedad privada de carácter personal. Obviamente, el capital no tiene otro medio que la lucha de clases para extirparse éste colectivo, para centralizarse absolutamente.

producción capitalista, acabará por emanciparse de las manos del capital y por recaer en la humanidad, ya carente de yugos, realmente libre.[3]

Con este premuroso recorrido nos bastará para proseguir hacia el contenido específico de este trabajo, la forma en que se representa este desarrollo tecnológico en la conciencia política de algunos sectores del proletariado a través de sus formulaciones teóricas.

2. LA NEGACIÓN DEL CAPITAL VISTA A TRAVÉS EL RETROVISOR: ROMANTICISMO CRÍTICO Y ATAVISMO POLÍTICO

Aunque los movimientos revolucionarios tradicionalmente habían sido nítidamente progresistas, hoy quienes mantienen en alto las banderas del desarrollo más o menos lineal hacia una sociedad mejor son francamente marginales. Lo son en tanto que quedan alejados del sentido común de la "izquierda transformadora", para quien ha quedado demostrado que el optimismo histórico no tiene ya base empírica. De facto la mayor parte de los movimientos políticos ubicados en posiciones "críticas" se muestran en extremo escépticos ante la idea de progreso, a la que ven, acompañando a un clásico moderno como Bury (1971), como un peligroso dogma y mantra de la sociedad moderna. Principios como la racionalidad, especialmente económica, o la eficiencia serían coartadas ideológicas para arrasar con formas de ver el mundo contrarias a un productivismo capitalista dispuesto a devorarlo todo. La naturaleza y una ingente cantidad de seres humanos serían los principales damnificados por esta desmedida voracidad impulsada en primera instancia desde occidente pero que ya estaría imperando en todo el orbe.

2.1 UN MARXISMO NO PROGRESISTA. EL ECOSOCIALISMO

Reclamándose herederos o al menos simpatizantes de la obra de Marx, ciertos intelectuales han optado por buscar en ella elementos que ofrezcan formas de criticar el progresismo histórico. De entre los valedores de esta postura, pocos serían más insignes que W. Benjamin, quien protestó enfáticamente contra la defensa dogmática del

[3] Un desarrollo más detallado en una línea similar a la propuesta puede verse en: Iñigo Carrera 2013, cap. 1; Starosta 2015, cap. 8; Starosta y Caligaris 2017, cap. 6

progreso por parte de la socialdemocracia europea. "Nada ha corrompido más a los obreros alemanes que la opinión de que estaban nadando con la corriente", decía (Benjamin 313). Sus famosas "Tesis sobre el concepto de historia" ofrecen aún hoy toda una declaración de principios sobre la necesidad de combatir el curso de la historia, de erigirse como luchadores "en favor del pasado oprimido" (317). Tras él ha venido todo un amplio elenco de románticos que, lejos de aspirar a culminar la revolución que lleva adelante el capital, están dispuestos a detenerla, de una vez y para siempre, cuando no a revertirla. Aunque el contenido, como veremos, varía, se estableció un marco común a muchas propuestas que se desprendieron de las expectativas asociadas al desarrollo de las fuerzas productivas.

Personajes tan influyentes, simbólicos y distantes entre sí como Castoriadis o el propio Marcuse se adhirieron a esta corriente. Dirigiendo la mirada a las máquinas empleadas en las grandes ciudades, el primero aseguraba que "no tienen en sí misma ninguna validez suprahistórica, son el producto de una selección dos veces secular, en parte ‹espontánea›, en parte consciente, que está orientada a subordinar el trabajo en su realidad cotidiana concreta al dominio del capital"; la "sujeción del trabajador" y el "carácter absurdo de su trabajo" no pueden sino desprenderse "inevitablemente de la propia naturaleza de esas máquinas" (Castoriadis 48). En la misma estela, Marcuse sentenció que la "tecnología como tal no puede ser separada del empleo que se hace de ella; la sociedad tecnológica es un sistema de dominación que opera ya en el concepto y la construcción de las técnicas" (26).

Estas contribuciones parten de una revisión de, cuando no ruptura con, aquella forma de conocimiento marxiana que separa la forma del contenido. Si las técnicas o ciencias son engendros represivos lo son en su condición de capital, nunca al margen de ella (cf. Marx [1982] 191). De ahí aquella cita harto conocida que reza que una "máquina de hilar algodón es una máquina para hilar algodón. Sólo en determinadas condiciones se convierte en capital" (Marx [1998] 49). En efecto, como le recuerda Mattick a Marcuse en su crítica, "ni la ciencia ni la tecnología constituyen un sistema de dominio; la dominación del trabajo por el capital es lo que [...] convierte la ciencia y la tecnología en procedimientos de explotación y dominio de clase" (23). Es el capital, diríamos nosotros, el que da la pauta del desarrollo de nuevas tecnologías motivado, repetimos una vez más, por la sed de plusvalía.

Únicamente quedándonos en la apariencia inmediata podríamos ver en la "naturaleza" de la máquina la impronta de la opresión.

No todos los marxistas llegaron tan lejos en la identificación del desarrollo con el horizonte o culminación de la barbarie capitalista. Resulta de mucho interés la corriente que ha venido a denominarse como "ecosocialista". Desde esa posición se rescatan algunos fragmentos de la obra de Marx para usarlos como inspiración a la hora de pensar una crítica del capitalismo que recoja el aspecto ecológico. Riechmann (50), por ejemplo, uno de los más célebres defensores de esta corriente en España, trae a colación una célebre cita de *La ideología alemana* en la que se contempla la posibilidad de que las "fuerzas productivas" se tornen "fuerzas destructivas". Pero hablando del contexto español no podemos dejar escapar la oportunidad de mencionar al precursor local de estas posturas, M. Sacristán (2009), quien ya había sintetizado esta fórmula al hablar del desarrollo de las "fuerzas productivas-destructivas" como contrapunto a la visión determinista hegeliana que confiaba ciegamente en la fatalidad del curso de la historia. No se puede depositar nuestra esperanza en la máxima de que la historia avanza por su costado negativo, de hacerlo nos quedaríamos expectantes e incluso aguardaríamos impacientes las tragedias venideras. Para superar esta misma visión, uno de los más, sino el más, reconocido ecosocialista, Löwy, afirma que:

> tenemos que ver el carácter contradictorio del progreso, y los elementos de regresión que están en el seno del llamado "progreso". Es decir, necesitamos una visión dialéctica del progreso. [... En el] proceso histórico, los avances, por un lado son, o pueden ser, al mismo tiempo, dialécticamente, regresiones. [... Eso] pasa en el capitalismo. El capitalismo ha desarrollado las fuerzas productivas en una escala sin precedentes, ha aportado un progreso científico, técnico, económico, etc., sin precedentes, pero al mismo tiempo, desde el punto de vista social fue regresivo. (422)

Sin duda, estos autores dan en la clave del fenómeno cuando se refieren al carácter "contradictorio" del proceso. El riesgo de esta aproximación reside en la posibilidad de convertir la dialéctica en lo que hizo de ella Proudhom: un proceder consistente en escindir cada fenómeno social en dos facetas, el "lado bueno" y el "lado malo", de tal manera que nuestro problema quedara reducido a cómo conservar lo positivo suprimiendo a su vez lo negativo (Marx [1973c] 163). De esta manera se pierde de vista la unidad del movimiento. El capital no trae cosas positivas acompañadas de cosas negativas, esa es una manera, a nuestro entender, torpe de ver el despliegue de la acumulación. Más bien podría decirse que su forma de traer algo "bueno" es a través del desarrollo de lo "malo". La bipartición del proceso en ambas "facetas" puede enturbiar el hecho de que ambos responden por igual a la forma en que el capital encara y responde a sus necesidades.

Nada de eso disuelve, sin embargo, el potencial político de la propuesta ecosocialista. En pleno siglo XXI la lucha por la preservación de las condiciones climáticas y la conservación de los ecosistemas representa una de las formas más contundentes de protesta social. Tal y como lo vemos, este tipo de reyertas, sin ser estériles, se mantienen muy encorsetadas si no portan consigo la posibilidad de aumentar la capacidad de la clase obrera de gestionar directamente la producción capitalista. Sin un mayor grado de planificación, la emergencia climática, como se ha venido a llamar, resulta inafrontable. Por ello, la superación del capital y la respuesta a la crisis ecológica discurren por un mismo camino, el de la lucha de la clase obrera por hacerse con el control del proceso de trabajo social. En principio, la forma en que tiene lugar este avance no puede ser otra que la extensión de la acción del Estado sobre la —pareciera— sacrosanta autonomía y libertad de los capitales individuales. Orientado por esa vía, la de la aproximación gradual (tal vez nimia) a la centralización del capital en manos del Estado, el ecosocialismo da cuenta de una veta de la acción revolucionaria del proletariado.

2.2 El capital y sus enemigos externos: esencia y apariencia del anticapitalismo romántico

Lejos ya de la tradición socialista, enmarcados en el entorno político del anarquismo tradicional, surgieron discursos que tenían mucho que objetar a las ya dañadas narrativas del progreso histórico. Un ejemplo de ello es el teórico austriaco Iván Illich. En uno de sus ensayos clamando contra el "productivismo" industrial, analiza los utensilios que emplean los seres humanos en sus procesos de reproducción y lo hace abogando por unas "herramientas justas", que no degraden la "autonomía personal", que no produzcan amos o esclavos, y que expandan la "ratio de acción personal" (Illich 26). El ser humano, asegura Illich, "necesita de una herramienta con la cual trabajar, y no de instrumentos que trabajen en su lugar. Necesita una tecnología que saque el mejor partido de la energía y de la imaginación personales, no una tecnología que lo avasalle y programe" (26). Su propuesta, ubicada bajo el rótulo de "convivialidad", es definida como el "reencontrar nuevamente la dimensión personal y comunitaria"; "el paso de la repetición de la falta a la espontaneidad del don"; como la "acción de personas que participan en la creación de la vida social" (26-7). Merece la pena que nos detengamos en estos asertos para analizarlos como merecen, pues consiguen sintetizar en muy pocas palabras una serie de ideas de amplio impacto.

Es llamativo que la añorada convivialidad se "reencuentre nuevamente". No se trata de buscar un futuro post-capitalista, sino, pareciera, de volver a un pasado cuyas bondades se habrían perdido. ¿Qué pasado? Pues aquel en el que "el hombre sabía poner a su servicio ciertas fuerzas naturales" para conseguir sus objetivos (49). ¿Ejemplos? La construcción de Teotihuacán, la cúpula de San Pedro o los canales de Angkor; obras que requirieron del desfallecimiento de centenares de personas a veces durante generaciones. De esta excentricidad podemos llegar al delirio de quienes encuentran seductora la vida en condiciones primitivas (véase Zerzan 2001). Pero ¿qué consideran tan atractivo en las sociedades pasadas que les llevan a dejar en un segundo plano hechos como la baja esperanza de vida o lo despótico de sus regímenes? ¿Qué tamañas virtudes se reclaman frente a la impersonalidad de la producción industrial?

Respondiendo de forma concisa diríamos que aquellas que emanan de los lazos de dependencia personal. Propone reemplazar el metabolismo social capitalista por otro basado en el carácter personal de la organización del trabajo social. Así lo hace Illich explícitamente al abogar por la "espontaneidad del don" —término que entendemos siguiendo a un clásico como Mauss (2007)—; y así lo hacen en su línea otros muchos autores de gran influencia en la izquierda política. Polanyi (280), un economista hoy muy reclamado en toda clase de círculos intelectuales comprometidos, ya en su día alzaba su voz contra la forma en que el "mercado" liquidaba las "instituciones" de eso a lo que él llamaba "sociedad orgánica"[4]. En el mismo área de conocimiento, otro influyente pensador como Schumacher (67 y ss.) exaltó con ímpetu las relaciones de proximidad y personales frente a las de carácter universal. Retomando explícitamente el legado de estos autores se alza la propuesta del "decrecimiento", que condensa mucho de lo dicho repudiando a la vez el productivismo, el desbocado desarrollo tecnológico, la ideología del progreso y, en su lugar, abrazando "una expansión de las relaciones sociales de convivencia en un marco de frugalidad, sobriedad, simplicidad voluntaria y austeridad en el consumo material" (Taibo 84; también cf. Latouche).

Evidentemente, no todos los autores y corrientes mencionados comulgan en sus postulados. Sin embargo, todos tienen algo en común: buscan enfrentar al capital desde su exterior.[5] Al menos, desde lo que se encuentra presuntamente fuera de él, en este caso los vínculos de dependencia personal. Y decimos "presuntamente" porque este tipo de relaciones no siempre están efectivamente fuera del modo de producción capitalista. La defensa de los intercambios guiados por la cercanía personal que tiene lugar en el comercio local, que es la concreción política de gran parte de esta literatura, es la salvaguarda no de los "menos capitalistas", sino de los "peores capitalistas", que disfrazan de subversiva su incapacidad para desarrollar las fuerzas productivas.

Para que la restauración de los vínculos de dependencia personal tuviera un cariz "anticapitalista" debería aspirar a situarlos como patrón rector del conjunto del trabajo social, sustituyendo al capital. Esta es la esencia de la crítica romántica al capitalismo que Marx ([1971] 89-90) o Lenin (140) denunciaron: aspirar a regresar en el tiempo a un mundo más sencillo, más pequeño, menos abigarrado, que permita satisfacer ciertos anhelos que hoy quedan insatisfechos. Esos tiempos, dicho sea de paso, distan de ser paraísos terrenales perdidos. Vínculos personales como la esclavitud, el vasallaje o el parentesco han jugado un papel dominante a lo largo de la historia de la humanidad, periodo en el cual los hombres (menos aún las mujeres) carecían de la libertad para organizar siquiera su propio trabajo individual, no hablemos ya de participar en algo así como un metabolismo social general colectiva

---

[4] Curiosamente, Durkheim (1985) usaba el adjetivo "orgánico" de manera casi opuesta, para referirse a las sociedades organizadas a partir de la división del trabajo que propicia el mercado.

[5] Para un análisis de la categoría de "exterioridad" véase: Rodríguez Rojo 2019b

y conscientemente organizado. El capital barrió con eso, y difícilmente podemos pensar, al menos siguiendo a Marx, que tales relaciones vayan a volver con una redoblada fuerza para imponerse a la forma mercantil de relacionarnos. Si algo puede superar al capital, será aquello que su propio movimiento trae consigo:

> Las relaciones de dependencia personal [...] son las primeras fuerzas sociales, en las que la productividad humana se desarrolla solamente en un ámbito restringido y en lugares aislados. La independencia personal fundada en la dependencia respecto a las cosas es la segunda forma importante en la que llega a constituirse un sistema de metabolismo social generalizado, un sistema de relaciones universales, de necesidades universales y de capacidades universales. La libre individualidad, fundada en el desarrollo universal de los individuos y en la subordinación de su productividad colectiva, social, como patrimonio social, constituye el tercer estadio. El segundo crea las condiciones del tercero. (Marx [1971] 85)

Esas "condiciones" son justamente a las que nos hemos referido anteriormente, cuando mencionamos el desarrollo de la conciencia técnica de la clase obrera. Por supuesto, esto confronta radicalmente con la perspectiva de Illich —y tantos otros...—, pues eso que él ve como indeseable e incluso abyecto, a saber, que la herramienta trabaje en lugar del ser humano o que "programe" su actividad, es parte indispensable del proceso que puede acabar por emancipar a la humanidad del yugo del capital[6]. Al ir encomendando la producción directa a la maquinaria, al desprenderse del trabajo especializado de la antigua manufactura, el capital sustituye poco a poco al "individuo parcial, simple instrumento de una función social de detalle, por el individuo desarrollado en su totalidad, para quien las diversas funciones sociales no son más que otras tantas manifestaciones de actividad que se turnan" (Marx [1973a] 438). Repudiar lo que significa la maquinaria,

---

[6] No en vano un autor tan lúcido como R. Rosdolsky (1976 30) afirmaba que "las condiciones materiales de producción que hacen posible e incluso necesario el paso a una sociedad sin clases" han de buscarse en "el análisis marxista del maquinismo". Tampoco a Lukács (1974), fiero opositor a la crítica romántica y retrógrada, se le pasó desapercibida la importancia de la maquinaria en el proceso de "desantropomorfización". En ese movimiento, nos dirá, "lo esencial es que el proceso del trabajo va liberándose progresivamente de las disposiciones, etc., subjetivas de los trabajadores y ordenándose según los principios y las necesidades de un En-sí objetivo" (207).

podríamos llegar a decir, implica abrazar la enajenación capitalista —a veces de manera especialmente efusiva a través del encomio velado al pequeño capital—. Esto será así al menos mientras no se concrete un proyecto tan, creemos, utópico como establecer un nuevo modo de producción organizado a través de la dependencia personal del que no tenemos más noticias que las que sus paladines nos brindan a través de vagas insinuaciones.

3. EL FUTURO YA ESTÁ AQUÍ, ¡TOMÉMOSLO! INTERNET Y FUERZAS PRODUCTIVAS

Otra parte de los y las intelectuales de la izquierda ha abrazado con fuerza una tendencia aparentemente opuesta, aquella que estrictamente podríamos llamar "progresista". Son corrientes que consiguen conectar con cierta voluntad emancipadora poniendo el acento en las virtudes potenciales que trae consigo la tecnología. Lo que vamos a encontrar es un conjunto de perspectivas que tienen en común el haber identificado en acontecimientos recientes, especialmente en los avances informáticos, los contenidos concretos para la erradicación de las relaciones mercantiles o capitalistas. Esta intuición —si queremos llamarla así— es no menos que sugerente: qué duda cabe de que nuestra vida, la de los habitantes de la mayor parte del mundo, ha cambiado con la irrupción de las "nuevas tecnologías de la información". Trabajamos y, más en general, nos relacionamos en red, tenemos al alcance de un "clic" o de un desplazamiento del pulgar una cantidad de conocimiento nunca antes visto; ¿cómo no va eso a incidir sobre el curso histórico del capitalismo?

3.1 LA FÁBULA DEL CAPITALISMO COGNITIVO

La más sonada propuesta —que actúa como nodriza de otras tantas— seguramente sea la que surge del así llamado "postoperaismo". El heterogéneo grupo que forma esta corriente tiene por sus líneas comunes, según Marazzi, (i) el registrar el paso del obrero fordista, de un obrero-masa, a un "obrero social", un "«sujeto multiforme» que actúa, productiva y subjetivamente, fuera de la fábrica, es decir, en la sociedad"; (ii) la caracterización del capitalismo financiero como un "biocapitalismo" o "capitalismo cognitivo" en el que la producción material ha perdido su protagonismo en favor de las deudas y relación de explotación genuinamente nuevas; y (iii) comprender la riqueza como un conjunto de bienes comunes, producidos por el obrero social, de los cuales el capital trata de apropiarse mediante diferentes mecanismos (VVAA 297-9). Estas características compartidas pueden encontrarse, *mutatis mutandis*, en el núcleo de las contribuciones de los más reconocidos autores.[7] La mayoría de ellos parten de Marx, particularmente del ya célebre "Fragmento sobre las máquinas", para aseverar que la época del *General Intellect* es en nuestros días una realidad palpable más que un futurible.

El postoperaismo entiende que el obrero ya existe "como cuerpo social"; según lo ven, el trabajo estaría hoy dejando de ser "la gran fuente de riqueza", y el tiempo de trabajo ya no podría ser "su medida" (cf. Marx [1972] 228-9). Aquello que Marx achacaba al desarrollo industrial vinculado a la maquinaria, ellos lo ven como consecuencia de la socialización del "trabajo inmaterial", a través de la cual se habría llegado a un punto en que ya no podríamos discernir lo que es productivo de lo que no lo es. El conjunto de las "mercancías cognitivas" serían productos directamente sociales. Nada de esto llevaría implícito la superación del capitalismo —como sí parece que lo lleva para Marx—, sino más bien el salto a una nueva etapa a la que los clásicos no pudieron más que asomarse. En la era de internet se habrían trastocado las bases sobre las que se asienta la producción capitalista. El capitalismo habría fundido sus formas con la semiótica y la informatización, se habría hibridado hasta el punto de dejar de poder ser comprendido desde los postulados tradicionales. No solo se desvanece la posibilidad de reconocer en el trabajo abstracto invertido de forma privada el contenido del valor, también se esfuma la clase obrera como agente revolucionario, para quedar suplantada por toda una serie de ingeniosas (y vacías) formulaciones tales como "multitud" o "cognitariado".

Dejando de lado la nada desdeñable cuestión sobre la presunta transformación de la clase obrera,[8] lo que aquí nos concierne es evaluar la pertinencia de su principal postulado, a saber, que las nuevas formas de producción ya no responden a las determinaciones analizadas por la crítica de la economía política. El eje de su argumento radica en que

---

[7] Véase, por ejemplo: Berardi 2015; Lazzarato 2006; Negri 2015; VVAA 2004

[8] Problema que tratamos sucintamente en: Rodríguez Rojo [2019] 233

las mercancías no materiales, tomemos por caso un videojuego, se reproducen de manera extraordinariamente fácil, sin apenas mediación del trabajo humano. Con ello se crearían los fundamentos para una riqueza común que, sin embargo, es boicoteada sistemáticamente por el Estado a través de la legislación sobre propiedad intelectual. Lo que no alcanzan a ver los postoperaistas es que la acción del Estado, lejos de ser un elemento exterior al valor, es la mediación necesaria en la realización de la sustancia que continúa rigiendo la especificidad del intercambio en las sociedades capitalistas (Starosta y Caligaris 292-3). La regulación no trae consigo una pauta parasitaria de apropiación de riqueza común, sino la ratificación de la ley del valor: la intervención del Estado, el *copyright*, es el modo en que se asegura en la actualidad el canal para el flujo de ganancia.

El capital sigue rigiendo el metabolismo social, y lo hace a través del valor, mediante el cual consigue continuar revolucionando sus formas industriales. Aunque tendamos a pensar lo contrario, no hay una ruptura entre los aceitosos engranajes de los telares mecánicos y las inmaculadas pantallas de los terminales electrónicos. Entre las ideas genéricas de maquinaria y robótica no hay ninguna discontinuidad, hay un único proceso hacia el desarrollo de la capacidad humana de apropiarse de su entorno y satisfacer sus cambiantes necesidades a través de la forma concreta de la acumulación capitalista. Aún estamos lejos de haber presenciado los desarrollos en la conciencia humana que la lleven a poder prescindir por completo de la mediación del capital, los obreros universalmente desarrollados de los que hablara Marx no han puesto aún un pie en la historia, y no podemos reconocerlos más que en los contradictorios avances que sus compañeros del hoy portan. Por tentador que sea simplificar el despliegue de la acumulación, como hacen los postoperaístas, asumiendo que el capital ya ha dado todo lo que lo puede dar, y depositar todos nuestros anhelos emancipadores en la acción política de una parte de la humanidad, no podemos caer —repetimos— en esa fábula que deja de un lado lo nocivo y pernicioso, el capital, y de otro lo luminoso de nuestro presente, lo común. Debemos situar nuestra esperanza en un plazo algo más largo, sin que por ello cejemos en la aspiración activa de dejar atrás el capital.

3.2 El desarrollo de las fuerzas productivas a pesar del capital, de Trotsky al aceleracionismo

Existe, y ha existido durante años, una amplia controversia respecto a qué son las fuerzas productivas y la forma en que el capital las desarrolla. Sin ir más lejos, podemos encontrar toda una tradición anclada al pensamiento de Trotsky —quien adelantó esta tesis en su *Programa de transición*—cuyos autores aseguran que el capital dejó de desarrollar las fuerzas productivas a comienzos o mediados del siglo XX. Esta idea ha sido defendida empleando varias estrategias por quienes son hoy, de alguna manera, sus epígonos. Un teórico del valor de Arrizabalo (61), a quien no nos cuesta reconocer como maestro, sostiene esta tesis apelando a la noción misma de fuerzas productivas: para él su grado de desarrollo, más que por la productividad en general, se definiría por "el aprovechamiento social de las potencialidades que, hipotéticamente, puede aportar dicha productividad". El desempleo, sin ir más lejos, sería una gigantesca evidencia de lo que descuida el capital las fuerzas productivas; millones de cerebros y brazos capaces de servir "socialmente" y que quedan forzosamente ociosos. A partir de un esquema similar, Katz (35-6) lo que hace es apelar al divorcio que, bajo el capital, tiene lugar entre innovación y beneficio "social".

Muy recientemente, pero desde posiciones muy alejadas a las de los herederos del bueno de León, han vuelto a la palestra este tipo de argumentos. Williams y Srnicek, profesores británicos más influidos por el postestructuralismo francés que por las arengas revolucionarias de la Rusia de principios de siglo, publicaron en 2013 su *Manifiesto por una política aceleracionista*. No tardó en convertirse en un fenómeno en la caja de resonancia de la izquierda radical, ni en recibir todo tipo de comentarios desde distintas posiciones. Teniendo en cuenta lo que este texto sigue a día de hoy dando que hablar, merece la pena que dediquemos unos momentos a analizar sus propuestas.

El texto está escrito en directa oposición a las tendencias izquierdistas que enfrentan el capitalismo tratando de refugiarse en sus intersticios, en los recovecos que este les deja en los márgenes, que trata de reconocerse en experiencias con límites geográficos y temporales muy reducidos. Frente a esta estrategia, "una política aceleracionista busca preservar las conquistas del capitalismo tardío al tiempo que va más allá de lo que su sistema, sus estructuras de control y sus patologías de masa permiten" (Williams y Srnicek 39). Para ello ondean de nuevo banderas ya viejas de los movimientos revolucionarios, como la expectativa de poder trabajar menos o, ya lo hemos dicho, la voluntad por desarrollar las fuerzas productivas más allá de lo que el capitalismo puede hacerlo. "El capitalismo ha comenzado a reprimir las fuerzas productivas de la tecnología o, por lo menos, a dirigirlas hacia fines innecesariamente estrechos" (40); y algo más adelante inciden en la idea añadiendo una formula propositiva: "Nuestro desarrollo tecnológico está siendo paralizado por el capitalismo en la misma medida en que fue desencadenado por él. El aceleracionismo es la convicción de que estas capacidades pueden y deben ser liberadas, y elevarse por encima de las limitaciones que impone la sociedad capitalista" (47).

Ante la dejación de funciones del capital, que restringe su potencia con la implantación de un sistema de patentes, su apuesta para la acción trataría, a grandes rasgos, de colocar, mediante la aceleración, el avance tecnológico sobre los hombros de la humanidad, pues solo así podrá dar una respuesta libre a sus problemas, que son tan agudos como globales. "La elección que afrontamos es crítica: o un postcapitalismo globalizado o una fragmentación lenta hacia el primitivismo, la crisis perpetua y el colapso ecológico planetario" (47). Independientemente del carácter hiperbólico de la afirmación, justificada en todo caso por el carácter genuinamente panfletario del texto, es palmaria la potencia del argumento. Si no es posible retroceder, y no hay alternativas prácticas en los bordes, la única forma de combatir al capital es ir hacia adelante incluso con más decisión de la que él es capaz de mostrar. Para hacerlo resulta necesario transitar por los angostos caminos de la confrontación política y la movilización; pero también aquí se distancian de la izquierda tradicional: habría que dejar de lado las "tácticas de lucha habituales" y evitar la fetichización de la democracia, combinando la "autoridad del Plan" con el "orden improvisado de la Red" (43-4).

Aunque este tipo de planteamientos resultan atractivos por diversas razones, no consiguen reflejar otro contenido que las pretensiones de sus enunciadores. Las fuerzas productivas, entendidas como el despliegue de la conciencia humana de cara a apropiarse progresivamente de las determinaciones que rigen su proceso de trabajo y reproducción, no han detenido su desarrollo. No cabe la menor duda de que en los últimos tiempos y, por supuesto, desde los años 40, han tenido lugar avances de calado en multitud de ámbitos. Que el capital sea hoy estructuralmente incapaz de aprovechar las potencias que "hipotéticamente" genera no implica en ningún caso que no las desate[9]. Claro que el progreso no surge por motivos "sociales" (o sí, pues estrictamente son dinámicas sociales), sino movido por el afán de obtener plusvalía. Ese es el principio rector del sujeto que dirige del metabolismo social. Pero, de nuevo, tal cosa no debe eclipsar que efectivamente están teniendo lugar pasos adelante. Estas zancadas son tomadas por los aceleracionistas de manera tan invertida como lo hacían los postoperaistas: el sistema de patentes —ya lo adelantamos al hablar de la propiedad intelectual— no es un freno a la creatividad más que contemplado abstractamente, visto en el seno de la acumulación del capital, representa un estímulo necesario para promocionar la inventiva, asegurando su rentabilidad. Insistimos, la operatividad del valor sigue siendo simultáneamente el indicador de que el modo de producción capitalista sigue gozando de buena salud y de que persiste, amparado por él, el desarrollo de las fuerzas productivas.

4. LA LIBERACIÓN HUMANA, O DE CÓMO PROMETEO PUEDE LLEGAR POR SILICON VALLEY

Los marxistas, desde Kautsky hasta Althusser, han tenido que escribir siempre bajo la sospecha de ser "deterministas". Son recurrentes las introducciones, prólogos o excursos en los que los autores tratan de zafarse en la medida de lo posible de cualquier sospecha de concebir la historia como un desarrollo lineal en el que un factor juega un papel predominante. Este factor ha sido recurrentemente la tecnología. En

---

[9] Podría hacerse mención a toda una serie de intelectuales críticos, ubicados en lo que podríamos llamar "tercermundismo", que sostienen que, si bien en ciertas regiones centrales las fuerzas productivas han experimentado un desarrollo, en la periferia tal cosa no ocurre. Gran parte del mundo se mantendría en una situación de dependencia tecnológica, la cual debería romperse acabando con la forma capitalista. Así lo sostiene, por ejemplo, Dussel (362): "dada la situación estructuralmente dependiente y subdesarrollada de la tecnología en el capitalismo periférico, el compromiso de la liberación tecnológica […] es desligar la articulación de la productividad creciente, gracias a la tecnología, de la plusvalía que se obtiene del trabajo vivo". Presenciamos la pretensión idealista de emancipar a la humanidad del capital para, después, desarrollar las tecnologías. La conciencia "liberada" se autonomiza por completo del despliegue de la producción material y pasa a dominarla, de otra manera no podría entenderse cómo se desliga el avance de la tecnología de su forma concreta.

el sentido común se había asentado ya la idea de que, para los marxistas, como para el propio Marx, la negación de la producción capitalista llegaría "con la fuerza inexorable de un proceso natural" ([1973a] 700). Citas como esta resultaban en extremo incómodas. ¿Cómo iban los revolucionarios a confiar en que algo así como el desarrollo de las fuerzas productivas trajera aquello por lo que ellos mismos resultaban presos, torturados e incluso asesinados? Si era "inexorable" que la humanidad se liberase, ¿por qué no sentarse a esperarlo sin arriesgar en absoluto todo lo que se ponía en juego durante las jornadas de lucha? Resulta comprensible que tales ideas generasen animadversión entre activistas de todo el mundo, que veían legítimamente peligrar la épica de sus protestas y reivindicaciones.

Tras ponerse manos a la obra, muchos marxistas consiguieron, al menos en cierta medida, exorcizar aquellos fantasmas del determinismo. El precio a pagar fue, lo hemos visto (§ 2.1.), deshacerse del núcleo de la aproximación de Marx. Hoy en casi todos los ámbitos intelectuales predomina una versión "política" o "cálida" del marxismo, en extremo crítica con la tentativa de colocar el desarrollo técnico como vehículo del cambio social. Un ejemplo actual y paradigmático es el ensayo *Sociofobia*, del filósofo español César Rendueles, que destaca por la contundencia de los argumentos y lo agradable de su prosa. En él leemos:

> El determinismo tecnológico, en especial el marxista, tiene mala prensa. Al menos si la tecnología en cuestión es grasienta, humeante, pesada y, en general, analógica. Durante mucho tiempo, las explicaciones del cambio social que tenían en cuenta como un factor crucial la ciencia aplicada fueron consideradas poco sofisticadas y unicausales (algo malo, al parecer). Hoy el determinismo ha renacido con una fuerza brutal pero restringido a las tecnologías de la información y la comunicación [TICs] (Rendueles 41).

Por supuesto, gran parte del resto de la obra es una despiadada arremetida contra este determinismo renacido al calor de los teclados y las pantallas táctiles, uno que, en principio, poco o nada tiene de marxista. Según el autor estaría imponiéndose en la sociedad un "ciberfetichismo", el de pensar que las redes sociales y, en definitiva, las TICs son capaces de ofrecer una vía a la resolución automática a ciertos problemas sociales de índole política, en especial las carencias democráticas de nuestro sistema de toma de decisiones. "Los ciberfetichistas otorgan una gran importancia a la tecnología pero, a tenor de sus argumentos, su influencia emana mágicamente de ella. [... N]o proporcionan ninguna pista del modo concreto en que los cambios tecnológicos influyen en las estructuras sociales" (45). Y si no era aceptable, pese a los razonamientos clásicos, pensar que la gran industria maquinizada nos traería el socialismo, menos aún puede serlo, sin mediación argumental alguna, hacerse a la idea de que la extensión de móviles y tabletas electrónicas vaya a desembocar en un proceso de democratización radical de la toma de decisiones; no podemos depositar nuestras esperanzas en aparatos que vayan a cambiar nuestra forma de relacionarnos por nosotros. De esta manera podría resumirse la tesis que aquí consideramos interesante traer a colación.

Por razones obvias, no consideramos que el ensayo que mencionamos se trate de una crítica a los postulados aquí defendidos. Su interlocutor directo parece más un *coach* de las empresas tecnológicas que una perspectiva minoritaria dentro del marxismo (o sea, muy minoritaria) como la que aquí sostenemos. No obstante, su lectura nos plantea un reto apasionante, a saber, el de triunfar allá donde los apologetas del progreso fracasaron por dejación de funciones, explicar dónde reside el potencial emancipador de las tecnologías.

Nuestro punto de partida es que, como adelantamos algunas páginas atrás, no existe discontinuidad alguna, desde la lógica del capital, entre las tecnologías "analógicas" y las "digitales". En lo que se refiere a la producción, la computación o la robotización perfeccionan los procesos que empezaron de formas más rudimentarias. El moderno sistema de fichaje y registro a la entrada no es más que la evolución de la lista que acompañaba al capataz. El obrero apéndice de la maquinaria en la cadena de montaje es el antecesor directo del obrero programador que configura los brazos robóticos que operan sobre el objeto de trabajo. Pero considerar el cambio como una continuidad no implica que se mantenga inalterada la materialidad del trabajo y su impacto sobre la conciencia productiva. La actividad (y, con ella, la conciencia) de los órganos del obrero colectivo se ve revolucionada con la entrada de las nuevas tecnologías en los puestos: el vigilante ahora usa cámaras, y debe estar capacitado para usarlas; el bedel emplea cierres automatizados que le exigen menos esfuerzo pero mayores dotes técnicas;

el contable usa hojas de cálculo digitales que optimizan su desempeño a costa de hacerlo más complejo; y así podríamos seguir mencionando uno a uno los diferentes puestos en la empresa capitalista. Hay que apostillar a esto que la revolución de sus condiciones productivas del proletariado tiene lugar impulsada por órganos de la propia clase obrera, que diseñan y organizan la actividad de sus semejantes, y que los instruyen para ejercerla.

Es el sistema de extracción de plusvalía relativa a través de la maquinaria lo que va requiriendo es la formación de obreros capaces de abarcar una parte cada vez mayor del metabolismo social, y que puedan intercambiarse unos por otros. Aquel "individuo desarrollado en su totalidad" es el resultado de la expansión (a lo largo de la producción social) y extensión (al conjunto de órganos del obrero colectivo total) de la conciencia científico-técnica, que en su asentamiento va corroyendo el carácter privado del trabajo. La contradicción central del modo de producción capitalista, la que lo puede —y lo va a— dejar atrás en la historia, sale a relucir cuando comprendemos que la forma más acabada de acumulación de plusvalía, aquella que acompase la producción y consumo sociales, debe llevarse a cabo de forma racional. Para que una organización de esa guisa tenga lugar los productores deben haberse apropiado colectivamente de las potencias de su trabajo, tienen que haber superado la enajenación y, con ella, el capital. Esa es la última expresión del choque que enfrenta el desarrollo de "la capacidad productiva material" y "las condiciones de producción" propias del "régimen capitalista de producción" (Marx [1973b] 273). Lo que el capital acabará por requerir es su propia extinción como forma alienada de gestión del metabolismo social, y se llevará consigo al Estado e incluso a la clase obrera para dejar espacio a la nueva comunidad de hombres y mujeres realmente libres.

Las tecnologías del *software* que hoy pueden parecernos superfluas desde un punto de vista histórico —pese al evidente impacto en nuestra cotidianidad— se ubican en este proceso. La semilla del socialismo se puede estar gestando en estos momentos en el corazón mismo del capital, en las oficinas de Silicon Valley, donde se hallan los más potentes dispositivos de computación y muchas de las mentes más preparadas para emplearlos. Tal vez no podamos dar por hecho que la negación del capital está ya "preparada", de hecho, no creemos que lo esté, sin embargo parece claro que la planificación económica del capital está hoy, más cerca que ayer. En primer lugar, gracias a las tecnología de la computación gozamos de medios técnicos para optimizar la organización de una producción centralizada de forma notablemente más eficiente que en las experiencias pasadas[10]. En segundo lugar, y más importante, hay que tener muy presente la evolución —la revolución, en realidad— que en la actualidad están experimentando las conciencias productivas de la clase obrera. A riesgo de caer en algo parecido al "ciberfetichismo", podemos llegar a percibir en la extensión de la educación científica contemporánea, que tiene lugar acorde al avance técnico, el mismo germen en un mayor grado de desarrollo que Marx ([1973a] 431-2) viera en las cláusulas educativas de la ley fabril que analizó en *El capital*.

5. Conclusiones prácticas: la importancia política de la tecnología más allá de mitos

La tecnología ha estado presente siempre en el ideario de quienes tenían por objetivo la transformación social en clave emancipadora. Las trincheras se crearon con presteza, aparecieron los "tecno-optimistas", fascinados con las posibilidades que brindan los nuevos inventos, enfrentados a los "tecno-escépticos", aterrorizados por las nefastas consecuencias que pueden acarrear los presuntos avances, así como terceras posiciones más tibias, que no se decantan por una u otra trinchera[11]. A lo largo de estas páginas hemos podido examinar algunos de sus más recientes y extendidos ecos. Habrá notado el o la lectora que nuestra posición, no hay por qué tener tapujos en decirlo, se sitúa más cerca de los primeros que de los segundos; no porque sintamos alguna suerte de apego pasional por los teléfonos móviles o las computadoras, sino porque es a la orientación a la que nos lleva el examen que realizamos apoyados en las coordenadas que brinda la crítica marxiana

[10] Esta es la intuición que desarrolla con un importante nivel de concreción la propuesta ciber-comunista (cf. Cockshott y Cottrell 2018; Cockshott y Nieto 2017; Nieto 2018). Ellos dan argumentos contundentes en favor de la posibilidad de organizar el trabajo social a través de los modernos sistemas de recopilación y gestión de la información. Independientemente de que discrepemos respecto a su noción de socialismo —pues tienden a ver el socialismo realizado en la centralización absoluta del capital debido a la aparente revocación del carácter mercantil de los productos (véase a este respecto Rodríguez Rojo 2020)—, es innegable el potencial político de su contribución.

[11] Podemos destacar que López Arnal (186), por ejemplo, habló de contraponer el "principio de precaución" al "tecnoentusiasmo" a la vez que a la "tecnofobia".

de la economía política. Volteando el famoso aforismo gramsciano que opone el "pesimismo de la inteligencia" al "optimismo de la voluntad", creemos que hay poderosos motivos para apostar por un optimismo razonado y razonable. Y no por ello, claro, pasivo políticamente. Debemos ahondar en este punto.

Reconocer que el capital lleva ya en su vientre la simiente de su superación no lleva aparejado en ningún caso que optemos por dejar de lado la participación política; ni siquiera si tuviésemos claro que el socialismo es, como, recordemos, decía Marx, "inexorable" tendríamos por qué renunciar a ella; precisamente porque si es inevitable, lo es debido a nuestra acción política y nunca al margen de ella. Pensemos que una figura como Rosa Luxemburg, que fácilmente podría ser acusada de "determinista", dio su vida en la acción política revolucionaria, mientras que muchos de sus detractores "políticos" como Eduard Bernstein, quien renegaba del "determinismo", permaneció al margen de la acción política radical.

Es evidente que en un momento en que parece claro el reflujo del movimiento obrero y de arremetida burguesa resulta difícil confiar en que la historia nos vaya a traer la emancipación. Por eso no confiamos —como no confiaron desde su juventud Marx y Engels ([2013] 104-5)—, en absoluto, en "la historia". Otra cosa muy distinta es que consideremos que la clase obrera sea capaz de, y vaya a, asumir su papel como portadora consciente de la necesidad de avanzar hacia la superación del modo de producción capitalista. De nuevo, no solo porque deseemos con fuerza que tal cosa ocurra, sino porque hay procesos intestinos en el capital que empujan en tal dirección. La humanidad debe tomar en sus manos el fuego que le brinda Prometeo, y lo tendrá que hacer pasando por la acción revolucionaria de la clase trabajadora. Aunque aún no tengamos muchas pistas respecto a las formas que pueda asumir un movimiento político capaz de centralizar el capital en manos del Estado —con forma de república democrática, expresión más clara de la denostada "dictadura del proletariado"— y, con ello, dar un contundente pistoletazo de salida a la desaparición del capital, no podemos dejar de sentirnos involucrados en su consumación, algo que demostramos a través de la participación política en nuestro día a día.

Arrizabalo, Xabier. 2014. *Capitalismo y economía mundial*. Madrid: Instituto Marxista de Economía.

Benjamin, Walter. 2018. *Iluminaciones*. Madrid: Taurus.

Berardi, Franco. 2015. *La fábrica de la infelicidad. Nuevas formas de trabajo y movimiento global*. Madrid: Traficantes de sueños.

Bury, John. 1971. *La idea de progreso*. Madrid: Alianza.

Castoriadis, Cornelius. 2005. "Concepciones y programa de "socialisme ou barbarie"". Pp. 35-50 en *Escritos políticos*, editado por X. Pedrol. Madrid: Catarata.

Cockshott, Paul, y Allin Cottrell. 2018. "Planificación económica, ordenadores y valores-trabajo". Pp. 265-94 en *Qué enseña la economía marxista. 200 años de Marx*, editado por D. Guerrero y M. Nieto. Madrid: El viejo topo.

Cockshott, Paul, y Maxi Nieto. 2017. *Ciber-comunismo. Planificación económica, computadoras y democracia*. Madrid: Trotta.

Durkheim, Emile. 1985. *La división del trabajo social*. Barcelona: Planeta-Agostini.

Dussel, Enrique. 2014. *16 tesis de economía política*. México DF: Siglo XXI.

Illich, Iván. 1978. *La convivialidad*. Barcelona: Barral.

Iñigo Carrera, Juan. 2013. *El capital: razón histórica, sujeto revolucionario y conciencia*. Buenos Aires: Imago Mundi.

Katz, Claudio. 1997. "Tecnologia e socialismo". Pp. 35-59 en *Globalização e socialismo*, editado por O. Coggiola. São Paulo: Xãma.

Latouche, Serge. 2007. *Sobrevivir al desarrollo*. Barcelona: Icaria.

Lazzarato, Maurizio. 2006. *Por una política menor. Acontecimiento y política en las sociedades de control*. Madrid: Traficantes de sueños.

Lenin, Vladimir I. 1977. "Caracterización del romanticismo económico". Pp. 121-200 en *Obras completas*. Vol. II. Madrid: Akal.

López Arnal, Salvador. 2003. "Ciencia y conciencia. A propósito de la civilización y la violencia". *Papeles de la FIM* 20:173-88.

Löwy, Michael. 2004. "Marx, Engels y el romanticismo". Pp. 417-31 en *El capital. Historia y método* de N. Kohan. La Habana: Editorial de Ciencias Sociales.

Lukács, Georg. 1974. *Estética. I. La peculiaridad de lo estético. 1. Cuestiones preliminares y de principio*. Barcelona: Grijalbo.

Marcuse, Herbert. 1971. *El hombre unidimensional*. Barcelona: Seix Barral.

Marx, Karl. 1971. *Elementos fundamentales para la crítica de la economía política (Grundrisse). Vol. 1*. Madrid: Siglo XXI.

—. 1972. *Elementos fundamentales para la crítica de la economía política (Grundrisse). Vol. 2*. Madrid: Siglo XXI.

—. 1973a. *El capital. Crítica de la economía política. Tomo I*. La Habana: Editorial de Ciencias Sociales.

—. 1973b. *El capital. Crítica de la economía política. Tomo III*. La Habana: Editorial de Ciencias Sociales.

—. 1973c. *Miseria de la filosofía*. Madrid: Aguilar.

—. 1998. *Trabajo asalariado y capital*. Barcelona: DeBarris.

Marx, Karl, y Friedrich Engels. 2013. *La sagrada familia*. Madrid: Akal.

—. 2014. *La ideología alemana*. Madrid: Akal.

Mattick, Paul. 1974. *Crítica de Marcuse. El hombre unidimensional en la sociedad de clases*. Barcelona: Grijalbo.

Mauss, Marcel. 2007. *Ensayo sobre el don. Forma y función del intercambio en las sociedades arcaicas*. Madrid: Katz.

Negri, Antonio. 2015. "Interpretación de la situación de clase hoy: aspectos metodológicos". Pp. 99-138 en *Una vez más comunismo*. Buenos Aires: Tinta limón.

Nieto, Maxi. 2018. "La eficiencia dinámica de la economía planificada". Pp. 295-330 en *Qué enseña la economía marxista. 200 años de Marx*, editado por D. Guerrero y M. Nieto. Madrid: El viejo topo.

Polanyi, Karl. 2016. *La gran transformación*. Barcelona: Virus.

Rendueles, César. 2013. *Sociofobia. El cambio político en la era de la utopía digital*. Madrid: Capitán Swing.

Riechmann, Jorge. 2017. "Ecosocialismo descalzo en el Siglo de la Gran Prueba". *Viento Sur* 150:49-58.

Rodríguez Rojo, Jesús. 2019a. "¿Crítica del valor o superación del capital? Una vindicación de las clases frente al "marxismo cualitativista"". Pp. 226-43 en *Karl Marx y la crítica de la economía política. Contribuciones a una tradición*, editado por P. Sánchez León. Navarra: Pamiela.

—. 2019b. "Exterioridad y crítica de la economía política. Luxemburg y la posibilidad de la acumulación del capital". *Revista Internacional de Pensamiento Político* 14:65-80.

—. 2019c. *La revolución en El capital. Significados y potencial de la lucha de clases*. Madrid: El Garaje

—. 2020. "Maquinaria, ordenadores y superación del capital. Una aproximación crítica al ciber-comunismo". *Teknokultura. Revista de cultura digital y movimientos sociales* 17(2):113-20.

Rosdolsky, Roman. 1976. "El límite histórico de la ley del valor". Pp. 17-48 en *Crítica de la economía política. Vol. 1*. Barcelona: Fontamara.

Sacristán, Manuel. 2009. "¿Qué Marx se leerá en el siglo XXI?" Pp. 160-68 en *Pacifismo, ecologismo y política alternativa*. Barcelona: Público, La catarata.

Schumacher, Ernest. 1983. *Lo pequeño es hermoso*. Barcelona: Orbis.

Starosta, Guido. 2015. *Marx´s Capital. Method and Revolutionary Subjectivity*. Chicago: Haymarket.

Starosta, Guido, y Gastón Caligaris. 2017. *Trabajo, valor y capital. De la crítica marxiana de la economía política al capitalismo contemporáneo*. Bernal: Universidad de Quilmes.

Taibo, Carlos. 2010. *En defensa del decrecimiento. Sobre capitalismo, crisis y barbarie*. Madrid: Catarata.

VVAA. 2004. *Capitalismo cognitivo, propiedad intelectual y creación colectiva*. Madrid: Traficantes de sueños.

VVAA. 2011. *El impasse de lo político*. Barcelona: Bellaterra.

Williams, Alex, y Nick Srnicek. 2019. "Manifiesto por una política aceleracionista". Pp. 33-48 en Aceleracionismo. Estrategias para una transición hacia el postcapitalismo. Buenos Aires: Caja negra.

Zerzan, John. 2001. Futuro primitivo y otros ensayos. Valencia: Numa.

EL PODER COMO ENFERMEDAD: LOS REVERSOS DEL PODER

Manuel García Blanco y Antonio Orihuela

El mayor de los magos sería aquel que pudiese embrujarse de tal manera que al mismo tiempo sus propios sortilegios se le representasen como extraños a él mismo, como manifestaciones autónomas. ¿No podría suceder que tal fuese nuestro caso?

Novalis, Los fragmentos, III, 382

El poder es tolerable sólo con la condición de enmascarar una parte importante de sí mismo. Su éxito está en proporción directa con la que logra esconder sus mecanismos

Michel Foucault, Historia de la sexualidad. 1. La voluntad de saber

El poder alcanza su mayor eficacia cuando es menos observable.

Steven Lukes,
El poder. Un enfoque radical

Damos por sentado que todos los humanos compartimos determinados rasgos de conciencia que son universales, entre ellos, hacer el bien y tener sentimientos de culpa o remordimientos cuando obramos mal. Consideramos que están en nuestro kit básico de supervivencia como especie el preocuparnos por el bienestar ajeno, y organizar nuestra vida sobre determinados valores éticos (generosidad, compañerismo, ayuda mutua, respeto, solidaridad intergeneracional, reconocimiento de la humanidad del otro), pero esto no es así. Todos conocemos individuos narcisistas, agresivos, abusones, aprovechados e irresponsables que infringen estas reglas, que viven dominados por la codicia y la ambición de poder, y ante los que, por desgracia, tenemos poca defensa pues, al considerar estas conductas como antisociales, nos cuesta integrarlas en la vida cotidiana y, en la medida de lo posible, intentamos mantenernos lejos de los individuos que las manifiestan.

¿Pero qué se esconde detrás de estas personas? Habitualmente un intento de ocultar un complejo de inferioridad, combinado con una rigidez de la personalidad dominada por la falta de empatía, las suspicacias infundadas, los delirios de grandeza y omnipotencia, todo ello combinado con un exacerbado egoísmo, irresponsabilidad y ausencia de conciencia de las propias limitaciones personales.

Nadie, medianamente saludable, se entregaría a tales fantasías si no fuera porque entre cada uno de nosotros y nuestra cultura esta posibilidad queda abierta, porque la propia sociedad no solo produce todas estas tendencias sino que, particularmente en la nuestra, las alienta y entiende que son atributos indispensables para alcanzar el éxito; de hecho, estos trastornos de la personalidad pasan totalmente desapercibidos cuando hablamos de personas situadas en puestos relevantes, de influencia o de poder, donde estos rasgos son bien vistos y valorados socialmente. Perseguir obsesivamente el dinero, satisfacer todos tus deseos y ambicionar poder no serán vistos entonces como rasgos psicopáticos sino que entran dentro de las lógicas sociales adaptativas propias de nuestro sistema socioeconómico. En efecto, cualquiera que sea capaz de tomar decisiones fríamente, sin escuchar a nadie, dejando de lado cualquier sentimentalismo, principios éticos, empatía o interacción con los sentimientos de otros, tendrá el triunfo asegurado en el mundo empresarial, los negocios o la dirección de instituciones.

El psicópata no solo es insensible al dolor ajeno que puede causar, también es un manipulador de los sentimientos, un parásito de los valores, y un irresponsable social; pero todos estos rasgos no tienen por qué constituir una enfermedad, al contrario, están presentes en nuestra sociedad hipercompetitiva y desalmada como ideales de vida, formas de ser arquetípicas de quienes aspiran al poder sin importarles los medios para conseguirlo o para mantenerse en él. Son los llamados "patócratas", personas de tanta inteligencia como frialdad para conseguir sus fines, aunque ello suponga la destrucción de vidas humanas o el sufrimiento de grandes sectores de la población.

Despiadados, fríos, carismáticos, maquiavélicos, mesiánicos... llegarán a la cima de lo que se propongan por muchos obstáculos que se interpongan en su camino, por muchos riesgos que haya que asumir, por mucho que haya que cosificar a las personas, prescindir o eliminar, incluso físicamente, a aquellas que se interpongan en su camino, pues carecen de reglas y son depredadores sociales, y lo que es peor, desde abajo, muchos ciudadanos los contemplarán extasiados, como la encarnación del Gran Hombre, el Generalísimo, el Gran Timonel, el Padrecito, el Duce, el Führer, el patrón, el jefe, el líder, el gran empresario o el mesías… serán unos tiranos, unos dictadores, encarnarán el mal, manipularán al pueblo, explotaran a los trabajadores, pero por increíble que parezca, por irracional que sea, todos han logrado la adhesión de las masas, han conseguido seducir a sus complementarios, como si en nuestra sociedad la convivencia con los psicópatas no solo fuera insoslayable, sino que además los necesitáramos para hacer lo que no queremos hacer, lo que no nos atreveríamos a hacer, y lo que no quisiéramos que nos hicieran a nosotros.

Un día fueron nuestros héroes, nos veíamos reflejados en ellos, nos decían lo que queríamos escuchar, nos sonreían, saludaban, besaban niños, prometían todo tipo de cosas, daban becas y premios con sus nombres, eran benévolos y sacrificados, porque no hay nada más misterioso que el poder de un hombre o de un grupo para plegar a la mayoría a sus leyes, sus deseos, sus caprichos y sus locuras; pero siempre fueron nuestros monstruos, aunque solo lo descubramos cuando las soluciones que traen para la colectividad produzcan más sufrimiento que los males que querían remediar y la gente se revele contra ellos, desenmascarando su faz monstruosa.

Maestros en el doble pensar orweliano, mentirán a las masas, una y otra vez, con tal de conseguir su objetivo, y las masas, por increíble que parezca, tomarán como verdaderas sus mentiras, creerán en su representación, al menos mientras los manipulados encuentren algún tipo de ganancia en la mentira del manipulador.

El objetivo de las siguientes líneas es, a partir de lo dicho, ofrecer unas sugerencias de análisis material del poder, lo que el poder hace, aunque sin dejar de referirnos a su carácter ideológico, lo que el poder dice que hace, con las que mostrar las trasformaciones que el poder produce allí donde se manifiesta y, más en concreto, su capacidad para producir consentimiento y obediencia y, en el límite, gestionar y producir el mal. Se trataría pues de ofrecer, como si dijéramos, una patología del poder que indague algunos de sus efectos perversos y qué condiciones materiales y psicosociales parecen contribuir a la aparición de lo que llamaremos una organización relacional perversa.

En todo sistema social es posible distinguir dos momentos: su propia representación, explícita, lo que dice que es, sus ficciones legitimadoras y toda la serie de "soportes conceptuales" sobre los que se sostiene; y, por otra parte, lo que realmente hace, las relaciones y el modo de ejercer el poder. Sin desatender a la primera dimensión quizá sería más provechoso examinar en el actual estado del capitalismo examinar "cómo utiliza su poder para canalizar las acciones de sus administrados hacia sus objetivos, qué formas de convicción o de presión utiliza, qué justificaciones provee, el grado de aceptación que consigue y por qué" (Hernández 14-15).

1. LOS IMAGINARIOS DEL PODER

En una acepción amplia el poder tiene que ver con una capacidad, una potencialidad: no el hacer, sino la capacidad de hacer. Para conseguir la subordinación del otro se puede usar la fuerza física o la persuasión, la argumentación lógica o la conversión por la fe, por el terror, la manipulación o cualesquiera otros mecanismos de dominación. El poder pretende subordinar para llegar a la cima y mantenerse allí. Ejercer poder es dominar. Como a la omnipotencia divina, nada le está vedado al poder soberano: puede elevar a normalidad las categorías de explotación, exterminio y purificación de la raza, sancionar e inducir comportamientos bajo la cobertura de saberes expertos construidos para tal finalidad o simplemente reprimir y utilizar la violencia mediante el uso autolegitimado de la fuerza. El poder parecería ser una realidad mitológica imposible de moralizar. La idea de poder produce, entonces, una especie de malestar y no solo por la sugerencia de tiranía que produce. Jung lo expresó de la siguiente manera: "Dónde reina el amor no hay deseo de poder; y donde el ansia de poder es suprema, está faltando el amor" (Hillman 102), y eso porque ir en busca del poder es tener una conducta desenamorada; el amor es desinteresado y generoso, el poder es exigente y egoísta, el amor protege y deja ser, el poder despoja y es posesivo. De manera que el poder puede verse como una manera de pervertir el amor.

Poder también sugiere *control*. El control supone la verificación y vigilancia de los procesos (como cuando se habla de "control de calidad" o "control de la natalidad"), tratar de determinar el curso de las acciones para prevenir interferencias. Tener el control es producir el orden, es saber lo que está pasando; lo que importa es la inspección, la supervisión y la vigilancia: "el poder se reserva el azar y atribuye la norma", decía el sociólogo Jesús Ibáñez. Cuando se pierde el control surgen el caos, la inseguridad y la incertidumbre; sin embargo, los efectos de la falta de control son muy distintos en los poderosos y en los subordinados. Los poderosos siempre pueden cambiar las reglas de juego para dirigir los procesos de control, en los dominados la falta de control sobre sus vidas produce desamparo, impotencia e indefensión. Cuando uno no sabe a qué atenerse para dirigir su vida, surge lo que los psicólogos llaman "indefensión aprendida": si una persona pasa por condiciones de vida altamente aversivas (llámese desempleo, ausencia de oportunidades, insatisfacción de las necesidades básicas) y no tiene control ni puede predecir con un mínimo de seguridad qué puede hacer para salir de esa situación por mucho que lo intente, desarrolla la creencia incapacitante de "haga lo que haga nada cambiará". El sujeto baja los brazos, se abandona a sí mismo, acepta el sufrimiento y se culpabiliza a sí mismo de su propia situación; surge, como decimos, la indefensión, el desamparo y la impotencia.

Además, el poder otorga *prestigio*. Quién persigue el poder tiene la necesidad de ser admirado, impresionar, exhibir su poder. Lo que subyace debajo es el *narcisismo*. Ya el significado de la palabra delata el secreto del ansia de prestigio en sus formas patológicas: "prestigio" procede del latín *praestigia*, "fascinación o ilusión con que se impresiona a alguno (de donde deriva "prestidigitación"), lo que remite al truco, la impostura y el engaño (Hillman 116), exige tener un olfato agudo para saber qué y quiénes son los importantes, saber dónde sopla el viento, cuando izar las velas o cambiar el rumbo. Dado que al prestigio le gusta mostrarse, los psicoanalistas lo asocian al placer del *exhibicionismo*. El poder gusta de exhibirse, mostrarse, al menos en aquellos aspectos que despiertan fascinación.

La *ambición* o "deseo de alcanzar algo que está fuera del alcance" y la ilimitación de los apetitos, el exceso, el riesgo es provocado por el "hambre de poder". La ambición lo quiere todo y no tolera límites, es una pasión que conduce a la soberbia. Ambición y soberbia, que son los pecados del Lucifer bíblico, en nuestro mundo al revés son dos cualidades vistas positivamente para coronar el éxito social.

El deseo de *reputación* también se pervierte; lo que debería ser el reconocimiento público de las bondades de las personas por sus actos meritorios hacia la comunidad de referencia se transforma en una mera movilización de "opiniones favorables". Son muchas las sumas de dinero que se invierten en crear reputaciones (y en destruirlas) en la lucha por la credibilidad. Los famosos se convierten realmente en personajes infames. Basta mirar los personajes de la telebasura para apreciar las contradicciones en medio de las que nos movemos.[1]

El *liderazgo*, la *autoridad*, el *carisma* surgen a su vez como puntos de referencia de una sociedad sin referentes. El líder suele persuadir por su carisma y tiene autoridad ante sus fieles. El líder seduce, conduce y persuade (de *suadeo* que significa "suavizar", "hacer placentero"). El líder puede ser un psicópata pero cuando aparece, los problemas reales se esfuman.

También el *miedo* y la *intimidación* son poderosos mecanismos de dominio. De la misma manera que puede existir placer en sentir temor (hay veces que el temor es una manera imaginaria de prevención ante un peligro real), lo perverso es el placer en provocar temor. El miedo intenso mantenido por la crueldad es la forma más despiadada de provocar la impotencia de los dominados: el miedo inmoviliza, paraliza y pone la propia vida al arbitrio de la voluntad de otros. Hoy el miedo adopta la forma neurótica de ansiedad, desconfianza hacia el presente y temor hacia el futuro, y gran parte de la población vive en un estado de agitación, nerviosismo e incertidumbre que precisa de la medicalización continua de la vida. Parecería que hemos entrado en una fase de "capitalismo psicológico" cuyo lema sería "Más Prozac y menos Platón": los ansiolíticos y antidepresivos parecen haberse convertido en el lenitivo, el *fármaco* (en griego, "remedio" pero también "veneno") del pensamiento.

---

[1] "El discurso dominante incide en el esfuerzo, en el mérito y en la necesidad de preparación, formación y de acomodación al cambio como elementos indispensables para gozar de una vida laboral exitosa, y de repente personas poco preparadas, cuyo único valor es parecer en la televisión y hacer de su vida privada (y de las de los demás) objeto de comercio, se convierten en populares y logran ingresos con los que la mayoría de la población sueña. Este hecho, que rompe con los caminos dibujados por nuestra cultura como aconsejables, divide a la opinión pública en dos grupos, aquellos que muestran su indignación por la visibilidad o éxito de las *celebrities*, y el de quienes lo celebran y aspiran a convertirse en una de ellas." (Hernández, Esteban, *Los límites del deseo*. Instrucciones de uso del capitalismo del siglo XXI, Madrid, Clave Intelectual, 2016, p. 43.)

Las patologías del poder, bien se considere el deseo desaforado de poder como enfermizo bien se considere como la degeneración que el poder mismo produce allí donde se ejerce, ya eran conocidas en la antigüedad clásica y el nombre de su máxima expresión era "tiranía". Platón ya denunciaba en *La República*, advirtiendo del peligro para la vida pública, a aquellos que accedían al poder con el único fin de procurarse bienes privados y se servían del gobierno para procurarse bienes personales. La corrupción surge cuando "pordioseros y necesitados de bienes privados marchan sobre los asuntos públicos, convencidos de que allí han de apoderarse del bien" ("hambrientos de bienes personales que van a la política creyendo que es de ahí de donde hay que sacar las riquezas"). Por eso consideraba, como prevención, establecer mecanismos para impedir el acceso al gobierno a los que están "enamorados del poder", esto es, impedir el ejercicio del poder de aquellos dominados por la ambición, el deseo de honores, la avaricia y la codicia. Y defiende que "el Estado en el que menos anhelan gobernar quienes han de hacerlo es forzosamente el mejor y el más alejado de disensiones, y lo contrario cabe decir del que tenga los gobernantes contrarios a esto"[2] ("la ciudad en que estén menos ansiosos por ser gobernantes quienes hayan de serlo, ésa ha de ser la que viva mejor, y con menos disensiones que ninguna"). Y ello tanto por la degeneración misma que en estas condiciones el ejercicio del poder produce en el cuerpo social (el poder como enfermedad), como la corrupción moral que produce en los mismos tiranos (la enfermedad del poder).[3]

Con el nacimiento de la Modernidad, Nicolás Maquiavelo describe el poder como una capacidad libre de cualquier restricción moral "un hombre que quiera hacer en todos los puntos profesión de bueno,

---

[2] Platón, *La República*, Madrid, Gredos, 1992 (Introducción, traducción y notas de Conrado Eggers Lan), libro VII, p. 347 (521a-521c). Las citas en cursiva pertenecen a la edición de Eggers Lan, las expresiones entrecomilladas corresponden a la traducción que del mismo pasaje ofrecen José Manuel Pabón y Manuel Fernández-Galiano en su edición de *La República* (Madrid, Alianza, 1988).

[3] La figura del tirano es glosada por Platón el libro IX de *La República*. Allí presenta Platón los efectos que el poder produce sobre la degeneración moral del tirano: "que es necesariamente —y por causa del poder llegar a serlo más aún- envidioso, desleal, injusto, carente de amigos, sacrílego, anfitrión y nutridor de toda maldad; y, a consecuencia de todo esto, es infortunado al máximo y torna de esta índole a cuantos hombres se le aproximan" (580a-580b), p. 435.

labrará necesariamente su ruina entre tantos que no lo son. Por todo ello es necesario a un príncipe, si se quiere mantener, que aprenda a no ser bueno y a usar o no usar de esta capacidad en función de la necesidad".[4] De este modo, el maestro florentino no hará sino reconocer que la crueldad y la tiranía (en el sentido de la utilización de cualquier medio para alcanzar y conservar el poder) son recursos necesarios para el gobierno de los estados: "Debéis, pues, saber que existen dos formas de combatir; la una con las leyes, la otra con la fuerza. La primera es propia del hombre, la segunda de las bestias; pero como la primera muchas veces no basta, conviene recurrir a la segunda. Por tanto es necesario a un príncipe saber utilizar correctamente la bestia y el hombre" (Maquiavelo 90). Por supuesto, Maquiavelo sabía que el temor, la coerción y la fuerza nos bastan para lograr el consentimiento de los gobernados, por eso hay que utilizar el engaño y la simulación para ganarse la adhesión de los gobernados y "parecer clemente, leal, humano, íntegro, devoto y serlo, pero tener el ánimo predispuesto de tal manera que si es necesario no serlo, puedas y sepas adoptar la cualidad contraria (…) pues los hombres juzgan más por los ojos que por las manos ya que a todos es dado ver, pero palpar a pocos: cada uno ve lo que pareces, pero pocos palpan lo que eres y estos pocos no se atreven a enfrentarse a la opinión de muchos" (Maquiavelo 92). El genio de Maquiavelo ya describe el juego entre el uso de la fuerza y la necesidad de conseguir el consentimiento utilizando incluso medios perversos para asegurar el ejercicio del poder. Todas las figuras que el desarrollo del ejercicio del poder irá adoptando a lo largo de la Modernidad no son más que la progresiva sustitución de mecanismos como el miedo, la coerción y la fuerza como estrategias de dominación por estrategias de legitimación primero, de normalización y disciplinamiento posteriormente, y de seducción y persuasión en las sociedades neoliberales actuales.

3. ¿QUÉ VAMOS A ENTENDER POR PODER?

El término "poder" es un término que no tiene un significado unívoco. La mayoría de las concepciones del poder al uso suelen plantearlo como la *imposición directa* que una instancia dominante ejerce sobre la

---

[4] Maquiavelo, N., *El príncipe*, Madrid, Alianza, 1992 (Edición de Miguel Ángel Granada), Cap. XV, p. 83.

voluntad de un sujeto dominado que acata, bien por consentimiento propio, por la fuerza, o por la amenaza de sanciones, los propósitos e intenciones de la instancia dominante. Sin embargo, las formas más sutiles de poder, que son las que aquí nos interesan, pueden ejercerse influyendo en las necesidades, creencias y deseos de los dominados, modelándolas o determinándolas. De hecho, el supremo ejercicio del poder consiste en lograr que otros tengan los deseos que uno quiere que tengan o asegurarse su obediencia mediante el control de sus pensamientos y deseos. El control del pensamiento puede lograse a través de los medios de comunicación, el control de la socialización para reproducir pautas de conducta individualistas/comunitaristas, competitivas/colaborativas, narcisistas/altruistas, etc., y el control de la información. Por eso defendemos que la mayor eficacia del poder tiene que ver con la capacidad de imponer una serie de comportamientos, actitudes y valores de manera que quienes están sometidos a su influjo son inducidos a adquirir creencias y formar deseos que tienen como efecto el consentimiento o adaptación al hecho de ser dominados. El problema entonces es ¿cómo es posible que los deseos e intereses de los dominados puedan llegar a coincidir con los deseos e intereses de los dominantes? O, de otra forma ¿cómo es posible que el deseo de los dominados coincida con los intereses de los dominadores?, ¿cómo, llegado el caso, puede alguien desear aquello que no le interesa? Este es a nuestro juicio el problema: cómo se genera el consentimiento voluntario de los dominados a los intereses del poder (las cadenas que amamos) incluso yendo en contra de los intereses de aquellos mismos sobre los que se ejerce la dominación, y si cabe algún tipo de resistencia. Seguimos aquí una sugerencia de Gilles Deleuze y Felix Guattari en *El Anti-Edipo* que citamos *in extenso*:

> Por ello, el problema fundamental de la filosofía política sigue siendo el que Spinoza supo plantear (y que Reich redescubrió): "¿Por qué combaten los hombres por su servidumbre como si se tratase de su salvación?". Cómo es posible que se llegue a gritar: "¡queremos más impuestos! ¡Menos pan!". Como dice Reich, lo sorprendente no es que la gente robe, o que haga huelgas; lo sorprendente es que los hambrientos no roben siempre y que los explotados no estén siempre en huelga. ¿Por qué soportan los hombres desde siglos la explotación, la humillación, la esclavitud, hasta el punto de quererlas no sólo para los demás, sino también para sí mismos?

Nunca Reich fue mejor pensador que cuando rehúsa invocar un desconocimiento o una ilusión de las masas para explicar el fascismo, y cuando pide una explicación a partir del deseo, en términos de deseo: no, las masas no fueron engañadas, ellas desearon el fascismo en determinado momento, en determinadas circunstancias, y esto es lo que precisa explicación, esta perversión del deseo gregario. (Deleuze y Guattari 36)

Los mecanismos para *cambiar los deseos* de otros pueden ir desde la administración de premios (uso de compensaciones económicas, prebendas, otorgar prestigio…) y la *movilización de pasiones* como el miedo, la envidia o el resentimiento, la promoción de identidades perversas, la furia, el rencor o la seducción, hasta fomentar la esperanza y el temor, pasiones estas dos últimas que, a decir del filósofo del siglo XVII Baruj Spinoza, son las pasiones que más perversamente intervienen en la conducción de los pueblos y fuentes ellas mismas de esclavitud y falta de libertad: el temor en tanto inmoviliza, es fuente de impotencia; la esperanza se pervierte cuando se utiliza para promover ilusiones a través de promesas y creación de expectativas infundadas; ambas, decía Spinoza, anulan el libre uso de la razón. Incluso los sentimientos morales pueden pervertirse para cambiar los deseos de la gente; por ejemplo, utilizando el sentimiento de obligación y responsabilidad al servicio de causas perversas, y cuyo mayor ejemplo lo encontramos en los regímenes totalitarios que imponen la obligación de obediencia al líder (la "obediencia debida") o apelan a la responsabilidad individual para el cumplimiento de fines perversos.

El cambio de creencias también incluye múltiples mecanismos que van desde la utilización de la influencia social, proceso que sin recurrir a amenazas explícitas puede cambiar el curso de las acciones de la gente debido a la presión de grupo o la influencia de los medios de comunicación, la conformidad a las opiniones mayoritarias, la manipulación mediante la que se logra dirigir las acciones de los sujetos ocultando información o alterando dicha información, y el adoctrinamiento. Un aspecto que no debiera pasar desapercibido a la hora de influir en las creencias de los dominados son todas las estrategias de escenificación y dramatización que el poder utiliza para producir las ilusiones de grandeza, de protector o de salvador, entre los dominados, hasta el punto de que se ha presentado la "teatrocracia" del poder como la forma suprema por la que el poder se legitima.[5]

[5] Balandier, George, *El poder en escenas*, Barcelona, Paidós, 1992. "Un poder estableci-

En definitiva, el poder es tanto más eficaz cuando se presenta como una capacidad que tiene que ver con la "imposición de inhibiciones interiores. A quienes están sometidos a él se les induce a adquirir creencias y formar deseos cuya consecuencia es su consentimiento o su adaptación al hecho de ser dominados, dentro de marcos coercitivos y no coercitivos" (Lukes XXV). El poder como *dominación*, según Steven Lukes, produce sus efectos a la manera de lo que Bourdieu llamó "habitus", esto es, el funcionamiento del poder "lleva a quienes están sujetos a él a ver su situación como 'natural', e incluso a valorarlo, y a no ser capaces de reconocer la fuente de sus creencias y deseos. Estos y otros mecanismos constituyen la tercera dimensión del poder, cuando éste funciona en contra de los intereses de la gente y la engaña, distorsionado la capacidad de juicio".[6] Mientras que los liberales y reformistas identifican los intereses de la gente con lo que realmente desean, un enfoque radical del poder "sostiene que los propios deseos de los hombres pueden ser producto de un sistema que va en contra de sus intereses. En casos tales relaciona estos últimos con lo que desearían si estuvieran en condiciones de elegir" (Lukes 33).

Lo relevante en este sentido es desvelar los mecanismos y dispositivos que utiliza el poder para generar en individuos que se reconocen libres y autónomos deseos y consentimiento contrarios a sus intereses reales. Si la cuestión tiene que ver con la libertad, el ejercicio del poder afecta a la libertad modelando, conduciendo, suprimiendo o reprimiendo las distintas opciones de acción disponibles, de manera que puede afirmarse lo siguiente: "Ejercer el poder sobre alguien es necesariamente

---

do únicamente a partir de la fuerza, o sobre la violencia no domesticada, padecería una existencia constantemente amenazada; a su vez un poder expuesto a la única luz de la razón no merecería demasiada credibilidad. El objetivo de todo poder es el no mantenerse ni gracias a la dominación brutal ni basándose en la sola justificación racional. Para ello, no existe ni se conserva sino por la transposición, por la producción de imágenes, por la manipulación de símbolos y su ordenamiento en un cuadro ceremonial." (18).

[6] Lukes, *op. cit.*, p. XXVI. Lukes se opone a lo que llama una *concepción unidimensional* del poder, según la cual el poder es la capacidad de tomar e imponer decisiones sobre problemas en torno a los cuales hay un conflicto observable de intereses, y a una *concepción bidimensional*, que concibe el poder no sólo como capacidad de imponer decisiones en un conflicto sino también como capacidad para impedir conflictos, demandas y agravios. El enfoque de Lukes incorpora la idea de que el poder puede efectivamente inhibir un conflicto, pero esto se logra fundamentalmente manejando los "intereses" de los dominados, de modo que dichos intereses se hacen coincidir con los dominantes. En esto consistiría la *concepción tridimensional* del poder o *enfoque radical* que defiende Lukes. Esto supone tomar en consideración cuáles son los "intereses reales" de la gente y el papel de la "falsa conciencia" en la ocultación de dichos intereses.

afectar el propio poder de esa persona que ya no puede, entre otras cosas, todo aquello que mi poder le impide" (Ibáñez 14).

El poder se ejerce, como hemos dicho anteriormente, conformando y cambiando las creencias, deseos e intereses de los sujetos pero también, de modo más sutil produciendo a los sujetos mismos de la dominación mediante dispositivos, algunos de ellos estudiados profusamente por Foucault, a los que aludiremos en seguida, y entre los que podemos destacar los siguientes: a) el control ecológico o control del entorno, que se ejerce mediante una cuidadosa disposición de la situación, como los diseños arquitectónicos de escuelas, cárceles y hospitales que imponen una manera de comportarse reglamentada sin necesidad de órdenes directas; b) el poder disciplinario, que sustituye el castigo corporal y directo por la sanción, y que conforma el cuerpo mismo y la mente mediante reglamentos, directivas, normativas…; c) la naturalización de las imposiciones, ya sea mediante procesos de "habitus" o mediante los "efectos de verdad" que producen ciertos saberes (la psiquiatría, la pedagogía, la psicología…) y de los cuales resultan los procesos de normalización; d) la modificación material de los propios sujetos mediante técnicas de biotecnología, farmacología (Ibáñez 14-15).

4. ¿PERO CÓMO DOMINA EL PODER?

4.1. El poder puede aparecer como dominación de clase. Para Marx la cuestión del poder se centra en el Estado, que es concebido como la institucionalización del poder que una clase social ejerce sobre el resto de la sociedad.[7] El poder del Estado es concebido como la dominación de una clase sobre las demás, que utiliza el derecho, la coacción y la violencia para imponer su dominación. El consentimiento de los dominados se logra bajo las formas ideológicas que consiguen hacer aparecer entre los dominados el interés particular de la clase dominante como el interés general de la sociedad. Para Marx, por tanto, y en consonancia con la tradición libertaria, el Estado no es ese artificio del que hablaba Hobbes para fundar el orden político sino un

---

[7] "Hoy, el Poder público [el Estado] viene a ser, pura y simplemente, el Consejo de administración que rige los intereses colectivos de la clase burguesa." MARX, Karl, y ENGELS, Friedrich., *Manifiesto comunista*, Madrid, Endymión, 1987 (Traducción de Wenceslao Roces), 27.

instrumento de la clase dominante para asegurar la reproducción de las relaciones sociales de dominación. En toda sociedad conocida el poder utiliza la coerción abierta, la violencia manifiesta o latente y el convencimiento de los subordinados (falsa conciencia) para la reproducción de la hegemonía de clase. A este respecto, resulta interesante la idea gramsciana de *hegemonía*, que es la particular elaboración que Antonio Gramsci hace del concepto marxiano de *ideología* a partir de los textos de Marx.[8] Según Gramsci, en las sociedades modernas es la "cultura" o conjunto de ideas, creencias y valores de la clase dominante lo que constituye la base de la dominación y no tanto la represión directa. Los valores hegemónicos de las clases dominantes se imponen en el tejido social mediante su reproducción a través de los que Louis Althusser llamó "Aparatos ideológicos de estado".[9] A juicio de Gramsci los valores hegemónicos conducen a una especie de consentimiento que producen una aceptación (ya sea de manera implícita o explícita) del orden social. Según el estado de la correlación de fuerzas de las clases sociales en un momento social determinado los individuos pueden interiorizar los valores dominantes, lo que no excluye que puedan desarrollar una fuerte oposición a las injustas relaciones de dominación que impone el orden social. En función de la correlación de fuerzas, como decimos, se impondrán los valores de las

[8] "Las ideas de la clase dominante son las ideas dominantes en cada época; o dicho en otros términos, la clase que ejerce el poder *material* dominante en la sociedad es, al mismo tiempo, su poder *espiritual* [*cultural, intelectual*] dominante. La clase que tiene a su disposición los medios para la producción material dispone con ello, al mismo tiempo, de los medios para la producción espiritual, lo que hace que se le sometan, al propio tiempo, por término medio, las ideas de quienes carecen de los medios para producir espiritualmente. Las ideas dominantes no son otra cosa que la expresión ideal de las relaciones materiales dominantes, las mismas relaciones materiales dominantes concebidas como ideas; por tanto las relaciones que hacen de una determinada clase la clase dominante son también las que confieren el papel dominante a sus ideas." (Marx, Karl y Engels, Friedrich, *La ideología alemana*, Barcelona, Grijalbo, 1974, 50-1.)

[9] Althusser, recogiendo sugerencias de Gramsci, distingue entre el "aparato (represivo) de Estado" (el gobierno, la administración, el ejército, la policía, los tribunales, las prisiones, etc.), que funciona mediante la coacción y la violencia, y los "aparatos ideológicos de Estado", entre los que enumera los sistemas religiosos, la escuela, el modelo de familia, el sistema político del que forman parte los distintos partido políticos, los sindicatos o los medios de comunicación de masas y los distintos medios de difusión cultural (literatura, artes, deportes...) etc. Según Althusser: "Hay una diferencia fundamental entre los AIE [Aparatos Ideológicos de Estado] y el aparato (represivo) de Estado: el aparato represivo de Estado "funciona mediante la violencia", en tanto que los AIE *funcionan mediante la ideología*." (Althusser, Louis, *Ideología y aparatos ideológicos de Estado*. Notas para una investigación, Buenos Aires, Nueva Visión, 1974, 30.)

clases dominantes con mayor o menos intensidad o, por el contrario, las aspiraciones de los dominados encontrarán su momento de expresarse y hacerse visibles en situaciones de crisis, descontento o ante la percepción directa de una situación injusta. Según Gramsci, la principal táctica del poder es crear hegemonía para garantizar el consentimiento y crear una especie de sentido común que tiende a considerar las desigualdades como naturales. Desde este punto de vista, después de la "ofensiva neoliberal", tras la caída del Muro, con el *thatcherismo* y el *reaganismo* en alza, la globalización salvaje y la crisis de los referentes ideológicos de la izquierda, los valores neoliberales han llegado a establecer una suerte de hegemonía ideológica, cuyos efectos sólo son invisibles para quien no quiera ver: el individualismo rampante, la competitividad, la explotación depredadora de recursos o la destrucción de formas comunitarias de vinculación son sus efectos más visibles. No sorprende entonces que, en plena hegemonía neoliberal, el magnate y especulador Warren Buffett pueda afirmar sin rubor "Hay una lucha de clases, y la vamos ganando los ricos".[10] La hegemonía del modelo neoliberal hace a cada uno responsable de su propio éxito o su fracaso, al margen de los factores sociales: produce un mundo de ganadores y perdedores, donde el ganador es el hombre de éxito y el pobre es un perdedor o fracasado. La solidaridad o el apoyo mutuo se convierten en rémoras para el éxito social y la gente acepta la máxima de optimizar los intereses personales por encima de los colectivos.

4.2. Sin abandonar el análisis de los efectos de la dominación de clase, y cultivando un enfoque histórico-genealógico, Michel Foucault analiza el poder como una relación dispersa que se distribuye a lo largo de todo el campo social. Es lo que Foucault llama poder disciplinario:

El célebre filósofo francés muestra en su libro *Vigilar y castigar* como la disciplina impuesta en las escuelas (y también en otras instituciones cerradas como son los hospitales, prisiones, cuarteles y fábricas) no tiene como efecto principal la interiorización de determinadas normas de comportamiento sino la constitución real de cuerpos dóciles y útiles, de sujetos obedientes dispuestos a aceptar trabajos que antes se consideraban inaceptables. La disciplina, la vigilancia, los ejercicios físicos, el encierro en espacios ordenados geométricamente,

---

[10] Puede encontrarse, por ejemplo, en https://www.elmundo.es/blogs/elmundo/billonarios/2014/06/10/palabra-de-warren-buffett.html

los exámenes médicos, etc., crean al individuo moderno, no como sujeto jurídico no sometido a unas normas exteriores a él, sino como conjunto de normas ambulante: el individuo no es otra cosa que un conjunto de normas (Ibáñez coor. 286).

El poder disciplinario se acompaña del biopoder o "gestión calculadora de la vida", un modo de ejercicio del poder derivado de la necesidad que surge de que la población pudiera ser distribuida, ordenada, controlada, disciplinada y adaptadas al orden industrial del capitalismo. Para ello el poder toma a su cargo "una serie de intervenciones y controles reguladores: una biopolítica de la población. Las disciplinas del cuerpo y las regulaciones de la población constituyen los dos polos alrededor de los cuales se desarrolló la organización del poder sobre la vida" (Foucault 1987 168-9).

Para Foucault, entonces, el poder no sólo tiene efectos negativos, en el sentido que utilice únicamente la represión para ejercerse, sino también efectos positivos (productivos): produce a los sujetos mismos que se sujetarán a dicho poder, con un perfecto consentimiento. Donde hay espacio social hay relaciones de poder, relaciones de fuerza que inducen a los individuos a aceptar las condiciones en las que viven. Foucault pretende mostrar a través de una "microfísica del poder" cómo las sociedades disciplinarias conforman a los sujetos utilizando diversas estrategias de dominación. El poder se ejerce a través de la vigilancia, la utilización de las disciplinas y los reglamentos. A este respecto Foucault señala la conexión íntima entre poder y verdad:

En sociedades como las nuestras la "economía política" de la verdad está caracterizada por cinco rasgos históricamente importantes: la "verdad" está centrada en la forma del discurso científico y en las instituciones que lo producen; está sometida a una constante incitación económica y política (necesidad de verdad tanto para la producción económica como para el poder político); es objeto bajo formas diversas de una inmensa difusión y consumo (circula en aparatos de educación o de información cuya extensión es relativamente amplia en el cuerpo social pese a ciertas limitaciones estrictas); es producida y transmitida bajo el control no exclusivo pero sí dominante de grandes aparatos políticos o económicos (universidad, escritura, medios de comunicación); en fin, es el núcleo de la cuestión de todo un debate político y de todo un enfrentamiento social (luchas "ideológicas"). (Foucault, 187-8)

El poder ejerce su acción produciendo una serie de saberes que ayudan a su eficacia, o sea, el poder produce ciertos saberes (la psiquiatría, la pedagogía, la criminología, el derecho penal...) que, amparándose en su supuesta validez científica, establecen una verdad o saber experto al cual los sujetos acaban conformándose. Estos saberes tienen como función establecer la diferencia entre lo normal y lo anormal, lo sano y lo patológico, el desarrollo mental sano y el desviado, el delincuente y la persona honrada, etc. Un ejemplo claro es como han operado estos saberes en el campo de la sexualidad para determinar la distinción entre la sexualidad sana (es decir, normal) y la desviada (homosexualidad, transexualidad, etc.). Lo que todo esto significa es que los distintos saberes acerca de la salud mental, la sexualidad, la delincuencia, la educación no serían sino dispositivos de categorización a los que los sujetos se ajustan y que los constituyen como tales. Por eso puede decirse que "toda formación de poder tiene necesidad de un saber del que sin embargo no depende, pero que no tendría eficacia sin ella" (Foucault [1980] 187-8).

Pensemos en la función del saber psiquiátrico o el saber psicológico, ambos saberes describen un modelo de salud mental que en las condiciones actuales de vida estaría caracterizado por la sobreabundancia de emociones positivas, la resiliencia, la resistencia al estrés aun en condiciones altamente aversivas, la ausencia de emociones negativas, la evitación del dolor y el sufrimiento cotidianos, así como la exigencia de un estado de felicidad permanente. Esta manera de concebir la salud mental es de tal modo dominante que los sujetos terminan adaptándose e interiorizando esa descripción. El sujeto acaba siendo construido o producido por las categorías de los saberes *psi*, de tal manera que quien experimenta algún tipo de malestar se concibe a sí mismo como enfermo. Pero hay más. La psiquiatría y la psicología describen el lugar de los conflictos psicológicos en el interior de la persona, de manera que atribuye el origen del malestar a las disfunciones del propio sujeto. Así, el malestar psicológico se corta del campo social, que es su origen, y problemas que pueden tener su origen en una situación laboral de explotación, de agresión en el trabajo, de exclusión social por falta de recursos, se segregan del campo social y pasan a ser tratados en las consultas y despachos de los psiquiatras. La desregulación del mercado de trabajo, la individuación de las relaciones laborales, la inseguridad laboral, transforman los conflictos sociales en conflictos internos.

Refiriéndose al *mobbing* o acoso laboral en el trabajo, el psiquiatra Guillermo Rendueles critica ese uso fraudulento e ideológico de la psiquiatría al decir que:

> en lo laboral la extrañeza ante el sadismo del jefe desaparece cuando comprobamos que todo es una fábula, que el *mobbing* es la caricatura del viejo malestar tradicional, de un relato psiquiatrizado de las clásicas formas de fatiga o de estrés laboral descontextualizado de cualquier análisis colectivo. (…) Etiquetar este sufrimiento como algo excepcional y enmarcarlo en una interrelación de pasiones íntimas, supone un relato demagógico que presupone la situación laboral normal como un contexto aconflictivo de relaciones racionales. (Rendueles 169-70)

Obsérvese como esta psiquiatrización (individualización) de las relaciones sociales que surgen en el trabajo no es más que el servicio que la psiquiatría presta al sometimiento de los individuos a la normalización de un cierto tipo de relaciones laborales y la conversión del malestar en el trabajo, un malestar cuyo origen es social, en un problema de malestar individual.[11]

En definitiva, la presencia y proliferación de mecanismos materiales o dispositivos de poder para inducir las conductas de los sujetos y el control de los cuerpos es tan omnipresente en el espacio social que, a juicio de Foucault, no bastan los mecanismos ideológicos para explicar la dominación. La falsa conciencia, la ideología, es un elemento más de la dominación, pero no es suficiente para explicarla, por eso propone sustituir como objeto de análisis el par ciencia/ideología por el par verdad/poder:

> El problema no es "cambiar la conciencia" de las gentes o lo que tienen en la cabeza, sino el régimen político, económico, institucional de la producción

---

[11] Otro ejemplo más de esta estrategia ejercicio del poder que utiliza el saber para constituir a los sujetos es el siguiente: "la disciplina de la psicología ha cumplido y cumple todavía la función de contribuir a la construcción de un *self* conveniente para el orden social, utilizando un conjunto de operaciones que producen y regulan las identidades. La utilización de tests psicológicos, por ejemplo es la *tecnología* más clara en este sentido: la semejanza de la persona en el modelo social de identidad dominante en nuestra sociedad, por ejemplo, puede ser interpretada dentro de la psicología, como el hecho de tener un atributo inherente en sí mismo, que se llama inteligencia, la cual está estrechamente ligada al modelo de *self* moderno." (Ibáñez Gracia, Tomás (coord.), *Introducción a la psicología social*, Barcelona, UOC, 2016, 136-137.)

de la verdad. No se trata de liberar la verdad de todo sistema de poder —esto sería una quimera, ya que la verdad es ella misma poder— sino de separar el poder de la verdad de las formas de hegemonía (sociales, económicas, culturales) en el interior de las cuales funciona por el momento. (Foucault 189)

"La cuestión política, en suma, no es el error, la ilusión, la conciencia alienada o la ideología; es la verdad misma"[12], ya que el poder mismo produce saberes y verdades que utiliza para legitimar su ejercicio. De este modo "aquello que categoriza al individuo, que le otorga una identidad, le impone una ley de verdad que él tiene que admitir y el resto tiene que reconocer en él; es una forma de poder que hace del individuo un sujeto; constituye una forma de dominarlo" (Foucault, en Ibáñez coor. 2016).

Con todo, hay que decir que, a pesar de las reservas que Foucault manifiesta ante el concepto de ideología, su concepción del poder no está muy lejos de los efectos que la propia ideología produce en la versión que de ella da Althusser. La ideología es concebida por Althusser como una "representación" imaginaria de los individuos respecto a su existencia real.[13] Imaginaria y no real, es decir, representaciones que no se corresponden con la realidad. Y Althusser se pregunta "¿Por qué los hombres 'necesitan' esta transposición imaginaria de sus condiciones reales de existencia para 'representarse' sus condiciones de existencia reales?" (54). Respuesta: porque toda ideología tiene como función principal la constitución de los individuos concretos como sujetos (64), en el doble y ambiguo sentido de la palabra "sujeto":

[12] Foucault, Michel, "Verdad y poder", en *Microfísica del poder*, Madrid, La Piqueta, 1980, pp. 188-9. La insatisfacción de Foucault con el concepto de ideología es expresada por el autor francés de la siguiente manera: "La noción de ideología me parece difícilmente utilizable por tres razones. La primera es que, se quiera o no, está siempre en oposición virtual a algo que sería la verdad. Ahora bien, yo creo que el problema no está en hacer la partición en lo que, en un discurso, evidencia la cientificidad y la verdad y lo que evidencia otra cosa, sino ver históricamente cómo se producen los efectos de verdad en el interior de los discursos que no son en sí mismos ni verdaderos ni falsos. Segundo inconveniente, es que se refiere, pienso, necesariamente a algo como a un sujeto. Y tercero, la ideología está en posición secundaria respecto a algo que debe funcionar para ella como infraestructura o determinante económico, material, etc. Por estas tres razones, creo que es una noción que no debe ser utilizada sin precaución", *op. cit.*, 181-2.

[13] "la ideología representa la relación imaginaria de los individuos con sus condiciones reales de existencia" (Althusser, Louis, *Ideología y aparatos ideológicos de Estado*. Notas para una investigación, Buenos Aires, Nueva Visión, 1974, 53.)

En la acepción corriente del término, sujeto significa efectivamente 1) una subjetividad libre: un centro de iniciativas, autor y responsable de sus actos; 2) un ser sojuzgado, sometido a una autoridad superior, por lo tanto despojado de toda libertad salvo la de aceptar libremente su sumisión. Esta última connotación nos da el sentido de esa ambigüedad, que no refleja sino el efecto que la produce: el individuo es interpelado como sujeto (libre) para que se someta libremente a las órdenes del Sujeto, por lo tanto para que acepte libremente su sujeción, por lo tanto para que "cumpla solo" los gestos y los actos de su sujeción. No hay sujetos sino por y para su sujeción. Por eso "marchan solos". (Althusser 79)

Por tanto, tanto para Althusser como para Foucault, ser sujeto es estar sujetado. El sujeto es una entidad imaginaria con la que la ideología constituye a los individuos concretos para asegurar su sujeción al orden social aceptando libremente su sujeción. La ideología proporciona el imaginario necesario que necesita cualquier formación social para asegurar la sujeción de los sujetos a las posiciones asignadas en el orden social y producir el consentimiento voluntario mediante la figura imaginaria de un sujeto libre. La ideología es, entonces, si aproximamos los planteamientos de Althusser y Foucault, un producto de las condiciones materiales de producción del capitalismo y de los dispositivos de poder de la sociedad disciplinaria. O lo que es lo mismo, es el poder mismo el que es ideológico: produce sujetos para su sujeción.

4.3. DESDE UN PUNTO DE VISTA PSICOSOCIAL

El poder, como bien vio Foucault, no es algo que se posee sino algo que se ejerce, de manera que no hay espacio social ni relaciones humanas donde no exista poder: el poder de los grupos sobre los individuos, la producción de individuos que únicamente persiguen sus propios fines o las relaciones de jerarquía y el poder experto es lo que en última instancia explicaría, el conformismo, la insolidaridad y la obediencia a la autoridad.

La presión grupal, la obediencia a la autoridad, la imitación, la sugestionabilidad o los procesos de influencia social persuasiva han sido hábilmente explotados para producir conformidad, conformismo y uniformidad en los comportamientos. De este modo la conformidad a las opiniones de la mayoría puede generar sumisión o mostrar acuerdo con el grupo por miedo al rechazo o el castigo, identificación o mostrar acuerdo por el deseo de sentirse miembro del grupo o la mera interiorización por la creencia de que el grupo mayoritario tiene razón (Ibáñez [2016] 315).

Igual de inquietantes son los efectos que el individualismo al que nos referimos, la tendencia al aislamiento y la pérdida de vínculos sociales producen en los sentimientos y reacciones de solidaridad y ayuda mutua.

Para explicar cómo es posible el asesinato en masa y a sangre fría, antes y durante la Segunda Guerra Mundial, de millones de personas, en nombre de la raza aria, y los sucesivos genocidios a lo largo del siglo XX, podemos recurrir a las investigaciones de Milgram sobre obediencia a la autoridad. Milgram realizó una serie de famosos experimentos ya en los años 60 cuyo objetivo era conocer cómo pueden influir las figuras de autoridad para que las personas realicen comportamientos que, en principio, no harían, en concreto, infligir daño a otros seres humanos. La respuesta que Milgram encontró es que un porcentaje elevado de sujetos, elegidos entre distintos sectores de la población, distinto sexo y procedencia social, tendía a seguir órdenes que podían producir daño e incluso causar la muerte a otros sujetos siempre que la orden procediese de alguien a quien los sujetos reconocían como una autoridad.[14] La idea de Milgram es que la obediencia depende de factores situacionales que pueden hacer que las personas cometan actos que en principio no harían. El poder de la autoridad, venga del líder, del experto, del padre o del superior jerárquico es lo que explica hechos como los asesinatos cometidos apelando a la "obe-

---

[14] Milgram, Stanley, *Obediencia a la autoridad*. Bilbao, Declée de Brouwer, 1980. El diseño del experimento consistía en que el sujeto experimental (sujeto de estudio que desempeñaba el papel de "maestro") era inducido a creer que el castigo favorece el aprendizaje y que ese era el objeto del estudio del experimento. Su papel consistía en proporcionar una serie de descargas eléctricas progresivamente más intensas, hasta los 450 mv, a otros sujetos que tenían el rol de "estudiantes", y que en realidad eran cómplices del investigador y no recibían ninguna descarga, aunque fallasen en sus respuestas. Al sujeto se le informaba de que las descargas eran dolorosas, pero en ningún caso producían daños irreversibles. Sin embargo, cada vez que se producía una descarga, podían escuchar las quejas de dolor y súplicas (fingidas) del sujeto "estudiante". De modo que, aunque el sujeto "maestro" no podía ver al "estudiante", sí escuchaba sus gritos de dolor. Los resultados contradijeron todas las previsiones: los investigadores pensaban que sólo un 1% de la población estaría dispuesta a infligir este castigo a sus semejantes, sin embargo encontraron que entre el 61% y el 65% son capaces de hacerlo cuando se lo requiere una figura revestida de autoridad.

diencia debida" (por ej. los asesinatos indiscriminados de población civil por las fuerzas estadounidenses en la aldea vietnamita de My Lai), los bombardeos masivos a población civil o el genocidio nazi. Como comenta Zygmunt Bauman:

> Su hipótesis [la de Milgram] de que los actos crueles no los cometen individuos crueles, sino hombres y mujeres corrientes que intentan tener éxito en sus tareas normales, causó una inquietud y una ira muy pronunciadas. Y sus descubrimientos: que la crueldad no tiene mucha conexión con las características personales de los que la perpetran pero sí tiene una fuerte conexión con la relación de autoridad y subordinación, con nuestra estructura de poder y obediencia normal y con la que nos encontramos cotidianamente. (…) En resumidas cuentas, Milgram sugirió y demostró que la inhumanidad tiene que ver con las relaciones sociales. Como estas últimas están racionalizadas y técnicamente perfeccionadas, también lo está la capacidad y eficiencia de la producción social de la inhumanidad. (Bauman 200-1)

A este respecto siempre nos vienen a memoria las palabras de Theodor Adorno, escritas unas décadas después de la barbarie nazi: si para Adorno la principal tarea de la educación era evitar que Auschwitz se repitiese, también es cierto que esto "sólo podía desarrollarse en un sistema que no produjera ya las condiciones de Auschwitz. Ese sistema no ha cambiado todavía: ¡qué desgracia, que quienes desean el cambio se obstinen en no advertirlo!" (Adorno 8).

5. LA ORGANIZACIÓN RELACIONAL PERVERSA

El capitalismo neoliberal promete la satisfacción de nuestras necesidades y deseos, de manera que más que prohibir lo que se propone es seducir y persuadir, bien utilizando emociones positivas para inducir al consumo, bien utilizando emociones negativas para provocar rechazo. El pensamiento ilustrado por el contrario prometía la liberación de los seres humanos mediante el libre uso de la razón y el autocontrol de nuestra propia conducta mediante el libre uso de la razón. El componente moral de la ilustración se presenta, en las actuales circunstancias, como un lastre para el funcionamiento del capitalismo y la moralidad se presenta como una rémora por cuanto implica el control y la dirección consciente de nuestros propios impulsos y sentimientos. La inteligencia es un obstáculo y el pensamiento libre y consecuente una excentricidad. El funcionamiento social exige e impone la hiperestimulación, la impulsividad, la excitabilidad, la falta de concentración, el zapping, la dispersión y la falta de autocontrol. Uno no puede pararse a razonar en medio de una sobreinformación descontextualizada que hace imposible el análisis de las situaciones, la ponderación de argumentos, el conocimiento exacto de los problemas. Lo fácil es difundir el miedo, el asco o la ira para favorecer el desprecio o el rechazo respecto a clases, grupos y colectivos vulnerables, como personas en economía sumergida, inmigrantes, desahuciados y en general a todos aquellos excluidos del circuito del consumo. Una especie de placer sadomasoquista se apodera de amplios sectores de la población que proyecta las promesas incumplidas de placer en la forma de odio hacia aquellos con los que debieran hermanarse como víctimas.

Por su parte los medios de comunicación, cómplices en la difusión y apuntalamiento de esta situación, lanzan productos basados en el uso masivo y zafio de las emociones en forma de *reality shows*, adoctrinamiento en forma de tertulias y falsos debates en los que bajo el mantra de la libertad de expresión se desprecian la verdad, la cultura, los valores de la solidaridad y los principios éticos básicos. El principio es siempre el mismo: el espectador no es responsable de nada, los culpables son los otros. Todos estos mecanismos funcionan, al decir del doctor Tizón, como defensas maníacas defensivas. Los sujetos tardomodernos, como forma de conjurar sus propios miedos, incorporan sentimientos de desprecio y triunfo para con los perdedores y todos aquellos que intentan recordar que la realidad no es lo que parece. Como bien dice Tizón:

> Un buen ejemplo de tales actitudes son los estereotipos acerca de los "moros", "los sudacas", los "terroristas", los "antisistema": a todos ellos hay que controlar, despreciar, ganar… Sobre todo, hay que evitar sentir y pensar en cómo vienen y por qué vienen, qué aspectos deficitarios y fraudulentos o genocidas de nuestro sistema social hacen que tengan que aparecer, que se vean obligados a intentar instalarse entre nosotros abandonando a sus seres queridos, sus tierras, culturas y paisajes, sus vidas anteriores… (Tizón 28)

La fragilidad, vulnerabilidad e inestabilidad propias se disfrazan, pues, en forma de negación maníaca que, al decir de los psicoanalistas, no es más que un mecanismo defensivo. El éxito relativo de estas estrategias es un indicador claro de perversión de las necesidades de vinculación e identidad de gran parte de la población, identidad y vinculación basadas en el rechazo y el miedo antes que en la solidaridad, el altruismo o la empatía.

Para contrarrestar el miedo se impone el imperativo de la felicidad meramente hedónica y el flujo de emociones positivas: la tristeza, la vergüenza y la culpa como sentimientos reparadores dejan paso al individuo hipermoderno saturado de felicidad para el que la tristeza cae de lado de los perdedores y fracasados. A este respecto los problemas sociales se tornan, como ya hemos dicho, problemas individuales que se solucionan mediante el uso de psicofármacos o la creación de nuevas enfermedades mentales para categorizar el malestar de los individuos. España es el primer país del mundo en consumo por habitante de fármacos hipnóticos y el segundo en antidepresivos, tras EEUU. La industria farmacéutica, a su vez, se dedica a transformar el malestar que surge de las relaciones sociales en un conjunto de síndromes ("síndrome del *bournout*", "síndrome posvacacional", "síndrome del impostor" o el llamado, durante la pandemia del coronavirus, "síndrome de la cabaña") o entidades medicalizables susceptibles de tratamiento farmacológico. La salud mental ya no está en relaciones sociales óptimas sino en mentes y cuerpos medicalizados.

6. La Ponerología o el estudio del mal

El mal existe y tipos como Hitler, Himmler, Eichmann, Franco, Pinochet, Stalin, Charles Manson o Josef Fritzl, no son efectivamente personalidades "sanas" pero tampoco enfermos mentales, la organización relacional perversa exige para su aparición condiciones sociales que están más allá de la explicación psiquiátrica. Se trata de una patología social de gestión y producción del mal. Si la sociedad puede producir este tipo de personalidades es que la sociedad misma está enferma.

El psicólogo polaco Andrzej M. Lobaczewski estudió este fenómeno y lo llamó "ponerología", es decir, el estudio del mal, de la injusticia social encarnada en su cúspide por guerras de agresión, limpiezas étnicas, genocidios o estados policiales ultrarrepresivos, pero que también se manifiesta en los ciclos de crisis, los momentos convulsos y periodos o coyunturas específicas donde el orden social alcanza sus niveles más bajos, la salud mental de los pueblos se sitúa en sus peores cotas, y ese uno o dos por ciento de psicópatas que contiene todo grupo humano aflora para tomar las riendas de la situación. Todas estas circunstancias son las que pavimentan el camino hacia el gobierno final de los psicópatas integrales, de la patocracia absoluta a la que una sociedad se arroja con tal de sentirse protegida, a salvo, reproduciendo colectivamente las mismas conductas y comportamientos psicopatológicos de sus supuestos salvadores.

En efecto, durante los periodos de bonanza las sociedades suelen ser más flexibles y comprensivas con la patocracia que escala o detenta el poder, en parte porque nuestro sistema enaltece la ignorancia, desprecia la razón y estigmatiza el pensamiento crítico de por sí, y en parte porque la sociedad suele ser más tolerante con sus psicópatas en la medida que las cosas vayan bien, fluya el dinero y el consumo, el sufrimiento esté confinado, el placer sea guía de conducta y las verdades incómodas hayan sido hábilmente tapadas hasta hacerlas desaparecer. Con este bagaje psicosocial, cuando llegan los malos tiempos, nuestro sistema solo puede ofrecer a las masas, como explicación y única salida, el recurrir a las emociones histéricas, la hiperirritabilidad, el fanatismo, la intolerancia y la hipocresía. También constituyen la ocasión ideal para que surjan los encantadores de serpientes, los líderes carismáticos, los individuos psicopáticos catalizadores de una cierta organización humana, que serán voluntariamente aceptados y alegremente acogidos por una ciudadanía degradada e inerme que se arrojará en brazos de la ponerogénesis que estará teniendo lugar, ya sea disfrazada de nacionalismo, teocracia, socialismo o liberalismo, ideologías y valores que protegerán a los patócratas durante el tiempo que logren sostener esta mascarada gracias a la propaganda, la movilización y el grado de unión que sean capaces de mantener con los sujetos normales.

Por suerte, como el mismo Lobaczewski sostiene en su libro *La ponerología política: una ciencia de la naturaleza del mal adaptada a propósitos políticos,* el dominio de los patócratas en el gobierno de un país no es absoluto ni eterno, antes o después habrá quienes se rebelarán contra este régimen y lo derrocarán, pero mientras dura, afirma, todos los individuos que presentan una psicopatía esencial estarán involucrados en la actividad patocrática, aún si formaron parte del partido político opuesto en el pasado. En semejantes condiciones, no es que ninguna área de la vida social puede desarrollarse con normalidad, ya sea la economía, la ciencia, la educación, la administración u otras, como señala Lobaczewski, sino que la vida social se desarrolla siempre en interacción con los patócratas.

El grupo patocrático, instalado en el poder, convertido en clase dirigente, no tardará en entrar en una deriva donde se van acentuando sus rasgos patológicos, es decir, extiende la corrupción, generaliza la opacidad de sus actuaciones, impone la censura, reprime la disidencia, practica la tortura, la injusticia, la arbitrariedad, desprecia los ciudadanos a los que dice representar, controla los medios, enfatiza la propaganda y el adoctrinamiento, fomenta la xenofobia, acentúa las desigualdades sociales, sitúa como responsables del mal a algún grupo religioso, político o étnico (judíos, musulmanes, negros, gitanos, comunistas, pobres…) y, finalmente, promueve conflictos exteriores para desviar la atención de sus actuaciones.

Todas estas acciones cada vez más psicopáticas del grupo dirigente y sus líderes, no solo va expulsando del grupo a más individuos que irán conformando una oposición que a la larga pondrá fin al dominio del grupo, sino que, ésta enfatización de los rasgos patológicos, también será advertida y reconocida por los sujetos normales, bien porque dejen de recibir satisfacciones, bien porque dejen de tenerles confianza, bien por una percepción moral, sin necesidad, por tanto, de entrar en profundidad en su cariz, pero el caso es que dejarán de confiar en ellos y no dudarán en entregarse al nuevo grupo formado por detractores, desengañados o excluidos que se habrán organizado para tomar el poder. "La patocracia lo paraliza todo progresivamente. Un sistema de gobierno semejante no puede hacer más que caer" (Lobaczewski 2013), desde luego, aunque solo sea para dar a luz a otra patocracia de nuevo cuño, más adaptada a los tiempos y las circunstancias.

Según Iñaki Piñuel, profesor de la Universidad de Alcalá de Henares, en España puede haber hasta seis millones de personalidades psicopáticas, siendo un millón de ellos psicópatas puros que han alcanzado las más altas posiciones del poder político e institucional, el liderazgo financiero y empresarial o ejercen su influencia en los medios de comunicación.[15] "Usted y su dolor les importan un pimiento, señala José

---

[15] Iñaki Piñuel destaca que en España más de un millón de "psicópatas puros" https://www.eldiario.es/tecnologia/Inaki-Pinuel-destaca-Espana-psicopatas_0_573243721.html

Ángel González, dispararán con una mano sin derramar una gota del Martini que sostienen con la otra".[16] Pero lo peor es que, lejos de disminuir, los rasgos psicopáticos no hacen más que crecer azuzados por nuestro propio modelo de convivencia. En efecto, la crisis social que padecemos, asociada al agotamiento de los valores éticos, la anomia, la degradación de la democracia, la segregación social, la potencia del imaginario neoliberal, la inhibición de los países ricos frente al desastre mundo que provoca nuestro sistema de vida, etc. se lo pone muy fácil a los grupos patocráticos en liza por el poder, pues, en los malos tiempos, su discurso, primario y elemental, cala con fuerza entre las masas. Ellos tienen remedio para todo, solo ellos están dotados para llevar a cabo el gran cambio que, por desgracia, no hará sino empeorar las vidas de los que confíen en ellos.

En los últimos veinte años la capacidad empática de los adolescentes se ha reducido a la mitad, en parte, por la disfuncionalidad de los valores que promueve el sistema neoliberal, donde la egolatría, el narcisismo, y la cosificación del otro parecen el único horizonte posible para una existencia cada vez más al borde del precipicio mental y cada vez más presa del mundo virtual (con su potencia disolvente y desligante de la realidad, con su violencia desensibilizadora), si estas tendencias se acentúan, si somos incapaces de mantener a los depredadores sociales a raya, nuestro mundo, como lo conocemos hoy día, tendrá los días contados.

Por eso, aunque paradójicamente la psiquiatría no posee un criterio unificado para calificar como *patológicos* o *anómalamente desviados* a este tipo de personajes, no se puede admitir sin más que se trate de meros enfermos mentales que explicarían la aparición del mal. El mal como decimos existe, y existe cuando se dan determinadas condiciones, como la aparición de relaciones sociales perversas, promovidas las más de las veces por los grupos dominantes para afianzar su poder (político y económico). Todos los humanos que utilicen para conseguir un beneficio propio la muerte o la amenaza de muerte no es que sean tipos patológicos, es que la cosa es peor aún: son perversos, productores y administradores del mal, sin perjuicio de sus rasgos patológicos. Aceptar que todo aquello que se aparte de la vida o que utilice la muerte, el asesinato masivo de millares de personas debido al

[16] González, José Ángel, *A sus órdenes, señor psicópata*. https://www.20minutos.es/noticia/2247156/0/psicopatas/lideres/poderosos/

fanatismo, el delirio ideológico o el odio es debido a una enfermedad lo más que consigue es conjurar el mal o esquivar la presencia del mal. Y lo hace a un alto coste: negar la responsabilidad que tienen los individuos de sus actos. Eichmann pudo ser un perverso, pero desde luego no era un enfermo. Por eso la psiquiatría necesita de la ética, la psiquiatría por sí misma es impotente para determinar que un malvado es un enfermo. Es el poder enfermo el que produce tipos perversos que se apartan de los principios de beneficencia, justicia, equidad, autonomía, libertad solidaridad… aún dentro de los distintos significados que cabe atribuir a estos términos. Como recordaba hace ya algunos años el psiquiatra Alberto Fernández Liria a propósito del caso de Josef Fritzl:

> No hay enfermedad mental que coarte la libertad de Josef Fritzl, que ha demostrado una capacidad de manejo certerísima de la realidad y que, con seguridad, sabía lo reprobable de su conducta, que, por eso se preocupó de ocultar. No hay objeto de tratamiento psiquiátrico aquí. El mal que causó a sus hijos es irreparable. Que su caso no sirva para que, al explicarlo, causemos mal a inocentes. Porque empezamos a ver enfermos mentales donde sólo hay malvados y acabamos viendo malvados donde sólo hay enfermos mentales. (Fernández Liria)

Llegados a este punto no podemos dejar de considerar las técnicas de control del pensamiento y la comunicación para inducir comportamientos o crear un imaginario colectivo ficticio como una manifestación más de esta organización relacional perversa.

7. EL PODER DE LA FICCIÓN

El capitalismo de ficción actual ofrece oportunidades para gustar, seducir, exhibir logros: pretende ser amable. Los sujetos pueden exhibir y adoptar una identidad virtual mediante la conectividad y la interactividad telemática. La red permite escoger la propia identidad y la exhibición de los aspectos más llamativos y estimulantes. La identidad tiene forma de red: una serie de agujeros unidos por nudos. Una identidad precaria siempre estará necesitada de remiendos que permitan tapar los agujeros. Y para ello nada mejor que contar historias, "formatear las mentes" y colonizar el imaginario colectivo para adaptar los deseos y necesidades de la gente a las necesidades de la lógica del beneficio.[17]

La rapidez, la incertidumbre, la sobreinformación, la falta de expectativas vitales se vuelven insoportables. Por eso intentamos buscar regularidades, encontrar ciertas pautas para saber a qué atenernos. Y esto tanto en el mundo real como en la vida misma. La ausencia de sentido se vuelve insoportable cuando el mundo y la vida carecen de ciertas pistas que nos den un sentido de la orientación. Sin orientación, sin finalidades ni sentidos surge la incertidumbre, la desesperación, la apatía y la indiferencia ante lo que sucede. Hoy, para colmar esta falta de sentido, existe toda una poderosa industria que proporciona historias, relatos, toda una técnica de comunicación, control y poder que ofrece narraciones prefabricadas para colmar las carencias y aspiraciones de los sujetos tardomodernos. Esas narraciones no dejan de ser ficciones para proporcionar un nuevo sentido común mediante la identificación con modelos que son funcionales para la reproducción de los valores dominantes y la producción de deseos y necesidades. La realidad se evapora y la atmosfera ideológica de la sociedad se ve envuelta por la propaganda, la manipulación o directamente por la mentira mediante las técnicas del *Storytelling*. Los gestores y difusores de estas formas de propaganda, expertos en marketing y gestión de las emociones, los llamados *spin doctors* se convierten en los nuevos teólogos o productores de historias que acompañan las más diversas actividades. En el ámbito del consumo ya no basta un buen producto con una buena imagen de marca (que era el objetivo tradicional del marketing), sino que hay que vender una historia. Cuando se descubre que las condiciones laborales de las personas que fabrican la ropa y las modernas zapatillas deportivas que consumimos lo hacen en condiciones de explotación extrema, surgen los movimientos antimarcas, por ejemplo las campañas anti-Nike. Ante el conocimiento público de las condiciones de explotación de los trabajadores que Nike utilizaba en sus centros de producción en los países asiáticos, las imágenes y el nombre de la marca se vieron desprestigiados ante la opinión pública. La solución de Nike fue inventar un relato edificante: Nike reformó su política laboral y se decidió a tomar ciertos compromisos ecológicos. Nike se presentaba ahora como defensora de los derechos de los

[17] Para lo que sigue, véase Salmon, Christian, *Storytelling*. La máquina de fabricar historias y formatear las mentes, Barcelona, Península, 2008.

trabajadores y preocupada por el medio ambiente. Salmon apunta que "Nike no estaba volviéndose justa, solo estaba cambiando el relato" (Salmon 53). Los individuos buscan modos de pertenencia e identificación, una vez que las tradicionales redes comunitarias han desaparecido. Las marcas les ofrecen historias para colmar ese sentimiento de vinculación y pertenencia. Los consumidores buscan relatos que les permiten reconstruir un sentido coherente sin dejar de consumir ni renunciar al fetichismo de las mercancías. Todos sabemos que el consumo compulsivo está más allá de las posibilidades ecológicas del planeta, pero si somos capaces de encontrar una justificación (una defensa maníaca) para justificar nuestra adicción a las marcas, tanto mejor. Y esas justificaciones son las que se nos ofrecen en forma de historias como un elemento añadido a la oferta del producto: "Las historias nos permiten mentirnos a nosotros mismos y nuestras mentiras nos ayudan a satisfacer nuestros deseos. Es la historia y no el producto o el servicio que vendéis el que satisface al consumidor".[18]

Lo mismo sucede en el ámbito de las grandes corporaciones y de la política. Los grandes directivos son los que tienen una historia detrás, como Bill Gates o Steve Jobs, ambos representan el "héroe" que ante las adversidades de un mundo hostil se han hecho a sí mismos y son presentados como el tipo humano superior que, siguiendo el discurso dominante, saben asumir riesgos y superar los peligros de las crisis, convirtiendo dichos riesgos y peligros en oportunidades. Al mismo tiempo, la reestructuración de las grandes empresas, ante la urgencia de la innovación y adaptación a un mercado enormemente competitivo y las mutaciones del mercado mundial, hace que prolifere la idea del trabajador flexible. La necesidad de innovar lleva a las empresas a abandonar el proceso jerárquico de toma de decisiones y constituir grupos de trabajo con la finalidad de trabajar en distintos proyectos

---

[18] Salmon, C. 59. Estas palabras citadas por Salmon están recogidas en un libro de uno de estos nuevos gurús, un tal Seth Godin, cuyo título es muy significativo y que traducido queda así: *Todos los comerciales son unos mentirosos; tanto mejor, porque los consumidores adoran que les cuenten cuentos.* Salmon comenta: "Estamos ante el consumo como única relación con el mundo. Se le atribuyen a las marcas los poderes que antaño buscábamos en los mitos o en la droga: sobrepasar el límite, experimentar un yo sin gravidez, volar, planear; ayer eran Ícaro o el LSD, hoy son Nike o Adidas. Las zapatillas deportivas desafían la ley de la gravedad. (…) Las marcas son los vectores de un 'universo': abren el camino a un relato ficticio, un mundo puesto en escena y desarrollado por las agencias de 'marketing experimental', cuya ambición no es ya responder a necesidades, ni siquiera crearlas, sino hacer converger 'visones del mundo'" (63.)

de innovación. Todo ello conduce a la necesidad de un trabajador flexible con un modo de cooperación limitado en el tiempo (lo que duren los proyectos), sustituible, prescindible, en continuo proceso de reciclaje; con la obligación de ser creativo, emprendedor (el "mantra" ideológico de moda) y proactivo, un trabajador que maneja procedimientos, sean cuales sean, con tal de conseguir el éxito; todo ello de acuerdo con el "nuevo espíritu del capitalismo": nuevas "organizaciones posmodernas, en constante mutación, comunicando hacia fuera y hacia dentro" (Salmon 53). El trabajador flexible se incorpora a la historia de la empresa que utilizará todo un conjunto de "tecnologías del espíritu" (psicología positiva, entrenamiento en inteligencia emocional...) para producir en los trabajadores la adhesión a las finalidades de la empresa y su adaptación al mundo competitivo (un mundo que el discurso dominante presenta como un lugar de oportunidades y retos) y, caso de no cumplir los "objetivos" que se les propongan, aparecerán los ingenieros de la conducta para culpabilizarles de sus propios fracasos: falta de habilidades sociales, ausencia de estrategias de afrontamienton o mala gestión de las emociones.[19]

La nueva "comunicación política" sigue el mismo patrón que las nuevas estrategias para el consumo y las nuevas formas de explotación laboral por lo que se refiere a la seducción de los electores o la persuasión de la opinión pública acerca de duras medidas de ajuste, la justificación de la guerra o la necesidad del terrorismo de estado. La verdad no seduce ni persuade, lo que da sentido son las historias. La capacidad para estructurar una visión de la política ya no depende de argumentos racionales, sino de las historias, de los eslóganes que compendian una visión del mundo (ideológica) que pretende ser adecuada a los deseos de la gente: "Trabajar más y ganar menos" recomendaba el presidente de la patronal española en 2012 para salir de la crisis,

[19] Las transformaciones producidas en el ámbito del trabajo, con la expulsión de cada vez más personas del mercado laboral, y las transformaciones demográficas, como efecto de la propia evolución social, han tenido fuerte incidencia sobre las familias y las unidades de convivencia debilitando los lazos que derivan en desvinculación, desagregación y frecuentemente en ruptura; el *individualismo ahoga lo comunitario*. Mientras desde los poderes dominantes se difunde la idea del *trabajador flexible*, en continua formación, adaptable, reciclable y al servicio de los intereses del beneficio empresarial. Por ello, Richard Sennett ha advertido sobre las consecuencias negativas que para los individuos de las actuales sociedades tienen estas condiciones de vida, y habla con muy buenas razones de la *corrosión del carácter* que se produce en la trayectoria vital de los trabajadores de la sociedad actual. Cf. Sennett, Richard, *La corrosión del carácter*, Barcelona, Anagrama, 2000.

unos años antes de ingresar en prisión en 2015 por apropiación indebida y blanqueo de capitales entre otros delitos.

Lo que esto nos está indicando es la dificultad de distinguir la realidad de la ficción y lo que es más grave todavía la sustitución de la realidad por la ficción. El ámbito de la comunicación pública produce una realidad alternativa al gusto de los consumidores y electores. No de otra manera se explica que George W. Bush Jr. para "vender la guerra de agresión" contra Irak declarase: "Espero que el buen pueblo de Irak recordará nuestra historia. América nunca ha querido dominar ni conquistar. Hemos buscado sobre todo la libertad. Nuestro deseo es ayudar a los ciudadanos iraquíes a gozar de las ventajas de la libertad en el respeto de sus propias culturas y tradiciones".[20] ¿Cinismo, perversión, maldad? Sin comentarios.

Las palabras se pervierten, es sintomático en el régimen neoliberal la perversión de la libertad: se apela a la libre circulación del capital para asegurar el juego del beneficio, a la libertad de movimientos de la personas para garantizar mano de obra barata, se habla de libertad de elección de centros en la educación de los hijos para garantizarse una educación exclusiva, se habla de libertad de prensa para asegurar el adoctrinamiento y prestar servicios a los amos, se defiende el despido libre y lo que se quiere decir es despido gratis (el despido libre ya existe, basta con pagar la correspondiente indemnización), se defiende la libertad de pensamiento para repetir las consignas de los medios afines.

8. BANALIDAD DEL MAL, LOCA EFICIENCIA Y PSICOPOLÍTICA

Una idea que debería ser tenida en cuenta a la hora de ponderar toda esta situación que estamos describiendo es la idea de "banalidad del mal", puesta en circulación por Hanna Arendt en su análisis del juicio de Adolf Eichmann, recogido en su libro *Eichmann en Jerusalén*. Adolf Eichmann compareció ante un tribunal de Jerusalén el 11 de abril de 1961, acusado de crímenes contra el pueblo judío, crímenes contra la humanidad y crímenes de guerra durante la Segunda Guerra Mundial. Durante el juicio Eichmann se declaró "inocente, en el sentido en que

[20] Cit. por Salmon, C. 206. La verdad es que afortunadamente dicho discurso siempre encontró en la ciudadanía la resistencia que todo poder encuentra. El discurso de Bush fue interrumpido por voces de protesta que exclamaban: "¡Está usted vendiendo la guerra, nos negamos a comprarla!", 206

se formula la acusación". Al parecer Eichmann no se sentía culpable ante la ley, seis psiquiatras habían certificado durante el juicio que Eichmann era una persona normal y ni siquiera admitió que profesase un anormal odio a los judíos ni se consideraba un fanático antisemita.

La banalidad del mal no puede ser interpretada de ninguna manera como una justificación del mal, ni exime de responsabilidad a los que cometen crímenes horrendos. Se trata más bien de reconocer que cuando se dan una serie de condiciones sociales que provocan la incapacidad de juzgar o pensar por cuenta propia, las personas se hacen indiferentes a las consecuencias morales de sus acciones. La incapacidad de juicio y la ceguera moral consecuente se anulan cuando los sujetos están insertos en organizaciones burocráticas cuyos fines les están dados y sólo tienen que preocuparse de la eficiencia de los medios. La lógica de la eficiencia genera un mecanismo donde se trata de manejar los medios óptimos para alcanzar unos fines, la utilización de una razón meramente calculadora que produce la indiferencia hacia el material con el que se trabaja, y por eso es una perversión de la racionalidad: la racionalidad y la capacidad de juicio, que deberían ser capacidades para determinar y seguir fines buenos y valiosos, se convierten en mera racionalidad de los medios o mero cálculo de los medios más eficientes para conseguir cualquier fin. Ahora bien, esto no significa, quede claro, eximir de responsabilidad a sujetos que sin ser estúpidos prefieren plegarse al funcionamiento de la organización totalitaria que ejercer su propia capacidad de juzgar: "Lo más grave, en el caso de Eichmann, era precisamente que hubo muchos hombres como él, y que estos hombres no fueron pervertidos ni sádicos, sino que fueron, y siguen siendo, terrible y terroríficamente normales" (Arendt 402). Lo terrible de la banalidad del mal es que ya ni siquiera sabemos reconocer el mal y en general tendemos a normalizarlo subordinado como está a la lógica de la eficiencia.

El problema es justamente la normalización de la perversión, y pensamos que lo que subyace a dicha normalización se debe a dos grandes factores. Por un lado, la aparición de lo que hemos llamado organización relacional perversa, que se manifiesta en grandes rupturas morales compartidas y consentidas por gran parte de la población (la normalización del odio hacia los diferentes o la culpabilización a los excluidos de su propia exclusión…), la perversión política (demagogia, aparición del mesianismo, utilización de las leyes para el propio provecho…), la perversión social (complicidad, silencio, racismo…), jurídica (ruptura de la división de poderes, exclusión de las acciones del Estado del control judicial, ausencia de garantías, privación de derechos…) y social, que, al decir de Tizón, "requieren la colaboración por acción u omisión de innumerables autores y una gran degradación de valores humanos y psicosociales fundamentales" (Tizón 131).

Por otro lado, la manipulación de los deseos e intereses, mediante mecanismos ideológicos como la desinformación y la creación de necesidades al servicio de los intereses dominantes, las técnicas de disciplinamiento y control social, el poder de la ficción para crear imaginarios al servicio del poder… responden a la lógica de la eficiencia. La eficiencia es el principio que domina las organizaciones burocráticas y la lógica del beneficio económico. La eficiencia, como hemos dicho, permite el control sobre los medios para conseguir los fines al menor costo posible, lo que importa es la utilidad. Cuando la eficiencia, bajo el imperio de la razón calculadora, se eleva a principio independiente que rige todos los procesos suele producir dos efectos demencialmente peligrosos. Primero: favorece la indiferencia o ceguera moral; lo que importa es la ejecución de los procesos, la consecución del objetivo final, cueste lo que cueste. El principio de la utilidad y la concentración en el funcionamiento óptimo de los procesos pervierten la sensibilidad y la capacidad de juicio moral. Segundo: el fin justifica los medios, se trata de "conseguir resultados", "cumplir objetivos", "utilizar cualquier medio para conseguir un fin".

Pero además, en las condiciones actuales, hay que sumar la presión por el rendimiento y la difusión de la ideología del emprendimiento. Las actuales sociedades neoliberales promueven y difunden la figura del sujeto emprendedor, el sujeto como empresario de sí mismo, como "un proyecto libre que constantemente se replantea y se reinventa". El mundo es presentado como un campo de oportunidades donde el sujeto tiene una libertad absoluta o poder-hacer sin necesidad de someterse a limitaciones y coacciones externas. Sin embargo, hay razones para pensar que el sujeto del rendimiento, que se pretende libre, es en realidad un esclavo: "Es un esclavo absoluto en la medida en que sin amo alguno se explota a sí mismo de manera voluntaria. No tiene frente así un amo que le obligue a trabajar", (Han 12) en el sentido que interioriza el rendimiento como manifestación de su poder-hacer, de manera que:

Quien fracasa en la sociedad neoliberal del rendimiento se hace a sí mismo responsable y se avergüenza, en lugar de poner en duda la sociedad o al sistema. En esto consiste la especial inteligencia del régimen neoliberal. No deja que surja resistencia alguna contra el sistema. En el régimen de explotación ajena, por el contrario, es posible que los trabajadores se solidaricen y juntos se alcen contra el explotador. Precisamente en esta lógica se basa la idea de Marx de la "dictadura del proletariado". Sin embargo, esta lógica presupone relaciones de dominación represivas. En el régimen neoliberal de la autoexplotación uno dirige la agresión hacia sí mismo. Esta autoagresividad no convierte al explotado en revolucionario, sino en depresivo. (Han 18)

9. CONCLUSIONES: DONDE HAY PODER HAY RESISTENCIA

Lo que todo lo anterior pone de manifiesto es la naturaleza expansiva del poder, las transformaciones que lleva a cabo para crear las condiciones mismas de su ejercicio y los sutiles mecanismos que utiliza para producir obediencia al servicio de los intereses dominantes, muchas veces con la complicidad de los dominados. Los efectos perversos del poder se presentan como un mal necesario al servicio de la lógica del beneficio: "o nosotros o el caos".

Hoy la resistencia al poder pasa por el establecimiento de límites a la naturaleza expansiva del poder, por el establecimiento de límites al flujo de intereses y deseos personales que el neoliberalismo promete, por negar la lógica de aceleración del capitalismo y por permitir la satisfacción de las necesidades básicas de los seres humanos. Se trata de promover otra clase de relaciones sociales:

Constatar que cualquier cosa que apueste por virtudes humanas básicas, que no considere instrumentalmente a los demás y que no tenga como último objetivo alcanzar un beneficio, se convierte voluntaria o involuntariamente en un acto político porque constituye la resistencia a la lógica dominante, la de la conversión de los actos en actos rentables. (Hernández 21)

Nuestra educación, nuestra escolarización, nuestra familia, nuestras heridas, nuestros miedos, nuestras expectativas, el mundo social en su conjunto nos apela para que nos resignemos al poder, para que confiemos en él, pero quien conozca el reverso del poder deja inmediatamente de respetarlo. Los amos siempre han sido anarquistas, solo les disgusta que los demás lo sean.

Todas las razones para destituir al poder están ahí, insisten desde el Comité Invisible. No falta ninguna. El naufragio de la política, la arrogancia de los poderosos, el reinado de lo falso, la vulgaridad de los ricos, los cataclismos de la industria, la miseria galopante, la explotación desnuda, el apocalipsis ecológico... no se nos priva de nada, ni siquiera de estar informados de ello (cf. Comité Invisible 7).

Sí, todas las razones para destituir al poder están ahí, pero las razones no hacen las revoluciones, las revoluciones la hacen los cuerpos, y los cuerpos están delante de las pantallas, asistiendo a su propio naufragio, buscando en lo virtual que las discriminaciones, las opresiones, las injusticias y la explotación no duelan, que las pantallas mitiguen su dolor. Denunciar todo esto y esperar que alguien reaccione es equivocarse de época. En el mundo de las imágenes las palabras han perdido toda función social, por eso a todo el mundo se le permite hablar, todo puede ser dicho porque nada importa, en cambio, toda la crítica al poder palidece ante la visión del escaparate de un banco hecho pedazos. Los vínculos que el neoliberalismo se había encargado de cortar se vuelven a anudar en ese gesto radical que irrumpe en el presente reconfigurando el mundo, vislumbrando posibilidades de actuación, reuniendo voluntades y generando fraternidades en las que se afirma lo vivo y donde organizarse es empezar a amarse.

OBRAS CITADAS

Adorno, Theodor W. *Consignas*, Buenos Aires, Amorrortu, 1969

Althusser, Louis. *Ideología y aparatos ideológicos de Estado*. Notas para una investigación, Buenos Aires, Nueva Visión, 1974

Arendt, Hanna. *Eichmann en Jerusalén*, Barcelona, Lumen, 1999

Balandier, George. *El poder en escenas*, Barcelona, Paidós, 1992

Bauman, Zygmunt. *Modernidad y holocausto*, Toledo, Sequitur, 1997

Comité Invisible. *Ahora*. Logroño. Pepitas de calabaza. 2000

Deleuze, Gilles, y Guattari, Félix. *El Anti-Edipo*, Barcelona, Paidós, 1985

Deleuze, Gilles y Parnet, Claire. *Diálogos*, Valencia, Pretextos, 1980

Fernández Liria, Alberto. "No hay enfermedad", EL PAÍS 30/04/2008

Foucault, Michel. *Historia de la sexualidad. 1. La voluntad de saber*, Madrid, Siglo XXI, 1987

—. "Verdad y poder", en *Microfísica del poder*, Madrid, La Piqueta, 1980

González, José Ángel. *A sus órdenes, señor psicópata*. https://www.20minutos.es/noticia/2247156/0/psicopatas/lideres/poderosos/

Han, Byung-Chul. *Psicopolítica*, Barcelona, Herder, 2014

Hernández, Esteban. *Los límites del deseo*. Instrucciones de uso del capitalismo del siglo XXI, Madrid, Clave Intelectual, 2016

Hillman, James. *Tipos de poder*, Buenos Aires, Ediciones Granica, 2000

Ibañez Gracia, Tomás. *Poder y libertad*, Barcelona, Hora, 1992

— (coord.). *Introducción a la psicología social*, Barcelona, UOC, 2016

Lobaczewski, A. *La ponerología política*. Pilules rouge, Ed., 2013

Lukes, Steven. *El poder. Un enfoque radical*, Madrid, Siglo XXI, 2014

Maquiavelo, N. *El príncipe*, (Edición de Miguel Ángel Granada), Madrid, Alianza, 1992

Marx, Karl, y Engels, Friedrich. *Manifiesto comunista*, Madrid, Endymión, 1987

—. *La ideología alemana*, Barcelona, Grijalbo, 1974

Milgram, Stanley. *Obediencia a la autoridad*, Bilbao, Declée de Brouwer, 1980

Moya, Miguel. "Ayuda y altruismo", en MORALES, José Francisco (coord.), *Psicología social*, Madrid, McGraw-Hill, 2000

Piñuel, Iñaki. https://www.eldiario.es/tecnologia/Inaki-Pinuel-destaca-Espana-psico-patas_0_573243721.html

Platón. *La República*, Madrid, Gredos, 1992 (Introducción, traducción y notas de Conrado Eggers Lan), libro VII

Rendueles, Guillermo. *Las falsas promesas psiquiátricas*, Madrid, La Linterna Sorda, 2017

Salmon, Christian. *Storytelling*. La máquina de fabricar historias y formatear las mentes, Barcelona, Península, 2008

Sennett, Richard. *La corrosión del carácter*, Barcelona, Anagrama, 2000

Tizón, Jorge L. *Psicopatología del poder*, Barcelona, Herder, 2015

LOS TRABAJADORES NO TIENEN NADA QUE PERDER SALVO SUS CADENAS

Karl Marx

ELOGIO DEL SILENCIO

David Álvarez García
Filósofo y poeta

El punto de partida que se adopta en este ensayo se puede resumir como sigue: vivimos tiempos ruidosos, cerrados concienzudamente ante la experiencia del silencio. Esta cerrazón determina la cotidianeidad de nuestra existencia: es una de esas cadenas que amamos. Es decir, nuestra vida es vivida en y desde el ruido, ruidosamente. El silencio se percibe casi como enemigo mortal: sospechamos en él una suerte de marco de aparición para aquella enfermedad mortal que ya diagnosticara Søren Kierkegaard en la medianía del siglo XIX: la desesperación. En el silencio intransigente de lo real resuenan ecos de nuestra finitud y nuestra condición mortal queda al desnudo. Ante este *peligro,* el aparataje cultural y técnico prescribe el ruido como un medio de disponer una continuidad que no dé cabida a esos silenciosos paréntesis: aperturas a verdades desesperantes. Pero, en cualquier caso, antes de alzar la voz predicando a los cuatro vientos los peligros del silencio y, así, recetar ruidos de todo tipo y condición, quizá merezca la pena, aunque solo sea una vez en la vida, prestar oídos al silencio. En lo sucesivo veremos el sentido de estas afirmaciones, sus significaciones ordinarias; la perspectiva desde la que surge y hacia la que se dirige, precisamente, este elogio.

¿Por qué un elogio del silencio? ¿Es que merece ser elogiado? El elogiar es un decir que recuerda cualidades escogidas y las eleva al rango de alabanza, de justa dignificación, basada en los méritos y virtudes. ¿Quizá exageramos al querer tributarle semejante homenaje al silencio? Decíamos que vivimos tiempos extrañados del silencio, ya no solo ajenos, sino temerosos de él. Una situación silenciosa, privada o pública, da acceso a la incomodidad, a la sensación de estar pisando unas arenas movedizas, próximos a un peligro velado. Y aunque este fuera el caso, tendemos a pensar que estamos mejor en la ilusión del parloteo, es decir, ignorando el peligro, siguiendo la estrategia del avestruz. Claro que este rechazo del silencio, como un fenómeno que nos sitúa frente a lo inquietante en nuestro vivir cotidiano, se hace desde una actitud muy concreta y, aun así, elusiva. Nos referimos a la actitud destinada por el imperio de la técnica. La técnica es ruidosa:

desde el antiguo martillear del herrero hasta al actual hardware de un ordenador. Pero se nos dirá que un ordenador es bastante silencioso, por no decir absolutamente silencioso. En efecto. El ruido se ha sofisticado y se presenta en muchos casos como silencio. Esto es importante, pues solo aumenta la gravedad y la dificultad del problema, sin hacerle perder nada de su esencia original. Y es que, hoy día, "técnica" nos resulta un concepto insuficiente. "Tecnología", parece ser el concepto llamado a ocupar en la actualidad el lugar que hasta hace poco ocupaba la técnica moderna. Y lo tecnológico, pese a ser una continuación de lo técnico, tiene un no sé qué de original, de cosa nueva. La tecnología es todavía un misterio y no sabemos si es, simplemente, hija del ruido técnico o guarda en su esencia figuras aún encubiertas del ruido y el silencio.

La técnica, decimos, se ha diversificado hasta lo impensable, reproduciéndose en formas que nunca imaginamos y cuyo alcance todavía no llegamos a comprender. Con ello llegamos a la tecnología en un amplio sentido (informática, medios de comunicación, entretenimiento, desarrollo energético, capitalismo financiero, crecimiento personal, etc.). Debido a la creciente especialización y al espíritu positivo, la tecnología avanza a una velocidad de vértigo, haciendo imposible su asimilación y estimación más allá de su inmediata eficacia de acuerdo a su propia proyección virtual. Y esto, al mismo tiempo que nos impresiona positivamente, nos sume en la perplejidad más absoluta. Una perplejidad que es de tal modo que, cuanto mayor es su magnitud, menor nuestra disposición a reconocerla y abordarla en lo que requiere toda perplejidad: que se pregunte por ella. Sin embargo, esto ya viene de lejos. En 1929, José Ortega y Gasset avisaba en su célebre ensayo *La rebelión de las masas* sobre el carácter descuidado y frívolo del hombre-masa en su vertiente de "especialista" o "sabio-ignorante": el investigador especializado se centra en una parcela diminuta del saber humano, ajeno al conjunto no ya del conocimiento, sino de su misma ciencia, pero, paradójicamente, se cree con derecho a emitir juicios acerca de cualquier cuestión y exige en los demás el respeto a su opinión (114). Este tipo humano ya es una forma de ruido, un hidalgo del alboroto. Y ciertamente es un tipo de hombre dominante.

El análisis de Ortega y Gasset no solo sigue siendo de plena actualidad, sino que las condiciones relativas al opinar y a sus exigencias de reconocimiento se han agravado considerablemente con la irrupción de los *mass-media* y las redes sociales. A modo de simple ejemplo a este respecto, valga recordar que el ex-presidente de los EE.UU., Donald Trump, utilizaba Twitter como principal medio de difusión de su agenda política. Y resultaba especialmente llamativo que los temas más polémicos en las redes sociales de Trump fueran aquellos sobre los que, según demostraba, menos idea tenía: cambio climático y feminismo.[1] ¿No es esto, también, un "armar bulla" propio de la técnica, aplicada aquí al ámbito de la ideología política? ¿No son la *posverdad* y los fenómenos de *fake-news*, entre otros, técnicas políticas recién desarrolladas en genial adaptación a los medios tecnológicos donde se mueve la opinión de las masas? En cualquier caso, como decíamos, esto aquí solo nos vale de ejemplo.

A aquello que impide o dificulta el esfuerzo por prestar oídos y escuchar lo que queremos escuchar, aun cuando lo que queramos escuchar sea el silencio, lo llamamos ruido. El ruido pasa, en ocasiones, por silencio. ¿Cómo es posible? El silencio no es ausencia de sonido, sino ausencia de ruido. Etimológicamente, silencio viene de "estar callado". Se radica en una disposición activa de nuestra existencia o "ser-ahí".[2] Con todo, callar es una forma decaída de hablar, igualmente originaria; un habla bajo signo negativo y, como tal, se puede dar también en la emisión de palabras. La oración, el repetir una letanía, un mantra, un rosario, son formas de callar, es decir, de apertura al silencio. Son frases que, propiamente, no dicen nada, dándose así el "estar callado", el decaimiento del habla; no se enfrenta en ellas el decir a lo dicho, no hay un proyecto de aprehensión, sino que su conceptualidad, en su modo de referir se mantiene en lo esencial, lo conserva en su monótona repetición a la espera de un acontecimiento transformador. Se pretende con ello superar el orden esquemático de la representación, trascender —que no olvidar— la estructura de generación conceptual propia del pensamiento teorético. Esta es, al menos, la intención fundamental de tales actos. La forma y contenido del acontecimiento

---

[1] No olvidemos tampoco como, en plena pandemia de la COVID-19, en una rueda de prensa en directo, inquirió a una médica del gabinete de la Casa Blanca, absolutamente perpleja, sobre los posibles beneficios de la ingesta o inyección de productos desinfectantes.

[2] El *Dasein*, concepto del filósofo alemán Martin Heidegger ("ser-ahí", "estar-ahí", "existencia" en el sentido de ex-sistir, estar arrojado, ser ya siempre afuera, etc.) acudirá en múltiples ocasiones a nuestro texto, mas no es tomado como objeto fundamental de la reflexión y análisis, sino tan solo como el suelo y, en cierto modo, el horizonte ontológico de la misma.

solo se manifiestan individualmente, con un carácter inefable, sin posibilidad de aprendizaje y transmisión en sentido pedagógico. Lo más a lo que se puede aspirar en este sentido es a la estimulación mediante la provocación ejemplar, ya sea en palabras o en actos. En cualquier caso, esta transformación de la que hablamos aquí, de darse, no tiene la forma del milagro en el sentido típico, es decir, una intervención en el más acá desde el más allá. Quede dicho de golpe: no hay ningún mundo más allá de la vida. Toda voluntad transmundana es, en palabras de Nietzsche, un ataque al sentido de la tierra, una traición, justamente, al espíritu que aspira a su propia transformación. El acontecimiento transformador ha de quedar en este mundo y sus modalidades evitar la forma tanto de una negación como de una loca exaltación del pensar. Por expresarlo con la acertada expresión de Camus: no se está hablando aquí de ningún suicidio filosófico. Pero, dejando esto a un lado, en adelante veremos cómo el mundo de la vida y lo mundano no se reducen al conjunto de opciones pre-con-figuradas por la operatividad racional de las ciencias, es decir, veremos las posibilidades de la mundanidad. Así pues, el silencio en el que se ha de permanecer a la escucha, por lo pronto, podemos decir que recibe su orientación desde el mundo y a él se dirige.

A veces se dice más callando que alzando la voz. Puede provocarnos más un hombre que calla y observa que un vocinglero pertinaz. Y a veces, los estados fundamentales en los que nuestro ánimo se presta a la apertura del misterio han de ser traídos a la presencia mediante la palabra que no dice, sino que calla. Tales estados son excepcionales, breves y raros. De aquí la importancia de la repetición, la vuelta perpetua al principio, es decir a la escucha. Ahora bien: ¿qué hay que escuchar? ¿Lo que hay que escuchar no es, precisamente, lo que merece ser escuchado? ¿Y qué merece ser escuchado? Lo que nos interpela en nuestra esencia misma como seres que se comunican, que comparten la experiencia abierta en la palabra, esto es, seres que escuchan. Aquello que es propio de la escucha decimos que es lo escuchable. Y, sin embargo, aquí decimos que el ruido nos impide escuchar, luego no escuchamos, porque nos aventuramos en el ruido escapando del silencio en el que lo escuchable que interpela a nuestra esencia puede quedar abierto a ser escuchado. Así, elogiar el silencio no es una cuestión arbitraria y baladí, pues, aunque se dé la paradójica situación de que se ponga al silencio bajo un decir que quizá lo entorpezca, este decir no quiere sino ser una palabra preparatoria para el silencio, que es, justamente, el sentido original del elogiar.[3] El elogio, así visto, además, es un decir que se pone bajo el manto de un escuchar, pues su objetivo es rememorar los silencios vírgenes para asistir al decir en lo que es justo que sea dicho. Es un decir que se somete, con el tiempo, a un callar, a una forma de habla que, como veíamos arriba, se caracteriza por la apertura hacia el horizonte de lo silencioso en el que lo escuchable del silencio pueda volvérsenos patente, es decir, fenómeno. Con esto no se descarta en absoluto la posibilidad de que el fenómeno de lo escuchable del silencio consista, quizá, en un simple mantenerse a la espera, resguardando ese "punto de acceso" del ruidoso ajetreo que nos rodea. En una palabra: nada se ha dicho hasta aquí. Tan solo se ha sugerido algo así como una disposición y presentado algunos obstáculos.

En estas palabras estamos trazando un juego de paralelismos entre escuchar y pensar, en el marco de la filosofía de Martin Heidegger, sobre la cual nos apoyamos para emprender este elogio.[4] Puesto que la dirección de este texto está tomada en su método e inspiración de la insistente, espinosa y gratificante lectura de este pensador, el desarrollo del texto ha de hacer lo posible por ajustarse a su herencia. El pensar emprendido por él nos ha abierto caminos que hasta entonces estuvieron esencialmente velados.[5] No debemos dejarnos espantar por la dificultad. Por encima de ella se encuentra la ineludible necesidad de afrontar la peculiar tarea de todo pensar y decir actuales, a saber: retornar al arraigo del pensar en la región olvidada del ser. Quizá la ambición de esta tarea supere con mucho no ya los límites de este ensayo, sino de cualquier ensayo. Esta duda tan esencial es algo que habrá de quedar pendiente. Aquí nuestro esfuerzo quedará más que compensado si conseguimos rescatar al silencio de alguna de las mil cadenas con que ha sido apresado mediante la desconsiderada apropiación por parte del ruido de la técnica en sus diversas manifestaciones.

[3] El *elogium* latino se refería originalmente a la inscripción en una tumba o estatua conmemorativa, recogiendo las virtudes y hazañas del difunto. De este modo, se rendía un último homenaje verbal en la hora del silencio final.

[4] Este paralelismo resultará claro a cualquiera con tan solo leer las primeras páginas de sus lecciones del semestre de invierno de 1951-52 en Friburgo, publicadas bajo el título: *¿Qué significa pensar?*

[5] El propio Heidegger eligió la rúbrica "Caminos, no obras" (*Wege, nicht Werke*) para referirse a sus libros. Con ello pretende señalar el carácter abierto de su pensar.

En las primeras páginas de *Carta sobre el "humanismo"*, firmada en el otoño de 1946, podemos leer:

> El pensar, dicho sin más, es el pensar del ser. El genitivo dice dos cosas. El pensar es del ser, en la medida en que, como acontecimiento propio del ser, pertenece al ser. El pensar es al mismo tiempo pensar del ser, en la medida en que, al pertenecer al ser, *está a la escucha del ser* (Heidegger 261, cursiva del autor).

"Estar a la escucha del ser": este es el llamamiento para un renovado pensar que sitúe al hombre ante el horizonte de su situación ontológica fundamental (de la que depende en plena medida su situación en general). Sin embargo, no es fácil. Siguiendo a Heidegger, invito al lector a fijar la vista en la tradición de pensamiento en la que nos encontramos: la metafísica. Más particularmente, la metafísica occidental, cuyo origen radica en la Antigüedad Griega. Esta metafísica toma al ser como ente desde su mismo acto fundacional,[6] olvidando e impidiendo con ello el justo pensar del ser, sustituyéndolo por un preguntar limitado a lo ente, es decir, en última instancia, al imperio de la lógica de las causas.

Con la interpretación del ser como ente, se termina por reducir la ciencia a la adecuación lógica y, a su vez, la lógica a meras reglas del entendimiento como órgano de conocimiento teórico. Pero la lógica, originariamente, en tanto doctrina del *logos*, tiene un destino más fundamental, como disciplina de la verdad del ser (pues es en la palabra donde reside la apertura del ser en su verdad, es decir, en su desvelamiento)[7]. Entonces, desde la lógica así reducida, cuando se

---

[6] Se considera por tal los fragmentos del poema de Parménides, *Acerca de la naturaleza*. En él, el filósofo griego dice: ἔστι γὰρ εἶναι, cuya traducción habitual al español es "pues hay ser", o "pues ser es lo que es". Si bien Parménides nombre expresamente al ser y lo asocia a la presencia, según explica Heidegger en una de sus lecciones sobre Nietzsche, en este pensar parmenideo no se piensa al ser desde su propio ámbito de desvelamiento, es decir, desde su verdad, sino que al identificar ontológicamente ser y presencia, se inaugura la historia del ser con el olvido del ser.

[7] En algún lugar Heidegger entiende que el silencio es la lógica oculta de la filosofía (citamos de memoria). Se apunta con ello hacia el sentido de la verdad comprendida como Ἀλήθεια: *alétheia*, des-velamiento, des-ocultamiento; vinculado *en su núcleo esencial* con el ocultamiento o velamiento del ser, es decir, Λήθη: *léthe*.

dice "pensar el ser", se piensa el ser del ente, nunca el ser mismo en su sentido propio, en su verdad. En esta tradición reconocemos avances fundamentales en el ámbito de la relación con lo ente, desde las ciencias naturales y del espíritu hasta los productos técnicos e ideológicos derivados de ellas y de los que ya hemos mencionado un par de ejemplos. Pero también el propio devenir del pensamiento filosófico "puro" pretende haber avanzado, si entendemos por tal la concatenación de intentos por conquistar cumbres del pensamiento referidos en la totalidad de la historia de la filosofía como historia del ser de lo ente. La comprensión del ser del ente desde Platón y Aristóteles hasta Hegel y Nietzsche; todas y cada una de ellas se incardinan en el olvido de la pregunta expresa por el ser. La filosofía, confusa ante su estatuto epistemológico en contraste con las ciencias que se han independizado de ella, quiere hacerse ciencia a su vez y con ello descuida, precisamente, lo peculiar y fundamental de su cientificidad: la tarea de pensar radicalmente, esto es, hasta la raíz del pensamiento; se olvida de que, como dirá Heidegger, "el hombre es el pastor del ser" (Ibíd. 272). El ser se ve sumido en una historia que lo reduce, en sus sucesivas etapas, hasta un mero "fondo disponible", objeto de un conocimiento posible (o imposible), sea mediante la intuición, el intelecto o alguna combinación de facultades determinadas. En última instancia, el ser como mundo que se nos enfrenta, que nos niega, casi a modo de desafío o acaso maldición.

En la historia de la metafísica, así mirada, no se excluye la apertura al ser del ente (¿cómo si no podrían haberse levantado, revuelto y consolidado las ciencias?), sino al sentido y la verdad del ser. No se le han prestado oídos al ser. Y nosotros, herederos de esta tradición del olvido, pero también y especialmente de su descubrimiento, ¿cómo podremos ocuparnos de la apelación fundamental que se nos ha legado?

Basándonos en lo que vemos a nuestro alrededor, parece que vale con darse por no enterado, o simplemente renunciar. Como herederos negligentes, tomamos esta herencia como una deuda inmerecida y nos desentendemos de ella. De este modo no solo renunciamos a la deuda (la tarea de pensar la esencia de la metafísica en su historia), sino que, con ella, renunciamos a nuestra misma esencia. Ya no queremos ser herederos de nada, solo queremos que nos dejen en paz. Ortega y Gasset advertía sobre esto en *La rebelión de las masas*: el hombre-masa, en cuyo paradigma seguimos, se desentiende de la historia y del esfuerzo que han hecho posibles las condiciones de su propia posibilidad (Ortega y Gasset 74-5). Sin embargo, Ortega no piensa allí expresamente desde la metafísica (si bien, él mismo lo reconoce), y, por tanto, no toca, sino de forma muy tangencial, la cuestión que aquí planteamos.

El olvido del ser se da en la historia bajo diversas concepciones del ser del ente: el ente es esto o aquello, existe de tal manera o de tal otra, por estas razones es lo que es y por estas otras deja de serlo, hay entes de dos, tres o siete categorías, hay o no hay ente supremo, etc. Esta es la historia de la metafísica. De ella surgen las ciencias tal y como nosotros las conocemos. Las ciencias llevan en su esencia un ingrediente metafísico, es decir, una comprensión de lo ente. La comprensión de lo ente propia de las ciencias se radica en lo que Heidegger denomina "ser ante los ojos".[8] Mejor dicho: para las ciencias el estado originario y fundamental del mundo (y entienden "mundo" como lo ente en su totalidad) es, antes que nada, "ser ante los ojos". Esta forma de ser del ente, lo entiende como una disponibilidad abstracta, por decirlo así, requerida de un acto de concreción y determinación posterior a su captación como "eso que está ahí delante de mí sin más". Y ese acto de determinación es justamente lo que pretenden hacer las ciencias. Sin embargo, en la analítica de la fenomenicidad del mundo que Heidegger presenta en *Ser y tiempo*, se muestra que para que lo ente pueda "ser ante los ojos", *originariamente* ha de presentarse de otra forma: "ser a la mano".[9] Este "ser a la mano" indica, entre otras cosas, que en la constitución de los entes que aparecen en el mundo (o entes intramundanos), el ente que es el hombre juega un papel fundamental. Y no en el sentido de realizar una determinación reflexiva y categorial sobre algo (la cosa, el objeto) que esencialmente estaría ahí delante sin más. Sino que en el conformarse el ente como lo que es, se refiere a un marco de significatividad cuyas coordenadas esenciales son los po-

[8] Traducción de José Gaos del vocablo alemán *vorhandenheit*, que Heidegger utiliza para referirse a la forma de ser de los entes que hacen frente en el mundo, en tanto que simples "cosas", el aspecto o apariencia del fenómeno, objetos para un sujeto. Se corresponde con la actitud de determinación teorética del Dasein.

[9] Esta es la traducción de Gaos para *zuhandenheit*, concepto que Heidegger antepone a *vorhandenheit*, como la originaria forma de hacer frente los entes en el mundo como útiles, impregnados de significatividad antes de cualquier posible determinación, es decir, como aquello constituido en su singularidad por una totalidad de relaciones de conformidad que, en última instancia, remiten al ente cuya estructura es "ser-en-el-mundo", es decir, el Dasein (En *Ser y tiempo*, § 18, se detallan estas relaciones).

sibles modos de uso, utilidad y cuidado, es decir, en definitiva, posibles modos de ser del Dasein.

> Un útil no "es", rigurosamente tomado, nunca. Al ser del útil le es inherente siempre un todo de útiles en que puede ser este útil que es. Un útil es esencialmente "algo para...". Los diversos modos del "para", como el servir "para", el ser adecuado "para", el poderse emplear "para", el poderse manejar "para", originan una totalidad de útiles. [...] A la forma de ser del útil, en que este se hace patente desde sí mismo, la llamamos "ser a la mano". (Heidegger [*El ser y el tiempo*] 70-1)

Dicho de golpe, con Heidegger, lo que se pone de manifiesto en esta conformación de los entes "a la mano" es la mundanidad del mundo (la estructura del fenómeno "mundo"). Y esta estructura aparece como la apertura del mundo en tanto que red de significaciones. Nosotros nos hallamos ya siempre en el mundo, arrojados en él así entendido (abierto en su significatividad), antes de cualquier posible relación científico-teórica de determinación y dominio. Este estar ya-siempre en el mundo estaba bosquejado por Husserl, maestro de Heidegger, en el ámbito que él denominó "pre-reflexivo". Antes del encuentro reflexivo, contemplativo con el mundo, estamos ya en él, aunque quizá sintamos que todavía-no lo estamos del todo.

Este originario encuentro con el mundo, pre-reflexivo y pre-teórico, no es una disposición casual y arbitraria entre muchas posibles, sino que la primera determinación ontológica fundamental de nuestra estructura existencial es, dirá Heidegger, "ser-en-el-mundo" (*in-der-Welt-sein*). Si el mundo puede ser algo más que una suma de entes disponibles, de cosas dispuestas en un sentido señalado y acabado, es por su carácter de abierto; carácter que aporta el Dasein en tanto "ser-en-el-mundo". En esta estructura nosotros nos las tenemos que ver para existir (gestionar ese curioso estado de "estar-ya en el mundo" pero "todavía-no"), lo que significa, apañarnos para realizar nuestra existencia y hacerlo, exclusiva y necesariamente, en el mundo que abrimos y se nos abre. Las ciencias, en tanto comportamientos del hombre, son modos de trato y de cuidado mediante los que podemos realizar nuestra existencia. Pero responden a un modo de trato *deficiente*, es decir, a la simple observación del aspecto de las cosas (*vorhandenheit*), desentendiéndose de su carácter *primario*, pre-reflexivo, de útil (*zuhandenheit*). Por tanto, las ciencias, podemos decir que tienen un carácter subordinado, si lo entendemos atendiendo al nivel de *originariedad ontológica* propio del trato/cuidado en cada caso.

> Los objetos están presentes en tanto que provistos de *significado*, y sólo después de producirse el encuentro fáctico con el mundo (del significado) se puede hablar del sentido meramente real y cósico que adquiere la objetualidad en función de un ejercicio de abstracción teórica que obedece a un tipo de orientación y de jerarquización muy concreto.
>
> La vida fáctica se mueve en todo momento en un determinado *estado de interpretación* heredado, revisado o elaborado de nuevo (Heidegger, [*Interpretaciones...*] 37).

¿Qué es eso de vida fáctica o *facticidad*? Un nombre para designar la situación directa e inmediata de nuestra vida: estar en el mundo. En la facticidad nos movemos ya siempre sobre un suelo de pre-interpretaciones que irrumpen y entran en juego en nuestro modo de ocuparnos con el mundo e interpretarlo. Cabría decir, simplificando con vistas a la divulgación, que en la facticidad *el significado es anterior al objeto*, en tanto que simple objeto; que, viviendo, captamos el objeto solo en tanto significado (al hacer esta simplificación nos situamos de inmediato en una relación de determinación teórico-causal que, por su modo propio de proceder, "des-mundaniza" la significatividad y la objetualidad, con lo que la facticidad se interpretaría desde su problematicidad inherente, que veremos a continuación). En la facticidad captamos simultáneamente al mundo y a nosotros mismos, invariablemente, y lo captamos de una forma señalada, acorde a nuestra perspectiva particular del mundo y al contexto en el que nos situamos. Heidegger, varios años antes de manejar el concepto de facticidad, ya lo perseguía en sus lecciones de 1919 en Friburgo, como ayudante de Husserl, con la famosa vivencia de la cátedra. En ella denomina como "vivencia pura" a lo que más tarde dará el nombre de vida fáctica y que, dicho de la forma más simple, vendría a llamar la atención sobre aquello que, al estar tan inmediatamente próximo a nosotros, pasamos por alto.

> En la vivencia del ver la cátedra se *me* da algo desde un entorno inmediato. Este mundo que nos rodea (la cátedra, el libro, la pizarra, el cuaderno de

apuntes, la estilográfica, el bedel, la asociación de estudiantes, el tranvía, el automóvil, etcétera) no consta de cosas con un determinado contenido de significación, de objetos a los que además se añada el que hayan de significar esto y lo otro, sino que lo significativo es lo primario, se me da inmediatamente, sin ningún rodeo intelectual que pase por la captación de una cosa. Viviendo en un mundo circundante, me encuentro rodeado siempre y por doquier de significados, todo es mundano, "mundea" ... (Heidegger [*La idea de la filosofía...*] 88)

Que el mundo "mundea" es lo que pasamos por alto; o, bajando hacia algunos ejemplos propiamente mundanos que propone Francisco Soler, que "la noche nochea y el río ría y la rosa rosea y la nada nadea..." (46). Este mundear del mundo, y el *cosear* de cada cosa, marcan el modo de ser propio de todo lo ente y, con ello, apuntan hacia el carácter activo y transitivo del ser mismo. Mas, aquí, esto es algo que solo podemos dejar anotado sin explayarnos en ello, pues nos alejaría del marco de la meditación que nos hemos propuesto.

En cualquier caso, a nosotros ahora nos interesa destacar que este *pasar por alto lo más cercano* es la disposición más básica de nuestro vivir fáctico; consiste en no darnos cuenta de que nuestro vivir es, justa y directamente, facticidad. A modo de juego, podemos pensar con cierta ironía que parece como si la facticidad no quisiera que nos diésemos cuenta de ella, acaso como si fuera un geniecillo que ingenia un truco para salvaguardar los frágiles cimientos sobre los que construimos nuestra vida cotidiana. Si descubriéramos al genio, al instante pensaríamos que algo no va bien, que nos está utilizando y manipulando algo extraño, y no escatimaríamos esfuerzo alguno para pillar el truco y desmontar el decorado. Claro que el decorado es nuestra vida y al desmontarlo somos nosotros los desmontados.

Dejando la broma a un lado, es importante tener claro que la facticidad no es un ente, sino la estructura del ente que somos cada uno de nosotros. La actividad fáctica, es decir, el actuar desde la facticidad, recibe su principal sentido en lo que Heidegger denomina "cura" o "cuidado" (*Sorge*). Este cuidado, no se ha de entender aquí en el sentido de preocuparse por la salud, propia o ajena. Ese sería solo uno de sus muchos modos de ejecución. En sentido heideggeriano el cuidado alude a la estructura esencial del Dasein como ser-en-el-mundo, es decir, del hombre de carne y hueso, por valernos de la expresión de

Unamuno. Este hombre de carne y hueso que somos en cada caso nosotros mismos *ex-siste*, a diferencia del resto de cosas que *existen*, porque este cuidado atañe a lo más hondo de su esencia. El cuidado es entendido aquí como ocupación con algo, ser diligente ante tal cosa, preservar, atender, negociar-con, gozar-de, dolerse-con, perseverar-en-tal-empresa, "solicitud en la ejecución de algo",[10] etc. Dicho sin rodeos: el cuidado alude a la inmensa gama de posibilidades y modos de ocuparnos de vivir. Y, por lo tanto, se puede distinguir un "término medio" del cuidado, que sería la perspectiva del cuidado en la cotidianeidad de nuestras vidas, en su forma más vulgar y persistente.

La inclinación hacia la caída es la responsable de que la vida fáctica, que en verdad es siempre la vida del individuo, no pueda ser generalmente vivida como tal. Antes bien, la vida fáctica se mueve en un cierto *término medio* [...]. Este término medio es en cada ocasión el de la *publicidad*, el del entorno, el de la corriente dominante, el del "así como muchos otros". De hecho, el "uno" o el "se" es quien fácticamente vive la vida del individuo: uno se preocupa, uno ve, uno juzga, una disfruta, uno trabaja y uno se plantea preguntas. La vida fáctica es vivida por el "nadie", al que esta consagra toda su atención. [...]. En el mundo al que la vida se abandona y en el término medio por el que circula, la vida se oculta, se esconde de sí misma. La tendencia hacia la caída conduce a la vida al desencuentro consigo misma (Heidegger [*Interpretaciones...*] 41)

¿Qué es esta inclinación hacia la caída? Es la medianía del cuidado, su media aritmética y ontológica, y "con esto se señala, asimismo, la dirección y el horizonte intencional de la tendencia propia del cuidado" (Heidegger Ibíd. 39). El cuidado es la esencia del hombre de carne y hueso y el carácter fundamental de esta esencia es la inclinación hacia la caída de la vida fáctica. Esta estructura apunta hacia una *simplificación* de la vida que ayude a vivirla. Las ciencias mismas, en tanto modos del cuidado que delimitan lo real como lo objetivo, contribuyen, sépanlo ellas o no, a esta simplificación del vivir fáctico.

Al mirar expresamente la facticidad se nos revela la fragilidad de todo fundamento metafísico: el estar arrojado del Dasein, es decir, *su* estar en relación problemática con el ser. Desde esta situación,

[10] Así lo recoge la RAE.

el cuidado, como "sentido fundamental de la actividad fáctica de la vida", nos dispone en medio de la facticidad. Y la tendencia de esta disposición es, como veíamos, el paradójico abandonar la facticidad desde la facticidad misma. Por eso puede hablarse de desencuentro de la vida consigo misma, o de abandono. Este abandono le resulta a la vida misma algo tranquilizador. En la tendencia a la caída el hombre de carne y hueso mediante su interpretación de la vida —que en parte es herencia y en parte creatividad— sustituye u oculta cómodamente su condición de estar arrojado por una serie de valores convicciones y teorías más o menos asimiladas y trabajadas que él entiende como la forma idónea de ocuparse de sus posibilidades, es decir, de dirigirse y realizarse en el mundo (según el marco de publicidad imperante interpretará su condición de una u otra forma). Pero, como bien apunta Heidegger, a priori no es él mismo quien se realiza, sino "uno". A esto Heidegger lo llamará *impropiedad*. Sin embargo, esto ha de entenderse bien.

La impropiedad no es un concepto derivado de un análisis sociológico o psicológico acerca de las condiciones ideales para el desarrollo del individuo como ser social, sino que surge de un análisis fenomenológico de la facticidad y desde ahí ataca directamente al fundamento de la subjetividad como sostén ontológico extendido y disperso en la generalidad de lo público. En otras palabras: pone en cuestión la tesis cartesiana del "Yo" como substancia y fundamento de la existencia. En la subjetividad entendida desde la impropiedad fáctica, el hombre de carne y hueso, ya sea un tipo sociable o un taciturno solitario, se las ha de ver con un lenguaje cuya apertura al ser se ve entorpecida por la homogeneización teórica que ejerce la metafísica, extendida además de forma vulgar en la opinión pública. Así, el lenguaje deja de vincularse en su esencia con el ser y pasa a ser una mera función biológica y social del ente humano y racional. De este modo, determinaciones fundamentales de la metafísica como "razón", "humanidad" o "vida" se interponen en la referencialidad originaria entre ser y lenguaje. Añádase a esto que los conceptos metafísicos una vez vuelven a formar parte del acervo cultural de lo cotidiano, dejan de ser entendidos en su problematicidad metafísica para ser asumidos como inmediatamente comprensibles, unívocos y claros.

Pues bien, si el lenguaje, como quiere Heidegger, es "la casa del ser", en cuya morada habita el hombre, en la impropiedad habría que decir que el hombre abandona esta morada, humilde y sobria, para refugiarse en el palacio de la subjetividad trascendental. Claro que este palacio, de tan ostentosas pretensiones, ya no es que sea frágil por la debilidad del pensamiento humano, sino que está construido en las nubes, es decir, suspendido en el vacío y, por tanto, ya siempre derrumbado. La contrapartida a este abandono sería la *propiedad* o autenticidad. Esta consistiría en resguardar esa morada, es decir, en proteger activamente el pensar por cuanto "en el pensar el ser llega al lenguaje" (Heidegger, [*Carta sobre el humanismo*] 259). La propiedad se vincula directamente al pensamiento del ser, a ese permanecer a la escucha que venimos persiguiendo y que nos guía.

Ya apuntamos más arriba que otro nombre con el que Heidegger habla del hombre es "ex-sistencia". Desde la etimología de la palabra se pone de manifiesto la diferencia ontológica entre el Dasein y el resto de entes. El Dasein está arrojado, está-en-el-mundo sin un fundamento ontológico seguro y, de hecho, ha de pro-curarse su propio ser y el modo de procurárselo (tiene, como decíamos más arriba, que transitar entre el estar "ya-siempre" y el "todavía-no"), mientras que el resto de entes simplemente existen, están presentes, son en el ser, pero sin ninguna relación existencial con él. Safranski expone esto con ejemplar sencillez en su biografía sobre Heidegger:

> El ser se sustrae cuando lo queremos captar directamente. Pues todo cuanto captamos se convierte por ello mismo en ente, se convierte en objetos que nosotros llevamos al orden de nuestro saber o de nuestros valores, que podemos dividir, descomponer, establecer como modelos y transmitir apelando a ellos. *Todo eso no es el ser, pero todo eso se da porque nos hallamos en una relación con el ser.* Es el horizonte abierto en el que nos sale al encuentro el ente. Y la pregunta por el ser no busca un ente supremo, que en otrora se llamó Dios, sino que debe crear la distancia que permite experimentar de pronto dicha relación. ([*Un maestro de Alemania*] 359, cursiva del autor)

Lo ente no es el ser (en ningún grado), pero lo ente es en el ser, se da, se muestra, etc., porque nosotros nos hallamos en relación con el ser, de modo que podemos dejar que las cosas sean lo que son (también podemos, por cierto, negarles esa posibilidad). Esto no le quita nada, en rigor, a la independencia del ente respecto a los procedimientos de su determinación y captura por parte del hombre. A este respecto unas palabras de nuestro pensador pueden arrojar la luz que el asunto requiere:

> Los entes *son* independientes de la experiencia, el saber y los conceptos con que se abren, descubren y definen. Pero el ser sólo "es" en la comprensión del ente a cuyo ser es inherente lo que se llama comprensión del ser. De donde que el ser pueda no ser apresado en conceptos, pero que nunca sea del todo incomprendido. (Heidegger [*El ser y el tiempo*] 170).

La relación en la que se encuentra el hombre con el ser —en su ser le va el ser en tanto que siempre se mueve en una cierta comprensión del ser—, se comprende en y desde la estructura esencial del cuidado (ciertamente, *se comprende*, puesto que es el *factum* de tener siempre alguna comprensión del ser lo que hace del cuidado la esencia del Dasein). Sin embargo, ya hemos visto cómo el cuidado está orientado primariamente hacia la caída, y no como algo accidental. Con todo, la caída misma no deja de ser una forma de relacionarnos con el ser, aunque sea en la forma del descuido y la impropiedad, es decir, perdiéndonos cómodamente en el anonimato del ente, como una mera cosa entre las cosas, dejando la casa del ser —el lenguaje— abandonada. Ahora bien, el hombre de carne y hueso, en tanto ex-sistencia, como claro de apertura del ser, cuenta con la posibilidad de permanecer a la escucha del ser en *su* pensamiento (recordemos la cita con que se abrió esta sección), y así apropiarse de su inquietud radical, su indigencia ontológica en un mundo de cosas que nos resulta tan a menudo hostil y amenazador. Esta diferencia ontológica es el sentido más básico de la célebre proposición heideggeriana: "la 'esencia' del "ser ahí" está en su existencia". Esta frase ha dado pie a todo tipo de confusiones, pero quizá valga tan solo con leer lo que le sigue la primera vez que se rubrica para desvelar muchos malentendidos:

> *La "esencia" del "ser ahí" está en su existencia.* Los caracteres que pueden ponerse de manifiesto en este ente no son, por ende, "peculiaridades" "ante los ojos" de un ente "ante los ojos" de tal o cual "aspecto", sino modos de ser posibles para él en cada caso y sólo esto. Todo "ser tal" de este ente es primariamente "ser". De donde que el término "ser ahí", con que designamos este ente, no exprese su "qué es", como mesa, casa, árbol, sino el ser. (Heidegger Ibíd. 48)

Todo "ser tal" de este ente es primariamente "ser". De ahí que solo la ontología fundamental esté en posición de plantear las cuestiones radicales acerca de nuestra existencia, lo que cotidiana e impropiamente llamamos, "nuestros problemas existenciales". Y, puesto que la facticidad es el estado fundamental y originario de nuestra vida, y se mueve siempre en un estado de interpretación, la ontología fundamental ha de comprenderse como hermenéutica fenomenológica.[11] Esto significa, *grosso modo*, que hemos de interpretar la facticidad desde una perspectiva reductiva, orientada hacia el ámbito de lo esencial, pues solamente la fenomenología (la actitud reductiva y esencial) permite la disposición investigadora que puede situarnos en la región adecuada para dejar que los fenómenos sean tal, es decir, aquello que se muestra a sí mismo, tras de lo cual no se oculta ninguna otra cosa, a no ser lo que aún deba comparecer en tanto fenómeno. Y el fenómeno que por encima de cualquier otro requiere en nosotros la experiencia de una comparecencia fenomenológica es la *relación* con el ser, como bien señalaba Safranski:

> La metafísica se cierra al sencillo hecho esencial de que el hombre sólo se presenta en su esencia en la medida en que interpelado por el ser. Sólo por esa llamada "ha" encontrado el hombre dónde habita su esencia. Sólo por ese habitar "tiene" el "lenguaje" a modo de morada que preserva el carácter extático de su esencia. A estar en el claro del ser es a lo que yo llamo la ex-sistencia del hombre. (Heidegger [*Carta sobre el humanismo*] 267)

Luego, ese misterioso afuera en el que se encuentra arrojado el hombre, el "ahí" de su ser, no es otro que el claro del ser. Estando fuera de sí, habitando en la palabra que acoge la relación del ser y el pensar, el hombre se descubre dentro de la verdad del ser. Esta verdad del ser en

---

[11] Aquí nos vemos ante la necesidad de dejar a un lado una explicación de enorme interés. La fenomenología es la disciplina cuyo sentido fundamental es dar lugar a que se muestre lo que se muestra en tanto que se muestra, o, simplemente ir, según dice su lema "¡a las cosas mismas!". De ahí que Heidegger la comprenda como una búsqueda de la actitud y mirada adecuadas, y no como un método de determinación teórica. Para una mayor comprensión de la fenomenología en Heidegger nos remitimos al parágrafo § 7 de *Ser y tiempo*; también a *Investigaciones fenomenológicas sobre Aristóteles,* a partir de la página 17 atendiendo al manuscrito original y al texto *Introducción a la investigación fenomenológica.* Si el lector busca una introducción general a la fenomenología, de obligado paso es la lectura de Edmund Husserl, en especial sus textos: *La idea de la fenomenología, Meditaciones cartesianas* y *Las conferencias de Londres.*

la que estamos, estando fuera de nosotros mismos, es decir, siempre trascendiendo nuestro ensimismamiento hacia el horizonte de la posibilidad, nunca es una verdad en el sentido de las ciencias (tampoco de la filosofía entendida como ciencia). O dicho con más precisión: cada verdad científica recibe "su" verdad desde el claro del ser, en la medida en que este es el lugar, siempre y en cada ocasión, donde se da la apertura de lo ente en su totalidad, desplegándose las posibilidades de su verdad y su error. Este lugar, dicho de un golpe, es el hombre y solo él. Pero el hombre al hacer ciencia, conforme a su finalidad investigadora (en cuyo seno cobra sentido la distinción teoría-práctica) selecciona una parcela de lo ente o, más bien, una única forma de descubrirse lo ente, y con ello se cierra al ser en su verdad. Se ve sumido en lo ruidoso y así, encadenado. Con todo, el éxito de las ciencias solo ha sido posible por esta renuncia, que ya caracterizamos más arriba como olvido de la pregunta por el ser, y con ello, renuncia a escuchar el silencio. Las ciencias por sí mismas no pueden ser culpables, pues ciertamente han procedido según su esencia.

Ahora bien, el hombre no solo hace ciencia y técnica, o moral y política; no solo es el ser teórico y práctico en sus múltiples sentidos. El hombre ni siquiera es solo el ser-en-el-mundo, es decir, el ser en que se abre el mundo en su ser-mundo, mundanidad. El hombre no es nunca *solo* eso o lo otro. Insistimos una vez más: al hombre en "su" ser, le va el ser mismo. Este esencial "irle el ser" ya ha sido mostrado, aún de forma aproximada, bajo la significación de la ex-sistencia. El hombre no decide sobre su esencia, sino que, si decide y es libre en algún sentido, lo ha de ser desde su esencia. Pero él no puede *hacer* nada *con* ella, salvo mantener la distancia, la apertura. Nuestra postura es que solo ante la escucha del silencio en cada caso pertinente nos es posible hacerle justicia a la apertura extática de la ex-sistencia en lo que tiene de fascinador, hechizante y también peligroso.

Resumiendo lo anterior: el Dasein, el hombre de carne y hueso, es el ente que siempre se mueve en una cierta comprensión del ser y, por ello, se ve en su esencia interpelado por el ser. Esta es su facticidad, su ex-sistencia, su carácter de estar en su inmediata cercanía ya siempre *en su afuera*. En esta condición acude al cuidado, a la ocupación mundana, en la cual se experimenta cayendo en la tranquilizadora medianía de la vida fáctica que se ha llamado impropiedad. En esta simplificación de su vida, al esforzarse para ganar un rincón seguro de identidad fundamental desde el cual vivir en paz, sin darse mucha cuenta hace de sí mismo un extraño para sí mismo, abandonando su hogar sin apenas haberle echado un vistazo. Es el caso, por ejemplo, de la subjetividad: esa especie de baluarte interno, pese a su apariencia segura y nuclear, ciertamente ya nos ha alejado un paso de nuestra esencia, que radica en la relación extática con el ser sobre la apertura de este en el lenguaje. Pero en la subjetividad, así como en otras figuraciones fundamentales de la metafísica, el hombre termina por llevar al lenguaje "bajo la dictadura de la opinión pública" (Heidegger Ibíd. 262), y con ello al ser al olvido. Pero el hombre, pese a este estado de cosas, puede pensar, permaneciendo a la escucha del ser. En este permanecer a la escucha, hoy, lo primero que nos sale al paso es el ruido, la dificultad suprema de escuchar lo que más merece ser escuchado. Debemos, pues, hacernos cargo de este ruido, es decir, hacernos cargo de su esencia y su origen. En otras palabras: debemos pensar la tecnología, aunque ello implique en muchos casos aproximarnos a lo ensordecedor. Solo pensando la tecnología a través de la técnica nos disponemos más allá de lo técnico, la trascendemos desde nuestro "aquí" en su "ser posible" sobre el horizonte ontológico de la temporalidad en su máxima riqueza.[12] De este modo tan solo nos hemos situado ante el fenómeno que buscamos para hacerlo comparecer, pues en este buscar nos vemos requeridos por él.

A TRAVÉS DEL RUIDO: LA TÉCNICA

La obra en que se recoge este ensayo se presenta como un retrato crítico de un viejo lema por todos conocido: la decadencia de Occidente. A este respecto no hay que perder pie:

---

[12] Cierto es que aquí no se ha tocado el tema de la temporalidad pese a su relevancia en *Ser y tiempo* y, en general, en el pensar de Heidegger. Diremos tan solo una palabra al respecto: al estar el hombre (en tanto "ser-ahí") arrojado en el mundo y tener con ello que proteger y amparar ontológicamente la finitud y la muerte en su ser más propio, se descubre en su facticidad como ser-temporal, nunca agotado en su "ahí", y nunca ganado del todo para sí. La presencia del Dasein, ontológicamente, no se agota en el puro presente, como dimensión temporal privilegiada, sino que está ligada *en su esencia* al pasado y al futuro. Este carácter temporal constitutivo del Dasein se radica en la *diferencia ontológica*. Esta expresión alude tanto a la distinción entre el Dasein y el resto de entes, como a la diferencia entre el ser y el ente (ambos sentidos están íntimamente relacionados, pues si el Dasein es distinto del resto de entes, lo es en tanto su esencia se ve interpelada por la llamada o aliento [*Zuspruch*] del ser).

> La decadencia es, claro está, un concepto comparativo. Se decae de un es-
> tado superior hacia un estado inferior. Ahora bien: esa comparación puede
> hacerse desde los puntos de vista más diferentes y varios que quepa imagi-
> nar (Ortega y Gasset [*La rebelión...*] 57).

Que la vida y el pensar actuales estén en decadencia es algo que al menos ha de ponerse en cuestión. Nosotros aquí nos hemos fijado como
tarea atender a la decadencia referida al permanecer a la escucha del
ser, es decir, al pensar del ser. ¿Existe tal decadencia, o es acaso un juicio cómodo para, precisamente, no pensar? ¿Qué punto de vista cabría
adoptar para la necesaria comparación que se nos presenta? ¿Quizá
prestando atención a algo así como el pensar del ser propio de cada
época? ¿Es que *ahora* se piensa *menos* el ser? ¿Y cómo algo así sería posible? Estas preguntas han de ir guiando nuestro camino. De momento
solo indican que el asunto a tratar está bajo signo de interrogación.

Que el ser quede impensado en su sentido propio y su verdad no
significa que no se sepa nada del ser. La misma frase "no se sabe nada
del ser" es un disparate.

> [...] de ordinario la existencia se oculta. Está ahí, alrededor de nosotros,
> en nosotros, es *nosotros*, no es posible decir dos palabras sin hablar de ella
> y, finalmente, queda intocada. Hay que convencerse de que cuando creía
> pensar en ella no pensaba en nada, tenía la cabeza vacía o, más exactamente,
> una palabra en la cabeza, la palabra "ser". (Sartre 144)

En este pequeño fragmento de Sartre el problema al que nos enfrentamos queda expresado con genial nitidez: no nos es posible decir dos
palabras sin hablar de nuestra relación con el ser (ex-sistencia), pero
al mismo tiempo todo queda sumido en no sé qué atmósfera de ocultamiento. Y persiste como un eco de esa palabra... "ser". Esa palabra
fecunda en enigmas, de la que se ha dicho que es la más universal, la
más vacía y también la más comprensible; que se ha intentado cap-
turar en la Idea, en Dios, en el Sujeto Trascendental, en la Nada y en
otras tantas figuraciones. Esa palabra que nos invita, en el pensar heideggeriano, a seguir su rastro a través de sus diversas determinaciones
históricas en la metafísica. Mas no es este el lugar oportuno para semejante ejercicio de caza histórica del ser. Nos limitamos a examinar
el tiempo que, a falta de mejores palabras, llamamos nuestro.

Claro que esto no está exento de problemas. Al reflexionar acerca de en qué medida se piensa hoy el ser, es decir, al preguntarnos por el ser en nuestro tiempo, al propio preguntar le atañe de forma obligada la esencia de nuestro tiempo o, mejor dicho, el ámbito de todo lo esencial donde la esencia de nuestro tiempo pueda quedar esclarecida. Este "todo lo esencial", nos recuerda Heidegger, como esencial que es, domina en todo momento, si bien, debido al olvido del ser del que ya hemos hablado, ha permanecido y permanece aún en la oscuridad por doquier, una oscuridad que se remonta sobre abismos de tiempo. De ahí que todo camino del pensar que quiera ajustarse a la exigencia de su propio tiempo lleve en sí el mandato incontestable de pensar lo ya pensado en el inicio, rememorando el ámbito de lo esencial desde nuestra actual situación. Dicho en nuestros términos: hay que afinar el oído en la historia del ser hasta que los más antiguos silencios resuenen en nosotros. Y no para traer al presente una supuesta configuración del espíritu de tiempos mejores, sino para preparar a nuestro propio y peculiar espíritu, ni más ni menos, que para lo futuro que alberga desde siempre lo más antiguo (aquí cabe recordar ese plano existencial que ya mencionamos brevemente en el anterior apartado, cuyos extremos son el "ya-siempre" y el "todavía-no"). Si bien no podemos, como decíamos, examinar rigurosamente la verdad del ser en su historia, estos comentarios nos valdrán para marcar el límite en cuanto a las posibilidades del pensar en "nuestro tiempo".

El ser se nos da, se nos destina, el ser es, el ser está o lo hay en cada ocasión en un modo de des-velamiento (Ἀλήθεια). En tanto que se nos da de un modo y no de otro, su darse es también y con la misma originariedad, un sustraerse. Dicho en pocas palabras: nunca se da de una vez y para siempre; en cada caso se reserva algo. Lo que no significa que "nos engañe"; si acaso, nosotros caemos en engaño al limitar el pensar al ser de lo ente y nada más, es decir, haciendo de la presencia, del momento de des-velamiento no sé qué absoluto, olvidando así su correspondencia esencial con el velamiento. Cuando Heráclito asentaba sus aforismos acerca de la unidad de los contrarios no debía andar lejos de estos difíciles caminos del pensar: "La verdadera naturaleza gusta de ocultarse (*Fragmentos presocráticos* 130)". Debido precisamente a este "gusto" de lo más verdadero por permanecer oculto en tanto se presenta, si queremos salir del culpable estado de la impropiedad en donde el "buen gusto", o la más elemental "educación", tienden a la simplificación del ex-sistir, del vivir fáctico, hemos de devolver al pensar al ámbito expreso del ser, que es su lugar más propio.

Pero, para que esta propuesta no se quede en palabras vacías, antes de nada, debemos hacer frente a la pregunta que nos ha traído hasta aquí: ¿qué pasa, hoy día, con el pensar del ser? ¿Qué impera en el desvelamiento del ser para nosotros, los habitantes del temprano siglo XXI? ¿Y, al mismo tiempo, en qué forma se oculta? ¿Y, aún más, qué relación guarda el pensamiento con este modo de dársenos-ocultársenos el ser? Para responder a estas preguntas hemos de dirigir la vista a aquello más nos importa.

Tanto los hombres de ciencias como los de letras, los cultos e incultos, los pobres y los ricos, del norte y del sur, los de Occidente y los de Oriente, estamos al amparo de la tecnología. Nada nos importa tanto como el devenir tecnológico, para bien o para mal. Esto ya lo adelantábamos al principio, y no se requiere de mucha lucidez para ver con claridad este hecho. Pero ahora se trata de ver a través de lo tecnológico, y pensarlo en su peculiaridad ontológica. Para ello, un recorrido por el pensamiento heideggeriano acerca de la técnica nos ayudará a fijar la dirección.

Heidegger concibe la técnica en un doble sentido. Por un lado, contamos con una interpretación de la técnica correcta, pero aún no verdadera:

> La concepción corriente de la técnica, según la cual la técnica es un medio y un hacer del hombre, puede, por eso, llamarse la determinación instrumental y antropológica de la técnica. ([*La pregunta por la técnica*] 75)

Por otro lado, partiendo de esta primera y usual interpretación, Heidegger persigue la verdad de la técnica, su esencia. Mediante su pensar etimológico, rastreando en las fuentes griegas de las palabras que intervienen en su meditación, Heidegger termina por demostrar que la esencia de la técnica no es ni algo técnico ni algo humano, sino un destino del ser: un modo de su des-velamiento.

> La técnica presencia en el ámbito en el que acontece desocultar y desvelamiento, Ἀλήθεια, verdad. [...] Ahora bien, el desocultar que domina a la técnica moderna no se despliega en un pro-ducir en el sentido de ποίησις [poiesis]. El desocultar imperante en la técnica moderna es un provocar

que pone a la naturaleza en la exigencia de liberar energías, que *en cuanto tales* puedan ser explotadas y acumuladas. (Ibíd. 80-1)

Sin poder entrar en una lectura del todo exhaustiva del texto de Heidegger, aquí nos interesa destacar dos rasgos de la esencia de la técnica. El primero es que la esencia de la técnica (y, dicho sea de paso, de cualquier cosa) no nos es indiferente. Al contrario, es lo que más nos atañe de ella: nuestra relación con ella en la medida en que nosotros mismos somos relación con el ser. Pero no una relación sobre la base de una determinación teórica o práctica, antropológica o teológica, sino una relación esencial, es decir, pensada expresamente en referencia al ser. Por tanto, la esencia de las cosas es la decisiva atingencia del ser de las cosas al hombre; y no como una suerte de correspondencia lógica entre instancias ontológicamente independientes, sino en la medida en que el hombre es ex-sistencia, *relación correlativa y constituyente* en el ámbito del ser. El ser del ente, en tanto desvelado por la técnica, tiene la forma de lo que Heidegger llama "dis-poner provocante". La naturaleza *y el hombre mismo* son provocados por la técnica, lo que viene a significar que están en constante obligación de rentabilizarse, de explotarse, acumularse y volver a explotar lo acumulado sobre la base de la utilización racionalizada hasta lo infinito. Lo "dis-puesto" es un desocultar que descubre la totalidad de lo ente como "lo constante", lo que está siempre y en todo momento disponible para su explotación y utilización. La esencia de la técnica es un desocultar que lo pone todo como *stock*, como reservas y fondos.

> De otra manera aparece el campo, que el campesino antiguo labraba, en donde labrar aún quiere decir: cuidar y cultivar. El hacer del campesino no provoca al campo. En el sembrar las simientes, abandona él la siembra a las fuerzas del crecimiento y cuida su germinación. Entretanto, la labranza del campo ha caído en la resaca de otro modo de labrar, que *pone* [*stellt: emplaza*] a la naturaleza. La pone en el sentido de provocación. El campo es ahora industria motorizada de la alimentación. (Ibíd. 81)

La esencia de la técnica lo es en tanto que a ella pertenece la realidad desvelada como lo dis-puesto, pero esto no a modo de un simple concepto general bajo el que caería la determinación de cada aparato y de cada función humana al servicio de la técnica. Sin embargo, el concepto tradicional de esencia es justo eso: aquello general bajo lo cual recaen los casos y tipos particulares (lo pétreo es la esencia de la piedra, por ejemplo). Esto nos lleva al segundo rasgo que queríamos señalar: una vez reconocida la esencia de la técnica como disposición provocadora, nos encontramos ante el problema de la esencia misma. La esencia de la técnica nos lleva a replantear el sentido de la esencia. La esencia, en su sentido tradicional, no nos permite comprender el sentido destinal del desvelamiento y, por tanto, nos encontramos con algo así como una esencia inesencial. En este punto, Heidegger asocia el sentido verbal de esencia [esenciar: wesen] con el de duración [durar: währen]. Si la esencia es lo que dura: ¿de dónde se sigue que lo que dura es únicamente la forma genérica, lo común y universal, el aspecto de las cosas? Aquí nos moveríamos ya dentro de una interpretación metafísica del ser como ente (que se remonta hasta Platón), con lo que la esencia quedaría alejada un paso del ámbito propio del ser (es decir, se volvería inesencial). Para salir de este atolladero metafísico, Heidegger, inspirado por Goethe, asocia el verbo "währen" [durar] al verbo "gewähren" [otorgar-confiar, conceder]. Lo esente de cada cosa es aquel momento y lugar iniciales desde donde se le otorga *ser la cosa que ella es*, desde donde aquello que es queda confiado y resguardado. Sin embargo, la esencia de la técnica, que es provocación constante, parece que no puede ser entendida en absoluto como aquello que concede desde lo confiante. Más bien parece que reniega de toda confianza, sustituyéndola por la racionalización y la explotación violenta. Luego, esta interpretación de la esencia no sería válida. A no ser, dice Heidegger, que meditemos cuidadosamente el sentido de unas palabras de Hölderlin:

Así pues, donde domina lo dis-puesto, hay, en el sentido más elevado, *peligro.*
"Pero, donde hay peligro
crece también lo salvador". (Ibíd. 89)

Preguntando de nuevo por la esencia de la técnica, con lo ya ganado a mano, Heidegger muestra como el más peligroso de los destinos del desvelar puede todavía ser esencia en el sentido de otorgante-confiante si, con Hölderlin, dirigimos la vista hacia el mayor de los peligros —el ruido de la técnica— y buscamos allí el nacimiento de lo salvador.

El acontecimiento del desvelar (el darse de la verdad), en cualquiera de sus modos, dice Heidegger, es siempre peligroso. Lo es porque el hombre, en tanto que pertenece al acontecimiento desvelador, es decir, en tanto él mismo es desvelado, es puesto en un camino. Este "poner en camino" es lo que Heidegger llama destino. Pero el destino por antonomasia, no es este o aquel desocultar particulares, sino el que pone al hombre en el camino del desvelar mismo. Ahora bien, el ámbito de este destino es, justamente, el de la libertad.

> Siempre impera al hombre el destino del desocultamiento. Pero no es jamás la fatalidad de una coacción. Pues precisamente el hombre llega a ser libre en tanto que pertenece al ámbito del destino y, así, *llega a ser un oyente*, no un esclavo. (Ibíd. 87, cursiva del autor)

¿Es que acaso no es la libertad la condición de todo peligro? El peligro consiste en que el hombre, estando en un camino del desvelar, se atenga únicamente a lo desvelado y se cierre a la experiencia de escuchar la llamada más íntima de su esencia (es decir, que ex-siste, que su esencia es relación con el ámbito de la verdad del ser, es decir, con el destinarse de todo desvelamiento). Este peligro es supremo en el desvelar propio de la esencia de la técnica, en tanto que impulsa al hombre, no solo a desatender otros modos del desvelamiento, sino que se cierra al desvelamiento mismo en tanto acontecer de la verdad. La técnica, desde su esencia, desarticula su propia esencia en tanto desvelamiento, es decir, no deja ver lo que ella misma es. Se podría decir que el hombre está en riesgo de volverse sordo y ciego y, así, perder su más alto destino y, con él, la condición de su libertad. Cree haber encontrado un ámbito de verdad definitivo que le otorga la medida de su libertad en tanto dominador de la tierra, libre al fin de metafísica y oscuras referencias a ámbitos misteriosos. De este modo se cierra el hombre a la experiencia de la verdad del ser, es decir, al ámbito de su libertad en donde puede permanecer a la escucha del silencio que, como un oráculo, da señales.

Entonces, según esto, ¿cómo hallar lo salvador que promete el verso de Hölderlin, en esa provocación infinita que ha resultado ser la esencia de la técnica? Meditando esta esencia no como mero caso general de una especie de lo real, sino como modalidad de un destino de desvelamiento, esto es, como aquello que otorga el ser de forma confiante. Solo de este modo el hombre puede descubrirse como un garante de la esencia de la verdad (pues custodia, a través del lenguaje, en su pensamiento rememorante aquello que se destina de una u otra forma en el desvelamiento). Si la técnica fuese solo una herramienta, como pretende la concepción instrumental, el hombre estaría condenado a intentar dominarla y jamás se acercaría un solo paso a su esencia. Sin embargo:

> De un lado, lo dis-puesto provoca a lo violento del establecer, que disloca la mirada para el acontecimiento del desocultamiento y, de esa manera, pone en peligro, desde el fundamento, el ligamen con la esencia de la verdad.
> De otro lado, lo dis-puesto acontece, por su parte, en lo acordador y confiador que permite al hombre persistir en ser –inexperimentado hasta ahora, pero más experimentable quizás en lo venidero– lo necesitado para la custodia de la esencia de la verdad. Así aparece el surgimiento de lo salvador. (Heidegger Ibíd. 93)

Pues bien. Heidegger tiene aún muchas palabras que decir acerca de la técnica en este y otros tantos textos. De enorme interés es su texto *Serenidad,* donde propone la actitud de la serenidad [Gelassenheit], el simultaneo sí y no a la técnica: sí a su uso adecuado que facilita y mejora las condiciones de nuestro vivir; pero no a la completa apropiación de nuestra esencia por parte de la técnica (28). Ser capaces de valernos de los objetos técnicos a la vez que declinamos su requerimiento a lo más íntimo y esencial de nosotros mismos: lo que ya arriba vimos sobre la diferencia ontológica y nuestra condición del ex-sistir.

A nosotros nos toca ahora reunir el valor suficiente para dar todavía un paso más. Heidegger nos ha mostrado cómo lo salvador de toda esencia, y especialmente de la esencia de la técnica, está en la íntima invitación al hombre para que preste oídos al ámbito supremo desde el que se destina todo destino del desvelamiento. En otras palabras: atender a cómo se esencia lo esencial en cada caso desde la experiencia del ser como desvelamiento [Ἀλήθεια]. No nos es posible mantenernos fieles a este destino sin reconocer lo destinal que se le enfrenta: lo que aquí hemos llamado ruido y que, en las páginas anteriores, se ha mostrado en la esencia de la técnica como lo dis-puesto. Para penetrar en las regiones donde el silencio le concede a la palabra la gracia de su hogar, hay que atravesar las vastas distancias del ruido y ello sin las vanas pretensiones de ideales melancólicos o transmundanos. Es decir, aún estamos, aquí, esperando el silencio elocuente del ser.

¿Es lo mismo técnica que tecnología? Técnica, en su significación griega, nombra una forma específica de conocer, es decir, una cierta forma de mostrarse las cosas en el ámbito de la verdad. Es, dicho a grandes rasgos, la forma producente, que trae a la presencia lo que no se presencia desde y por sí mismo, sino que requiere de un proceso manual e instrumental. Sin embargo, ya hemos visto cómo la técnica moderna, vinculada tanto a nivel óntico como ontológico con la ciencia moderna, disloca y eclipsa este primer sentido, gnoseológico y artesanal, hasta desembocar en el desocultar provocante que descubre la realidad como lo dis-puesto. ¿Qué se gana al añadir ahora ese sufijo propio de las ciencias, "-logía", es decir, λόγος? Cuando una palabra lleva ese sufijo inmediatamente entendemos "ciencia de". Pero la técnica por si sola ya lleva una raigambre esencial con la ciencia en tanto que, desde antiguo, ambas designan una forma de conocimiento. En sentido óntico, la técnica moderna es la aplicación práctica de los conocimientos científicos (y, a su vez, permite una mejora en la investigación científica); en sentido ontológico en la esencia de la ciencia moderna domina ya el desocultar provocante. En cualquier caso, ¿qué pasa con la tecnología? λόγος significa hablar, pero no en cualquier sentido:

> λόγος en el sentido de habla quiere decir más bien […], hacer patente aquello de que "se habla" en el habla […]. El λόγος permite ver algo (φαίνεσθαι), a saber, aquello de que se habla, y lo permite ver al que habla (voz media) o a los que hablan unos con otros. […] En el habla (ἀπόφανσις), si es genuina, debe sacarse lo que se habla de aquello de que se habla, de suerte que la comunicación por medio del habla hace en lo que dice así accesible al otro aquello de que habla. (Heidegger [El ser y el tiempo] 37)

Se trata de un mostrar en la palabra hablada aquello que se descubre y comparece justamente en tal palabra; entonces tecnología, atendiendo a los significados de sus componentes y a su vinculación esencial en la experiencia originaria de la Ἀλήθεια, sería el hablar acerca de la técnica, de tal modo que muestra desocultando lo técnico en tanto ello es un modo particular de desocultamiento. Este sentido de tecnología bien podría ser una llamada para prestar oídos al silencio que retiene la tecnología en su más honda profundidad. Quizá un paso aún inseguro, pero ya buscando el suelo firme del ser. Es decir, pensar así la tecnología nos invita a retrotraerla al ámbito fundamental de la verdad en el que ella misma se descubre.

Pero es evidente que este sentido rebuscado de tecnología no se parece en nada a lo que nosotros entendemos en esa palabra; luego, es evidente que no hemos escuchado aún a través del ruido tecnológico. Para nosotros "tecnología" ni siquiera tiene el sentido de ciencia de la técnica, sino más bien el de cierta forma que adopta la técnica. La tecnología es el ordenador capaz de realizar cualquier operación y establecer conexión con cualquier punto del planeta en apenas un segundo; la televisión última generación de tropecientas pulgadas y no menos canales, con una definición gráfica de la que carece la misma realidad y un grosor poco mayor al de un folio; el teléfono inteligente que nos permite desde nuestra propia mano acceder a las redes sociales en constante innovación, además de a toda la información y medios de internet: los periódicos, enciclopedias, foros digitales y las tiendas on-line; y también las plataformas de entretenimiento audiovisual, que abarcan desde programas infantiles hasta la más violenta de las pornografías. Es tecnología, sin duda, la economía vertebrada en el mercado financiero, las telecomunicaciones y encuestas de datos que articulan la lógica interna de la política contemporánea. Y mucho más. La tecnología viene a representar para nosotros la imagen total de nuestro mundo: el marco de significatividad imperante.

Quizá esta palabra le resulte al lector exagerada. Le invitamos, de nuevo, a meditar acerca de ejemplos concretos y, más aún, a mirarse a sí mismo y a su entorno más cercano de acuerdo a lo que aquí se está diciendo. No parece difícil acertar en la suposición de que la mayoría de lectores que estén ante estas palabras, probablemente tengan su teléfono móvil a menos de un metro de su mano, quizá demandando una buena fracción de su atención. No se trata tan solo de la extensión en el uso del *smartphone* para la participación en prácticamente cualquier experiencia (algunos estudios proponen que el gozo ante ciertas experiencias culturales se ve incrementado con la intervención del móvil como medio de grabación y comunicación a través de redes sociales), sino que incluso cuando no se le usa, su presencia marca los límites de nuestra periferia con un requerimiento constante. Otro ejemplo, quizá de apariencia más lejana, pero que nos afecta inmediatamente, lo encontramos en los flujos económicos del mercado bursátil, que operan sobre capitales y recursos virtuales, y que ya no encajan en los conceptos tradicionales de "producto", "mercancía" o "servicio". Pese a su carácter inmaterial y ajeno a nuestro vivir, no podemos nosotros hablar en los mismos términos de independencia respecto a su destino, puesto que determinan la riqueza y el poder político de los países y establecen la naturaleza de sus relaciones internas y externas.

La tecnología, más allá de esta visión económica e instrumental, según el recorrido que hemos trazado, la entendemos en su esencia como un modo de desvelamiento, pero ya no el productor de la técnica clásica, ni el provocador de la técnica moderna. Este último disponía lo real como un descomunal fondo de reservas racionalizado hasta el extremo; ¿cómo desvela la realidad la esencia de la tecnología? La desvela privativamente, poniéndola como pura virtualidad.

La realidad descubierta por la técnica clásica estaba englobada en la idea de naturaleza como divinidad, es decir: se guardaba un respeto religioso por la naturaleza, y el operar artesanal sobre ella se mantenía en el desocultar producente (poiético) con una sana prudencia. En cuanto a la esencia de la técnica moderna, provoca la realidad poniéndola como dispositivo, como almacén de energías y fuerzas siempre dis-puestas y re-puestas para su utilización. El límite de la naturaleza estaba en los descubrimientos, igualmente dispuestos, por las ciencias positivas. Del respeto antiguo hacia la naturaleza se pasa a la sacralización de la voluntad humana como mecanismo de dominación de lo natural mediante el conocimiento aplicable. No obstante, en este paradigma lo natural sigue oponiendo su resistencia, en la medida en que se le reconoce como aquello que se nos enfrenta irremisiblemente, como herramienta y rival.

Pero ahora, la tecnología, *no solo* provoca a la naturaleza para hacer de ella una fuente de explotación y almacenamiento de energías; domina en su esencia un desocultar que es privación: se pone a la naturaleza en la exigencia de retirarse en tanto condición última (y, por tanto, primera) de existencia. La esencia de la tecnología priva a la naturaleza de su primacía óntica, de su carácter de realidad primera. Ya no valdría aquella distinción rousseauniana entre primera y segunda naturaleza: solo resta una "naturaleza" y es la tecnología que, sin embargo, en su esencia, en tanto desocultamiento, impone una realidad de carácter predominantemente no-natural (si es que en natural oímos todavía resonar el concepto griego Φύσις en el que, a su vez, resuena la experiencia del nacimiento, germinación).

Si hay que hacer caso a Ortega y Gasset, ya en su *Meditación de la técnica* encontramos que este carácter de confinar a la naturaleza, es decir, a las leyes de la necesidad, estaba en el fundamento primero de la realidad técnica. Se trata de reducir al mínimo posible la menesterosidad natural en el ámbito humano, para poder, en su lugar, dedicarnos a lo propiamente humano, es decir, en última instancia: la búsqueda de sentido y los proyectos de conquista del bienestar. Curiosamente, desde un punto de vista puramente objetivo, estos proyectos son lo superfluo y excesivo ante la simple necesidad natural (cf. 70-1). ¿Es que acaso en la técnica primitiva estaba ya dibujada la esencia de lo tecnológico?

Al pensar la esencia de la tecnología como desvelamiento, la voluntad humana es desplazada a un lado en la meditación. No se trata de lo que quiere hacer el hombre, como animal racional y técnico (entre otras determinaciones), con la realidad y con la naturaleza, sino que se trata de lo que la tecnología misma sea y haga.

Pues bien, insistimos una última vez: ¿qué significa que la esencia de la tecnología sea un desocultar que pone la realidad como virtualidad? ¿Por qué desocultar privativo? ¿De qué se le priva al ente en tanto es descubierto de este modo? Se le priva de su presencialidad natural: no le basta ya a la piedra su reposar sobre sí misma, ni le basta a la estrella su brillar, tampoco al animal nacer, alimentarse y reproducirse, ni al árbol le basta estar enraizado en su suelo para ser un árbol real. En ese estado "natural" todavía no han llegado a ser efectivamente reales; realmente reales. Acaso ya no sea determinante que el árbol se presente como naturaleza. Lo crucial ahora es que ese árbol pueda ser descubierto a través de un nuevo medio donde aparezca como árbol apropiado para una experiencia virtual. Que ese mismo árbol pueda ser recreado extra-natura, por decirlo de golpe (quizá *subiendo* una foto a *Instagram* o *Facebook*, realizando un comprometido documental sobre los efectos de la deforestación, o diseñando un videojuego que transcurra en una selva que se autogenera). Mientras que lo real-natural es en esencia irreversible, no así lo real descubierto por la tecnología. Si cometemos un error en el ordenador nos basta un *click* para suprimir el error. Si lo real de la realidad era su actualidad, su carácter presente y efectivo, la materia prima de lo real, eso es justamente de lo que se ve privada en el desocultar propio de la tecnología —tal es, al menos, la tendencia dominante impuesta por su esencia—.

Ante lo efectivo de la realidad se revuelve ahora un insaciable ardor de virtualización que, a su vez, responde al íntimo designio de la esencia de la tecnología: erigirse como último y definitivo modo de desocultamiento (evidentemente, al igual que sucedía con la técnica moderna, la interpretación instrumental y antropológica de la tecnología impiden verla en su esencia desocultante). Según lo dicho, estamos aquí ante la irrupción de una reinterpretación radical del concepto de naturaleza, que ataca tanto al sentido religioso como al científico-positivo. Donde antes fueron la religión y la física encontramos ahora la informática computacional; la fe y la mecánica sucumben ante la probabilidad. El hecho cede su lugar al dato y la ley al algoritmo.

Pero parece que todo este planteamiento cae en una obvia contradicción al decir que la realidad se desvela como virtualidad, cuando virtual es, típicamente, lo opuesto de real. Se cae en un círculo vicioso. El sentido común se revuelve contra este círculo. ¿Habrá, pues, que desdecirse de lo dicho? Antes, quizá, sería conveniente mantenernos en el círculo que nos ha salido al paso; estimar con atención el regalo que se nos ofrece, como agradece el poeta el verso que se le destina en el poema. Recordemos que este camino circular nos ha salido al paso preguntando por la tecnología y que ya al inicio de esta pregunta se advirtió que había un sentido de tecnología apenas esbozado que apuntaba hacia un silencio que permanece oculto bajo ese otro sentido que sin más se llamó "ruido tecnológico", el cual ha terminado por llevarnos ante el círculo de la realidad como virtualidad.

Sin embargo, en estas páginas ha pasado ya el tiempo en que podíamos recorrer este círculo. Este recorrido equivaldría a dejar que en el pensar, cada palabra que ha intervenido (ciencia, actualidad, virtualidad, desocultar privativo, naturaleza, realidad, etc.), cobrase su justa distanciación y sosegada soledad. También han quedado cosas fundamentales sin plantear, como la peculiar temporalidad inherente a la esencia de la tecnología. Solo al preguntar libremente a cada una de estas palabras, con el ánimo rememorante que presta oídos al pensar como acontecimiento propio del ser, podría iniciarse el camino por las diversas etapas del círculo de la verdad de la tecnología.

Si ahora nos remontamos a las primeras páginas de este ensayo recordaremos que aquí se trataba de hacer un elogio del silencio y, con ello, advertir como el vivir ruidoso en que estamos instalados es una cadena que queda anclada en el más recóndito rincón de nuestra tradición histórica. También se advirtió que este elogio no podía querer ser sino una palabra preparatoria para el silencio, pues el único homenaje digno y a nuestro alcance es preparar el camino por el que pueda ser escuchado —aún si ello fuera imposible—. Este camino ha resultado ser un círculo que la lógica califica de vicioso sin más miramientos. Aquí, en cambio, si acaso tenemos algo, son precisamente miramientos para con las verdades que se dicen obvias. Estas suelen ser una fuente de ruidos ensordecedores: así, por ejemplo, la tecnología como esperanza final del progreso; o también como decadencia fatal de la humanidad. Esto apenas llega a ser una frase hecha. Ruido.

Pero, entonces, ¿no se piensa menos el ser? ¿No hay decadencia? Respecto al ser, ciertamente no puede haberla; y en el pensar en la medida en que pertenece al ser en el doble sentido ya expuesto, tampoco. De este carácter del ser que rehúye toda comparación con criterios determinados por la lógica —reglas del entendimiento del "animal racional"—, surge también la imposibilidad de juzgar las verdades de la metafísica como contradictorias, en el sentido en que pueden serlo las proposiciones de las ciencias positivas. Sin embargo, la metafísica, en tanto historia de la verdad del ser del ente, sería ya decadencia en sentido típico, respecto al pensar del ser, si pudiéramos decir que este pensar ha acontecido expresamente alguna vez en la historia. Cosa que no podemos decir. La técnica y la tecnología, por su parte, en tanto retoños de la metafísica, son sus herederas negligentes: al rechazar su origen metafísico no hacen sino conservar intacto el signo de su decadencia originaria. Así, este rechazo consolida la historia como historia del olvido del ser.

Un último paso, que apenas llega a primerizo en este elogio, es el deber de callar a tiempo y dejar la cuestión abierta en los términos que la propia meditación nos ha exigido. Se ha intentado homenajear y hacer justicia al silencio prestándole oídos en la experiencia del leer y del pensar. Tal vez se hayan dado pasos precipitados; y quién sabe si toda respuesta que no culmine en un renovado preguntar no ha de ser el mayor de los errores: "Quien piensa a lo grande ha de errar a lo grande" (Heidegger [*Desde la experiencia...*] 26). Quizá de la mano de este pensar nos sea lícito todavía cometer grandes errores.

CONCLUSIONES

Creemos haber mostrado como la decadencia referida al pensar del ser —estar a la escucha del ser— no es algo peculiar de nuestro tiempo, si por tal ha de entenderse una fracción de la historia objetiva. Sin embargo, en la medida en que nuestro tiempo es Historia, existe una imborrable relación con la decadencia originaria: tomar al ser como ente. Esta primera cadena que nos ata lleva por nombre metafísica —filosofía— y en la propia palabra ya se manifiesta el amor que le profesamos. Pero este amor, como todo amor, puede ser condena o salvación o ambas la vez. Apegarnos a la filosofía como fetiche cultural, con el ánimo del anticuario o acaso del humanista, es abrazar la cadena con el temor del esclavo. Sin embargo, el amor genuino es siempre amor a la libertad y en este sentido la filosofía *exige* siempre *su* revolución: la superación de lo ya superado —volver, una y otra vez, por siempre, sobre la tradición filosófica en un infatigable diálogo crítico—. Exige no escatimar en esfuerzos para "tirar" de la cadena y, con ello, tomar conciencia de la herida que siempre está dejando en nuestra piel y en nuestro corazón. En este angustioso tirar podemos trascender en el dolor de la cadena y, como es nuestro privilegio, prestar oídos a lo que se sostiene tras el ruido. El silencio queda al principio y aguarda al final. Está *ya-siempre-ahí-y-todavía-no*: nos llama desde siempre y nos espera en todo momento. Queda en nuestra mano, amante, corresponder tamaña fidelidad con el valor para no disfrazar los enigmas del silencio.

OBRAS CITADAS

Heidegger, Martin. ¿Qué significa *pensar*? Madrid: Editorial Trotta, 2005.
—. *Carta sobre el "humanismo"*. En *Hitos*. Madrid: Alianza Editorial, 2018.
—. *La frase de Nietzsche "Dios ha muerto"*. En *Caminos de Bosque*. Madrid: Alianza Editorial, 2018.
—. *El ser y el tiempo*. Madrid: RBA Coleccionables, 2002.
—. *Interpretaciones fenomenológicas sobre Aristóteles (Indicación de la situación hermenéutica) [Informe Natorp]*. Madrid: Editorial Trotta, 2014.
—. *La idea de la filosofía y el problema de la concepción del mundo*. Barcelona: Herder

Editorial, 2005.

——. *La pregunta por la técnica.* En *Filosofía, ciencia y técnica.* Santiago de Chile: Editorial Universitaria, 2017.

——. *Serenidad.* Barcelona: Ediciones del Serbal, 2002.

——. *Desde la experiencia del Pensar.* Madrid: Abada Editores, 2005.

Heráclito. *Fragmentos presocráticos. De Tales a Demócrito.* Madrid: Alianza Editorial, 2010.

Ortega y Gasset, José. *La rebelión de las masas.* Barcelona: Ediciones Orbis, 1983.

——. *Meditación de la técnica.* Madrid: Alianza Editorial, 2014.

Safranski, Rüdiger. *Un maestro de Alemania. Martin Heidegger y su tiempo.* Barcelona: Tusquets Editores, 1997.

Sartre, Jean-Paul. *La náusea.* Buenos Aires: Editorial Losada, 1979.

Soler, Francisco. *Prólogo a Filosofía, ciencia y técnica.* Santiago de Chile: Editorial Universitaria, 2017.

HISTORIA DE LAS HIPERCOMUNICACIONES, HIPERTEXTO Y MUERTE DE LA SOCIEDAD: SUJETO, ÉTER Y CAPITAL, 1957-2018

Mariano Monge Juárez[1]
Universidad de Murcia

HIPERCAPITALISMO, SOCIEDAD Y SUJETO

Las técnicas globales de comunicación, que permiten la circulación de información en tiempo simultáneo, definen las primeras décadas del siglo XXI. Estas comunicaciones hipertextuales han transformado de forma irreversible economía, política, cultura, desde el individuo y su vida privada, la familia, el grupo, hasta la sociedad compleja. Esta fase, iniciada hacia 1990, definida por el acceso permanente a un mundo hiperconectado, tiene dos grandes campos de acción:[2]

En primer lugar, el capitalismo no productivo, que se genera merced a estas nuevas formas de comunicación, transacción y relación interpersonal, operante, por primera vez, en tiempo real. Este nuevo capitalismo socava la estructura clásica de Immanuel Wallerstein,[3] centros-periferias, y produce *hipermercados* multidireccionales, que circulan desde Nueva York a Yakarta, pasando por cientos de puntos sincrónicos de decisión.[4]

En segundo, la masificación del sujeto-individuo comunicador que, a través del acceso a internet y redes sociales desde los *smartphones* u otros dispositivos, crea un espacio paralelo a la sociedad (mundo del trabajo, relaciones humanas, etc.) y al consumo físico tradicional, de modo que las sociedades humanas derivan en *espacios* comunes, cada vez más determinados por los medios tecnológicos y evolucionan hacia condiciones posthumanas.

Si en 1968 Foucault afirmaba que el hombre había muerto, el desarrollo de la sociedad hacia un espacio de consumo hipertextual,

[1] mongejuarez@um.es

[2] Nelson, Ted (1981), *Literary machines,* Mindful Press, Sausolito.

[3] Wallerstein, Immanuel (2013), *The Modern World-System IV: Centrist Liberalism Triumphant, 1789-1914*, University of California Press, California.

[4] "capitalismo lib-tech", Navajas, Santiago (2016), *El hombre tecnológico y el síndrome "bladerunner" en la era del biorobot,* Córdoba, Berenice. 15.

hace pensar que nos encontramos ante el principio de la muerte de la sociedad tal y como se viene entendiendo desde la conceptualización clásica grecolatina, es decir, que nos encontramos ante la muerte de la sociedad en beneficio de una nueva hipersociedad de consumo, cuyo carácter es la transacción de datos biopolíticos, como adquisición de productos, trabajo, información, conocimiento, placer, relaciones privadas, interpersonales o salud.

En definitiva, hemos de entender internet como una fase superior de expansión y reproducción del capitalismo en la que el mercado se convierte en un espectáculo, en la que las viejas fronteras entre lo obsceno —vida privada— y escénico —vida pública— de las personas se debilitan rápidamente. La tesis de Guy Debord se presenta ahora como un análisis premonitorio de la sociedad del hipercapitalismo cuando hacia 1967 escribía que "toda la vida de las sociedades en que reinan las condiciones modernas de producción se anuncia como una inmensa acumulación de espectáculos. Todo lo que antes era vivido directamente se ha alejado en una representación" y, poco después, lanzaba una sintética y acertada afirmación: "el espectáculo no es un conjunto de imágenes, sino una relación social entre personas mediatizada por imágenes."[5] La información y las relaciones entre las personas (consumidores) es una mercancía valiosa. Históricamente, la información ha sido una moneda peculiar, que cuanto más circulaba, menos valía, aunque este valor también dependía de las personas que la manejaban. Algo equivalente a esta fórmula podemos decir hoy de internet, pero con severos matices. Los *bancos* que emiten esta mercancía —información— son nuevos sistemas (internet, redes sociales), cuya función es la transacción de esta moneda, a esta transacción, llamamos comunicación; un intercambio de información, noticias, sensaciones, que se ofrecen y se dan entre personas o grupos. El mercado de la información es el negocio sobre el que se funda un nuevo capitalismo sistémico —global—, internet es el gran espacio comercial derivado del viejo capitalismo que Adam Smith había descrito durante la Ilustración como un espacio para la felicidad. Mas, aquel profesor de la Universidad de Edimburgo no solo explicó el funcionamiento de la sociedad de mercado, con ello también describió una utopía neoclásica. La clave de esta utopía era la confianza en el hom-

---

[5] Debord, Guy (1995), *La sociedad del espectáculo,* Santiago de Chile Ediciones Naufragio. pp. 8-9.

bre, en el ser humano, y en una especie de providencia universal que se ocuparía de ordenar el mercado, la sociedad y la política para que todo transcurriera hacia la felicidad humana.

La felicidad es la gran mercancía, por eso las drogas han sido siempre uno de los compañeros más fieles del *homo sapiens*. Los efectos de las drogas actúan sobre los responsables neuronales para que el placer, la felicidad, embargue nuestro estado de ánimo. Somos adictos a la felicidad, toda sociedad, todo grupo, todo ser humano necesita de un horizonte de felicidad, es por esta razón por la que la ficción, la mitología, la magia, la religión son y han sido siempre imprescindibles. Placer, felicidad, ficción, mercancía, he aquí los componentes del nuevo mercado de la información, de un nuevo sistema económico, cultural, social y político que llamamos *hipertextual*. El sociólogo Ned Nelson inventó la palabra "hipertexto" en 1965. Desde los años noventa, las estructuras hipertextuales —internet: redes sociales y telecomunicaciones— han ido creado una nueva infraestructura económica, a tal extremo, que las relaciones ya no son humanas, sino hipertextuales.

Para entender el nuevo funcionamiento de la mente humana, del ser humano, de la vida privada, de su comportamiento en grupo, de la sociedad y por tanto de la Historia, es imprescindible conocer, deconstruir, analizar esta infraestructura económica hipertextual: como decíamos, el fundamento de internet es el capitalismo no productivo, es decir, un sistema en el que la "riqueza" no tiene un patrón material —físico—. Ya no se trata de madera, carbón u oro, ni siquiera de cantidad de horas de trabajo; el origen de la riqueza del capitalismo hipertextual se encuentra en una mercancía mucho más compleja y abstracta, que defino como "información-comunicación-felicidad-consumo". Estos conceptos constituyen una mercancía indisoluble. El mecanismo reproductor de esta mercancía no es directamente la industria, el mecanismo reproductor de esta mercancía es, por una parte, internet, por otra se encuentra en nuestra propia mente, es la adicción. Primero, somos adictos a la comunicación, luego al placer, que conforma la primera unidad de felicidad. Para que se produzca esta asociación entre placer y felicidad necesitamos de ficción. Internet es el gran complejo *industrial,* la cadena fordiana de montaje que produce la mercancía "información-comunicación-felicidad" con esa "abundancia inimaginable"[6] y permanente. Como todo sistema productivo y reproductivo, esta gigantesca fábrica necesita de distribución, en este papel encontramos webs, blogs y/o redes sociales, por último, llega el consumidor, el usuario. Pero el nuevo sistema no es vertical, tampoco horizontal, su diseño es el de un rizoma. La nueva economía del nuevo producto "información-comunicación-felicidad-consumo" ha roto con la antigua orientación del mercado, ahora, los consumidores somos transformadores, productores, reproductores, y consumidores de nuevo, en un gigantesco espacio comercial que comprende "el todo". Es decir, internet es "el todo", o al menos esta es su vocación, la omnipresencia, la omnisciencia; la consecución de un sistema sin tiempo y sin espacio. Si hiciéramos una antropología de la hipertextualidad daríamos con una teología primigenia de un especie de nuevo monoteísmo y una antigua idea, *panta rei,* todo está en todo y nada puede estar fuera del todo —Parménides estaría muy satisfecho si conociera el sueño de Xanadu—. Internet es el mercado más grande que jamás podíamos haber imaginado, se trata de una idea *totalitaria*[7] de la vida.

Este viejo absoluto presocrático de máxima globalidad es la filosofía que subyace en la calculadora de Pascal, la *Encyclopédie de Dicerot y d'Alembert* y en el proyecto Memex —*Memory-Index*— de Banever Bush, de 1945, un antepasado mecánico del ordenador, la "máquina universal" de Alan Turing, o el "proyecto Xanadu" de Ted Nelson[8], y, por fin, la idea que inspirará, en 1980, al ingeniero Tim Berners-Lee cuando diseñe su proyecto *Enquire,* una especie de base de datos hipervinculante que pretende preguntar y tener respuestas sobre todo.[9] Para Manuel Castells se trata de la gran "economía informacional".[10]

La teoría que sustenta estas ideas de acceso universal a la información implica la democratización efectiva y dialéctica de la información. En 1967, el sociólogo Ted Nelson publicó un libro, su título era

---

[6] Harris, P. (2009), *Toward Human Emergence*, Amherst, Mass., HRD Press. p. 125

[7] En este caso totalitarismo no hace referencia a las teorías políticas de Hannah Arendt sobre los sistemas totalitarios del siglo XX.

[8] es.gizmodo.com/xanadu-el-proyecto-original-del-hipertexto-nace-54-an-1587496760

[9] Berners-Lee se inspira en el *Enquire Within Upon Everything,* publicado en 1856 con el objeto de ser una enciclopedia general para la vida doméstica, muy popular en el mundo anglosajón durante todo el siglo XIX.(Berners-Lee, T. (2000), *Weaving the web. The original design and ultimate destiny of the World Wide Web,* NY, Harper Business.)

[10] Castells, Manuel (1997), *La era de la información. Economía, sociedad y cultura*, Madrid, Alianza editorial. pp. 411-3.

Literary machines, en el que desarrolla el "Proyecto Xanadu": "un espacio mágico de la memoria literal donde nada se pierde nunca." Se trata de la superación de textos, gráficos, sonidos y video interconectados, como la World Wide Web, pero a diferencia de la Web, Xanadu proporcionaría la administración de versiones, enlaces que funcionan en ambos sentidos y que no se rompían, compensación transparente para los autores, y soporte para la expresión que reconoció la no linealidad del pensamiento, es decir, la estructura en red que pretende superar la verticalidad.

ORÍGENES Y DESARROLLO DE INTERNET, 1957-1990

Los orígenes de internet se encuentran en la necesidad de una estrategia de comunicación suficientemente rápida y segura en el contexto de la Guerra Fría, por ello, el gran desarrollo científico y tecnológico se localiza en el ejército estadounidense y soviético y, como sostiene Enric Puig, culmina en 1990, tras la caída del muro de Berlín y el desmantelamiento de la Unión Soviética,[11] a lo que podríamos añadir el cambio de paradigma que supone el declive definitivo de las políticas económicas keynesianas en Europa y la consolidación del neoliberalismo de Hayek y Friedman, impuesto en todo el mundo desde el eje atlántico Reagan-Thatcher. Es decir, es el momento de la llamada era de la globalización, de la Tercera Revolución Industrial[12] o, como gráficamente pretende sintetizar Thomas Friedman, el instante en que el mundo vuelve a ser plano (desde que Netscape comienza a cotizar en la bolsa Nueva York, en agosto de 1995).[13]

Pero, ¿en qué momento y contexto exacto podemos situar el origen de internet? Todo comienza muy lejos de Wall Street, en Tyuratan, en el Cosmódromo de Baykonur, a las 07:28 horas del 4 de octubre de 1957, la Unión Soviética conmemora el cuarenta aniversario de la Revolución Bolchevique y lanza el *Sputnik* al espacio exterior. Se trata del primer satélite artificial dirigido, que será capaz de vigilar todo el planeta, pero sobre todo, el *Sputnik* significa una gran amenaza para los intereses estadounidenses.

[11] Puig Punyet, Enric (2017), *El dorado. Una historia crítica de internet,* Madrid, Clave intelectual, p. 33

[12] Elfkin, Jeremy (2011), *La tercera Revolución industrial,* Barcelona, Paidós, pp. 23-109.

[13] Friedman, Thomas (2006), *La tierra es plana,* Madrid, MR Ediciones, pp. 64-80.

El contexto que modela y posibilita los orígenes de internet es el espionaje, la inteligencia militar y la guerra fría. La primera red de conexión será una respuesta al lanzamiento del *Sputnik*. Ese mismo año, el 27 de noviembre, bajo la dirección del ingeniero Herbert York, el ejército de Estados Unidos crea una red de interconexión llamada *Advanced Research Projects Agency* o ARPA, coordinada con la NASA, además, también se pone en marcha el llamado sistema de telecomunicaciones, *Communications Moon Relay* (CMR).[14] El sistema CMR pretende la transmisión de mensajes de teletipo y facsímil a grandes distancias y en tiempo real, que venía experimentándose en la *National Security Agency* desde al menos 1956, aunque parece ser que la primera comunicación exitosa entre Washington y Hawai no se producirá hasta 1960.[15]

Entre 1962 y 1964, Paul Baran, Donald Davis y Leonard Kleinrock, de la *Rand Corporation*, plantean la creación de una estructura militar de comunicación en forma de tela de araña,[16] táctica que pretende dificultar el acceso a la información confidencial a los soviéticos, dominadores el espacio exterior en aquel momento. En 1965 tiene lugar el primer envío de mensaje EDI —*Electronic Data Interchange*—, que permite el intercambio de documentos normalizados entre los sistemas informáticos.[17] La primera red de carácter civil conectará a cuatro universidades estadounidenses, no llegará hasta 1969, y se denominará ARPANET. En 1971, Ray Tomlinson envía con éxito el primer correo electrónico por medio de ARPANET. También se utiliza por primera vez el símbolo "@" en los correos electrónicos, con el fin de separar la identificación del destinatario respecto del servidor en el que se encuentra ubicado.[18]

En 1970, Arthur C. Clarke publica un artículo en *Popular Science*, una revista de divulgación científica, en el que anticipa no solo la llegada de internet, sino que también el uso de dispositivos móviles. En 1973 ARPANET cruza el Atlántico e incorpora el *College of London*

[14] www.history.navy.mil/research/library/online-reading-room/title-list-alphabetically/f/from-sea-stars.html

[15] itlaw.wikia.org/wiki/Communications_Moon_Relay
file:///C:/Users/Usuario/Downloads/FromTheSeaToTheStars%20-%202010ed.pdf

[16] Cañedo Andalia, Rubén (2004), "Aproximación a la historia de internet, *Revista Cubana de Información en Ciencias de la Salud*, v.12 n.1.

[17] https://www.edicomgroup.com/es_ES/solutions/edi/what_is.html

[18] https://www.europapress.es/portaltic/internet/noticia-10-curiosidades-correo-electronico-primero-envio-misma-habitacion-20160307125132.html

y *Norwegian Seismic Array* de Noruega a la red. ¿Por qué Noruega? Quizá la respuesta se encuentre en algún documento pendiente de desclasificar. El nombre internet surge en 1982, como una contracción del concepto *inter connected network*.[19] Este acontecimiento marca el primer paso hacia el mercado hipertextual. En 1979 Michael Aldrich había experimentado con éxito un procedimiento que permitía la compra *on line*, aunque no será hasta 1984 cuando se efectúe la primera compra a través de Videotex, un sistema muy elemental denominado *e-commerce*, a través del televisor.[20] Otra aportación decisiva para el nuevo mercado es el sistema *Business-to-Business (B2B)*, de Thomson Holideys, que en 1981 había incorporado un catálogo *on line* para sus clientes.

En 1988, el científico Jarkko Oikarinen, logra dar forma el IRC o *Internet Relay Chat*, un programa que permite que se converse de manera simultánea, entre dos o más personas y en tiempo real.[21]

Hacia 1989, un joven ingeniero británico, Berners-Lee, establece la primera conexión privada, entre personas, a través del protocolo HTTP, es decir, el *Hyper Text Transfer Protocol*. Poco después, en colaboración con el CERN, el belga Robert Cailliau, en 1994, funda el sistema *World Wide Web* (WWW) —Red Informática Mundial—. Durante la primera mitad de los años noventa del siglo XX, internet deriva de su naturaleza militar hacia el mundo de los negocios globales. En 1992, *Book Stacks Unlimited* se convierte en la primera tienda en desarrollar un *e-commerce*, donde se puede pagar con tarjetas de crédito, y en 1994 Pizza Hut vende la primera pizza por internet. En 1995, Jeff Bezzos funda Amazon y Pierre Omydiar, Ebay. Con estas dos formas empresariales, nace la economía *longtail*.[22] Bajo esta nueva estrategia de negocio surge Netflix en California, en 1997, en principio como una plataforma de alquiler de películas a domicilio o sistema VOD, "vídeos bajo demanda", aunque el sistema de retrasmisión en directo —*streaming*— no llega hasta 2007.[23]

Los primeros servicios bancarios *on line* nacen en octubre de 1995, cuando el *Presidential Bank* de Estados Unidos se convierte en el

---

[19] Trigo Aranda, Vicente (2004), "Historia y evolución de Internet", *Manual formativo de ACTA*, Nº. 33,, págs. 22-32.

[20] https://blog.hostalia.com/general/primera-compra-online/

[21] https://sites.google.com/site/elchaat/historia

[22] Anderson, Chris (2013), *Makers. La nueva revolución industrial,* Barcelona, Urano.

[23] https://media.netflix.com/es/about-netflix

primer banco por internet. Por último, en 1998, Ken Howey y Max Levchin ponen en marcha un sistema llamado *Confinity*, cuyo objetivo es realizar transferencias de dinero. Tras la incorporación de ingenieros como Elon Musk, Peter Thiel y Luke Nosek, el proyecto se amplía, y se convierte en el primer sistema de pago por internet. A partir de ese momento, su nombre cambiará a uno más familiar, *PayPal*.

1994 será un año clave, Jerry Yang y David Filo crean Yahoo!, que comienza a cotizar en bolsa en abril de 1996. Es el momento en que el correo electrónico empieza a popularizarse.[24] En septiembre de 1998, Larry Page y Sergey Brin, fundan Google Inc., en enero de 2001 Jimmy Wales y Larry Sanger lanzan Wikipedia.

En 1999 Hotmail, filial de Google, crea MSN Messenger, que permite la comunicación en tiempo real a través de Internet, sistema por medio del cual también es posible intercambiar archivos. MSN Messenger desaparecerá en 2013, sustituido por Skype, un sistema de multi videoconferencia.[25] Hoy, "gracias" a la pandemia de COVID-19, Zoom Video Communications está a punto de dejar atrás a la plataforma de Bill Gates.[26]

A partir de estos momentos, en plena "burbuja puntocom"[27] del año 2000, ya todo el mundo es consciente de que Internet supone un cambio irreversible en todos los sentidos, pero si el nuevo concepto de hipercomunicación es fundamental para entender la *prematura* llegada del siglo XXI, son los dispositivos móviles los que ejecutan estos cambios en la vida privada.

El teléfono móvil inteligente y la revolución en la vida privada

Nunca antes una revolución había sido tan rápida y eficaz. La Revolución Francesa cambió las leyes y transformó la sociedad, todo el mundo lo sabe. Algo equivalente ocurrió tras la Revolución Bolchevique, la abolición de la propiedad privada actuaba sobre los fundamentos económicos, políticos y culturales que habían imperado

---

[24] https://www.computerhope.com/history/1995.htm

[25] https://hipertextual.com/2013/04/evolucion-de-msn-messenger

[26] https://notigram.com/ciencia-y-tecnologia/por-coronavirus-zoom-supera-a-microsoft-en-capitalizacion-20200327-101410

[27] https://economipedia.com/definiciones/burbuja-de-las-punto-com.html

en el mundo desde el neolítico. Otra cuestión es la revolución tecnológica, en el ámbito de la Revolución Industrial, o, más bien diríamos, postindustrial. Con la llegada de Internet y el acceso al teléfono móvil inteligente opera una revolución en el interior de la vida privada. Ninguna revolución ha ejercido cambios tan irreversibles, rápidos y sustanciales como los derivados del teléfono móvil sumado a internet. El invento se atribuye a un ingeniero soviético llamado Leonid Kupriánovich, que publica los resultados de su investigación en 1955. Pero el primer teléfono móvil no llega hasta 1973. Su creador es el estadounidense Martin Cooper. Un artículo de Diego Mendiburu[28] narra el sueño de Bill Gates, que consistía en que cada hogar tuviera una computadora, el de Martín Cooper, fue que cada individuo tuviera su propio número de teléfono. Son dos sueños diferentes, que responden a una misma evolución socioeconómica.

Motorola comercializa el primer móvil en 1983.En 1984 aparece el primer sistema de videollamada en el mercado. En la década del 2000, la videotelefonía se populariza a través de servicios de Internet gratuitos como el citado Messenger o iChat, programas de telecomunicaciones en línea, que promueven la videoconferencia en prácticamente todas las localidades o espacios con conexión a Internet.

Los primeros sistema de multiconferencias entre personas desconocidas mediante telefonía, o *party line*, se comienzan a desarrollar a partir de la segunda mitad de los años ochenta en Estados Unidos, a España llegará en enero de 1992, merced a la compañía Servicios Telefónicos de Audiotex, filial de Telefónica Servicios S. A. y Teleholding Amsterdam B. V.[29]En 1995 aparece el primer servicio de videollamada con fines sexuales, *livecams*. El concepto cibersexo había nacido hacia 1994[30] para dar a conocer, por una parte, los servicios que ofrecían algunas páginas web, por otra, para definir las nuevas relaciones sexuales que se venían desarrollando a través de Internet.[31]

[28] Mendiburu, Diego (2010),"La increíble vida de Martin Cooper. Inventó el celular, cambio el mundo y le pagaron un dólar por ello, Eme equis, n° 207, p. 54. https://web.archive.org/web/20141024052008/http://www.m-x.com.mx/xml/pdf/207/54.pdf

[29] www.teknoplof.com/2014/07/21/party-line-la-primera-red-social-llego-espana-hace-20-anos

[30] www.uneac.org.cu/columnas/emilio-comas-paret/breve-historia-de-la-pornografia

[31] Studer, Joseph et al (2019), "Cybersex use and problematic cybersex use among young Swiss men: Associations with sociodemographic, sexual, and psychological factors" en Journal of Behavioral Addictions 8(4), 794-803.

Aunque el primer estudio que se ocupe del cibersexo desde el campo de la sexología no llegará hasta que el psicólogo Al Cooper publique "Sexuality and the Internet: Surfing into the new millennium" en una revista especializada en 1998.[32]

Desde la segunda mitad de los años noventa el uso de la imagen en directo se une a la comunicación por Internet. Esto supone un nuevo salto cualitativo. En 1991 aparece la primera cámara fotográfica digital. Desde los años setenta, Kodak venía investigando la forma de superar el viejo carrete. En 1997 se produce el primer envío de una fotografía digital a través de un teléfono móvil, que previamente ha sido conectado a una cámara digital.[33]

Hacia 1986, el ingeniero de sonido alemán Karlheinz Brandenburg patenta un formato comprimido de conservación de música, o cualquier grabación de sonido, llamado MP3. La tesis doctoral de Brandenburg había intentado demostrar que era posible enviar música por teléfono, aunque la oficina de patentes alemana considerara imposible el "sueño" del joven ingeniero, que en 1993 usa por primera vez la extensión ".mp3".[34]

El primer *smartphone*, es decir, el teléfono inteligente, aparece en 1992, aunque, en realidad no estará disponible en el mercado hasta agosto de 1994. Su inventor es Frank Canova, de IBM, que además crea un sistema operativo *ad hoc*, al que incorpora un lápiz digital, y un sistema operativo diferente, antepasado de Android. Pero el "IBM Simon" no alcanza el éxito esperado y se retira en 1995, no obstante, la idea seguirá rondando la cabeza de muchos ingenieros. En 1997, Ericsson lanza su GS88 "Penelope" y populariza la idea de "teléfono inteligente". [35] Se trata de un dispositivo que combina, en un mismo aparato, las funciones de teléfono móvil y las de microordenador portátil, es decir, PDA —*Personal Digital Assistant*—, también definido como agenda de bolsillo, que Casio o Hewlett-Packard venían fabricando ya desde los primeros años 80. En 1971, George Samuel Hurst

DOI: 10.1556/2006.8.2019.69

[32] Cooper, A. (1998), "Sexuality and the Internet: Surfing into the new millennium", *Cyber Psychology & Behavior*, 1(2), 187–193. doi:10.1089/cpb.1998.1.187

[33] https://clipset.20minutos.es/hace-20-anos-se-envio-la-primera-foto-usando-un-movil-y-era-esta/

[34] https://cadenaser.com/ser/2015/07/14/ciencia/1436894242_260183.html

[35] www.xatakamovil.com/movil-y-sociedad/y-el-primer-smartphone-de-la-historia-fue

había patentado la pantalla táctil, que, en 1983, por primera vez se incorpora a un ordenador comercial fabricado por HP, y, en 1993, la PDA Newton, de Apple, la integra[36]. A mediados de la década de los años noventa, el concepto de "conectividad portátil" es ya un hecho, aunque restringido al mundo de la élite empresarial en Japón , Estados Unidos y Europa, pero en 1999 Nokia coloca en el mercado el primer modelo 850 de BlackBerry, con servicio de correo electrónico móvil[37], que, aunque no obtiene en principio una respuesta optima de los consumidores, logra introducirse en la sociedad y se convierte en el dispositivo dominante de estas características, hasta que en junio de 2007 Apple comercializa el primer iPhone,[38] junto a su sistema operativo iOS, el invento del año según la revista *Time*. La revista estadounidense da cinco razones para definir el invento de Steve Jobs, es bonito, táctil, mejora otros teléfonos, "no es un teléfono, es una plataforma", y es el "primero en venir". *"One of the big trends of 2007 was the idea that computing doesn't belong just in cyberspace, it needs to happen here, in the real world, where actual stuff happens"*, es decir, la informática no pertenece solo al ciberespacio, sino que debe suceder aquí, en el mundo real, donde ocurren cosas reales. He aquí el principio de la dialéctica entre "cibermundo", y "mundo real". También en 2007 aparece Android, sistema operativo de Google, cuyo nombre homenajea a Philip K. Dick, autor de *¿Sueñan los androides con ovejas eléctricas?* Android es una plataforma que pretende ser "todo", servir para todo, y estar disponible para todo el mundo, "Android está disponible para todo el mundo: desarrolladores, diseñadores y fabricantes de dispositivos, lo que significa que más personas pueden experimentar, imaginar y crear cosas nunca antes vistas".[39] Desde 2007 nos encontramos ante una gran disyuntiva, iOS o Android, dos sistemas operativos competitivos, y también dos grandes complejos empresariales enfrentados, Apple frente a Samsung, que pone en circulación en el mercado su Galaxy GT i-750 con cierto retraso, en junio de 2009. Es el momento en que definitivamente Apple y Samsung dejan

[36] www.fayerwayer.com/2011/11/el-origen-de-la-pantalla-tactil/

[37] www.xatakamovil.com/blackberry/16-anos-de-la-primera-blackberry-16-blackberrys-inovilvidables

[38] www.de10.com.mx/cultura digital/2017/06/29/10-anos-del-iphone-como-fue-el-primer-smartphone-de-apple

[39] www.android.com/intl/es_es/what-is-android/

atrás a Nokia, Eriksson o Motorola, e inician una guerra por controlar el mercado de los *smartphones* en todo el mundo, pero en 2012 surge un serio competidor, Huawei, un gigante chino.[40]

Entre 2010 y 2020 ha tenido lugar una efectiva expansión del teléfono inteligente en todo el mundo, las líneas de voz se han unido indisolublemente a las de datos en estos terminales, de modo que internet ha vivido una segunda revolución. Desde un teléfono inteligente se puede comprar unas zapatillas, recibir una clase de master desde una universidad extranjera, ver un partido de futbol o invertir en bolsa en tiempo real. Todo desde un aparato que cabe en nuestro bolsillo y en el que se concentran un elevado porcentaje de acciones que hacemos todos los días. A estas funciones cotidianas hemos añadido una nueva forma de relación e información, el uso de redes sociales.

El primer sistema de red social fue *Craigslist*, fundada en el seno de eBay, en 1995 por Craig Newmark en Estados Unidos, cuya función es la publicación de anuncios clasificados de empleo, vivienda, contactos personales, ventas, servicios, comunidad, conciertos, y foros de discusión, entre otras. A finales de 1999, Sean Parker y Shawn Fanning crean Napster, un sistema que permite la distribución e intercambio de música en un nuevo formato, el mp3. ¿Recuerdan el sueño de un joven ingeniero alemán? Napster es una especie de primera red social, pero de carácter temático.

En febrero de 2004, Mark Zuckerberger entre otros, crean un sitio web que llaman Facebook, según Wikipedia, es una compañía estadounidense que ofrece servicios de redes sociales y medios sociales. Es un invento sencillo, que supone un paso más en la evolución de las comunicaciones. En 2006, Jack Dorsey, Noah Glass, Biz Stone, Evan Williams fundan Twitter, la red social que rivaliza desde el principio con Facebook. Con matices diferentes en la orientación y la forma de comunicación, en 2009, Jan Koum funda una nueva empresa, WhatsApp Inc., que muy pronto va a monopolizar la *cultura* del mensaje de texto, en su expresión más funcional.

Las aplicaciones —app— se convierten en un factor de gran desarrollo en el uso de los teléfonos inteligentes. Podríamos definir una aplicación móvil "como cualquier programa informático que ejecuta

---

[40] Huawei había sido fundado en 1987 y su expansión seguirá un ritmo paralelo al de la economía China hasta 2019. https://web.archive.org/web/20150213062809/http://csis.org/files/publication/130215_competitiveness_Huawei_casestudy_Web.pdf

tu teléfono móvil para realizar una tarea, mostrar medios de información, facilitar la comunicación, entretener o brindar un servicio." En 1997 Nokia había instalado en su modelo 6110 la primera aplicación de la historia, era un entretenimiento bastante simple, conocida como "La serpiente".

En 2010, aparece una nueva red social orientada a la imagen y el video, la aplicación Instagram, propiedad de Facebook, una red, que desde 2014, supera en número de usuario a Twitter.[41] Aunque la respuesta no se hará esperar, ya que Twitter laza Periscope en 2015,[42] con un inquietante lema "poder ver el mundo a través de ojos ajenos".[43] Pero, ¿cuál es el primer secreto de que estos terminales se hayan extendido por todo el mundo en apenas diez años? Su precio es elevado desde el principio, por tanto, era difícil que pudiera penetrar en amplios sectores de la población, ya rondaba los 800 o 1000 dólares. Era necesario, por tanto, introducir un pago fácil unido a la factura del teléfono. Es decir, la vieja estrategia de la venta a plazos, o incluso, el concepto de microcrédito vinculado a un compromiso y dependencia de las comunicaciones. El secreto era el pequeño cliente, que minimizaba el riesgo para la compañía. Entre 2007 y 2012, el iPhone es el teléfono más vendido del mundo.[44] Apple había iniciado su dominio en el mercado desde que comercializara el primer modelo de iPod en 2001, la definitiva puntilla del viejo *walkman*.[45] Es decir, cuando aparece el iPhone, la idea de Steve Jobs lleva tiempo funcionando y su estrategia comercial es una máquina bien engrasada. El iPod es un reproductor de audio y contenidos multimedia que revolucionó la forma de escuchar música o, como se empieza a decir desde entonces, "consumir música", pero también hemos de identificar esta nueva tecnología como una forma de vida que pronto estará relacionada con las redes sociales.

[41] https://www.lanacion.com.ar/sociedad/con-300-millones-de-usuarios-instagram-ya-supera-a-twitter-nid1751249

[42] https://www.bbc.com/mundo/noticias/2015/08/150814_tecnologia_periscope_ventajas_riesgos_lv

[43] https://www.periscope.tv/about

[44] https://www.elespectador.com/tecnologia/deberia-saber-sobre-finanzas-de-apple-articulo-401755

[45] Aunque el primer reproductor de MP3 es el MP Man F10 de Saehan Information Systems, una empresa coreana que, tras presentar el aparato como un prototipo en el CeBIT de Hannover, lo saca a la venta en marzo de 1998.https://hipertextual.com/2008/03/el-primer-reproductor-de-mp3

El 27 de enero de 2010 ve la luz el iPad, un dispositivo con el que nacería un artefacto tecnológico único hasta el momento, la tableta, más manejable que un ordenador portátil, que sirve como plataforma digital para periódicos, revistas, libros y hasta canales de televisión.[46]

A MODO DE CONCLUSIÓN

Internet, líneas de datos inalámbricas, terminales inteligentes y venta a plazos de estos dispositivos son los agentes necesarios para construir un nuevo mundo. Las anteriores revoluciones, como decíamos más arriba, desde la Revolución Francesa hasta la Revolución Soviética, habían producido cambios irreversible en las estructuras económicas y políticas de modo que la cultura y la vida de las personas se transformó, pero estos cambios de sociedad no actuaron nunca tan rápidamente sobre las mentalidades, sobre las formas de pensar y vivir, como lo ha hecho el *Smartphone* e internet.

La revolución de las hipercomunicaciones ha operado y opera en un sentido inverso, cambia en primer lugar la vida privada de los individuos para transformar la sociedad, la cultura, la política y las relaciones económicas. Estos cambios, presentes y activos sobre todo desde el desarrollo de la extensión de los teléfonos inteligentes y de las redes sociales, transforman la sociedad tal y como la hemos concebido hasta el momento. En 1980, Gilles Deleuze y Félix Guattari publicaron un breve ensayo que titularon *Rizoma. Introducción.* Si trastocamos un texto que hace referencia a la idea y trascendencia del libro desde el punto de vista sociológico e histórico, damos con la clave del significado y mecanismo de internet y las redes sociales desde 2010: "nunca hay que preguntar qué quiere decir un libro, significado o significante, en un libro no hay nada que comprender, tan solo hay que preguntarse con qué funciona, en conexión con qué hace pasar o no intensidades, en qué multiplicidades introduce o metamorfosea la suya. Un libro solo existe gracias al afuera y en el exterior".[47] A continuación, para entender *nuestra* definición de redes sociales, procedemos a sustituir en el texto la palabra "libro" por "redes sociales", es decir, *en las* redes

[46] https://www.elespectador.com/tecnologia/deberia-saber-sobre-finanzas-de-apple-articulo-401755

[47] Deleuze, Gilles y Guattari, Félix (2003), *Rizoma. (Introducción),* Valencia, Pre-Textos, 11

sociales "no hay nada que comprender, tan solo hay que preguntarse con qué funciona, en conexión con qué hace pasar o no intensidades…". Sin saberlo, Deleuze y Guattari nos colocan ante el nudo, el significado del problema de las redes sociales, "con qué funcionan", no "cómo", sino "con qué". Las redes sociales funcionan con nosotros, pero con un "nosotros" que hemos de deconstruir en clave de "suma de individuos" que tejen una sociedad paralela a la sociedad humana tradicional, una estructura rizomática que discurre descomponiendo las dos grandes categorías del mundo físico, el tiempo y el espacio, para, a su vez, construir una red de relaciones, cuyos relatores —usuarios—, abandonan el mundo fenoménico para ingresar, participar y confundirse activamente en una metafísica de la comunicación, el espectáculo, el placer y el mercado. Es en este citoplasma en el que el sujeto, el hombre, la mujer, se siente más sujeto capaz, soberano, porque ejerce una libertad metafísica por medio de la cual obtiene recompensas inmediatas y visibles. Deleuze y Guattari enuncian los principios de las redes sociales, principios que explican una nueva forma de vida: "principio de conexión y de heterogeneidad: cualquier punto del rizoma puede ser conectado con cualquier otro, y debe serlo. Esto no sucede en el árbol ni en la raíz, que siempre fijan un punto, un orden".[48] Por tanto, el usuario tiene la sensación de horizontalidad frente a las estructuras clásicas de poder y organización que se desarrollan en la sociedad tradicional. "Principio de multiplicidad: sólo cuando lo múltiple es retratado efectivamente como sustantivo, multiplicidad, deja de tener relación con lo Uno como sujeto o como objeto, como realidad natural o espiritual, como imagen y mundo".[49] La referencia para Deleuze es Henrich von Kleist y su novela, "Michael Kohlhaas. De una antigua crónica, cuyo hilo de la narración avanza gracias a un juego de constantes bifurcaciones, sustituciones, interrupciones y dislocaciones".[50] La estrategia narrativa de Kleist es una perfecta metáfora para definir el cuarto principio "de ruptura asignificante […] Un rizoma puede ser roto, interrumpido en cualquier parte, pero siempre recomienza según esta o aquella de sus líneas y según otras. Es imposible acabar con las hormigas, puesto que forman un

[48] *Ibid*, 17

[49] *Ibid*, 19

[50] https://revistafakta.wordpress.com/2014/06/12/kleist-y-el-circulo-magico-del-estado-por-luciana-cadahia/

rizoma animal, que aunque se destruya en cualquier parte, no cesa de reconstruirse. Todo rizoma comprende líneas de segmentaridad según las cuales está estratificado, territorializado, organizado, significado, atribuido; pero también líneas de desterritorialización según las cuales se escapa sin cesar".[51]

Por último, *Rizoma* nos proporciona quizá el principio más controvertido, el de cartografía y calcomanía, "un rizoma no responde a ningún modelo estructural o generativo, es ajeno a toda idea de eje genético […] Un eje genético es como una unidad pivotal objetiva a partir de la cual se organizan estadios sucesivos".[52]

Desde nuestro punto de vista, el rizoma que generan las redes sociales sí tiene una *unidad pivotal,* se trata de mercado, porque las redes sociales son el nuevo mercado, de tal modo que la ruptura que supone internet y las redes sociales con la forma de vida y la sociedad implican la desaparición de esta sociedad, sustituida por el mercado.

Como decíamos al principio, si en pleno mayo del 68, Foucault anunciaba la muerte del "Yo" en una clara secuencia tras la muerte de Dios proclamada por Nietzsche a finales del siglo XIX, las redes sociales, internet, la ciber-vida entona y articula también una forma de disolución del yo: *"Online information (and therefor ethe online sense of self also) naturally branches and mutates"*[53] (la información online y, por lo tanto, el sentido del yo en línea también se ramifica y muta naturalmente). Esta transformación del yo, del sujeto, del ciudadano, implica también la muerte de la sociedad. Esta transustancialización del ciudadano en consumidor "fuerza" la transformación de la sociedad tradicional en una sociedad-mercado, en la que las características relacionales ya no giran en torno a funciones familiares, de amistad, laboral, etc. ya que todas estas funciones se convierten en mercancía y son los usuarios de internet y de las redes sociales los que producen estas mercancías y las distribuyen.

Como todas las revoluciones, la revolución de las hipercomunicaciones es irreversible y ha producido seres humanos nuevos, con formas de vida nuevas, que no tienen nada que ver con las formas

[51] Deleuze, Gilles y Guattari, Félix (2003), Rizoma… *op. cit.* 22.

[52] *Ibid.* 27-8.

[53] https://www.academia.edu/26304373/Ted_Nelson_maintains_that_a_two-way_linking_system_would_preserve_context_online._How_could_an_alternate_foundation_to_the_Internet_have_affected_our_relationship_with_information

propias de la humanidad antes de la llegada de internet y los teléfonos móviles. Sorprende la visión premonitoria de Ortega y Gasset cuando advierte hacia 1933, "lo que nadie puede dudar es que desde hace mucho tiempo la técnica se ha insertado entre las condiciones ineludibles de la vida humana de suerte tal que el hombre actual no podría, aunque quisiera, existir sin ella".[54] Sin saberlo, Ortega y Gasset está anticipando la relación sustancial que se va a establecer entre el ser humano y la tecnología. Es decir, existe una dependencia del teléfono móvil y su conexión a un mercado permanente y omnipresente. Esta dependencia se convierte en adicción psicológica desde el momento en que cualquier actividad de nuestras vidas se encuentra atravesada necesariamente por la presencia del *smartphone*.

Ergo, el presente de estas comunicaciones hipertextuales se fundamenta en la adicción psicológica al consumo de "información" a través de internet, y, aún más allá, el futuro se vislumbra con la incorporación de nuevos dispositivos a la anatomía humana, de modo que las relaciones, bioeconómicas, biopolíticas y biosociales que hasta estos momentos se han ido estableciendo y consolidando a través de los terminales móviles nos hagan formar parte de la red desde el mismo cuerpo, como producto elemental del biomercado. En plena transhumanidad, es el biomercado el futuro de la red, que plantea una evolución de la información hacia una "mercancía total". Este es un proceso en el que ya nos encontramos, en el que la sociedad, tal y como se viene concibiendo desde la óptica neoclásica derivada de la Revolución Francesa, se sustituye a marchas forzadas por el biomercado. Como decíamos, la muerte del hombre, que vaticinaba Foucault en *Las palabras y las cosas*, se convierte en un hecho consumado con el triunfo de la revolución hipertextual, que nos conduce a la muerte de la sociedad.

Internet y las redes sociales se han convertido en la gran escena en la que se extiende la perfecta "tecnología del yo"[55], una tecnología del yo que deconstruye el ser humano en cuanto ciudadano y sujeto de derechos para construir individuos que asumirán el "poder pastoral", no ya como "razón de Estado",[56] como afirma Foucault, sino como

---

[54] https://francescllorens.files.wordpress.com/2013/02/ortega_meditacion_tecnica.pdf

[55] Foucault, Michel (2008), *Tecnologías del yo*, Buenos Aires, Paidós. 50-4.

[56] Foucault, Michel (1990), *la vida de los hombres infames,* Ediciones la Piqueta. 135

razón de mercado, cuyo objetivo es ejercer un poder totalitario[57] sobre el individuo y los individuos y no ya desde centros políticos visibles y reconocibles, como se ha venido haciendo durante siglos, sino desde la dependencia de las hipercomunicaciones, a su vez dominadas por la necesidad adictiva de consumo, necesidad ineludible desde el instante en que nuestro dispositivo reconoce nuestra cara o nuestra huella digital y ya formamos parte de la red. Desde ese momento, todos nuestros actos, públicos o privados, ocio, placer, trabajo, relaciones personales, etc. son mercancía con la que el sistema transacciona en tiempo real y obtiene una rentabilidad que se va estructurando de forma piramidal. Es esta concesión de nuestro cuerpo y de nuestra vida un ejercicio voluntario de alienación en el que abandonamos nuestra condición política de ciudadanos para convertirnos en una anatomercancía.

He aquí que la tecnología *big data* unida a la evolución biotecnológica de los dispositivos y complementos sea el paso imprescindible en la evolución de internet y las redes sociales hacia la transhumanidad. A estas alturas, los sueños de Banever Bush, de 1945, Alan Turing, Ted Nelson o Tim Berners Lee nos presentan ciertas dosis de ingenuidad.

OBRAS CITADAS

Anderson, Chris. (2013), *Makers. La nueva revolución industrial,* Barcelona. Urano.
Berners-Lee, T. (2000). *Weavingthe web. The original design and ultimate destiny of the World Wide Web,* NY, Harper Business.
Castells, Manuel. (1997), *La era de la información. Economía, sociedad y cultura,* Madrid, Alianza editorial, 1997.
Cañedo Andalia, Rubén. (2004), "Aproximación a la historia de internet, *Revista Cubana de Información en Ciencias de la Salud,* v.12 n.1.
Contreras, Fernando R. (2006), "Estudio crítico de la razón instrumental totalitaria en Adorno y Horkheimer", *Revista Científica de Información y comunicación,* 3, pp. 63-84.
Cooper, A. (1998), "Sexuality and the Internet: Surfing into the new millennium", *Cyber Psychology & Behavior,* 1(2), 187–193. doi:10.1089/cpb.1998.1.187
Debord, Guy. (1995), *La sociedad del espectáculo,* Santiago de Chile, Ediciones Naufragio.
Deleuze, Gilles y Guattari, Félix. (2003), *Rizoma. (Introducción),* Pre-Textos, Valencia,
Friedman, Thomas. (2006), *La tierra es plana,* Madrid, MR Ediciones.
Foucault, Michel. (2008), *Tecnologías del yo,* Buenos Aires, Paidós.
Harris, P. (2009), *Toward Human Emergence,* Amherst, Mass., HRD Press.
Mendiburu, Diego. (2010), "La increíble vida de Martin Cooper. Inventó el celular, cam-

---

[57] En este caso tomamos "totalitario" no solo desde la visión foucaultiana, sino también en el sentido "razón instrumental totalitaria" y "dominación social", es decir, coincidencia y perfecta sincronía entre conciencia y poder que defienden Adorno y Horkheimer. (CONTRERAS, Fernando R. (2006), "Estudio crítico de la razón instrumental totalitaria en Adorno y Horkheimer", en *Revista Científica de Información y comunicación,* 3, pp. 63-84.)

bio el mundo y le pagaron un dólar por ello, *Eme equis*, n° 207, p. 54. https://web.archive.org/web/20141024052008/http://www.m-x.com.mx/xml/pdf/207/54.pdf

Navajas, Santiago. (2016), *El hombre tecnológico y el síndrome "blade runner" en la era del bio robot*, Córdoba, Berenice.

Nelson, Ted. (1981), *Literary machines*, Sausolito, Mindful Press.

Puig Punyet, Enric. (2017), *El dorado. Una historia crítica de internet*, Madrid, Clave intelectual.

Rifkin, Jeremy. (2011) *La tercera Revolución industrial*, Paidós, Barcelona.

Studer, Joseph et al. (2019), "Cybersex use and problematic cybersex use among young Swiss men: Associations with sociodemographic, sexual, and psychological factors", *Journal of Behavioral Addictions*, 8(4), pp. 794–803.

DOI: 10.1556/2006.8.2019.69

Trigo Aranda, Vicente. (2004), "Historia y evolución de Internet", *Manual formativo de ACTA*, N°. 33, 2004, pp. 22-32. https://www.acta.es/medios/articulos/comunicacion_e_informacion/033021.pdf

Wallerstein, Immanuel. (2013), *The Modern World-System IV: Centrist Liberalism Triumphant, 1789-1914*, California, University of California Press.

Braun von, Wernher. (1970), "TV Broadcast Satellite", *Popular Science*, 65-6.

Documentación

https://www.academia.edu/26304373/Ted_Nelson_maintains_that_a_two-way_linking_system_would_preserve_context_online._How_could_an_alternate_foundation_to_the_Internet_have_affected_our_relationship_with_information

https://www.android.com/intl/es_es/what-is-android/

https://www.bbc.com/mundo/noticias/2015/08/150814_tecnologia_periscope_ventajas_riesgos_lv

https://blog.hostalia.com/general/primera-compra-online/

file:///C:/Users/Usuario/Downloads/FromTheSeaToTheStars%20-%202010ed.pdf

https://cadenaser.com/ser/2015/07/14/ciencia/1436894242_260183.html

https://www.computerhope.com/history/1995.htm

https://clipset.20minutos.es/hace-20-anos-se-envio-la-primera-foto-usando-un-movil-y-era-esta/

http://criticasocial.cl/pdflibro/sociedadespec.pdf

https://de10.com.mx/cultura-digital/2017/06/29/10-anos-del-iphone-como-fue-el-primer-smartphone-de-apple

https://economipedia.com/definiciones/burbuja-de-las-punto-com.html

https://www.edicomgroup.com/es_ES/solutions/edi/what_is.html

https://www.elespectador.com/tecnologia/deberia-saber-sobre-finanzas-de-apple-articulo-401755

https://www.europapress.es/portaltic/internet/noticia-10-curiosidades-correo-electronico-primero-envio-misma-habitacion-20160307125132.html

https://www.fayerwayer.com/2011/11/el-origen-de-la-pantalla-tactil/

https://francescllorens.files.wordpress.com/2013/02/ortega_meditacion_tecnica.pdf

https://hipertextual.com/2008/03/el-primer-reproductor-de-mp3

https://hipertextual.com/2013/04/evolucion-de-msn-messenger

https://www.history.navy.mil/research/library/online-reading-room/title-list-alphabetically/f/from-sea-stars.html

https://itlaw.wikia.org/wiki/Communications_Moon_Relay

https://www.lanacion.com.ar/sociedad/con-300-millones-de-usuarios-instagram-ya-supera-a-twitter-nid1751249

https://media.netflix.com/es/about-netflix

https://notigram.com/ciencia-y-tecnologia/por-coronavirus-zoom-supera-a-micro-soft-en-capitalizacion-20200327-101410

https://www.periscope.tv/about

https://revistafakta.wordpress.com/2014/06/12/kleist-y-el-circulo-magico-del-esta-do-por-luciana-cadahia/

https://sites.google.com/site/elchaat/historia

https://www.teknoplof.com/2014/07/21/party-line-la-primera-red-social-llego-es-pana-hace-20-anos

http://www.uneac.org.cu/columnas/emilio-comas-paret/breve-historia-de-la-porno-grafia

https://we.b.archive.org/web/20110501034937

https://web.archive.org/web/20150213062809/http://csis.org/files/publica-tion/130215_competitiveness_Huawei_casestudy_Web.pdf

https://www.xatakamovil.com/blackberry/16-anos-de-la-primera-blackberry-16-blackberrys-inovilvidables

https://www.xatakamovil.com/movil-y-sociedad/y-el-primer-smartphone-de-la-his-toria-fue

LA DECADENCIA DE LA CULTURA OCCIDENTAL: UNA VISIÓN SOBRE LA ETAPA "AGONISTA" DE LA CULTURA

Eduardo Gutiérrez Gutiérrez
Doctor en Filosofía

LA DECADENCIA DE LA CULTURA Y EL SIGLO XX

Aproximadamente desde 1918, año en el que se puso fin a la Gran Guerra (cuyas consecuencias adquirirían en los próximos años una relevancia que nadie en ese momento podría imaginar), y año en el que Oswald Spengler escribía su obra más famosa, *La decadencia de Occidente*, se ha convertido (a consecuencia, en parte, de ese libro) en un lugar común la expresión "decadencia de Occidente".[1] Son muchos y muy variados los acontecimientos y procesos que invitan a reconocer la validez de esta expresión: las dos guerras mundiales, Auschwitz, el auge de los fascismos, el episodio soviético y su trágico final, la irrupción de Internet y de las nuevas tecnologías, el desarrollo del capitalismo agresivo con la hegemonía del pensamiento neoliberal, el fin de la esperanza socialista, la paulatina complejización de los procesos sociales, la pérdida de *sentido* tras la caída de los grandes relatos, el ritmo acelerado de la vida urbana, la burocratización y funcionalización de las relaciones sociales, el desarrollo de la neurociencia, la I.A., la biotecnológica y la robótica (las cuales, a través de las nuevas técnicas, los nuevos descubrimientos y los nuevos bosquejos conceptuales están modificando la Idea de Hombre con la que filósofos y científicos, así como el individuo de a pie, venía trabajando desde hace siglos, la globalización, etc. Por estos y otros tantos fenómenos que me he dejado atrás estimo que el siglo XX puede ser definido como un "siglo quebrado" (social, epistemológica y gnoseológicamente).

---

[1] No es este el objetivo que persigo, pero sería interesante poner negro sobre blanco la interpretación común de la idea de "decadencia de Occidente" con la exposición que de la misma ofrece Spencer, la cual dista mucho de ajustarse a la primera. La decadencia, en Spencer, es una categoría histórica que delimita el momento *invernal*, final, de una civilización. La decadencia de una civilización, o lo que es lo mismo, la incapacidad creativa de una civilización, marca el final de una etapa y el inicio de una nueva. No tiene un carácter trágico, ni triste, sino que se comprende como un elemento más dentro de la línea de continuidad histórica.

El análisis pormenorizado de cada uno de estos acontecimientos, así como de las consecuencias que implican para la vida cotidiana y académica (científica y filosófica), excede los límites del presente artículo. Más que un análisis de la decadencia de Occidente, que daría y ha dado lugar a cientos y cientos de páginas y reflexiones, me centraré en el análisis de una de las formas en las que esta decadencia se articula: la decadencia de la cultura occidental, de la que la aquélla es epifenómeno. Lo que pretendo con este análisis es aclarar si efectivamente podemos hablar de una decadencia de la cultura occidental, o si, por el contrario, somos presos, al expresar esta idea, de un mito oscurantista que define la cultura como una especie de entidad trascendental en decadencia. Como si la cultura fuese la cristalización de un Ego trascendental que representa la más alta cima de la humanidad; como si el siglo XX hubiera supuesto el fin de la posibilidad de redención humana por la vía de la cultura; como si la cultura ya no existiese más que como arte recreativo o pasatiempo. Y aun como pasatiempo, y en esto recuerdo las reflexiones de Ortega y Gasset, no es cosa menor ni trivial. Pasar el tiempo es una de las decisiones más importantes que ha de tomar el individuo (de hecho, es lo único que puede hacer a nivel existencial); por eso, que decida pasar el tiempo con una telenovela, un juego de mesa, o simplemente perdiéndolo en un esfuerzo procrastinador, es cosa realmente seria.

Lo que pretendo, pues, determinar qué valor de verdad tiene la expresión "decadencia de la cultura occidental" mediante un acercamiento crítico-analítico a las ideas de "cultura" y "cultura occidental" que esta expresión incluye, y en la forma en que las incluye (es decir, reconociendo los contextos ideológicos e históricos desde donde se conforman estos conceptos). Así pues, se puede interpretar este artículo como un breve ensayo de teoría de la cultura[2] para la consideración de nuestra época actual. A efecto de darle al lector una plataforma desde la que emprender las reflexiones ulteriores, sirva esta cita del filósofo francés Jean-François Lyotard como ejemplo de uno de las posibles modulaciones de la expresión "decadencia de la cultura occidental":

[2] Para comprender la diferencia entra una filosofía de la cultura y una teoría de la cultura remito a la polémica mantenida entre Gustavo Bueno y Javier San Martín a raíz de la crítica que el segundo le hace al primero en la obra *Teoría de la cultura* (1999), y recogida en las actas del IV Congreso Internacional de Antropología Filosofía organizado por la Sociedad Hispánica de Antropología Filosófica del 11 al 13 de septiembre de 2000 en Valencia.

El eclecticismo es el grado cero de la cultura general contemporánea: oímos *reggae*, miramos un *western*, comemos un McDonald a mediodía y un plato de la cocina local por la noche, nos perfumamos a la manera de París en Tokio, nos vestimos al estilo retro en Hong Kong, el conocimiento es materia de juegos televisados. Es fácil encontrar un público para las obras eclécticas. Haciéndose *kitsch*, el arte halaga el desorden que reina en el 'gusto' del aficionado. El artista, el galerista, el crítico y el público se complacen conjuntamente en el qué-más-da, y lo actual es el relajamiento. Pero este realismo del qué-más-da es el realismo del dinero: a falta de criterios estéticos, sigue siendo posible y útil medir el valor de las obras por la ganancia que se puede sacar de ellas. (Lyotard 17-8)

Esa idea del "eclecticismo" cultural, que solo puede decirse con pleno sentido desde las bases de un relativismo cultural (todas las culturas tienen el mismo valor) sostenido en un sentido megárico, esto es, tomando a las culturas como unidades abstractas de identidad colectiva, lo cual trae implícito a su vez el reconocimiento de un valor moral superior para a cada cultura, es lo que someteremos a crítica en este artículo.

LA MASA Y LA CULTURA DE MASAS

La idea de cultura que se concluye del ejercicio crítico al que sometemos a esta expresión de la decadencia de la cultura de Occidente, que se puede entender también como una de las modulaciones históricas de la "cultura occidental", es la idea de la "cultura de masas", resultado indirecto del proceso de masificación de las sociedades occidentales a lo largo del siglo XX (parejo al proceso de desarrollo de la técnica y de la tecnología), y que podemos asociar a conceptos semejantes tales como "industria cultural", "cultura afirmativa", "sociedad opulenta", "mundo administrado", o una propuesta personal, "gran máquina de Lo Objeto". Es la forma de organización, producción y distribución cultural que surge durante el siglo XX en razón de una serie de condiciones que a continuación expondremos. En la primera parte del ensayo vamos a analizar esta nueva forma cultural para adquirir conciencia del significado exacto de la noción "decadencia de la cultura occidental".

Dividiremos este apartado en tres subapartados: en el primero reflexionaremos acerca de la noción de "masa social" para tener clara la plataforma desde la que erige la crítica a la cultura de masas; en el segundo analizaremos brevemente tres causas del proceso de decadencia de la cultura occidental; y en el tercero repasaremos algunas de las críticas de la cultura más relevantes para nuestros objetivos.

La masa: Una aproximación sociológica

Durante la primera mitad del XX, y como reacción teórica a una situación social nunca antes vista (el fenómeno del "lleno", que diría Ortega), la psicología, la sociología y la filosofía social convergen en el estudio de una temática común: la psicología de las masas.[3] [4]

La idea que sirve de punto de partida para estas investigaciones es una intuición bien sencilla: la agregación de individuos da como resultado una totalidad, la "masa", que no se reduce a la simple suma de sus partes. Se produce, como explica Freud, un *salto necesario* de la psicología individual a la psicología social, o una reducción de la primera en la segunda: "En la vida anímica individual aparece integrado siempre, efectivamente, 'el otro', como modelo, objeto, auxiliar o adversario, y de este modo, la psicología individual es al mismo tiempo y desde un principio psicología social, en un sentido amplio, pero plenamente justificado" (Freud 9). En este salto opera una suerte de dialéctica entre el alma individual y el alma social o colectiva. No en vano, la psicología de las masas acuña el concepto "espíritu del pueblo" (*Volkgeist*), propio de la *Völkerspsychologie*, para dar cuenta de las diferencias que existen ente ambas formas anímicas. A continuación, expondremos algunas de las características más relevantes del comportamiento de las masas en relación al comportamiento de los individuos.

Según el sociólogo francés Gustave Le Bon, la agregación accidental de individuos no constituye, por sí sola, una masa; el alma de la masa

---

[3] Podemos considerar la *Völkerspsychologie* o "psicología de los pueblos" de Moritz Lazarus y Heymann Steinthal, más tarde popularizada por Wilhelm Wundt, como el antecedente inmediato de esta perspectiva sociológica. Estos autores fundan en 1860 la Revista de psicología social y de lingüística (*Zeitschift für Völkerpsychologie und Sprachwissenschaft*).

[4] Una obra muy interesante en la órbita de la psicología de las masas y del malestar de la sociedad de masas, que incluyo para quien desee profundizar en estos temas desde una perspectiva latinoamericana, es *El hombre mediocre* del filósofo, médico, psiquiatra, sociólogo y criminalista argentino José Ingenieros, escrita en 1913. El "hombre mediocre" de Ingenieros es el "hombre medio" o el "hombre masa" de los autores que analizaremos a continuación, y la obra reflexiona sobre la "vida caída", de sombras e inexistencia, de actitudes serviles, domesticadas y enajenantes, de la modernidad en las sociedades de masas.

no surge de la agregación de individuos, sino que es la agregación la que, modificando el modo de sentir, actuar y pensar de los individuos, instaura una homogeneidad entre ellos de la que deriva una forma social o colectiva de alma; es decir, que lo relevante no son los individuos, sino el modo como interactúan entre sí. La masa, como dirá Simmel, es una realidad social racional. ¿Qué sucede para que se produzca este salto? La explicación descansa sobre la relación postulada por la psicología moderna entre el consciente y el subconsciente, que se puede poner en paralelo a la relación entre lo individual y lo colectivo (entendemos los aparatos consciente e inconsciente, de acuerdo con la perspectiva de la filosofía social, como conjuntos de sentimientos, pasiones, intereses y creencias puramente volitivas). En cada individuo, explica Freud, se desarrolla una superestructura psíquica consciente sobre la base de la uniforme y común infraestructura inconsciente. De acuerdo con esta tesis, la incorporación del individuo a la masa implica la destrucción de la superestructura consciente, dejando al descubierto la infraestructura inconsciente. Entonces la conversión del alma individual en alma social, o la constitución de la masa, consiste en una disolución de lo heterogéneo consciente en lo homogéneo inconsciente. Freud, en la línea del evolucionismo darwinista, considera que el proceso de formación del alma colectiva consiste en una especie de regreso al tipo más primitivo de comunidad humana: la horda.

La mediocridad de la masa con respecto al individuo se explica por esta disolución de lo consciente, de lo más diferencial del individuo, y su confusión en lo gregario y común. Le Bon considera como uno de los efectos de esta mediocrización del comportamiento individual el sentimiento de potencia invencible que adquiere el individuo cuando se incorpora al grupo, en razón del cual se siente capaz de asumir instintos que en su condición de individuo aislado no podía soportar o contener, y que su aparato consciente trataba de reprimir. No debemos olvidar tampoco, a este respecto, el efecto del "contagio social" o de la "efervescencia social" del que hablara Émile Durkheim, fenómeno constatable en un estadio de fútbol, y que podemos equiparar a un proceso de hipnosis. Con todo, podemos enumerar algunos rasgos característicos del individuo como individuo de masa, que son precisamente los aspectos fundamentales de la psicología de la masa: desaparición de la personalidad consciente en beneficio de la personalidad inconsciente, movilización de los sentimientos e instintos por la sugestión, y el contagio y la disminución del espacio entre la idea y el acto. El individuo de masa es, en resumen, un "autónoma sin voluntad", un sujeto hipnotizado.

Cuando Georg Simmel se pregunta en *Cuestiones fundamentales de sociología* cuáles son las características que distinguen la vida social de la vida individual establece dos criterios, uno externo y otro interno. Solo nos interesa ahora el criterio interno, según el cual una de las diferencias tiene que ver con la orientación teleológica de cada forma de vida: la vida individual, motivada por impulsos y sentimientos claros y evidentes a la hora de encaminar la acción hacia un fin establecido, difícilmente y quizá después de muchas modificaciones logra satisfacerlos; la vida social, además de mostrar una mayor eficacia para el establecimiento y consecución de sus fines, presenta una mayor determinación en la relación medios-fines. Conclusión: la acción del individuo es más libre que la del colectivo, que actúa siguiendo leyes naturales que determinan su acción y la orientan hacia unos fines establecidos.[5] Por eso las características sociales son más antiguas (por ser las más comunes)[6] y están más extendidas y universalizadas, porque se heredan por tradición, costumbre y educación, sin olvidar la herencia biológica: "A partir de esta circunstancia fundamental comprendemos el fenómeno que atraviesa toda la historia natural: que por un lado lo antiguo como tal goza de un aprecio especial, pero, por otro lado, se aprecia justamente lo nuevo y lo raro como tal" (Simmel [2002] 61). Esto explica otra de las características fundamentales de la masa, su comportamiento precipitado, irreflexivo, radical y desmesurado, que contrasta con el comportamiento sensato, coherente y reflexivo del individuo. La masa es más violenta y emotiva que el individuo, menos racional, porque el sentimiento está en un nivel jerárquico inferior a la

---

[5] La masa actúa y piensa (todo a un mismo tiempo) de forma brusca y acelerada, estableciendo un fin relativo a unos intereses comunes y por eso elementales y una serie reducida y simple de medios para la satisfacción de este fin. El individuo, por el contrario, selecciona los fines hacia los cuales dirigir su acción de manera reposada y racional, construyendo una cadena teleológica compuesta de medios más desarrollados pero que, por eso mismo, obligan a reconducirla frecuentemente, borrando los fines establecidos e incorporando otros nuevos.

[6] En la mayor capacidad de lo antiguo, esto es, de lo social y tradicional, para ser asimilado por el individuo podemos encontrar cierta similitud con la sugestión y el contagio que eran características fundamentales del alma colectiva según Durkheim o Le Bon: el individuo se ve atraído por las viejas tradiciones y por los valores y las ideas que en éstas se ponen de manifiesto; encuentra en ellas elementos de conexión a los otros y, como en estado de hipnosis, se deja arrastrar por el colectivo.

razón: "[...] el placer y el dolor, así como ciertos sentimientos instintivos que sirven a la conservación individual y de la especie, se desarrollaron antes que el operar con conceptos, juicios y conclusiones" (Simmel [2002] 69-70). Como lo más bajo y fundamental es el sentimiento y lo más alto y diferenciado es el intelecto, en la vida social se manifiesta un retraso intelectual en comparación a la individual, pero un adelanto sentimental o volitivo.

Tenemos por último al "hombre-masa" de Ortega, a quien se debe "el triste aspecto de asfixiante monotonía que va tomando la vida en todo el continente" (Ortega y Gasset 121). Cabe destacar que el concepto de "hombre-masa" no es original de Ortega, ya que antes es empleado por Simmel ([*Massenpsychologie*] 1895) y Le Bon, aunque éste de forma más residual.

La revolución liberal-democrática del siglo XIX mejoró las condiciones de vida de las clases medias hasta hacerlas mejores incluso que las de épocas anteriores. Esta situación de mejora de las condiciones de vida (desarrollo de la técnica, industrialización, liberalismo democrático, etc.) convierte al individuo, por cuanto no viene acompañada de una correcta educación que le eleve también intelectual y moralmente, espiritualmente, en un "niño mimado" que todo lo quiere y todo lo exige, porque no conoce del esfuerzo y el sacrificio necesarios para conseguirlo por sí mismo de manera autónoma. Ese "niño mimado" es una de las fórmulas que emplea Ortega para referirse al "hombre-masa" (además del "señorito satisfecho", el "bárbaro rebelde" y el "especialista científico"), un individuo que cree que cuanto le rodea es algo natural y no el producto de los avances en la técnica, en la ciencia y en la industria. Con esto, se anula su capacidad crítica y de protesta, hondando en su ignorancia vital y legitimando la dominación de unos pocos que le proveen lo necesario para mantenerle en su condición de acomodado: lo que hay, piensa el "hombre-masa", es lo que es y, por ser natural, también lo que debe ser. No hay margen para la transformación de las condiciones reales de existencia. Quedémonos con la tesis de la tendencia del "hombre-masa" a la naturalización del mundo antrópico, porque va a ayudarnos a comprender las conclusiones finales sobre la idea de la cultura occidental.

La masificación y democratización (*igualación degradante*, o igualación homogénea desde lo más bajo) de las sociedades modernas es una de las causas de la "decadencia de la cultura occidental". Una de las muchas causas que podemos registrar. En este punto me voy a centrar en otras tres causas que considero fundamentales por cuanto de ellas derivan todas las demás.

La primera, la técnica. Salvando su valor para la reflexión metafísica, la técnica, tal y como voy a estudiarla aquí, plantea una serie de problemas vinculados a la relación que configura entre el hombre y el mundo. Es en este punto donde divergen las opiniones: de un lado están quienes consideran que la técnica es un medio para el progreso humano y la adaptación en el mundo, y del otro quienes defienden la perversión en el empleo de la técnica, que puede conducir, y de hecho conduce, al dominio del hombre sobre el hombre. O nos ayuda a llevar a la naturaleza (y a nosotros mismos) a plenitud, o nos confirma como tiranos en un mundo que solamente sirve, al modo heideggeriano, como "estación de servicio". Voy a obviar el hecho de que estas dos posiciones ignoran la esencialidad técnica de lo humano, la idea de la técnica como mecanismo humano (antropológico, pero hasta cierto punto también etológico) para la construcción del mundo en cuanto tal, la idea de la técnica como antesala de la ciencia y de la tecnología. El objeto de este punto tres no es tanto exponer rigurosa y sistemáticamente los acontecimientos causales del advenimiento de la cultura de masas, sino solamente presentar el esquema de dicha causalidad armado desde la posición idealista, que será la que articule, como veremos en el próximo punto, la idea de la "decadencia de la cultura occidental" desde las bases que ahora presento. Así, como decía en el texto, obvio el hecho de que estas teorías no tengan en cuenta el carácter preambular de las técnicas con respecto a las ciencias en lo correspondiente a sus campos determinantes, ni tampoco que se hable de la técnica, concepto abstracto y anti-antrópico o localizado en un espacio no-antrópico, no humano, y no de las técnicas, poniendo en énfasis en el carácter operatorio y práctico de estos *haceres*.[7]

[7] Si el lector está interesado en la cuestión de las técnicas y las tecnologías según la perspectiva del materialismo filosófico, recomiendo el libro *Filosofía de la técnica y de la*

Aparentemente, la técnica y la tecnología son medios para hacerle más fácil la vida al hombre y para confirmar su dominio sobre el mundo. Sin embargo, y dada la mayor velocidad de desarrollo del ámbito de lo objetivo con respecto al ámbito de lo subjetivo (de lo humano), termina por imponerse sobre su sujeto creador (y "empleador") hasta tal punto que le marca un nuevo ritmo de desarrollo asfixiante y alienante. Dicho de otro modo: la técnica desarrolla una complejidad de conexiones teleológicas entre los intereses y los instrumentos para satisfacer estos intereses que confunde al individuo y hace que tome lo que es solo un medio como el fin último de su acción. Así se explica que la tecnología, que nace como un medio para satisfacer intereses humanos, se convierta en fin último que le impone a los individuos nuevos intereses artificiales. Esta es la idea de la *hipertrofia teleológica de la técnica*. Para explicar esta hipertrofia teleológica es muy útil el concepto de "heterogonía de los fines" del filósofo alemán Wilhelm Maximilian Wundt. La tensión entre lo objetivo y lo subjetivo, o entre lo tecnológico y lo humano, alcanza un nivel tan extremo de confrontación que estalla en un sistema utilitarista en el que las formas objetivas que eran medios para el objetivo del perfeccionamiento humano se convierten en fines; y lo que antes eran fines humanos se reducen a simples medios para los objetivos tecnológicos.

No es difícil encontrar ejemplos de situaciones en las que el progresivo perfeccionamiento de las técnicas que usamos para facilitarnos la vida (desde el fuego o la azada hasta un *smartphone*) hace que el medio *técnico* para el fin *humano*, como efecto de su diversificación en una pluralidad teleológica, que se puede prolongar casi *ad eternum*, se convierta él mismo en un fin que nos impone nuevos medios infructuosos para los objetivos puramente humanos. Hoy día vemos, por ejemplo, cómo es la propia tecnología la que motiva el desarrollo de nuevos inventos que solamente satisfacen necesidades creadas por la industria tecnológica, y que además suponen (desde la perspectiva humana) esfuerzos que no redundan en un perfeccionamiento interno del individuo, sino solo en el perfeccionamiento de la *máquina*, articulada ahora bajo la forma de una "objetividad despiadada", al modo simmeliano. Esta objetividad se pone de manifiesto en el hecho de que los terminales móviles tengan un promedio de vida cada vez más

tecnología de Luis Carlos Martín Jiménez, Pentalfa, Oviedo, 2018.

breve ("obsolescencia programada") y que casi cada semana requiera de nuevas actualizaciones; estos requisitos no satisfacen las necesidades humanas de la comunicación y la información (necesidades originales que impulsan el desarrollo de la tecnología de las telecomunicaciones), sino solo las necesidades artificiales de la propia industria de telecomunicaciones. Que sean artificiales, por otro lado, no quiere decir que sean *superfluas*: tan interiorizadas están en el individuo que éste las considera como necesidades de primer orden.

La hipertrofia objetiva de las formas técnicas o tecnológicas, para terminar con la descripción del proceso, genera en el hombre una sensación de angustia y vértigo en la medida en que el fin último, que estaba directamente vinculado a la vida humana y que daba sentido a cada uno de los medios, tan extensa es ahora la cadena de medios, que se ha borrado de la conciencia del individuo: "El sistema de fines en la modernidad se ha complicado tanto que ha desaparecido el significado de la vida" (Gil Villegas 41). En esta situación de inversión instrumental no son los fines (humanos) los que hacen buenos a los medios (artificiales), sino los medios y sus respectivos usos los que hacen buenos a los fines.

Este fenómeno se observa en el mundo de la moda. En su origen, las modas eran creadas por las élites aristocráticas de una sociedad para diferenciarse del vulgo, que poco a poco iba adoptándolas hasta que la moda perdía su sentido como elemento diferencial. Las modas, entonces, tenían un sentido sociológico. Ahora, en la era de la industria de la moda, con los grandes desfiles y las grandes marcas, las modas se fabrican mecánicamente, sin una conexión íntima con ciertas clases sociales o tipos humanos; el consumidor no es un individuo particular (salvando la sastrería de alta costura), sino un conjunto homogéneo de consumidores; y el artículo de consumo, por ende, no se crea pensando en tal o cual cliente, sino que es un producto impersonal que se diseña de acuerdo con estadísticas de ventas, tendencias, encuestas sobre gustos, etc., cuando no se hace siguiendo los cánones de belleza y moda inspirados, creados o secundados (por contratos con marcas de moda) por los actores de Hollywood y las estrellas de la música, los héroes de la civilización occidental moderna.

Segunda causa, el dinero. La *hipertrofia teleológica de la técnica* no hubiese sido posible sin un contexto socio-económico-político en el que el dinero se impone como patrón de medida último. En un mundo desencantado como el que se abre en la modernidad, en el que no hay asideros ni consistencia alguna, donde todo *flota* y lo sólido se disuelve en el aire, que diría Marx, el dinero es el nuevo Dios capaz de dar orden, predicción y solidez a lo líquido e incierto. Es el instrumento perfecto para gestionar una realidad caótica que adquiere orden en la medida en que asume las características fundamentales de la economía monetaria moderna:

> En la medida en que cada vez alcanza más la expresión absoluta y el equivalente de todos los valores, se remonta en una altura abstracta sobre toda la multiplicidad de los objetos y se convierte en el centro, en el que las cosas más opuestas, más extrañas y más alejadas encuentran sus características comunes y se relacionan mutuamente, de este modo, también el dinero confirma, de hecho, aquella elevación por encima de lo individual, aquella confianza en su omnipotencia como en la de un principio superior que puede conservar para nosotros lo individual y más bajo y, al mismo tiempo, convertirse en ello mismo. (Simmel [2013] 271)

La objetividad abstracta que se construye históricamente alrededor del dinero, explica Simmel en *Filosofía del dinero*, deviene en entidad natural que se impone sobre los individuos. Esta objetividad abstracta es un "mundo objeto" que desarrolla una lógica autónoma en virtud de la cual traduce todo aquello que es atravesado por sus procesos de intercambio (cosas, mercancías, individuos) en elementos cuantificados que solo de acuerdo con esa misma lógica adquieren sentido y significado. En esto consiste la idea de la *tiranía del Dios dinero* en la sociedad industrial.

El proceso de objetivación monetaria actúa como una bola de nieve en el ámbito social y político: constituido como una inmensa objetividad impersonal ("objetividad despiadada"), y conforme arrastra nuevas realidades que tritura para después reconfigurar según las leyes del cálculo y la cuantificación, surgen nuevos productos, nuevos modos de organización, de relación y producción, nuevos conocimientos e incluso nuevas formas de vida. Si nos centramos en el ámbito social, el dinero es la causa principal de la despersonalización y objetivación de las formas y relaciones sociales, y, por ende, de un comportamiento generalizado de indiferencia, reserva y abstracción de subjetividades, por cuanto, cuando el individuo se relaciona con los otros, ya no ve en ellos individuos iguales que él sino objetos de interés que se pueden comprar y vender.. El dinero opera una desvalorización-revalorizativa, es decir, que agota el valor subjetivo de los objetos y de los sujetos para atribuirles un nuevo valor, esta vez objetivo e impersonal (no referido a una singularidad individual, sino a un proceso objetivo de intercambio de mercancías). En razón de este proceso el dinero, otrora medio para la consecución de ciertos objetivos, se convierte en el fin último de todo intercambio, porque no solo es la fuente de valor de los elementos que participan de un intercambio (a nivel social, una relación), sino, además, el elemento mediador, capaz de reducir las diferencias.

Sin entrar en un análisis profundo, otra de las consecuencias que Simmel concluye en su estudio sobre el dinero y la modernidad es lo que articula con la paradoja de la libertad-seguridad: el individuo moderno, sumido en el ritmo de circulación de la economía monetaria, es más libre que el individuo primitivo, pero menos seguro (y también más dependiente, o dependiente de más gente).[8]

Comparemos la situación del siervo medieval con la del obrero moderno. El siervo medieval vive y trabaja toda la vida para un señor a cuya tierra está ligado de por vida. El pago por trabajar la tierra del señor es el alimento y la vivienda, es decir, la manutención. Por eso, explica Simmel, el siervo medieval es menos libre que el obrero moderno, evidentemente, pero vive con mayor seguridad, porque sabe que mientras siga siendo siervo de su señor éste le permitirá vivir en su tierra y le dará alimento. Esta situación cambia conforme se introduce el pago en especie (vasallo), y más decisivamente cuando se introduce el pago monetario a través del contrato. El obrero moderno, que recibe una cantidad de dinero por prestarle su fuerza de trabajo al propietario de los medios de producción (sigo la terminología marxista clásica), es más libre que el siervo, porque solo está sujeto a las exigencias del propietario durante el tiempo que dura su jornada laboral (mientras aquél está vinculado personalmente al señor, éste solo monetaria o funcionalmente), pero vive mucho menos seguro, y a la postre será más esclavo todavía, porque el propietario no tiene depositado en él ningún afecto personal, su relación con él es mera-

[8] También habría que tener en cuenta algunos postulados de la sociología simmeliana, como la idea del individuo como cruce de círculos sociales o de la sociedad como red de interacciones. Para lo que aquí nos interesa basta con estos pocos apuntes.

mente contractual, y puede prescindir de él, que no es sino un simple número, cuando le plazca. El dinero, en consecuencia, nos libera, pero a su vez crea en torno a los individuos cadenas de dependencia mucho más férreas y alienantes.

En tercer y último lugar, la división del trabajo, cuyo origen localizamos en la división tribal entre el trabajo físico y el trabajo intelectual, momento en que surgen las castas religiosas (chamanes, sacerdotes). Aunque las conclusiones a las que vamos a llegar en el análisis de la división del trabajo son idénticas a las que concluimos con el análisis del desarrollo de la técnica y del dinero, hemos de tener en cuenta que esta tercera causa es la más básica de las tres, por cuanto el desarrollo *despiadado* de los otros dos factores depende del incremento de la división del trabajo en los procesos de producción de aquellos contenidos y labores que permiten, primero, el desarrollo de la técnica según una forma industrial de producción, y segundo, la imposición del dinero como medida de valor de todas las cosas.

El proceso de división del trabajo, estudiado por Marx desde la perspectiva de la producción (y que Simmel amplía al proceso del consumo), motiva la progresiva independencia del producto de trabajo con respecto al trabajador y, en consecuencia, genera un estado de alienación en razón del cual el individuo que produce ya no se reconoce en el objeto producido. El producto, una vez finalizado, se incorpora a un mundo de objetividades[9] regido por una lógica autónoma. Primera consecuencia del proceso de división del trabajo: escisión de lo subjetivo y lo objetivo para la autonomización de lo segundo con respecto a lo primero; conforme para la producción de una misma mercancía se desarrollan más y más medios técnicos que reducen la labor de cada operario a una tarea mecánica y fácil para la que no se precisa de ningún conocimiento o formación específica, la importancia de las subjetividades productivas dentro del proceso productivo tenderá a cero. Poco a poco la mercancía, incluso el proceso mismo de producción, se les presentará ante cada operario como una inmensa objetividad que le impone un determinado ritmo de trabajo, pero con la que no se

---

[9] El "reino de la cultura objetiva" de Simmel, el "mundo 3" de Karl Popper (que, seguramente, desarrolla a partir de la lectura de Simmel) o el "tercer género de materialidad" de Gustavo Bueno (aunque el propio Bueno aclara que no son la misma cosa, dado que las ideas de 'reino' y 'mundo' implican totalidad, mientras la de 'género' no), por citar solo tres conceptos similares; y si queremos mundanizar la idea, la 'bola de nieve' de la que hablábamos más arriba.

identifica. Y como son muchos los operarios que intervienen en este proceso, la objetividad crecerá y crecerá mientras las subjetividades se desgastan cada vez más y más rápido.

Segunda consecuencia: en la misma medida en que la división del trabajo ofrece mayor libertad al trabajador, que tiene que ocuparse de una sola tarea cada vez más mecanizada, le ata a muchos más individuos de los que depende dentro del proceso de producción:

> [La] división moderna del trabajo aumenta el número de dependencias en la misma medida en que hace desaparecer a las personalidades detrás de sus funciones, porque únicamente permite la acción de una parte de las mismas ["atrofia de la cultura subjetiva"], excluyendo por completo a las otras cuya conjunción es precisamente lo que da lugar a una personalidad. (Simmel [2013] 362)

Una tercera consecuencia, que se deduce de la primera (por no hablar de la alienación que un trabajo mecánico y repetitivo hasta el extremo produce en el trabajador): en el desdoblamiento entre lo subjetivo y lo objetivo, lo objetivo adquiere *vida propia*, o lo que es lo mismo, su sentido ya no está vinculado al deseo de la subjetividad creadora sino a una demanda abstracta e impersonal. Digamos que acontece un proceso dialéctico de subjetivación de lo objetivo y de objetivación de lo subjetivo. Además, como el desarrollo de las fuerzas internas del trabajador en su puesto de trabajo es unilateral, mientras que el producto final *bebe* de una pluralidad de subjetividades (tantas como trabajadores compongan la línea de producción), la bola de nieve se hace más y más grande, mientras la subjetividad creadora (alienada) se vuelve más y más pequeña. Y se vuelve más y más pequeña porque, o no puede perfeccionarse, o no quiere. Las masas obreras, eso lo supo ver Alfred Marshall ("El porvenir de las clases obreras"), tan fatigoso y asfixiante es el trabajo fabril al que dedican buena parte de su vida, no quieren dedicar su tiempo libre al cultivo de su espíritu. Solo desean el bienestar material más bajo (recordemos lo que dijimos sobre el alma de masa en comparación con el alma del individuo). Por eso, pensar en una clase obrera educada, refinada, culta y consciente de sí, es una idealización; una idealización que Marx ignoró, pero que Lenin tuvo en cuenta a la hora de extender la doctrina bolchevique (Diamat) a través de la estrategia de los cuadros políticos. En este momento comenzamos la transición hacia el siguiente punto del trabajo, virando de las consecuencias del proceso de división del trabajo en la producción a sus consecuencias en el consumo. No olvidemos, sin embargo, otra de las consecuencias más notables de la división del trabajo: la desaparición de la personalidad individual en contraste con la cada vez mayor importancia que asume la función social y objetiva. Para comprender las implicaciones reales (urbanas, sociológicas, políticas, etc.) de este proceso tendríamos que realizar antes un análisis de la burocratización de las relaciones sociales (Max Weber) que no nos podemos permitir aquí.

La gama de productos culturales, artísticos, tecnológicos, científicos, etc. de la que el individuo moderno puede disfrutar es mucho más amplia que la correspondiente al individuo primitivo, precisamente por el efecto de bola de nieve que produce el desarrollo hipertrofiado de la *Objetividad*. Pero, de nuevo, esta aparentemente mayor libertad de elección contrasta con la mayor dependencia hacia estos propios productos, tan alejados de la subjetividad creadora se hallan (recordemos el carácter abstracto e impersonal de los procesos de producción en cadena, para un público masivo). Desde esta plataforma (la objetivación impersonal de la cultura según el proceso de la división del trabajo, el progreso de la técnica y la tecnología y la monetarización del mundo moderno), concluimos esta tesis, que es el punto de partida del siguiente punto: en la modernidad emerge una forma perversa de cultura, "cultura de masas", que ya no sirve para la liberación y el cultivo del individuo y de la sociedad, sino para su estupidización y alienación.

LA INDUSTRIA CULTURAL

La "industria cultural" es resultado de los procesos y emergencias descritos en el apartado anterior, y se caracteriza, en su relación con el dinero, por la indiferencia hacia los objetos y por la indiferencia de unos sujetos hacia otros: por la indiferencia con respecto a las cualidades específicas de cosas e individuos. Los individuos buscan satisfacer sus necesidades con determinados objetos no por el valor que estos tengan en sí mismos, sino porque resultan más baratos que otros, porque valen menos (al referir a la "industria cultural" o "cultura de masas" no tenemos en cuenta situaciones en las que un precio desorbitado, más que un inconveniente a evitar por el consumidor, constituye por sí mismo un valor cualitativo que despierta su interés. Por ejemplo, el coleccionismo de objetos de alta gama o artísticos). En términos orteguianos, podemos decir que la "industria cultural" o la "cultura de masas" es resultado de la *rebelión de las cosas*.

Herbert Marcuse señala como uno de los aspectos más perturbadores de la sociedad industrial avanzada el que la población se reconozca en sus mercancías: "encuentra su alma en su automóvil, en su aparato de alta fidelidad, su casa, su equipo de cocina" (Marcuse [1969] 39).

La cosa le dice al individuo qué debe desear, y cómo. La mímesis individuo-mercancía o individuo-sociedad es inmediata y automática, y motiva la pérdida de un espacio para el pensamiento crítico y negativo. A tal nivel de enajenación racionalizada hemos llegado en la sociedad industrial avanzada que el sujeto alienado es devorado por su existencia alienada, es decir, por la representación de sí mismo proyectada sobre el objeto que es fuente de su alienación (la función social sobre la personalidad interna). Las mercancías se crean con el objetivo de satisfacer los intereses y las necesidades de los poderes que dominan la máquina de represión, y para tal satisfacción es necesario que adoctrinen y manipulen promoviendo una falsa conciencia. Conforme los productos de la manipulación se van volviendo cada vez más útiles y asequibles para un mayor número de individuos, el adoctrinamiento se convierte en el modo de vida bueno.

Y esto por lo que respecta solamente a la industria del consumo de productos de moda, consumo, hogar o tecnología; pero si ponemos atención en la industria artística y cultural, el panorama es todavía más desolador.

Walter Benjamin, por ejemplo, habla del proceso de "tecnificación" de la obra de arte, o lo que es lo mismo, de la reproducción técnica de la obra de arte (basta con recordar las obras "Latas de sopa Campbell" o "Díptico de Marilyn" de Andy Warhol), como causa de la pérdida del sentido trascendente y elevado, del espacio para la protesta, la imaginación, el deseo y la libertad inherente a toda obra de arte y al proceso de creación artística. En la época de la "cultura industrial" el arte y la cultura ya no son remansos de paz y verdad, escenario para la liberación del individuo, sino nuevas formas de explotación consumista gracias a la reproducción técnica y la publicidad perversa que fomenta estilos de vida represivos. Según Benjamin, una obra de arte tiene un *aura* de misticismo que surge cuando su creación y su contemplación se realizan de acuerdo con un cierto ritual: por el lado de la creación, podemos hablar del particular ritual de cada artista a la hora de inspirarse para la composición de su obra, del ritual de los artesanos para la construcción de sus figuras, o incluso de la preparación de los poetas y rapsodas antes de recitar sus versos. Por el lado de la contemplación, el itinerario marcado por la dirección de los museos de arte son en sí mismos rituales que despiertan los sentimientos y emociones de los visitantes. Una vez que las obras se reproducen mecánicamente, es decir, para un público masivo y sin un proceso de creación personal y meditado, ese *aura* desaparece. Como ya no es necesario acudir a un museo o a un teatro para disfrutar de "Las tres sombras" (1886) de Auguste Rodin o del *Carmen* (1845) de Georges Bizet, la experiencia artística se vulgariza.[10] Pensemos, en relación a la tecnificación del mundo del arte y de la cultura, la distancia que por mediación de la objetividad técnica y monetaria existe entre el creador de la obra y la obra misma, así como en la falta de conexión y reconocimiento que para con la obra tiene su creador, y también su espectador.

Hay otro punto que conviene desarrollar, y que ya hemos mencionado más arriba: el arte sometido a la lógica de la reproducción técnica pierde su sentido negativo y de protesta, su carácter revolucionario.[11] De este modo, el arte se pone al servicio de los intereses de dominación que pretenden el mantenimiento del statu quo: "Otrora una obra de arte aspiraba a decir al mundo cómo es el mundo: aspiraba a pronunciar un juicio definitivo. Hoy se ve enteramente neutralizada" (Horkheimer 50). La pérdida del carácter revolucionario de la obra de arte no debe entenderse desde el punto de vista del artista creador, o no solamente, sino más notoriamente desde el punto de vista del espectador. Porque si, como decimos, la contemplación de una obra de arte ha perdido su mística, si podemos contemplar "El bufón don Sebastián de Morra" (1645) de Velázquez como quien *mira* un partido de fútbol o lee un cartel publicitario, difícilmente podremos reconocer y pensar el mensaje de crítica y protesta que trae implícito, y que se desata en el proceso

---

[10] Son cada vez más los museos que ofrecen visitas virtuales de sus obras e instalaciones. V. gr., la capilla Sixtina, la Antigua Galería Nacional de Berlín (*Alte Nationalgalerie*), el Museo Arqueológico Nacional de Madrid o The British Museum de Londres.

[11] Es evidente que la aceptación de esta tesis depende de la definición que cada uno le dé al arte.

del acto poético:[12] "La composición ha sido cosificada, convertida en una pieza de museo, y su representación se ha vuelto una ocupación de recreo, un acontecimiento, una oportunidad favorable para la presentación de estrellas, o para una reunión social a la que debe acudirse cuando se forma parte de determinado grupo" (Horkeimer 50).

Resumiendo, en la sociedad industrial moderna acontece un proceso de instrumentalización de la cultura (en este caso particular del arte) motivado, en parte y de acuerdo con la cita que a continuación reproducimos de Horkheimer, por la suma de los tres factores que hemos descrito y analizado en el apartado anterior: "[lo] que determina la colocabilidad de la mercancía comercial es el precio que se paga en el mercado y así se determina también la productividad de una forma específica de trabajo" (Horkeimer 51). Cuando la industria (convenientemente complementada por de la publicidad y los *mass media*) penetra en el mundo de la cultura, la producción de obras culturales ya no está orientada a la expresión del sentido profundo de las cosas, como otrora pudiera estarlo, sino a la venta masiva y mecánica (impersonal) de productos para el consumo.

La "alta cultura", que es el modo de referir a la cultura en cuanto *lugar* para el cultivo de la intimidad y para el progreso del ser humano, degenera en "cultura de masas". Si antes la cultura, y dentro de ésta el arte, trascendía la realidad y en esa trascendencia ofrecía un escenario de liberación y desarrollo, hoy, sobrepasada como está por la realidad, pierde los valores superiores implícitos en sus contenidos. Adoptando la idea de Marcuse del "hombre unidimensional" podemos afirmar que la "alta cultura", desnuda de su halo de trascendencia, queda reducida a una dimensión, la de la realidad efectiva del statu quo: la tensión bidimensional se rompe en favor de la unidimensionalidad manipulada y represiva. La "alta cultura" convertida en "cultura de masas" pierde su valor de verdad porque esta "alta cultura", que es la cultura de la sociedad preindustrial y pretecnológica, funda su validez en la experiencia de un mundo idílico que ya no puede ser recuperado. Tal

---

[12] El proceso del acto poético es una teoría con la que trato de explicar el proceso de construcción del sentido de una obra poética a través del baile o de la interacción recíproca entre el autor, cristalizado en la obra, y el lector, que escarba en la superficialidad de la letra escrita buscando al autor. De este baile resulta un nuevo sentido intersubjetivo, que no es sino el verdadero sentido de la obra, el sentido objetivo del poema. Todo esto, claro, a falta de un sentido verdaderamente objetivo, que no sería sino aquel que el autor, en alguna explicación a pie de página, o en entrevistas, declara explícitamente.

experiencia queda invalidada por el progreso tecnológico, capaz de realizar el ideal en la tierra. Esta idea es fácil plasmarla en nuestra realidad a efecto de ejemplificarla: el individuo del año 2020, y no quiero pensar el del año 2050, puede realizar proezas dignas de los héroes de la cultura clásica gracias a los avances de la técnica, de la tecnología y de la ciencia. Los héroes y semidioses se mundanizan, devienen en productos de consumo doméstico (cuántas películas del universo Marvel o DC ocupan las carteleras de cine de los últimos cinco años, y lo que nos queda por ver…) y sus valores son asimilados de forma acrítica por la sociedad del consumo. Por eso Marcuse concluye que la "alta cultura" es "una cultura retrasada y superada, y solo los sueños y las regresiones infantiles pueden recuperarla". (Marcuse [1969] 89)

Hasta ahora hemos hablado de "cultura de masas" y de "industria de la cultura", que no son sino dos precipitados conceptuales que derivan del análisis de una misma realidad desde diferentes perspectivas (la del consumo y la de la producción). Pero será interesante continuar con este análisis de la cultura moderna introduciendo un nuevo concepto, "cultura afirmativa", acuñado por Marcuse.

La "cultura afirmativa" refiere a la cultura de la burguesía, que en su desarrollo ha motivado la escisión entre el mundo anímico y el mundo espiritual de la civilización. Esta cultura, según Marcuse, se caracteriza por la afirmación de la existencia de un mundo valioso, superior al mundo real, y al que todos pueden aspirar. Un mundo que nos convierte a todos en individuos solemnes. A priori esto es una buena noticia: la cultura se abre a todos los públicos, fomentando el desarrollo conjunto de la sociedad. No obstante, y como corroboró Nietzsche desde su ya lejano siglo XIX, la democratización de la cultura tiene un sentido profundamente negativo, por dos razones: primera, porque al abrir el consumo de la "alta cultura" al gran público, ésta se vulgariza y pierde su dimensión elevada y de protesta; y en segundo lugar, y ahora volviendo a Marcuse, porque la "cultura afirmativa" es solo una respuesta ideal y abstracta, ilusoria, dentro de una realidad en la que sigue existiendo una división tajante entre el mundo cultural, reservado para unos pocos con capacidades adquisitivas suficientes, y un mundo material, el del gran público, en el que el interés por la "alta cultura" es escaso; de ahí la insistencia de algunos autores, como el mencionado Alfred Marshall, por elevar a la clase obrera de su patria (en el contexto de la revolución industrial) a la altura moral, intelectual y cultural de "caballeros" (*gentlemen*), con gustos refinados e intereses selectos.. En una sola palabra, la "cultura afirmativa" es la respuesta idealista de la burguesía recién asentada en el mando del mundo moderno (*La rebelión de las masas*, José Ortega y Gasset) ante las exigencias de igualdad real (material) entre todos los individuos: "A la penuria del individuo aislado responde con la humanidad universal; a la miseria corporal, con la belleza del alma; a la servidumbre extrema, con la libertad interna; al egoísmo brutal, con el reino de la virtud del deber" (Marcuse, [2010] 17). O como apunta en la misma obra: "La satisfacción de los individuos se presenta como la exigencia de una modificación real de las relaciones materiales de la existencia, de una vida nueva, de una nueva organización del trabajo y del placer". (Marcuse [2010] 19)

Estas tres ideas sobre la degeneración industrial de la cultura se pueden resumir en la idea de la "gran máquina de Lo Objeto", de sello propio.

Primero de todo, podemos dividir el concepto en dos expresiones de profundo significado filosófico-cultural: "gran máquina" y "Lo Objeto". Ambas expresiones refieren a sujetos autónomos que conforman, en su síntesis conceptual, el nuevo sujeto cultural que emerge en el siglo XX en virtud de los procesos y los acontecimientos mencionados: "Máquina" refiere a la estructura mecánica de producción y consumo masivos de los productos culturales, y "Lo Objeto" a la *Objetividad* que estos productos configuran bajo la figura de un "reino de objetividades". En consecuencia, por "gran máquina de Lo Objeto" entiendo la idea de "cultura objetiva" de Simmel en el momento justo en que se produce la "tragedia de la cultura", es decir, en el momento en el que el producto cultural y objetivo adquiere autonomía suficiente para superar y oprimir la subjetividad creadora, "cultura subjetiva". En la medida en que la "cultura de Lo Objeto" se extiende por todas las dimensiones de la vida humana, tanto en la producción y el consumo como en las relaciones sociales, económicas y políticas, las producciones intelectuales y los acontecimientos históricos, deviene en "gran máquina" que se constituye como horizonte último de los destinos sociales e individuales.

Asimismo, para la clara comprensión de la "gran máquina de Lo Objeto" es muy interesante vincularla con la idea de la "jaula de hierro" de Max Weber (huelga decir, a este respecto, que Weber nunca llegó a escribir una expresión semejante a *iron cage* en *La ética pro-*

testante y el espíritu del capitalismo, que en alemán sería *eiserner Käfig.* Este concepto es debido a la interpretación realizada por Talcott Parsons en su traducción de 1930. La expresión original de Weber, que después Parsons tradujo como "jaula de hierro", era "caparazón duro como el acero"). La célebre "jaula de hierro" de Weber significa el resultado del proceso de burocratización del mundo moderno, que nos introduce en una realidad social hiperregulada e hiperadministrada en la que las relaciones sociales se funcionalizan, y en las que el espacio de autonomía y libertad racional del individuo es cada vez más restringido.

El triunfo de la "gran máquina de Lo Objeto" es el triunfo de la homogeneización cultural global. Los sistemas de producción del capitalismo industrial han penetrado en los sistemas culturales; las formas de organización del trabajo configuran ahora también los tiempos de ocio, controlando al individuo como productor y como consumidor. La cultura se ha visto invadida por la racionalidad de la técnica, que es la racionalidad del dominio mismo. Técnica y arte, cultura y producción; todo se ha convertido en un único y colosal sistema de interdependencias.

Como resumen, y para plantear la tesis que someteremos a crítica a continuación: el ser humano ha creído que a través de la técnica y la tecnología era capaz de dominar el mundo y de imponerse sobre la naturaleza para manejarla a su antojo, pero se encuentra con que los medios proporcionados no le sirven para el desarrollo de su vida sino solo para los fines de la técnica y de la tecnología. Creyéndose soberano, se encuentra con que es esclavo de aquello que creó para imponerse sobre la naturaleza.

HACIA UNA RECONSIDERACIÓN DE LA ETAPA "AGONISTA" DE LA CULTURA

La parte anterior, analítica, simplemente presentaba el estado de la cuestión que nos ocupa. Un estado de la cuestión, debo reconocerlo, transido por el idealismo alemán, que, en lo que a teoría de la cultura respecta, culmina con la teoría crítica de la Escuela de Frankfurt. Lo que resta es una crítica a la ideas extraídas del análisis anterior. Para este análisis crítico me voy a basar fundamentalmente en *El mito de la cultura* de Gustavo Bueno.

Por "etapa *agonista* de la cultura" entiendo el momento de decadencia de la cultura occidental que los autores citados en el punto anterior describen, analizan y denuncian y que podemos resumir en los siguientes acontecimientos y procesos: tecnificación, masificación, cuantificación, especialización y estandarización de la cultura moderna. El objetivo de este punto es realizar una revisión crítica del discurso *agonista* de la cultura, para lo cual debemos antes revisar la idea de cultura que articula, que es la idea de cultura propia de la tradición idealista alemana: la cultura como "cultura objetiva" (*Kultur*), con la que refieren al mundo material en cuanto resultado de la acción humana, y que guarda una relación dialéctica con la "cultura subjetiva" (*Bildung*), que representa al sujeto creador.[13] Esta idea surge en el siglo XVIII, siglo clave para la consolidación del sistema filosófico del idealismo alemán (Kant, Herder, Fichte, Schelling y Hegel). Hasta entonces, "cultura" refería al cultivo o aprendizaje del individuo (*paideia*), o al modo de vida que caracteriza a una sociedad (*nomos*). Lo que aquí nos interesa es profundizar en esta idea de "cultura" de raigambre idealista, y para ello voy a exponer la teoría de la cultura de Georg Simmel, que hace las veces de síntesis del pensamiento alemán.[14]

¿Por qué, primero de todo, la idea moderna de cultura nace en la Alemania del siglo XVIII? Gustavo Bueno nos presenta tres operaciones materiales que en su combinación histórica explican tal circunstancia: la sustantivación de las acciones humanas, que genera una disonancia entre el creador y lo creado (a la postre, "cultura subjetiva" y "cultura objetiva"); la unificación y totalización de todas esas objetivaciones en un solo concepto, el de "cultura"; y el enfrentamiento de este concepto con otro que refiere también una totalización de las objetivaciones de la acción humana, el de la Gracia divina.

Creo que la teoría vitalista de Simmel nos ayudará a desarrollar la dialéctica cultural de la que hablamos. La vida (*das Leben*), en Simmel, es un concepto central que refiere a una potencia inmensa, al modo como Schopenhauer y Nietzsche hablan de la voluntad (*Willen*), en

---

[13] La referencia subjetiva no tiene tanto que ver con la presencia de un sujeto, individual o colectivo, que también, sino con la idea de formación o educación subjetiva a través de la objetividad creada, de acuerdo con el origen germánico del término.

[14] Necesariamente tenemos que pasar por alto la génesis de esta idea, que nos obligaría a un rodeo por el pensamiento de autores tan prolíficos y complejos para el análisis como Herder, Fichte o Hegel.

virtud de la cual estructura todo su pensamiento. Lo que resulta interesante en este punto es que la esencia de la vida consiste, según Simmel, en su deseo de ser "más-vida" (*mehr-Leben*), es decir, en su deseo de darse para sí una "forma" (*Gebilde*) que permita su manifestación empírica, externa, pero que, al mismo tiempo, la convierte en algo que no es vida, "mas-que-vida" (*mehr-als-Leben*). Pero como el torrente vital es inagotable e insuperable, la vida vuelve a abrirse camino entre todas esas configuraciones que nacen de sí misma, y comienza el proceso de desenvolvimiento vital, que es el último término el motor del desarrollo histórico (arte, política, moral, economía, etc.). La objetivación de la "cultura subjetiva" a través de las objetivaciones que crea desde sí misma, "cultura objetiva", responde a este deseo de transcendencia de la vida.

Entonces Simmel, que sintetiza la teoría cultural idealista del contexto germánico, interpreta la cultura como dialéctica entre la "cultura objetiva", esto es, conjunto de artefactos (objetos, saberes, técnicas, instituciones, normas, etc.) que los individuos crean para sí y para los otros, y la "cultura subjetiva". La "cultura objetiva" es creación de la "cultura subjetiva" con el objetivo de darle cierta objetividad al mundo vital. Entonces, si a la anterior dialéctica le superponemos la dialéctica vida-forma, resulta que la cultura es el proceso por medio del cual la vida adquiere forma y concreción empírica; o, en el caso individual, el medio por el cual el individuo alcanza la plenitud de su ser. No es que haya una forma objetiva de cultura y otra forma subjetiva, sino que la cultura es al mismo tiempo objetiva y subjetiva, y ahí reside su carácter trágico ("tragedia de la cultura"). Se trata de una dialéctica de carácter trágico porque aquello que se le opone a la vida, la cultura, no es un elemento externo que viene a detenerla sino un elemento inmanente a ella, que nace de ella misma y que se da para alcanzar un nuevo estadio de perfección a través de su (auto)contradicción. En resumidas cuentas: "[...] la cultura significa aquel tipo de perfección individual que solo puede consumarse por medio de la incorporación o utilización de una figura suprapersonal, en algún sentido ubicada más allá del sujeto" (Simmel [1988] 213). O en otras palabras: "Aquí acontece un tornarse-objetivo del sujeto y un tornarse-subjetivo de algo objetivo, acontecimiento que constituye lo específico del proceso cultural y en el que, por encima de sus contenidos particulares, se muestra su forma metafísica" (Simmel [1988] 209).

No obstante, y a efecto de diferenciar *Kultur* de *Bildung*, diremos que la cultura de cada tiempo, aquello que cotidianamente decimos que es cultura, es el conjunto de las objetividades que la "cultura subjetiva" crea y que, para que el perfeccionamiento individual se verifique, adquiere lógica autónoma e independencia. Hablaremos de un equilibrio cultural cuando la "cultura objetiva", aunque regida por una lógica autónoma, sirva efectivamente a los intereses de formación o perfeccionamiento individual y colectivo para los que ha sido creada. En caso contrario, y Simmel señala la modernidad como una de las épocas históricas en las que este acontecimiento se produce de un modo más alarmante, si la "cultura objetiva" crece muy por encima de las capacidades de adaptación de la "cultura subjetiva" (y esto sucede cuando el conjunto de elementos que conforman la primera crece y crece desmedidamente, sin ningún tipo de control de la subjetividad humana, por mor de la industria cultural; o bien, cuando el proceso de división del trabajo acelera desmedidamente el proceso de creación de objetividades culturales), se produce lo que Simmel denomina "hipertrofia de la cultura objetiva" y "atrofia de la cultura subjetiva": "tragedia de la cultura moderna". La cultura es entonces el reino de las objetividades culturales (*Reich der Kulturprodukte*). Esta idea moderna de cultura como Reino de objetividades es la que está incluida en el discurso agonista de la cultura. Pero según indica Bueno, la idea moderna de cultura es una transformación de la idea medieval-teológica de Gracia. Y tanto la una como la otra, o la una por la otra, son un mito.

Brevemente. En su proceso histórico de constitución la idea moderna de cultura asume dos modulaciones. La primera modulación es de herencia greco-latina, y culmina en la idea de "cultura subjetiva". Ya hemos hablado antes del término griego *paideia*, traducido como 'educación' o 'crianza', del que derivará el término alemán *Bildung*. Pero de *paideia* también procede, más inmediatamente, el término latino *cultura animi*, articulado por Cicerón. Con esta idea se pretende, sobre todo en sus orígenes, distinguir a los pueblos cultos o cultivados de los pueblos bárbaros (y más tarde, cuando se recupere el concepto en el XVIII, para distinguir unas clases burguesas formadas de otras populares, incultas y analfabetas).[15] La segunda modulación,

---

[15] Es importante señalar que la recuperación de la modulación subjetiva del concepto de cultura es paralela a la de su modulación objetiva. La primera se aplica sobre todo para las nuevas prácticas formativas de las clases burguesas, justo en el momento en que

que vincula la modulación clásica subjetiva con la moderna objetiva, es la idea medieval de Gracia. La línea de continuidad entre la idea clásica de "cultura subjetiva" y la idea teológica del Reino de la Gracia se explicita en el mito adánico de San Agustín, que en líneas generales sigue las ideas del *Protágoras* platónico. En la Edad Media, el Reino de la Gracia es el elemento que logra la cohesión y congregación de todos los pueblos cristianos, al tiempo que da cuenta de Dios como inspirador de todas las obras humanas. Sus contenidos son las virtudes teologales (Fe, Esperanza, Caridad) o los dones del Espíritu Santo (Sabiduría, Entendimiento, Ciencia, Coraje, Piedad). Además, en el momento en que la Iglesia romana asuma responsabilidades educativas y administrativas, a esta esfera de objetividad serán incorporados ciertos referentes literarios, artísticos y políticos.

El paso del Reino de la Gracia al Reino de la Cultura comienza con el proceso de secularización provocado por la quiebra de la fe en el Espíritu Santo de la Reforma luterana. Conforme el Espíritu Santo se desacraliza y la fe se convierte en asunto individual, aquél se transforma en el Espíritu del Pueblo (así como la idea de Dios se disuelve en la idea de Nación). El eclipse total del Espíritu Santo acontecerá cuando los Estados-nación modernos ganen poder y autonomía, colonicen nuevas tierras y aumenten sus riquezas nacionales, que es también el momento del florecimiento de las lenguas nacionales (que desbancan al latín como lengua religiosa, espiritual, intelectual y literaria).[16] En este 'salto', las funciones "medicinal y elevante" otrora otorgadas a la Gracia como fuente de justificación de la existencia del hombre en el mundo y de su dignidad se le asignan a la Cultura: "La 'dignidad del hombre', que el cristianismo hacía consistir en la superioridad que la Gracia le había conferido por encima de los animales, y aun de los ángeles, podrá fundarse después, a través de la cultura, no ya tanto en su divinidad, cuanto en su humanidad" (Bueno 204).

aparecen los salones y clubes, y en el que la erudición se convierte en un valor distintivo para las clases aristócratas. De hecho, Bueno apunta que las ideas de "cultura subjetiva" y de "cultura objetiva", la primera grecolatina y la segunda moderna, guardan entre sí una relación de oposición dialéctica, y no tanto de continuidad histórica: "La idea de cultura subjetiva es históricamente anterior a la idea de cultura objetiva, pero, una vez constituida ésta, aquélla tenderá a ser re-expuesta desde la idea de cultura objetiva" (Gustavo Bueno [*El mito de la cultura*] 191).

[16] Conviene resaltar que la idea moderna de cultura surge como "cultura nacional" (Estado de la cultura), esto es, como expresión de un pueblo (*Volkgeist*), aun cuando todas ellas beban de la fuente común de la tradición grecolatina-cristiana.

Dicho esto, la tesis que voy a tratar de defender en lo que resta de apartado es que la idea de cultura como fuente de todos los valores superiores, al modo como antes se entendía el Reino de la Gracia, es un mito. Vamos a entender el "mito" por lo que tiene de usurpación de la realidad, o dicho de otro modo, por cuanto es un discurso alegórico que se ha desconectado de la realidad de su componente originario, de percepción, adquiriendo el rango de dogma. Es un mito oscurantista porque, aun manteniendo una referencia empírica, ésta ha desaparecido y lo que queda es el discurso, la propaganda, la ideología.

Como las de Democracia, Libertad o Igualdad, la idea de Cultura se usa para, predicándola de un contenido dado, atribuirle un valor que no tiene este contenido de suyo, o que al menos no tiene por su condición cultural. Así por ejemplo, resulta que la cultura de cada pueblo está conformada por una pluralidad de contenidos de lo más variado que solo guardan entre sí el atributo 'cultural', como si ese atributo dijese algo por sí solo y no adquiriese sentido solo en función de la operación de predicación realizada *ad hoc*. Y resulta también que hay que respetar a todos y cada uno de esos contenidos, cuya variedad es absurdamente infinita (gastronomía, danza, moda, artes, hábitos, historia, política, usos, etc.), solo porque llevan el apellido 'cultural', sin ofrecer espacio o posibilidad al análisis crítico. Al final, la cultura nacional constituye un completo embrollo del que apenas sabemos nada, y que se dignifica como la mejor creación de su respectivo pueblo. El problema surge cuando, aceptando que un contenido es bueno por el sencillo hecho de ser un contenido cultural, nos preguntamos qué significa que sea cultural o qué hace que sea cultural. Es en este momento cuando el concepto de cultura se presenta como un concepto confuso e indefinido que no refiere de un modo directo a una realidad empírica. Es un mito "oscurantista y confusionario"; oscurantista por cuanto no reconoce su génesis icónica y pretende erigirse como una verdad práctica, y confusionario por cuanto no posee una referencia directa. No es un concepto unívoco, con una referencia determinada y fija, sino oblicuo, que se aplica por igual a realidades distintas:

> Cuando hablamos, en este libro, del mito de la cultura queremos significar este hecho concreto: la confusión y oscuridad (o inadecuación interna) que acompaña siempre a los componentes, capas, aspectos o esferas de la

cultura y al prestigio que resulta precisamente de la oscuridad y confusión en que se toman todas esas partes, gracias a lo cual puede tener lugar el trasvase del prestigio de unas partes a otras. (Bueno 69)

La idea del mito de la cultura se relaciona con la idea orteguiana de la "beatería de la cultura", esto es, la tendencia a justificar la cultura por sí misma. En los términos en los que ahora nos movemos, se trata de un ejercicio de sustanciación de la cultura, de la puesta en práctica de una metafísica de la cultura.

En una palabra, la cultura es un mito siempre y cuando se articule desde la perspectiva espiritualista o idealista,[17] y en la medida en que hereda el carácter mitológico del Reino de la Gracia. Y si la idea de la cultura como valor sustancial y entidad unitaria y diferenciada es un mito, la idea de la crisis de la cultura occidental que se deriva de ella, y por cuanto se deriva de ella, también lo es. Resuelta que cuando pensamos qué es eso de la "cultura occidental" no acertamos a dibujar sus límites, ni a diferenciar sus partes (menos aún sus rasgos culturales). Advertimos por tanto que la idea de la cultura occidental es mitológica, porque, presentándose como totalidad conceptual, no refiere a ninguna totalidad orgánica que la sirva de base empírica. O dicho de otro modo: la idea (idealista) de cultura, que refiere a una totalidad cultural sin límites ni partes definidas, no puede ser nunca una idea clara y distinta. No existe eso de "cultura occidental"; lo que existe, en cualquier caso, es una tradición greco-latino-cristiana de la cual han emanado históricamente y de acuerdo con ciertos procesos históricos las diferentes culturas nacionales; lo que existen son las culturas nacionales, que beben de una misma tradición. Una tradición que todavía tiene su continuidad, cuyos valores, más o menos discutidos, siguen vigentes en las culturas nacionales europeas por cuanto son su base de desarrollo: Platón, Aristóteles, Cicerón, San Agustín y Santo Tomás, por citar unos ejemplos, siguen presentes en el pensamiento occidental moderno. Lo queramos o no, pensamos *desde* ellos, subidos sobre sus hombros. En cualquier caso, la tradición común, aunque condición necesaria, no es suficiente para definir una identidad.

---

[17] Una teoría espiritualista de la cultura es aquella que le da a la idea de cultura una *sustancia* en virtud de la cual puede ser predicada sobre cualquier tipo de contenido y según un principio creador o forma pura separada, como por ejemplo el Hombre (espiritualismo humanista).

También se dice que la cultura occidental ha entrado en crisis porque se ha masificado; o, dicho de otro modo, porque se ha convertido en objeto de consumo por parte de las masas. En este punto sí le concedo algo de razón a quienes esgrimen este argumento, aunque es importante matizar. Es cierto que la reproducción técnica de las obras de arte agota su valor superior, pero lo que no me parece tan cierto es que este valor superior haya sido en algún tiempo apreciado, ya sea por las masas o por las aristocracias. Por lo que respecta a las segundas, con la posesión de colecciones personales de arte y la erudición buscan más ofrecer una imagen de lujo desmedido que el deleite estético de su contemplación. Y por lo que respecta a las primeras, han mostrado el mismo interés por el arte en el siglo XX que en el siglo XV, y si ahora ocupan teatros y museos, y a falta de pruebas científicas (estadísticas, encuestas) que informen del interés perverso que estimula su asistencia a ciertos lugares, pienso que siempre será mejor que si no lo hicieran. No encuentro ningún problema, todo lo contrario, en que el obrero y su familia pasen el día en el Reina Sofía. Parece que para los idealistas de la cultura esto es catastrófico. Que efectivamente ocupen teatros y museos, por otro lado, es algo que pongo en duda. Imaginemos por ejemplo que olvidamos un libro de aritmética en la calle. En caso de que la cultura estuviese masificada, como dicen algunos, no duraría ni un día; alguien, agitado ante semejante sorpresa, lo cogería para devorarlo en su casa. Pero esto no sucede, ni ha sucedido, ni sucederá. El mismo interés que mostraban las clases sociales más bajas de los siglos XIV, XV o XVI europeos lo muestran las masas modernas: cero.

La cultura, repito, no está en decadencia. La cultura, insisto, se mantiene siempre estable y autónoma. Lo que puede estar en decadencia es la "cultura subjetiva", es decir, el afán psicológico por perfeccionarse a través de Lo Objeto. Pero Lo Objeto por sí mismo, la "cultura objetiva" en la perfección autónoma de su lógica, no está en crisis. O más explícito: "En todo caso no es la cultura, como un sistema morfodinámico, lo que está en crisis, sino, a lo sumo, las sociedades intercaladas en esa cultura, debido sobre todo a los conflictos que a través de las culturas mantienen los pueblos entre sí" (Bueno 229). El sistema que se nos viene abajo no es el de la cultura occidental, sino el de Occidente mismo. Y, con él, todo un conjunto de valores, creencias e ideas que han alumbrado el desarrollo de la humanidad hasta el momento presente, y que ahora ya no sirven. Occidente, esto hay que aclararlo siempre, visto desde una perspectiva *emic*, esto es, como ideal de humanidad o eje del desarrollo universal de la humanidad que estaba ya presente en la mentalidad griega (civilizados vs bárbaros), que se fraguó en el Renacimiento, que adquirió forma sistemática en la Ilustración y que a partir de las grandes revoluciones modernas se extendió por todo el mundo. Occidente o Europa como modelo de humanidad, que diría Husserl.

INTRODUCCIÓN DE UNA IDEA MATERIALISTA DE CULTURA PARA CONTINUAR LA EXPOSICIÓN

La idea idealista de cultura no sirve para dar cuenta de la situación actual de la cultura occidental, porque parte de presupuestos falsos. Necesitamos articular una idea materialista desde la que poder revisar este panorama, que se nos presentará bajo una nueva perspectiva no-*agonista*, una perspectiva crítica.

Podríamos tomar como referencia la idea que expone el antropólogo británico E.B. Tylor en 1871: "La cultura o civilización, en sentido etnográfico amplio, es aquel *todo complejo* que incluye el conocimiento, las creencias, el arte, la moral, el derecho, las costumbres y cualesquiera otros hábitos y capacidades adquiridos por el hombre en cuanto miembro de la sociedad"[18] (Tylor 29). No obstante, y de acuerdo con Bueno, esta definición de cultura es demasiado ambigua, tanto en lo referente a su delimitación como a la composición de sus partes. Por ello, si lo que pretendemos es aclarar qué es cultura, tenemos que realizar un esfuerzo crítico para distinguir las diferentes formas de asociación de las partes del "todo complejo".

De las tres formas de asociación posibles entre los distintos elementos del "todo complejo", así como entre los subelementos de cada uno de ellos, derivamos la clasificación de tres dimensiones de la cultura: la "cultura intrasomática" (contenidos atribuidos a subjetualidades corpóreas), la "cultura intersomática" o social (contenidos atribuidos a las relaciones entre sujetos corpóreos), y la "cultura extrasomática" o material (contenidos atribuidos a objetos materiales externos a los sujetos corpóreos). Dependiendo de la dimensión que se tome como

---

[18] El énfasis no es original del texto.

primordial y característica del "todo complejo" obtenemos tres tipos de teorías de la cultura: unidimensionales, bidimensionales o tridimensionales.

Esta crítica no ha hecho sino aclarar el significado confuso de la idea de "todo complejo", adaptándola a la complejidad efectiva de la realidad cultural sobre la que se aplica. Así, la idea materialista de cultura queda definida como el "sistema morfodinámico" de las dimensiones intrasomática, intersomática y extrasomática, cuya unidad resulta de un proceso causal que hace de él un sistema cerrado, pero no aislado. Y el estudio de una cultura en cuanto sistema morfodinámico (instituciones, operaciones, técnicas, instrumentos, usos y habilidades en razón de las cuales un grupo humano se diferencia de los demás y de toda la civilización) consiste en el estudio de su morfología específica; es decir, de su unidad y de la relación entre sus dimensiones, así como de su relación con otras culturas colindantes.

LOS NUEVOS RETOS CULTURALES: MULTICULTURALISMO, HEGEMONÍA Y GLOBALIZACIÓN

Habiendo tomado partido con respecto a la idea de la cultura occidental y la tesis de su aparente decadencia, y de acuerdo con los conceptos claros a los que por esa tarea crítico-analítica hemos llegado, vamos a vérnoslas con dos cuestiones que están sobre la mesa en los debates culturales actuales.

En primer lugar, ¿vivimos en un mundo culturalmente globalizado, o multicultural? Conviene destacar antes de nada que esta pregunta solo tiene sentido según los parámetros del idealismo, articulada como pregunta sobre el carácter universal o nacional del espíritu de la cultura. Si asumimos la idea germana del *Volkgeist*, hablaremos de un mundo multicultural. Lo que resulta interesante en este punto es que, a pesar de estar muy clara la influencia de la teoría del "Estado de la Cultura" de Fichte (la nación que reclama para sí un Estado como Estado de la Cultura), y a pesar de estar el *Discurso a la nación alemana* (1808) detrás del discurso del multiculturalismo, no se reconozca la dialéctica de Estados como el mecanismo que impulsa este choque entre culturas (idea solo aceptable si este choque lo comprendemos desde la tectónica de placas, esto es, desde la idea de la subducción de una placa bajo otra, concebidas ambas como totalidades). Dicho en otras palabras, no se dice, aun cuando esa idea flota en el ambiente, "choque entre Estados". Si por el contrato pensamos en un sistema universal y homogéneo que actúa según los resortes de la industria y del mercado, diremos que existe una globalización cultural. Ambas opciones se mantienen dentro del mito de la decadencia de la cultura occidental, pero por motivos distintos. En el caso del multiculturalismo, está clara la influencia de Fichte y del idealismo alemán en general. En el caso de la globalización, por la idea de que la industria ha fagocitado a la cultura convirtiéndola en una Gran Máquina. Esto indica que la tensión multiculturalismo-globalización no se juega necesariamente en planos ontológicos diferentes. Pero desde la perspectiva materialista, ambas tendencias se disuelven en un juego de codeterminación.

Partimos de la evidencia de un material operatorio compartido por todas las culturas (aunque éste no permite todavía la distinción entre la antropología y la etología). Este material, además, y por eso la indistinción, está relacionado con la indigencia de la existencia humana y la necesidad de transformar el mundo para sobrevivir (idea que ya aparece en el *Protágoras* de Platón, en el mito de Epimeteo y Prometeo). Pero un origen común no es un sistema compartido, ni mucho menos una unidad. Si acaso, es el fundamento para la definición antropológica (incluso etológica) de la cultura como respuesta a la incógnita originaria del entorno vital. Como mucho, afirmamos que hay partes atributivas o categorías culturales comunes a todas las esferas (el antropólogo Clark Wissler, por ejemplo, distingue los siguientes rasgos culturales: conocimiento, arte, religión, sociedad, lengua, guerra, gobierno y propiedad), sin que eso signifique que existan patrones ni principios de desarrollo comunes. Y de existir, de que estos patrones fuesen connaturales a todas las culturas (propiedades elementales de la Cultura), en cada contexto étnico e histórico han sido sometidos a ritmos de desarrollo irreductibles entre sí que imposibilitan la idea de una cultura universal.[19] Si pensamos por ejemplo en las culturas que han evolucionado desde la cultura latina a lo largo de los siglos, llegamos a la conclusión de que solamente comparten una tradición, a la

---

[19] No entro en la idea de que para que exista una cultura universal es necesaria la existencia previa de un sujeto que sea el sujeto universal de esa cultura, es decir, la humanidad. Y más que una idea unívoca de humanidad lo que existen son diferentes modelos de humanidad que se desarrollan de acuerdo con intereses, creencias e ideas elementales muy diferentes: humanidad cristiana, humanidad islámica, humanidad judía, humanidad occidental, humanidad oriental, humanidad soviética, etc.

que cada una de ellas incorporan elementos de su contexto nacional, sin negar la posibilidad (real además, históricamente efectiva) de procesos de comunicación. Además, en el momento en que nos planteamos este ejemplo hemos de tener en cuenta la disolución de la cultura latina en la cultura cristiana medieval, una evidencia más que verifica la hipótesis inicial. Este es el punto al que quería llegar: entre los diversos sistemas morfodinámicos, que, aun siendo más o menos cerrados, no están aislados los unos de los otros (la propiedad de cierre no invita a pensar en la mónada leibniziana, sino que más bien refiere a las ideas de completitud y autosuficiencia propias de la esfera geométrica), se producen procesos de asimilación, rechazo y destrucción, pues no debemos olvidar que sus sujetos son los pueblos históricos. Sería interesante, por tanto más que derivar hipótesis rocambolescas con pretensión de *clickbait*, diríamos hoy, sobre el choque de civilizaciones, e intelectualismos semejantes, comenzar a estudiar las diferentes formas de interacción que se producen entre los sistemas culturales.

Entonces, ni vivimos en un mundo culturalmente globalizado, ni en un mundo multicultural. No hay globalización cultural porque no hay un sujeto cultural universal, la humanidad, sino solo diferentes modelos de humanidad en lucha. Y no es un mundo multicultural, tal y como se entiende desde el relativismo cultural, porque que existan varias esferas culturales no significa que podamos acuñar un relativismo en virtud del cual cada una de ellas es un valor en sí mismo idéntico a los demás (consecuencia del megarismo cultural, o del mito de la cultura). Para poder afirmar esto tendríamos que posicionarnos en la perspectiva externa (*etic*) de quien observa todas las culturas sin involucrarse en ninguna de ellas. Pero como esta perspectiva no existe[20] y como siempre que pensamos los productos humanos los pensamos dentro de un sistema morfodinámico ya dado del que formamos parte, el etnocentrismo es insalvable, porque a cada identidad cultural hay asociada una cierta etnicidad. Vivimos en un mundo cultural en el cual cada sistema morfodinámico sigue un proceso autónomo de desarrollo siempre condicionado por las relaciones que guarde con otros sistemas limítrofes de los que toma o rechaza algunos rasgos culturales, y con los que entra en relaciones de conflicto o intercambio, así como

---

[20] Tal perspectiva sería, o bien la de un Dios omnipresente, o la de la Humanidad como totalidad unívoca. Ni una ni otra realidad poseen la consistencia ontológica necesaria para tomarlas como fundamento de nuestro análisis.

por las relaciones entre sus partes. Entonces, quizás solo quede la posibilidad de, reconociendo el sesgo etnocentrista, socavar las bases del eurocentrismo, como intentó Spengler en *La decadencia de Occidente*.

En segundo lugar, ¿existe una hegemonía cultural? Dentro de ese mundo plural del que hablamos, al mismo tiempo dialéctico y dialógico, de autonomía y dependencia, podría haber, hipostasiamos, una identidad cultural que ostente la hegemonía mundial e influya de un modo drástico sobre todas las demás. De un modo idéntico a como cada época de la historia de Occidente, del mundo entero, ha estado dirigida por un imperio (imperator). Es fácil pensar en cuál puede ser ese sistema: la cultura estadounidense. Pero concluir sin más que la cultura *yanqui* es hegemónica resulta harto precipitado, por lo que es necesario afinar la mirada.

Ya hemos defendido que no existe una cultura universal. Puede existir, a lo sumo, como proyecto. Y con eso y con todo, no podemos concebirla como una creación *ex nihilo*, sino que hemos de dar por supuesto que se habrá de formar a partir de las culturas particulares (respecto de la universal) ya dadas. Es en este punto donde podemos pensar que hay un sistema cultural que se hace con el mando director de ese proceso de universalización de la cultura. No obstante, la prevalencia hegemónica de una cultura sobre todas las demás no es sino una de las cuatro posibilidades de universalización de la cultura; contamos también con la posibilidad de la integración de los contenidos específicos de cada cultura en una sola, la creación de nuevos contenidos culturales a partir de los ya dados, o incluso de la desaparición de todas las culturas existentes y en la creación de una nueva cultura total. Existe un conflicto dialéctico constante entre culturas en virtud del cual estamos obligados a concluir que las diferentes esferas culturales guardan ente sí relaciones de acercamiento-distanciamiento o mímesis-rechazo[21] y que, a causa de esa mutua interpelación (que no excluye su autorreferencialidad), constituyen una totalidad fragmentada, una *symploké* de acuerdo con la cual no podemos afirmar

---

[21] Un sistema cultural occidental, por ejemplo, fundado sobre las ideas de libertad, igualdad y fraternidad (entre muchas otras, como precipitado conceptual obtenido en una etapa muy concreta de su tradición), no puede aceptar la práctica de la ablación genital femenina, contenido cultural típico de ciertos sistemas culturales africanos, orientales e incluso sudamericanos (es curioso que en cada uno de estos sistemas se distinguen distintos tipos de ablación, igual que los distintos movimientos de cabeza al leer la Torá distingue distintos tipos de tradición judaica).

que exista una hegemonía cultural total. Con esta aclaración admito la posibilidad de "culturas-modelo" que sirven de inspiración para el redireccionamiento de otras culturas por la *humanización* de sus creencias y prácticas. Porque, aunque no admito la realidad empírica de la idea de humanidad, resulta absurdo históricamente hablando negar la vigencia mundial de los derechos humanos. No obstante, y aquí es donde se marca la diferencia, igual que no existe una única declaración de los derechos humanos (lo cual justifica la tesis de la pluralidad de modelos de humanidad), no existe tampoco una única "cultura-modelo", por cuanto los ideales de humanización varían en el tiempo y el espacio (sobre todo en nuestro momento presente, en el que la robótica, la Inteligencia Artificial, las neurociencias y la biotecnología está cerca de transformar por completo nuestra idea de "lo humano").

Tanto en el ámbito mundano como en el académico se ha convertido en un tópico recurrir a la expresión *"mcdonalización* de la cultura" para referir a un proceso de hegemonización de la esfera cultural estadounidense. No puedo admitir esta tesis, por dos motivos. En primer lugar, porque ese proceso de hegemonización solamente una de las múltiples consecuencias de un proceso todavía mayor y más antiguo: el proceso de monetarización de las sociedades modernas. Además, una consecuencia que ha sido aislada y tomada como *causa* sui. No es que el modelo cultural de la sociedad norteamericana llegue a Europa, sino que el modelo de la economía monetaria que nace en Europa alcanza el *sumun* en los Estados Unidos y vuelve, multiplicado exponencialmente, a Europa. Por lo general, las esferas culturales se hallan al margen de estos procesos. Sin olvidar, por supuesto, la influencia de la economía sobre los distintos contenidos de una esfera cultural. No obstante, confundir lo uno con lo otro es lo mismo que confundir la música pop con la economía solo porque la segunda ejerce una influencia decisiva sobre la primera. Si pensamos en los contenidos característicos de la cultura norteamericana (el *jazz*, el *western*, Walt Whitman o Andy Warhol) no podemos admitir que hayan conquistado la hegemonía mundial, sino más bien que se han internacionalizado, lo mismo que se han internacionalizado el flamenco, el fútbol, el *anime* o Julio Cortázar. No hay hegemonía porque, aun habiendo espacios compartidos (música, deporte, cine, poesía, arte), cada uno de ellos reposa sobre sus propios parámetros, sobreviviendo en sus límites sociológicos y con unas estructuras institucionales más o menos vigorosas que protegen su desarrollo. El hecho de que Hollywood ocupe el ranking mundial de ingresos de las industrias cinematográficas de todo el mundo, por ejemplo, no implica la *colonización* ni la destrucción de los *cines* de las demás esferas culturales, que se mantienen vigorosos en cada uno de sus espacios de influencia. Es más, en ocasiones sucede que la dirección de hegemonización se invierte, y que es la cultura norteamericana la que adopta estilos característicos de otras esferas culturales.

En conclusión, la idea de la hegemonía de unas culturas sobre otras es una ilusión que nos impide reconocer el ritmo de desarrollo propio de cada esfera cultural, más o menos autónomo y de alcance más o menos internacional, pero operando según su propia lógica. La verdadera crisis, por tanto, no está en la cultura como sistema morfodinámico, sino en la capacidad de sus creadores, administradores, promotores y consumidores para tomar de ella los fundamentos necesarios para la construcción de una nueva estructura de creencias, que no es distinto de un nuevo gran relato sobre el mundo, el ser humano y la historia. Volviendo a la idea moderna idealista: no en la "cultura objetiva", sino en la "cultura subjetiva". El problema no es que la cultura esté en decadencia, porque esa idea solo refiere al hecho de la hipertrofia de la cultura objetiva, sin tocar siquiera el grado de responsabilidad que tiene en este proceso la cultura subjetiva. El problema es que durante los dos últimos siglos, sobre todo el siglo XX, el mundo entero ha vivido del cuento de la Cultura, en singular y con C mayúscula, y desde Concejalías, Conserjerías y Ministerio (agentes circunscriptores de una cultura como sistema morfodinámico) se ha incentivado la producción masiva de elementos culturales cuyo valor, todo hay que decirlo, y si nos quitamos el sanbenito de que lo cultural es bueno en sí, cuyo valor, digo, es nulo. Y así resulta que tenemos una "cultura objetiva hipertrofiada", no porque se haya autonomizado como un Golem furioso, sino porque los agentes culturales, verdaderos culpables del problema cultural moderno, han fomentado la publicación y producción de auténtica basura cultural. Basura, por otro lado, que los consumidores culturales consumen pasivamente, incapaces ya de reconocer un buen libro aun cuando lo tienen delante de sus narices.

Aunque haya desechado la idea de la "decadencia de la cultura occidental", sería descabellado negar que en los tiempos de la modernidad tardía vivimos una profunda crisis de valores y creencias, que es lo que comúnmente se identifica con la "crisis de la cultura". Y es en este contexto de crisis social, moral y epistemológica donde más fuerza cobra la teoría orteguiana de la Universidad como modelo espiritual para Occidente (*Misión de la Universidad*).

Brevemente:[22] los momentos de crisis histórica consisten en la quiebra de una creencia y el camino hacia la construcción de una nueva ("dialéctica real histórica"). Una creencia es el sistema de ideas que, a modo de *etiquetas*, le dan consistencia a las cosas diciéndonos qué son (para qué sirven). Cuando una idea (nueva o incorporada en el sistema) fractura la legitimidad de la creencia, esta entra en crisis. Conforme esta idea se vaya desarrollando por la acción de ciertos agentes históricos como la burguesía, la casta sacerdotal o los intelectuales, se irá conformando como "creencia viva" que sustituye a la "creencia muerta". Este proceso explica, por ejemplo, cómo la física de Einstein desplazó a la física de Newton, o la Idea de Hombre a la Idea de Dios. Que en la actualidad podamos hablar de la superación de la Idea de Hombre por la Idea del Sobre-Hombre o del Bio-Hombre es algo que solo el avance de las ciencias y de las tecnologías podrá determinar.

Aplicado a nuestro contexto: el desarrollo acontecido en el último siglo ha fracturado la legitimidad de nuestras viejas creencias (a través de la duda). Lo trágico de esta situación, como bien indicó Ortega, es que no hay agentes históricos para el tránsito a la "creencia viva" mediante la sistematización de las nuevas ideas. Lo que está en crisis no es tanto la cultura o las culturas, sino la capacidad de ciertos agentes históricos para la constitución de una "creencia viva". Y esto es responsabilidad exclusiva de la "cultura subjetiva", según la división idealista, que tiene la necesidad de darse nuevas creencias para la vida en el mundo (en *este* mundo).

¿Será la Universidad, como esperaba Ortega, la institución cultural capaz de hacerse cargo de esta misión vital? ¿O tendremos que espe-

---

[22] A quien le interese el asunto, le recomiendo la ponencia impartida en el Congreso Internacional "Ortega y América" celebrado en Buenos Aires en 2016 por José Luis Villacañas, titulada "Ortega, Iberoamérica y la filosofía en Lengua Española". Disponible en Youtube.

rar a que vengan otras instituciones, quizás procedentes del mundo del arte o de la religión, a constituir un nuevo escenario eidético para la práctica mundana?

OBRAS CITADAS

Adorno, Theodor. 2008. *Crítica de la cultura y la sociedad*. Madrid: Akal.
Bueno, Gustavo. 2016. *El mito de la cultura*. Oviedo: Pentalfa.
Cortina Urdampilleta, Álvaro. "El problema de la técnica: el homo faber, la mística y la decadencia. Cultura maquinista en Oswald Spengler y Henri Bergson". En *Revista Pensamiento* (2019) 75-283, 425-434.
Freud, Sigmund. *Psicología de las masas*. En: Freud, S. 1984. *Psicología de las masas, Más allá del principio de placer, El porvenir de una ilusión*. Madrid: Alianza Editorial.
Fromm, Erich. 1993. *Psicoanálisis de la sociedad contemporánea*. México: Fondo de Cultura Económica.
Gil Villegas, Francisco. "El fundamento filosófico de la teoría de la modernidad en Simmel". En: *Estudios Sociológicos* (1997), XV-43.
Giner, Salvador. 2001. *Teoría sociológica clásica*. Barcelona: Ariel.
Heidegger, Martin. 1994. *Serenidad*. Bogotá: Universidad Nacional de Bogotá.
Herder, Johann Gottfried. 1959. *Ideas para una filosofía de la historia de la humanidad*. Buenos Aires: Losada.
Horkheimer, Max. 1973. *Crítica de la razón instrumental*. Buenos Aires: Sur.
Horkheimer, Max y Adorno, Theodor. 1994. *Dialéctica de la Ilustración*. Madrid: Trotta.
Jeffries, Stuart. 2018. *Gran Hotel Abismo. Biografía coral de la Escuela de Frankfurt*. Madrid: Turner Noema.
Lyotard, Jean-François. 1984. *La condición postmoderna*. Madrid: Cátedra.
Le Bon, Gustave. *Psicología de las masas*. Edición digital, Último reducto. http://disenso.info/wp-content/uploads/2013/06/Psicologia-de-las-masas-G.-Le-Bon.pdf (10/06/2016: 15:47).
Llinares, Joan B. "El concepto de 'cultura' en el joven Herder". En: Llinares, Joan B. y Sánchez Durá, Nicolás. (Eds.). 2002. *Ensayos de filosofía de la cultura*. Madrid: Biblioteca Nueva. 219-238.
Marcuse, Herbert. 1969. *El hombre unidimensional*. Barcelona: Seix Barral.
—. 2011. *El carácter afirmativo de la cultura*. Buenos Aires: El cuento de plata.
Ortega y Gasset, José. "Prólogo para franceses". En: Ortega y Gasset, J. 1983. *Obras Completas*. Tomo VI. Madrid: Alianza Editorial. 113-139.
Simmel, Georg. "El concepto y la tragedia de la cultura". En: Mas, S. (comp.) 1988. *Sobre la aventura. Ensayos filosóficos*. Barcelona: Península.
—. 2002. *Cuestiones fundamentales de sociología*. Barcelona: Gedisa Editorial.
—. 2013. *Filosofía del dinero*. Madrid: Capitán Swing.
Tarde, Gabriel. 1986. *La opinión y la multitud*. Madrid: Taurus.
Tylor, Edward Burnett. "La ciencia de la cultura". En: Kahn, J.S. (comp.). 1975. *El concepto de cultura: textos fundamentales*. Barcelona: Anagrama 26-46.

OCCIDENTE Y VALORES. LA DECADENTE ÉTICA DE LA PLUSVALÍA

Mario Gallego Sáez

*En un mundo feo y desdichado el hombre
más rico no puede comprar más que feal-
dad y desdicha*

George Bernard Shaw

*Yo soy yo y mi circunstancia, y si no la
salvo a ella no me salvo yo*

José Ortega y Gasset

PREFACIO: ESTADO DE LA CUESTIÓN E HIPÓTESIS PRINCIPALES

Hoy día la incertidumbre se ha anclado sobre nuestras cabezas, los próximos diez años van a ser los más transformadores de la Historia y el rumbo de las sociedades va a estar marcado por la reciente llegada de la cuarta Revolución Industrial. Si bien la automatización mecánica y la electrificación fueron los mayores artífices de las dos primeras (Revoluciones Industriales), la robotización es a la tercera lo que las telecomunicaciones son a la cuarta, aquella que terminará por desfigurar completamente las estructuras y las jerarquías sociales conocidas hasta el día de hoy. Pero, quizás más importantes que los inventos y descubrimientos científicos que han acompañado a todas las etapas históricas fueron las morales en las que se han sustentado desde el principio de las civilizaciones todos y cada uno de los modelos sociales. En la última etapa, la moral capitalista ha permitido un modelo más justo y consecuente que el feudalismo del que proviene, y ha servido para establecer vínculos económicos entre territorios que, si no llega a ser por el universal interés material —representado por el dinero—, habrían sido impensables en un feudalismo dividido por las tan distantes e irreconciliables doctrinas religiosas dominantes en la Edad Media. Pero el Capitalismo, que empezó a florecer con las reformas de Lutero y Calvino, se ha convertido a ojos de muchos en una espada de

Damocles que se cierne sobre el mundo, y la moral que le acompaña la más lúgubre y decadente que jamás haya creado Occidente. Dicha moral es consecuencia de las ciencias económicas, que junto a los sistemas políticos y judiciales vigentes forman las estructuras de poder que gobiernan el mundo consciente e inconsciente del actual ser humano, basándose en lo que denominaré *la Ética de la Plusvalía*. Así, en el marco de esta cuestión se encuadra este artículo, en el que presupongo que con la llegada de la cuarta Revolución Industrial, es decir, con la proliferación de las tecnologías de la telecomunicación, una nueva moral desplazará la moral capitalista y desligará al ser humano de los abigarrados lazos que lo unen al valor del dinero. Existe, sin embargo, una lucha intrínseca a este hecho, como si de un juego maniqueo se tratase, el futuro incierto puede tornarse digno de la mejor utopía o propio de las peores distopías predichas por los libros y películas de Ciencia Ficción.

Como sobre distopías ya se ha escrito demasiado, en este artículo seré optimista y defenderé la hipótesis buena, a saber: el progreso nos lleva irremediablemente hacia modos de gobierno democráticos más participativos y hacia sociedades cada vez más justas, libres y cooperativas. Tampoco podemos olvidar su evidente antítesis, que podría formularse de la siguiente manera: el progreso nos lleva irremediablemente hacia modos de gobierno más represivos y hacia sociedades cada vez más injustas, discriminatorias e individualistas.

A continuación analizaré cómo y por qué la *Ética de la Plusvalía* será desplazada por una nueva ética, iré ofreciendo argumentos que apoyen mi hipótesis principal, y explicaré por qué tienen más peso que aquellos que parecen inclinar la balanza hacia su antítesis. Será identificada (la *Ética de la Plusvalía*) como la principal causante del cambio climático y el deterioro del entorno, y que ha de ser superada debido a la inestabilidad medioambiental a la que nos vamos a enfrentar, sobre todo si no se hace nada. Analizaré los principios psicosociales que condicionan la formación de las morales de las clases baja, media y alta, al igual que la llegada del anunciado *superhumano* de Friedrich Nietzsche. Profundizaré también en los términos marxistas de *materialismo dialéctico y materialismo histórico* para ahondar en las definiciones de *infraestructura y superestructura;* y explicaré los motivos que han hecho que fracasen los regímenes comunistas, si bien el lector podrá comprobar que no son tan diferentes a los que hacen que fracase el capitalismo en lo que respecta a la libertad humana. Defenderé que la automatización de las superestructuras permitirá que crezcan la igualdad, la cooperación y la libertad, que se desarrollarán en el contexto de una democracia transparente y deliberativa, dando paso a una población sensibilizada con el problema. Y, por último, analizaré los beneficios que aporta una *democracia deliberativa* —como solución al problema— frente a la (democracia) representativa ordinaria.

SOBRE LA DECADENTE *ÉTICA DE LA PLUSVALÍA* (*EP*)

EL SIGLO XIX Y LA CRISIS DE LA MORAL OCCIDENTAL

Ya son más de 130 años desde que Nietzsche murió, quien, junto a Arthur Schopenhauer y Sigmund Freud, expandió el irracionalismo, una rama filosófica sin precedentes. Durante siglos todo filósofo que quisiera ser respetado debía defender, por encima de todas las cosas, la supremacía de la Razón. Las pasiones, emociones y sentimientos fueron desde Platón un caballo desbocado que debía ser domado, representando, además, la parte más sombría y cavernaria de la naturaleza humana. ¿Qué decir del Racionalismo renacentista?, con René Descartes a la cabeza, pese a sus tesis adelantadas a su tiempo sobre las pasiones del alma. También los ilustrados tenían la sensación de haber escalado a la gran montaña del conocimiento mediante la Razón, y discriminaban a las mujeres al describirlas como "seres puramente emocionales" ineptos para el pensamiento abstracto.

No fue hasta el s. XIX cuando empezó a comprenderse el verdadero motor de nuestra conducta gracias a las profundas explicaciones científicas de Charles Darwin, que incluyó a nuestra especie dentro de su taxonomía animal, dando a entender que el ser humano no está separado de su instinto, que no está carente de un lado salvaje y cruel que prevalece por encima de todas las cosas. Y Friedrich Nietzsche, sin olvidar las lecciones evolucionistas, hizo ver que la Razón, en la punta del iceberg, esconde bajo el agua ocultas intenciones para nada nobles y objetivas. La Voluntad de Poder mueve el mundo, el poderoso siente el ansia de someter a sus subyugados y cuanto más fuerte se siente más se acrecienta; no existe el altruismo como tal, siempre esconde un pretencioso reconocimiento personal, y el Imperativo Categórico kantiano queda así relegado a un acto dudoso e interesado puramente estético y aparentador.[1] Lo peor de todo es que no somos conscientes de ello en muchas ocasiones y nos engañamos, en nombre de la Razón reprimimos esos instintos irracionales latentes en el mundo onírico, que pueden causarnos graves enfermedades psicosomáticas —la pérdida total o parcial del *yo genuino* entre ellas (dentro del esquema psicoanalítico el *yo* sufre una escisión, el *yo genuino* estaría fuertemente ligado al *ello,* mientras que el *yo social* quedaría ligado al exterior y a la conciencia moral o *superyó,* y el desacoplamiento entre ambos yoes puede ser causante de graves conflictos psicológicos)— si no sabemos canalizarlos correctamente.

Nuestro pequeño *yo* lucha contra dos monstruos muchas veces irreconciliables, por un lado el exterior y las normas cívicas impuestas por el entorno, tales como las leyes, las normas religiosas y familiares, o los objetivos arquetípicos de la sociedad: construir una familia, tener un buen coche o lucir elegantes ropajes. Y por otro lado el *ello,* aquel lado salvaje y animal que todos tenemos dentro y que quiere comer, beber, practicar sexo, apropiarse del otro, de sus cosas, de su vida, del mundo en su totalidad si le dejan. Cada uno de ellos, *ello,* entorno y conciencia (o *superyó*), golpea nuestro *yo* una y otra vez, como un ángel y un demonio nos piden cosas muchas veces contradictorias. "Come, bebe, descansa que vida no hay más que una" nos dice el "diablo" que tenemos dentro; "trabaja duro para llegar a ser algo en la vida, obedece y no te metas en líos" nos dice el "angelito". El *yo* está en medio y debe atender a ambos, debe garantizar su adaptación a una realidad y a una sociedad donde existen unos valores dados que no dependen de él, y a su vez, debe satisfacer las necesidades que el *ello* le pide y que son biológicas. El *yo* tiene un recurso de respuesta, puede reprimir los impulsos que le llegan de ambos lados y satisfacerlos más tarde. Para entenderlo mejor pondré un ejemplo: cuando tenemos hambre nuestro estómago vacío envía una pulsión al cerebro pidiendo comida, si el *yo* no fuera capaz de canalizarlo le quitaríamos los alimentos a cualquiera que viéramos comiendo, lo cual es inmoral. El *yo* reprime esa pulsión porque sabe que al llegar a casa tendrá comida y entonces podrá saciar su apetito, y evita así un posible enfrentamiento o el consecuente castigo.[2]

[1] véanse las objeciones que Hegel realiza a la ética kantiana en el libro *Aclaraciones a la ética del discurso,* página 13.

[2] para más información véase Freud, página 173 en adelante.

Hoy día el sistema ofrece diversos hechos contradictorios —"doblepiensas"[3]— que atacan al *yo*: poseemos la obligación y el derecho a trabajar, de tal manera que el ciudadano entiende que el desempleado no cumple con su obligación cuando resulta que no le ha sido otorgado su derecho; en este contexto el desempleado es considerado por los demás, y por él mismo, como un ser incapaz, y se ve forzado a adecuar su comportamiento hacia la inserción social.[4] O, En sociedades donde un abultado grupo de personas consumen drogas libremente, resulta que son ilegales, y, consecuentemente, los consumidores cometen sistemáticamente un delito por su posesión, es decir, son considerados —incluso por ellos mismos— malvados potenciales, y, además, pecadores. Por lo que asumirán su vergüenza y no reconocerán en público su consumo por miedo al "qué dirán".

El *superyó* colectivo (del que nace la cultura) queda determinado por el conjunto de normas y leyes vigentes, y cuando son contradictorias pueden dar paso a una excesiva represión sobre el *yo*, y éste, a su vez, invadirá el *ello*, lo cual puede causar graves trastornos o la total aniquilación del *yo genuino* en el peor de los casos, lo cual puede ser causa de graves depresiones. Cuando existe una autoridad a la que tememos enfrentarnos, el *ello*, que es aquello que tomamos como propio y genuino (el hogar y la familia entre ellos), puede sufrir cargas inconscientes que lo alteran y que serán reprimidas y posteriormente descargadas sobre un tercero. Una carga por acercamiento masoquista a la autoridad implica una respuesta represiva de igual magnitud ante el *ello,* que exigirá su posterior liberación, estableciendo así una dependencia sadomasoquista. Sirvan como ejemplos el hombre que tras recibir una carga autoritaria en el trabajo necesita descargar su frustración sobre su familia, o el adolescente que obedece al líder de su grupo de amigos para no ser rechazado pero vive una pelea continua contra sus padres. Existen diversas formas de canalización, pero el exterior siempre impera y casi siempre son el *yo genuino* o terceras personas las que pierden.

Para profundizar un poco más en el efecto de lo social sobre el individuo cabe recordar las palabras introductorias al libro de uno de los autores más importantes que acompañaron la entrada del siglo XX,

---

[3] véase Orwell p. 227-228, donde define "doblepensar" como la acción de defender simultáneamente dos ideas contradictorias.

[4] véase Horkheimer y Adorno, página 189.

y que ayudó con su pluma a la comprensión del auge del fascismo en Europa:

> Ciertos principios, como el del determinismo psíquico, la existencia de una actividad inconsciente, el significado y la importancia de los sueños y las "asociaciones libres", el significado de la neurosis como conflicto dinámico de fuerzas que se da en el individuo, y la existencia de ciertos mecanismos —*represión, proyección, compensación, sublimación, reacción, transferencia y racionalización*— constituyen puntos firmes que los "neopsicoanalistas", cualesquiera que sean sus divergencias sobre otras cuestiones, aceptan como aportes definitivos de la teoría psicoanalítica originaria. En cambio, estos autores rechazan la orientación general de las ciencias sociales de primeros de siglo, que fue superada luego en favor de una posición que veía en la sociedad y la cultura fuerzas no menos poderosas para moldear al hombre que los factores biológicos. (Germani 10-1)

La cultura y la sociedad establecen métodos de control al hacer pensar al sujeto que su *ello* es genuinamente malvado, es decir, que su *yo* vital (genuino) es indigno, incompetente o inadecuado y que debe ser transformado. De esta manera, en condiciones de estrés adecuadas, el *yo genuino* es substraído y sustituido por el *yo* deseado por la sociedad —o por un tercero—. Dichos *yoes* implantados por el exterior tienen como objeto formar una sociedad bien estructurada y funcionalmente orientada a las relaciones económicas y a la división del trabajo, sin embargo, cuando (esos *yoes*) no encajan en la sociedad se producen desacoplamientos que pueden producir inestabilidad y conflicto, tal y como ocurre hoy día con la *moral ecológica*.

Durante siglos ha sido la religión una de las mejores aliadas para la implantación de personalidades, desde que San Agustín de Hipona, el mayor exponente de la Patrística, asentara las bases definitivas de la Iglesia medieval tras su creación por Paulo de Tarso, y defendiera la existencia del pecado original (San Agustín 356-7). El pecado original hace referencia a esa maldad intrínseca al ser humano, ya desde que nacemos vivimos en el pecado y debemos hacer el continuo esfuerzo por salvar el alma siguiendo a rajatabla costumbres y rituales católicos, asumiendo los mandamientos y obligaciones que dicta la deidad. Los religiosos pusieron el problema que sublimaba el *yo* (el pecado original) y le dieron solución (implantar un *yo* creyente). Durante casi 1900 años ha sido un instrumento de control útil. Ya Berkeley afirmaba que era "más efectivo hacer que un esclavo creyera en Dios que cien latigazos". El miedo a lo que viniera después de la muerte garantizaba mano de obra barata y ciudadanos que asumirían cualquier sufrimiento en vida con tal de obtener un veredicto positivo en el Juicio Final. Pero el paso definitivo al capitalismo se dio con las reformas de Lutero y Calvino, que empezaron a moldear la personalidad capitalista de las clases baja y media —basada en el trabajo duro y la santificación del éxito monetario—, y traerían años de conquistas a manos de los protestantes sobre este modelo socioeconómico (cf. Fromm 57-112 y cf. Weber 95).

Pero la ciencia fue desplazando las dudosas explicaciones del mundo que la religión ofrecía y llegó el día en que Dios murió. Es bien conocida la contundente crítica del irracionalismo a la religión a manos de Nietzsche, que en el libro *Ecce Homo* afirmaba que el concepto de "Dios" fue inventado contra la vida, que en él se concentra todo lo nocivo y tóxico contra ella, que el concepto de "más allá" como parte del "mundo verdadero" nos impide vivir con una meta realizable en este mundo, y que el concepto de "alma inmortal" no hace otra cosa que despreciar el cuerpo, hacerlo enfermar. La religión es la moral del cobarde, del que teme esta vida, la única vida, y se resignará ante la injusticia y la humillación, asumirá cualquier desprecio con tal de merecerse los dones y benevolencias de un ser que no ha visto jamás: Dios, un invento hecho para despreciarnos a nosotros mismos. Asimismo, en relación directa con estas afirmaciones, tal y como hemos analizado anteriormente, Sigmund Freud encontró en muchos pacientes graves trastornos psicológicos a causa de represiones provocadas por las ideas religiosas, personas que no podían dar rienda suelta a los impulsos del *ello* por ser tabús (en especial los sexuales), abandonando por completo su parte animal, dejando de lado la salud de su cuerpo.

La "muerte de Dios" dejaría a la cultura occidental sin moral, los valores clásicos construidos sobre los cimientos de la religión sucumbirían y nuestra moral quedaría vacía y sin fundamento, abocados al nihilismo caminaríamos hacia un oscuro presagio al arrebatar la esperanza a las clases baja y media, quienes —impulsados por la ruina económica— quedarían a merced de cualquier posible suplantación de personalidad. Sí, Nietzsche trajo a la luz un concepto controvertido y peligroso que dentro de un entramado filosófico lleno de metáforas y alegorías traería la deshumanización de Occidente, y ya vaticinaba, sin sospecharlo, un trágico resultado: la Segunda Guerra Mundial. Tomando las palabras de Darwin, Nietzsche afirmaba la llegada de un nuevo ser, un ser que dejaría atrás los defectos del anterior, conseguiría construir en este mundo la moral que la religión había edificado en el "más allá", y traería luz y esperanza a un mundo oscurecido por el nihilismo, por la ausencia de valores. El *superhumano*, que fue traducido como *superhombre* en español (traducción desacertada heredera de su época), sería ese nuevo ser adelantado, al igual que el homo sapiens lo fue con respecto a sus antecesores. Pero quedaba una pregunta en el aire, ¿quién debía ser ese *superhumano*?

El propio Adolf Hitler utilizó dicho concepto para proclamar que debía ser la raza aria y que debía implantar su moral superior por las buenas o por las malas atendiendo a la llamada de la Naturaleza y justificándose por y para ella. El estado fascista alemán debía imponerse en el mundo, y construyeron una estructura sadomasoquista de poder mediante la aniquilación general de los *yoes genuinos*, produciendo individuos que a la vez que admiraban el poder sentían la necesidad de desatar el suyo sobre un tercero. Los alemanes dieron su libertad al Estado y Hitler supo canalizar su odio y proyectarlo hacia sus enemigos comunes: los ganadores de la Primera Guerra Mundial y el tratado de Versalles. La lucha por la libertad humana dio un giro inesperado entre Guerras Mundiales, tal y como supo plasmar el propio Erich Fromm:

> Hemos debido reconocer que millones de personas, en Alemania, estaban tan ansiosas de entregar su libertad como sus padres lo estuvieron de combatir por ella; que en lugar de desear la libertad buscaban caminos para rehuirla; que otros millones de individuos permanecían indiferentes y no creían que valiera la pena luchar o morir en su defensa. También reconocemos que la crisis de la democracia no es un problema peculiar de Italia o Alemania, sino que se plantea en todo estado moderno. Bien poco interesan los símbolos bajo los cuales se cobijan los enemigos de la libertad humana: ella no está menos amenazada si se ataca en nombre del antifascismo o en el del fascismo más descarado. (Fromm 26)

El problema es más profundo y difícil de entender de lo que parece, ¿qué circunstancias llevan al ser humano a rehuir de su libertad?,

¿a entregar su *yo genuino?*, y, lo que es más importante (cf. Fromm 202-245), no queda superado en las denominadas democracias modernas, seguimos teniendo el mismo problema. Las democracias modernas son ordenadas para deshumanizar a la población, para que sus ciudadanos entreguen su libertad y que sea ella el peor don del que el ser humano pueda gozar. La libertad quema, y quien quiera disfrutar de ella duda sobre sus actos, sobre sus anhelos, y es colocada en el lado opuesto a la comodidad y a la seguridad. Las sociedades actuales extienden la insignificancia del individuo y la autorrealización mediante el trabajo duro como vías a la felicidad en la cultura, tal y como en su día lo hicieron las reformas de Lutero y Calvino, moldeando así las personalidades de las clases débiles, que confundirán la felicidad con delegar su libertad y su esfuerzo al explotador. Las democracias actuales alimentan en ellos (en los ciudadanos) mediante la vía de la cultura y con la afirmación constitucional de igualdad de oportunidades la creencia de que pueden ascender en la escala social, que encadenados y esforzados llegarán a amasar algún día una fortuna que guardarán con recelo, convirtiéndolos en esclavos del dinero. Así es configurada la moral de las clases baja y media, pero, ¿cómo se forma la moral de la clase alta?

En las democracias actuales, las clases dirigentes (políticos y burgueses) sucumben también a su propia trampa, también delegan su libertad al dinero, y son esforzados en mantenerlo en sus manos; pero, con una pequeña diferencia: llegado un límite no pueden subir más peldaños en la escala social. Y en un brote de soberbia e impotencia ante la muerte, en una incomprensible ansia de venganza, juegan a sustituirla, a ser ella, y disfrazados de Pelona o Calaca originan guerras, hambre y miseria, y observan impertérritos y con pasiva incredulidad el declive de la biodiversidad y la posible extinción de la especie a la que no les gusta pertenecer, todo por mantenerse en la cumbre. Dejan en manos de la ciencia soluciones mágicas para los problemas que han generado, mas sólo les interesa (la ciencia) porque saben que en cada adelanto tecnológico hay una oportunidad de negocio y un seguro para el crecimiento que tanto defienden, para la posible transformación del tejido productivo, como se da el caso en nuestros días con la biotecnología y la Inteligencia Artificial, perpetuando así su posición de supremacía mediante métodos maquiavélicos. Están siendo observadores activos de su propia decadencia al entregarse a los más inmorales y extraños caprichos de poder, y en el intento de conformar la personalidad de los débiles a su antojo, determinan las suyas a capricho del diabólico dinero.

Todo esto parece indicar que no existe salida para las clases pobre y trabajadora, que sus personalidades son determinadas por el sistema para someterse a él, al igual que les ocurre a las clases altas, y que el valor del dinero se impone y seguirá imponiéndose hasta formar una sociedad cada vez más represiva, controladora y distópica. Que el trabajo de muchos alimentará siempre los privilegios de unos pocos, y que las nuevas tecnologías traerán todavía mayores diferencias sociales y más penuria a los ya discriminados, o dicho de otro modo, que la deshumanización de la sociedad jamás encontrará fin.

Capitalismo, Neoliberalismo y la *Ética de la Plusvalía*

El evolucionismo fue sin duda uno de los grandes paradigmas de la ciencia al hacer "enfermar" las grandes teorías ontológicas de la Iglesia, un virus letal que propició el desprestigio de unas ideas religiosas incapaces de dar explicaciones loables y respetables sobre nuestra procedencia, y motivó a Nietzsche a defender su más transgresiva afirmación: "Dios ha muerto". El vacío moral intentó llenarse mediante varios intentos fallidos por parte de aquellos que se autoproclamaban *superhumanos* (nazis y fascistas), trayendo la deshumanización de Occidente y el mayor desastre bélico de la historia. Sin embargo, para entender mejor lo que supusieron ser las Primera y Segunda Guerras Mundiales es inevitable hablar de dos de los más influyentes pensadores sobre la era posmoderna: Karl Marx y Friedrich Engels. Sin los cuales sería imposible realizar un análisis claro y objetivo de la gran mayoría de sucesos ocurridos durante el pasado siglo, el más dinámico y transformador de la Historia.

En el siglo de las luces, la Ilustración, movimiento antiabsolutista basado en la supremacía de la Razón, dio un batacazo a la aristocracia en favor de la burguesía y promovió un sistema económico basado en las premisas capitalistas. Según Adam Smith, este sistema, que funciona bajo la ley de la oferta y la demanda ("la mano invisible"), aunque está basado en la ambición, no es egoísta porque en la negociación cada una de las partes empatiza con la otra y comprende que un trato justo beneficia a ambos, originándose una sociedad equitativa basada en el respeto mutuo y la división del trabajo. Pero, en aquellas épocas no existían tantos monopolios y tan poderosos como en los tiempos venideros, en los que iría formándose un imperialismo económico absolutista capitalista, o, dicho de otro modo, se formaría y expandiría la gran "mano invisible".

Poco a poco la industria fue automatizándose, tras la invención de la máquina de vapor la fuerza de trabajo aumentó considerablemente, era posible producir grandes lotes de productos en períodos de tiempo más reducidos y distribuirlos más lejos, más rápido y en mejores condiciones gracias al tren y al barco motorizado. En este contexto los empresarios empezaron a invertir grandes cantidades de dinero en automatización, esa inversión traía consigo un mayor dividendo y las negociaciones honestas empezaron a desaparecer. Esta premisa, la obtención de un margen de beneficio más amplio, trajo consigo la explotación despiadada de los asalariados quienes trabajarían durante largas jornadas laborales de lunes a domingo por un salario miserable con el que apenas conseguían alimentarse, mientras el dueño de la maquinaria se hacía cada vez más rico y poderoso. El trabajador no era dueño de su trabajo, estaba deshumanizándose, era tratado como una herramienta, un objeto, y sentía en sus carnes el gran problema de la *alienación* y la *fetichización de la mercancía*.

En ese contexto histórico crecieron Marx y Engels, quienes denunciaron y pelearon en contra de aquella lamentable situación e iniciaron un movimiento liberador que tras sus muertes permanecería como una ideología de gran calado, el Comunismo, convirtiéndose en enemiga incondicional de organizaciones sociales jerárquicas como el Liberalismo, el Nacionalsocialismo o el propio Capitalismo. Fue decisiva su presencia en la Primera y Segunda Guerras Mundiales, en la Guerra Fría y, hoy por hoy, sigue manteniendo un pulso contra el Capitalismo a manos de países como China, Corea del Norte, Cuba o Vietnam. Sin duda, es la gran perdedora del s.XX, aunque sigue siendo la utopía más laureada por muchos idealistas. Ni siquiera el propio Marx supo predecir el impacto que su ideología tendría en el mundo, y muchos autores afirman que si volviera a nacer sería activamente anticomunista, ¿por qué? A continuación intentaré explicar el motivo de que el Comunismo haya obtenido en todos sus gobiernos el resultado contrario al esperado por este malhumorado y carismático autor. Pero para ello hemos de profundizar en la teoría social que en colaboración con Engels materializó, dando explicaciones científicas al desarrollo histórico.

Todo empezó con un idealista, Georg Wilhelm Hegel, quien dio a la luz su famosa *Lógica Dialéctica*. En su pensamiento filosófico la evolución de la historia se basa en este principio dialéctico, las ideas avanzan por una lucha de contrarios. En primer lugar alguien presenta una tesis, que denominaremos A+, pongamos a Parménides de Elea como ejemplo, quien afirmaba que el Universo es estático. Asimismo, cuando este sujeto creía haber convencido a todos con su tesis, llegó su adversario Heráclito con su antítesis A-: el Universo está en constante movimiento. En un principio ambas ideas parecen ser contrarias y hemos de posicionarnos a uno u otro lado si no queremos entrar en contradicción, sin embargo, en esta lucha de ideas aparentemente irreconciliables, un tercer pensador, Platón, unificó en una sola teoría estas dos afirmaciones tan antagónicas proporcionando una síntesis: es muy conocido su dualismo ontológico en el que mundo inteligible y mundo sensible conviven en una misma realidad, siendo estático el primero y dinámico el segundo. El movimiento histórico queda justificado así por esta premisa, alguien lanza una tesis, otro su antítesis, y surge la idea unificadora que es la síntesis. Esta última encontrará una nueva antítesis y será necesaria otra nueva unificación. Así, continuando el ejemplo anterior, Aristóteles negaría el dualismo platónico afirmando que existe una única realidad (antítesis), y más tarde estas dos nuevas ideas, que contienen conceptualmente las primigenias, volverían a ser sintetizadas por los escolásticos (aunque Hegel no utilizaba los términos tesis, antítesis y síntesis, fueron acuñados por Ludwig Büchner para explicar la dialéctica hegeliana y aprovechados por Engels para la dialéctica materialista marxista).[5]

Hegel, quien creía en un espíritu absoluto e inmaterial que decide el devenir de las ideas —ayudando al ser humano en cada paso histórico—, como no podía ser menos, pronto encontró su contrario: Ludwig Feuerbach. Para Feuerbach no son las ideas el motor de la historia sino la materia. Este nuevo giro iba acorde con el evolucionismo y su idea latente de que las especies luchan por sobrevivir, y para ello necesitan alimento, al igual que el ser humano, quien luchará por la supervivencia sin importar las ideas que le impulsen a ello. El hombre, para este autor, no será el hombre racional cartesiano, sino un ser que es consciente de su finitud y se asombra ante la idea de infinitud,

---

[5] Engels, *Del socialismo utópico al socialismo científico*, páginas 8-9.

que tiene cuerpo, que vive, que camina en el intento de adaptarse a la naturaleza (Feuerbach, *la esencia de la religión*). Pero el sistema de Feuerbach era todavía demasiado estático, él imaginaba una naturaleza inmóvil donde el ser humano se mueve buscando comida sin apenas influir en ella, no incluyó en su teoría el impacto de la actividad humana sobre su entorno. Engels mantuvo su tesis materialista con el fin de incluirla en el marxismo y la dotó de movimiento, adaptó la lógica hegeliana incluyendo los efectos antropológicos sobre dioses y naturaleza;[6] la conclusión esencial es que el homo sapiens no sólo es capaz de adaptarse, también tiene la poderosa capacidad de cambiar el entorno a su favor, de transformar la naturaleza mediante la técnica.

Para Marx y Engels el ser humano se ve inmerso en una lucha despiadada consigo mismo, es un ser que se renueva para superarse y en cada paso histórico encuentra el modo de impactar con más fuerza y contundencia sobre el mundo que le ha creado. Así, en esta lucha encarnizada contra su propia identidad mutante, surgen los contrarios, que son tesis y antítesis, y se detestan, se odian y se matan por prevalecer, provocando el cambio del orden social. Lo denominaron *Materialismo Dialéctico* y esa lucha encarnizada no es otra cosa que la lucha de clases.

Para explicarlo mejor recurriré a sus propias palabras, un fragmento del *Manifiesto Comunista* (24) al que tantas veces se han enfrentado los estudiantes de bachillerato en la prueba de selectividad:

Toda la historia de la sociedad humana, hasta el día de hoy, es una historia de lucha de clases. Libres y esclavos, patricios y plebeyos, barones y siervos de la gleba, maestros y oficiales; en una palabra, opresores y oprimidos, frente a frente siempre, empeñados en una lucha que conduce en cada etapa a la transformación revolucionaria de todo el régimen social, o al exterminio de ambas clases beligerantes.

En su época, pobres y ricos, inmersos en una lucha revolucionaria, eran tesis y antítesis, pero eran a su vez el resultado de siglos de transformación. Esa transformación, al contrario de lo que suponía Hegel, no tenía nada que ver tanto con las ideas como con la materia —explicable en términos económicos—, es decir, con el modo que el ser

---

[6] véase Feuerbach, *la esencia del cristianismo*.

humano tiene para explotar la tierra y obtener de ella los elementos indispensables para su vida y existencia, son los *modos de producción.* Las sociedades están divididas, en las civilizaciones, siempre rotas, se distinguen los que explotan la tierra para sustraerle el alimento de aquellos que afirman ser sus dueños y se dedican a organizar la sociedad, a impartir justicia y a repartir las riquezas. El *Materialismo Histórico* distingue entre *infraestructura* y *superestructura*: la *infraestructura* engloba las fuerzas productivas y las relaciones de producción, es decir, los usos y técnicas con los que se lleva a cabo el trabajo y el modo en que se realizan los intercambios de mercancías, mientras que la *superestructura* es el modo en que se organizan las ideas, ideologías, leyes y sistemas políticos vigentes en cada momento histórico, los recursos mediante los cuales el opresor consigue su hegemonía, o en otras palabras, las herramientas que le permiten imponerse como clase. Marx y Engels no negaban la existencia de las ideas, de las ideologías y de los sistemas políticos, pero en su opinión, no determinan los modos de producción, al contrario, son los modos de producción los que condicionan y justifican las ideas, ideologías y creencias que en cada momento histórico utiliza la clase dominante para imponerse. En conclusión: los *modos de producción* evolucionan con la técnica y la ciencia, determinan la *infraestructura* de cada momento histórico y ésta última condiciona la *superestructura.*

En relación con estas afirmaciones, Karl Marx y Friedrich Engels declararon lo siguiente:

> La historia de las ideas es una prueba palmaria de cómo cambia y se transforma la producción espiritual con la material. Las ideas imperantes en cada época han sido siempre las ideas propias de la clase dominante. (...) Las ideas de la clase dominante son, en todas las épocas, las ideas dominantes, es decir, que la clase que forma el poder *material* dominante en la sociedad, forma también su poder dominante *espiritual...* (*Manifiesto Comunista* 43)

El marco conceptual desarrollado por Marx y Engels para comprender la historia humana fue denominado *Materialismo Histórico* por el marxista ruso Gueorgui Plejánov, y aunque (el *Materialismo Histórico*) está fuertemente ligado al marxismo, muchos autores (no marxistas) lo han utilizado como enfoque materialista de la historia. En su análisis se distinguen cinco pasos paradigmáticos (Comunismo primitivo, Esclavismo, Feudalismo, Capitalismo y Socialismo) que son condicionados —no determinados— por los principios económicos de la época. Dicho en las palabras del propio Engels:

> La concepción materialista de la historia parte de la tesis de que la producción, y tras ella el intercambio de los productos, es la base de todo orden social; de que todas las sociedades que desfilan por la historia, la distribución de los productos, y junto a ella la división social de los hombres en clases o estamentos, es determinada por lo que la sociedad produce y por el modo de cambiar sus productos. Según eso, las últimas causas de todos los cambios sociales y de todas las revoluciones políticas no deben buscarse en las cabezas de los hombres ni que de ellos se forjen la verdad eterna ni de eterna justicia, sino en las transformaciones operadas en el modo de producción y de cambio; han de buscarse en la economía y no en la filosofía de la época que se trata. Cuando nace en los hombres la conciencia de que las instituciones sociales vigentes son irracionales e injustas, de que la razón se ha tornado sinrazón y la bendición en plaga, esto no es más que un indicio de que en los métodos de producción y en las formas de cambio se han producido calladamente transformaciones con las que ya no concuerda el orden social cortado por el patrón de las condiciones económicas anteriores. Con ello queda que en las nuevas relaciones de producción han de contenerse ya —más o menos desarrollados— los medios necesarios para poner término a los males descubiertos. Y esos medios no han de sacarse de la cabeza de nadie, sino que es la cabeza la que tiene que descubrirlos en los hechos materiales de la producción, tal y como los ofrece la realidad. (Engels [*Del socialismo utópico*] 66)

Estos hechos son claros en la etapa del capitalismo fuerte, que llegó con la automatización de las máquinas de tejer, la imprenta de Gutenberg, la explotación minera del carbón y la mejora de las redes de comunicación en lo que se conoce como la primera Revolución Industrial (segunda mitad del s. XVIII), el movimiento ilustrado transformó la soberanía aristocrática en burguesa haciendo desaparecer el feudalismo por completo; la nueva clase gobernante ya no tenía sangre azul, tenía relucientes monedas en el bolsillo, tal y como vienen a defender Marx y Engels:

La burguesía ha desempeñado, en el transcurso de la Historia, un papel verdaderamente revolucionario. Dondequiera que se instauró, echó por tierra todas las instituciones feudales, patriarcales e idílicas. Desgarró implacablemente los abigarrados lazos feudales que unían al hombre con sus superiores naturales y no dejó en pie más vínculo que el del interés escueto, el del dinero contante y sonante, que no tiene entrañas. (*Manifiesto Comunista* 26)

En esta época se inventó la máquina de vapor y Occidente se industrializó rápidamente, las nuevas máquinas eran cada vez más productivas, apareció el contrato laboral como herramienta para establecer nuevas relaciones laborales, y desapareció —casi por completo— el trueque como intercambio de mercancías; fue apareciendo la figura del empresario, cosa que desembocó en un ulterior período caracterizado por la explotación laboral, y la invención del motor de explosión y la electrificación en su última fase: la Segunda Revolución Industrial (s. XIX, revolución que Marx no vio al morir en el 1883). La infraestructura evolucionó poco a poco gracias a la ciencia y la técnica (acabando con el feudalismo), y los gobiernos sufrieron cambios derivados de ella hasta que los nuevos dueños de los modos de producción, los ricos, se impusieron como clase. El modelo capitalista era evidentemente injusto y no estaba exento de fallos estructurales graves según Marx, lo cual motivaría la llegada del Socialismo.

Marx predijo una crisis capitalista que traería el colapso del sistema, según él, la búsqueda de la plusvalía por parte de la patronal provocaría la sobreexplotación de los recursos naturales, y el ánimo por mejorar el margen de beneficio haría proliferar la bajada generalizada de los sueldos para hacer frente al constante encarecimiento de los costes por la automatización de los sistemas productivos, así, la pérdida del poder adquisitivo terminaría por paralizar el mercado. Los productos fabricados no podrían venderse ya que el dinero quedaría en manos de una minoría, y así, un proletariado cada vez más pobre y excluido adquiriría conciencia de su situación de indefensión, protagonizando una revolución que instauraría su propia dictadura sobre el Estado. Dicha revolución rompería las jerarquías y se crearía una sociedad donde todos seríamos iguales: el Comunismo. Sus fundamentos prácticos serían la abolición de la propiedad privada, el fin de las alienaciones religiosa, ideológica y económica; y una democracia asamblearia gestionada por los propios trabajadores, quienes lograrían ser dueños de su fuerza de trabajo. Asimismo, para Marx lo realmente importante de la lucha es la praxis, no vale de nada una teoría perfecta sobre el papel si no se puede llevar a la realidad, si no logra transformar el mundo.

En el siglo XIX se dio una revolución sin precedentes en París, tras ser tomada por los prusianos surgió la primera comuna, la denominada Comuna de París. Gobernó 60 días durante el año 1871 en la capital francesa y se basaba en algunos decretos revolucionarios que amenazaban con violencia los pilares capitalistas: promovía la gestión asamblearia de las fábricas abandonadas, la laicidad del Estado, la abolición de la usura y algunas reformas añadidas que pretendían paliar la pobreza y miseria de la clase trabajadora francesa tras la guerra franco-prusiana. Pero en poco tiempo dicho movimiento fue disuelto de manera contundente por el gobierno provisional bajo la presión de Guillermo I, quien amenazó al ejército francés con un aplastamiento bélico si no reaccionaba ante este hecho discordante. Para Marx fue la primera vez que un Estado se sometía a la dictadura del pueblo, sin embargo Mijaíl Bakunin declaró que al no haber conseguido organizarse y arrebatar el Estado al gobierno provisional se trataba de un movimiento anarquista. Lo cierto es que una vez más el fuerte se imponía al débil, el poderoso usaba su fuerza para ganar la batalla y el adinerado se elevaba en un privilegiado cielo particular en la Tierra. Tras este hecho la lucha de clases proseguía, y tras la muerte de Marx la ideología comunista otorgaba una nueva moral —nuevas personalidades— a un proletariado fuertemente alienado, mientras que el capitalismo era bueno para el rico, que defendía una patronal que ha manejado (y maneja todavía hoy) el mundo de manera absolutista.

El Capitalismo tuvo que reformarse y siguió algunos de los pasos que el mismo Marx había predicho, a saber: se creó la sociedad del bienestar. El Capitalismo no podía establecer una brecha social tan sesgada como la del s. XIX sin perecer, y surgieron de su propia lógica nuevas clases sociales. El gran pionero de esta nueva tendencia fue Henry Ford, quien tras idear y aplicar el trabajo en cadena para la fabricación de coches y abaratar la producción, bajó la jornada de sus trabajadores a las 40 horas semanales y estableció un sueldo mínimo cuando todos los empresarios que le rodeaban habían marcado un máximo para que no se produjera el ahorro por parte de los trabajadores y el dinero se mantuviera en movimiento. La filosofía de Ford dio resultado, pagaba más del máximo preestablecido porque, según él, sus trabajadores se comprarían un coche, lo cual revertiría en más beneficios. Pronto los demás empresarios se apuntaron al carro, empezaron a pagar más y, en contra de sus temores, vieron con asombro que los trabajadores, en vez de ahorrar, se gastaban el dinero en sus productos, obteniendo (los empresarios) un beneficio mayor. Además, aquellos trabajadores inmersos en la sociedad consumista repudiarían a los pobres, y al compararse con ellos se sentirían privilegiados, convirtiéndose en sumisos ciudadanos.

El s. XX, pese a los adelantos tecnológicos basados en el petróleo (el avión, el automóvil, el tanque...), o quizás por ellos, comenzó con una guerra trágica que debilitaría los excesos absolutistas de las etapas anteriores: la Primera Guerra Mundial diluyó grandes Imperios como el austrohúngaro o el alemán, y la Revolución de febrero el ruso, que derivó en un Estado comunista que mantuvo en jaque al Capitalismo durante décadas y cuya creación encontró aliados próximos como China o una nueva y revolucionaria Cuba. El leninismo se impuso en Rusia y algunas repúblicas colindantes se anexionaron, era una ideología fundamentada en el marxismo que ofrecía una alternativa distinta, en ella el sentido de la propiedad y las clases sociales se diluían. Al principio todo fue bien, fue liberador para un pueblo acostumbrado a sufrir los excesos y represiones de los zares, pero poco a poco, en parte por el rechazo y boicot de Occidente (latente ya en la Primera y Segunda Guerras Mundiales) y en parte por una infraestructura incapaz de soportar el sistema, el Comunismo pasó a ser una ideología tan alienadora como el propio Capitalismo, y no pudo llevar a la praxis algunos de sus principios más fundamentales: la abolición de la propiedad privada y la desaparición de la *alienación*. El Gobierno se declaraba dueño de los modos de producción en el nombre del nuevo régimen, y, en un abusivo uso de las fuerzas del aparato del Estado no dejaba al ciudadano decidir sobre su fuerza de trabajo, abriéndose una brecha insoslayable entre ambos. El Comunismo se ha encontrado con muchos problemas irresolubles para su praxis, no ha dejado de ser otra ideología más y no ha tenido ningún efecto positivo sobre la infraestructura de ningún país que lo haya implantado. Por esta razón me reafirmo en la hipótesis de que el propio Marx lo repudiaría si estuviera vivo, ya que lo tacharía de *alienador ideológico*.

El fracaso del Comunismo dio la razón a un Capitalismo que se ha ido radicalizando todavía más, iniciándose a partir de él el Neoliberalismo y, con él, nuevas relaciones de producción. El poder de las entidades financieras creció con fuerza y dio paso a una fuerte especulación inversionista, se desligó el dinero del patrón oro y en aras de la modernización se inventaron productos que son fuente de grandes ganancias y que se negocian en la bolsa de valores. Un estadounidense puede ayudar con su dinero a automatizar una empresa ubicada en el otro lado del océano sin ni siquiera conocerla, y sin moverse de casa ésta le devolverá ese dinero con una ganancia adicional. Se puede comerciar con los productos que ofrecen las entidades financieras (préstamos, hipotecas, fondos de inversión...), y con ello, la usura ha ido un paso más allá: les es permitido utilizar nuestro propio dinero al no estar obligados a mantener un 100 % de coeficiente de caja; y en consecuencia, ahora, no sólo son los trabajadores y los gobiernos productos mercantiles, también lo son sus deudas.

Además de lo dicho, existe un aprovechamiento especulativo de las fluctuaciones comerciales: la oferta de acciones cebo en procesos inflacionarios, que perderán su valor en cuanto el accionista principal —el que hace correr la noticia— venda todas las acciones que ya poseía antes del engaño. O la espera al cambio alcista de divisas para vender una mercancía en el extranjero (Keynes 19-20 y 76-7). La hegemonía del espíritu capitalista ha quedado latente y una *infraestructura* basada en el petróleo y la electrificación ha hecho proliferar gobiernos democráticos cuyo principal objetivo es la defensa del sistema bursátil globalizado —con unos agentes sociales definidos: inversionistas, empresarios y asalariados—. Asimismo, su mayor riesgo es que cabe en ella una dictadura encubierta en cuanto que puede existir un individuo que sea dueño de algún monopolio empresarial, que sea a su vez un gran inversionista y, además, sea accionista de los grandes bancos centrales. Y, asociándose con otros como él, puedan dar paso a absolutismos económicos muy peligrosos, tal y como, me temo, ocurre en nuestros días.

La clase dominante está ya pensando en "tecnopolíticas", sistemas de control mediante Inteligencia Artificial (y tal vez también mediante biotecnología), están claras las bases científicas, ya que comprendieron bien los principios psicosociales que los exitosos pensadores de la edad contemporánea establecieron para la sociología moderna (originadas por Sigmund Freud) que pese a las críticas recibidas aportó al mundo una base consistente en relación a la psicología de masas. Ya se dieron cuenta hace tiempo que ciertos mensajes reiterados hacia la población a modo de influjo subliminal mediante los medios de comunicación eran un buen elemento para el sometimiento psicosocial (Horkheimer y Adorno, 161 en adelante), pero los avances tecnológicos en el área de la Inteligencia Artificial han ido más lejos aún, y han traído mecanismos todavía más sofisticados para el proceso de sublimación en el proceso de configuración de personalidades individuales, mucho más efectivas en cuanto permiten controlar no solo los movimientos de los ciudadanos, también sus constantes vitales, y, aplicando los saberes de la biociencia moderna, sus deseos, intenciones, rasgos de personalidad y temperamento; los conocen más incluso de lo que se conocen a sí mismos. Se está conformando una máquina de control al que todo ciudadano delega su libertad y que condiciona fuertemente su personalidad, impulsada por un capitalismo necesitado de crecimiento económico y puesta en manos de una élite mundial que intenta calmar su miedo a la muerte mediante el sometimiento totalitario.

Estoy así, en este momento del manuscrito, en condiciones de afirmar una segunda hipótesis que acompaña tanto a mi hipótesis principal como a su posible antítesis y, que, teniendo en cuenta las dificultades que el capitalismo tiene en la actualidad para generar crecimiento económico, podría presentarla casi como una tesis evidente en sí misma: puesto que existe una pugna económica feroz por el crecimiento económico basada en la Inteligencia Artificial, el globo se prepara para una emergencia generalizada de "tecnopolíticas" que, en nombre de gobiernos y entidades gubernamentales, concretarán sus objetivos en la obtención, interpretación y ulterior utilización de los datos y los algoritmos que de ellos se deriven. El país que consiga desarrollar e implementar dichas tecnologías de una manera coherente, eficiente y no destructiva con respecto a su sistema político-económico, merecerá la categoría de potencia mundial y extenderá su modelo en el resto de países.

Asimismo, en un artículo de Xabier Ferràs publicado en su blog para los apasionados de la innovación 6.0., con el título *tecnonacionalismo y fundamentalismo de mercado*, se afirma lo siguiente:

Todo parece indicar que, del mismo modo que la electrificación y la producción en masa propulsó el liderazgo de EEUU hace un siglo, quien consiga industrializar la Inteligencia Artificial (AI) será la superpotencia dominante en las próximas décadas. Y China es, seguramente, la mejor posicionada para ello.

Puesto que China es la mayor candidata según apuntan los debates de actualidad, todo cabe suponer que su modelo va a ser expansionario, y tanto los países europeos como EEUU, y otros países también desarrollados que estén en condiciones infraestructurales para absorberlo, se verán contagiados por este nuevo sistema. Así, por motivos que se explicarán más adelante, las leyes y sistemas políticos se verán arrastrados a un cambio paradigmático importante aunque impredecible, pudiendo ser consecuencia de ellos un recorte significativo de los derechos humanos, o, al contrario, una proliferación positiva de los mismos.

En definitiva, son los burgueses los que pretenden hacernos creer cuáles son las filosofías, ideologías y teorías científicas adecuadas para este momento histórico en particular, tal y como han venido haciendo en los demás momentos históricos, para perpetuar su dominio sobre los modos de producción y la explotación especulativa de sus propiedades. Que desplazaron a la aristocracia feudal en nombre del capitalismo cuando les interesó hacerlo, igual que combatieron encarnizadamente contra el Comunismo cuando suponía una terrible amenaza para sus propósitos. Y que en los tiempos que corren, inmersos en un mundo de telecomunicación, pretenderán hacernos creer que sus ansias de control sobre las redes se corresponde a un bondadoso halo de protección sobre la ciudadanía, y que el fin último y verdadero es velar por nuestra propia seguridad. Y, por último, que han de unirse a esta crítica también los dirigentes de los regímenes autoritarios comunistas, como puedan ser China o Corea del Norte, donde están prohibiendo derechos tan básicos como la libertad de expresión, de librepensamiento y de manifestación.[7]

Así, las tesis de lucha de clases y *Materialismo Histórico*, y los recursos alienadores de los poderosos tanto comunistas como capitalistas

---

7 Véase el artículo "Vuelven las protestas de Hong Kong" publicado por el periódico *El Mundo*, el miércoles 13 de mayo de este mismo año (2020), donde se afirma, palabras textuales (párrafo 2), lo siguiente: "el principal órgano de Pekín en la ex colonia británica calificó a los manifestantes de *virus político*". Tal y como queda patente en dicho artículo, Pekín quiere aprobar un proyecto de ley que permita la encarcelación de los líderes "rebeldes", y "los críticos temen que Pekín pudiera usar el proyecto de ley para procesar a personas por razones políticas", (párrafo 9 del mismo artículo).

parecen ayudar a la antítesis expresada al principio de este artículo, y que expresaré de la siguiente manera: los poderosos burgueses y comunistas ofrecerán una aguda resistencia a que mi hipótesis se cumpla, es decir, utilizarán todos los medios legales, judiciales, ideológicos y tecnológicos de que dispongan para evitar la "socialización" de la democracia con un único propósito, mantener su hegemonía sobre sus propiedades, entre ellas los modos y las relaciones de producción.

MATERIALISMO HISTÓRICO, TECNOLOGÍA Y SOCIEDAD EN EL S.XXI

Hay dos cuestiones muy importantes mostradas en el capítulo anterior que analizaré más profundamente aquí. Una de ellas es la aseveración de que una infraestructura fundamentada en el petróleo, la electrificación y el motor de explosión trajo consigo *superestructuras* basadas en democracias representativas, y radicalizaría todavía más una moral basada en la *Ética de la Plusvalía*, es decir, un contexto socioeconómico donde prima un único objetivo: la obtención de un mayor margen de beneficio mediante la inversión y automatización del tejido productivo, que se ha convertido en un "todo vale" muy peligroso. Estas circunstancias se basan fundamentalmente en el valor del espíritu emprendedor, y el éxito se mide en función de las ganancias obtenidas. En este sistema el *superhumano* es a nuestros ojos aquella persona que ha conseguido amasar una gran fortuna, lo admiramos, y admitimos que es la persona adecuada para ejercer el poder; asimismo, debido a ello, las democracias que defienden sus intereses están sacralizadas y los ciudadanos temen y admiran su hegemonía. Como consecuencia se detesta al pobre, y a su vez acabar en la miseria es el mayor temor, lo cual alienta un sistema elitista alimentado por la aporofobia. Al igual que el Imperio Romano se sustentaba en una sociedad esclavista, el Capitalismo necesita de un ejército de pobres para perpetuarse, una inmensa legión de trabajadores en la miseria dispuestos a aceptar cualquier trabajo por muy mísero que este sea, a comprar los productos más baratos —pertenecientes a multinacionales— por muy malos que estos sean, y un sistema político (una democracia representativa poco deliberativa) que haga creer al ciudadano que decide su futuro para que se eche la culpa de su estado de desprotección y se mantenga ignorante de su propia situación.

En este contexto socioeconómico, a principios del siglo XX, empezó a darse la internacionalización de la *superestructura* y nacieron las grandes organizaciones gubernamentales. Primero fue la Sociedad de Naciones (SDN) fundada en 1919 tras la Primera Guerra Mundial, pero fue reemplazada por la ONU al fracasar en su propósito de evitar un conflicto internacional. La idea de la ONU tomó forma en la conferencia de Yalta (1945) tras el fin de la Segunda Guerra Mundial y fue Roosevelt quien sugirió su nombre. Sin embargo, dicha organización ha estado fuertemente fragmentada durante la Guerra Fría y no le fue fácil preservar la paz por la división del mundo en zonas hostiles debido al sistema de veto en el Consejo de Seguridad, que ha estado fuertemente condicionada por la aversión del bloque occidental hacia las actividades comunistas del bloque oriental. En el camino muchos países han optado por un sistema socialista moderado que no propugne la administración de los medios de producción por parte de las clases trabajadoras, y aunque refuerce las políticas sociales, defiende la intervención de las administraciones del estado en la dirección de la política económica. En definitiva, da igual Socialismo, Comunismo o Capitalismo, en ningún caso es la clase trabajadora dueña de los *modos de producción*.

Existe una leyenda en torno a Kurt Gödel, el famoso lógico-matemático alemán, que dice que encontró una contradicción lógica en la constitución de los Estados Unidos de América, afirmación que casi le cuesta la ciudadanía estadounidense (ver Gallego); dicha antinomia no respondía a un error fatal de sus creadores, tenía para él un trasfondo claramente intencionado al permitir instaurar una dictadura escondida. Temía que una élite mundial se dedicara a extender este modelo constitucional a nivel global para establecer su poder y control. La contradicción que Gödel encontró quedó en el más silencioso de los secretos, pero es evidente que concierne a uno de los conceptos más importantes de la ética y el derecho: la libertad humana. Mientras estos modelos gubernamentales persistan el globo estará bajo el control de multinacionales empresariales y entidades financieras, más concretamente a la merced de la Reserva Federal y demás bancos centrales, y las organizaciones globales ejercerán un papel secundario en la política internacional.

En la actualidad la ONU ha perdido fuerza y los problemas para su misión de paz han adquirido nuevas formas (terrorismo, narcotráfico, pandemias, degradación del medio ambiente, armas nucleares, brecha digital...) lo cual ha abierto el debate sobre cuál debe ser su papel: algunos creen que debe limitarse a su labor humanitaria, mientras que otros afirman que debería ser una entidad más soberana, reguladora y mediadora de las grandes amenazas absolutistas bélicas y económico-políticas megalómanas de las grandes potencias mundiales. Indudablemente corre peligro de quedarse obsoleta teniendo en cuenta los derroteros de la política global actual, pero aunque ahora caiga, el efecto globalizador de las nuevas tecnologías y las fuerzas multiétnicas podrán consolidar la internacionalización y la consiguiente absorción de los diferentes gobiernos-estado en una única entidad interguber-namental que controle la correcta ejecución de los principios político-económicos, jurídicos y morales derivados de una Declaración Universal de Derechos Humanos mejorada que atienda las exigencias y necesidades del tiempo contemporáneo.

La segunda hipótesis, quizás menos evidente, es la afirmación de que no ha habido en todo el s. XX ninguna infraestructura capaz de sustentar el Comunismo. El Comunismo ha de tener como base una democracia directa en forma asamblearia (o deliberativa) imposible para una sociedad demasiado diversificada en el espacio, y tomar una decisión conjunta que involucrara a toda la ciudadanía ha sido física y burocráticamente inviable. Esta circunstancia hubiera hecho fracasar la Comuna de París si el gobierno provisional no la hubiera disuelto, y por ello los países comunistas han visto cómo un Estado dictatorial tomaba el control de las fuerzas estatales (ejército y policía) cuando el fin del Socialismo debería haber sido exactamente lo contrario: la dictadura del pueblo sobre el propio Estado.

Pero en el s. XXI todo está cambiando y existen dos hechos que invitan a pensar que las cosas van a ser distintas:

1. la infraestructura está sufriendo un cambio radical a manos de las nuevas tecnologías.

2. la ciencia presagia un cambio climático devastador a manos de una actividad humana demasiado agresiva.

Primero analizaré lo concerniente a los cambios tecnológicos en el ámbito de las relaciones personales y de producción:

Uniendo el concepto de *superhumano* con el Materialismo Histórico encontramos una nueva realidad que está ya en boca de muchos sociólogos. Todos tenemos un móvil, un ordenador o una tablet, la evolución de la ciencia y la tecnología ha traído un nuevo ser humano. Hemos creado un mundo virtual, una alternativa a la realidad donde compartimos sentimientos, emociones y creencias a través de imágenes y sonidos, de hecho, gracias a la implantación en el sistema educativo de las denominadas TICs y el poder absorbente que tienen sobre los jóvenes, en pocos años el mundo sufrirá una transformación inimaginable para Marx, Engels o Nietzsche. La llegada de este nuevo ser traerá consigo una nueva infraestructura y si el *Materialismo Histórico* está en lo cierto, también vendrán nuevas superestructuras, es decir, nuevos sistemas políticos y judiciales.

El primer paso del avance de la tecnología será el mundo Orwell, un sistema de vigilancia como no se ha conocido jamás, el Estado tendrá el control —total— de sus ciudadanos. Como muestra las redes sociales (y algunas páginas web) que están plagadas de mensajes estereotipados con escasa base científica o filosófica y que son compartidos con fines muy alejados del conocimiento objetivo, de hecho, están orientados a la crispación política y a las alienaciones religiosa, económica e ideológica, y llegan a ser tan penetrantes que alteran el modo natural en que se relacionan los seres humanos: tests de personalidad que se le ofrecen a la *Big Data* mediante páginas de citas, mensajes de odio hacia los pertenecientes a un partido político, clase social, raza o género no afín; mensajes sobre el karma basados en la creencia de que el malo será castigado por una fuerza divina para que nadie quiera rebelarse contra el sistema; mensajes que identifican el éxito personal con la fortuna que se ha amasado; lemas pseudopsicológicos que describen relaciones tóxicas o voluntades de dudoso talante que en realidad esconden reproches a antiguas amistades; valorar más a los amigos virtuales que a los físicos, etc.

La interacción social a través de estas ventanas virtuales dejan al individuo en la soledad, queda inmerso en la *Big Data,* y en busca de la aprobación de un grupo se somete voluntariamente a algún tipo de *-ismo* (antifascismo, fascismo, consumismo...) o *-fobia* (xenofobia, homofobia, aporofobia...), ideas que son inyectadas subliminalmente o a veces incluso de forma descarada por los diferentes partidos políticos y medios de comunicación que, entre todos, abarcan el completo abanico de posibles canalizaciones de los instintos y las pasiones —para la formación de personalidades—. Es general la creencia en la supremacía del grupo, etnia, ideología, raza o género al que se pertenece, propiciando el trato de favor y las consecuentes discriminaciones a cualquier otro grupo distinto. En consecuencia, la crispación y el enfrentamiento están garantizados, incluso dentro del seno familiar. Consiguen así su objetivo, romper las relaciones afectivas más importantes —familiar, amistosa y laboral— para desligar al individuo (gregario *per se*) de la sociedad real, para hacerle sentir solo y desamparado, y hacerle creer que sólo puede tener éxito en los círculos formados por alguna ideología política o cultural en activo. Eso a nivel de control de pensamiento, el poder ejecutivo tampoco es nada modesto.

La clase dominante está regulando legislativamente sistemas de control sobre las redes, la *Big Data* es propiedad privada porque su hardware tiene dueños, mientras que todos tomamos parte en la *nube*. Si las leyes constitucionales son poco consecuentes habrá numerosos vacíos legales, resquicios por donde grupos poderosos puedan obrar y ejecutar sus planes o, incluso, establecer mandatos de búsqueda y captura a los insurrectos. El que posee la *Big Data* tiene una "bola mágica" donde ver los hechos actuales y potenciales, y poder obrar en ella le permite que cualquier posibilidad adversa o revolución subversiva que amenace sus intereses pueda ser aniquilada, desarraigada o desprovista de lo necesario para su actividad. La lucha por la propiedad del hardware es una lucha encarnizada por una razón muy convincente, sobre ella operan las grandes entidades y organizaciones empresariales, financieras, estatales y gubernamentales. Las transacciones bancarias y crediticias; las afiliaciones, altas y bajas a la seguridad social; las operaciones bursátiles, la compra y venta de acciones empresariales o bonos; las declaraciones de la renta... e incluso, el acceso a unidades robotizadas con dispositivos telemáticos; todas ellas forman parte del *Gran Software*, y son reguladoras de la *infraestructura global*.

Cuando de la *infraestructura* se trata todo es automatizado a gran velocidad, pero hacerlo con la *superestructura* es poco interesante para la clase dominante, se resisten a computar los sistemas políticos y constitucionales, y para muestra un botón: la Constitución española tiene latentes contradicciones, lo cual muestra, si no es un engaño deliberado, su retraso con respecto al propio avance de la ciencia y tecnología. Asimismo, y que sirva como ejemplo, existen diferentes normas constitucionales españolas que contradicen algunas leyes de la lógica modal, como es el caso del artículo 7 que es contradicho en el artículo 56 por simple *modus tollens*, o los artículos 35 y 47 que atentan contra el principio del tercero excluido, además de no utilizar correctamente las palabras "obligación" y "derecho".[8]

Parece que en un mundo infraestructuralmente avanzado no hay cabida a la modernidad en el derecho y la política, lo cual retrasa en gran medida las posibles ventajas sociales de la tecnificación. Todo estudioso del derecho debiera admitir que una estructura de leyes, una constitución o una Declaración Universal de los Derechos Humanos no es más que un sistema lógico-matemático, y que cualquiera de estos documentos debe ser consecuente con el principio de no contradicción, pero, perplejos, nos encontramos con defensores irracionales del modelo vigente. La deóntica forma parte de la labor deontológica política, y si queremos leyes razonables (cf. Habermas y Rawls 97-100) que se correspondan con la realidad no se pueden ignorar las leyes de la lógica y la aquiescencia de la praxis popular. Con ello, en sintonía con mi hipótesis principal lanzo una hipótesis secundaria ligada a ella: para que las nuevas tecnologías den paso a sociedades igualitarias y justas debe producirse un paso previo indispensable, los nuevos sistemas constitucionales y legislativos deben obedecer el principio de no contradicción, y para verificar que esto sea así se debería proceder a construir nuevas constituciones computables y, en consecuencia, susceptibles de ser procesadas por un programa informático. La cualidad de computabilidad garantizaría que se aplica el principio de no contradicción, y permitiría que un artificio inteligente pudiera establecer veredictos o resoluciones judiciales; y aunque la figura del juez siguiera siendo humana, sistemas legislativos computables y coherentes podrían solucionar los numerosos problemas de interpretación a los que este colectivo se enfrenta en nuestros días.

Estamos entrando en una época de lucha por el dominio del hardware y la *Big Data*, y hay que establecer unas normas de juego libres

---

[8] El artículo 7 dice que *todos son iguales ante la ley*, y el 56.3 afirma que hay una persona que es *inviolable y no está sujeta a responsabilidades ante la justicia*, lo cual es contradictorio por *modus tollens*. Y existe una trampa en la formulación de los artículos 35 y 47, ya que al decir que todo ciudadano tiene derecho a una vivienda y a un trabajo digno, las posibilidades lógicas deben ser o "posee el bien asociado a ese derecho" o "no lo posee", y no cabe una tercera posibilidad. Por ello, si la responsabilidad de distribuir esos bienes recae sobre el Estado como todos suponemos, todos los que no poseyeran ni casa ni trabajo podrían denunciarlo a las instituciones, y si son muchos, supondría la disolución de las cortes si el poder judicial fuera independiente de los poderes ejecutivo y legislativo.

de contradicciones que no otorguen a nadie ningún trato de favor. Los sistemas políticos, las leyes y las ideologías impulsadas por la burguesía están orientadas a que las *infraestructuras* tengan dueños, y son deliberadamente impulsoras de fuertes diferencias sociales. El mayor privilegio del que gozan es sin duda de orden económico, las grandes organizaciones monetarias (Reserva Federal, BCE, BCRC...) están a merced de manos privadas —invisibles—, y mientras esto siga siendo así serán dueñas del mundo. Sin embargo, sus responsabilidades son cada vez menores y el Neoliberalismo les permite operar con muy pocas trabas legales, consolidando un fuerte imperialismo de orden global. El riesgo del imperialismo es evidente en cuanto que los mismos accionistas de la Reserva Federal (que ni se sabe ni se puede saber quiénes son) pueden ser al mismo tiempo accionistas del BCE o del banco central de cualquier otro país, estableciendo vínculos económicos allá donde decidan invertir. Así es que los diferentes gobiernos son estructurados con un único objetivo, el pueblo ha de elegir el mejor orador para que defienda su economía ante sus verdaderos dueños, escondidos emperadores que no dudarán en sobornarlos y hacerlos burgueses para que defiendan las ideologías que a ellos interesen. Y utilizarán el dinero usurpado a la estructura de trabajo para establecer, mediante sueldos altos, un entramado de poder que dista mucho de los parámetros de justicia perseguidos.

En definitiva, con las nuevas tecnologías se sabrá dónde estamos, qué compramos, cuáles son nuestros gustos y opiniones, nuestras creencias, y llevando a cabo un seguimiento inteligente se conocerá nuestro perfil psicológico mejor incluso de lo que lo conocemos nosotros mismos. Ya es inevitable, el gran ojo se está formando, nuestra privacidad irá desapareciendo y nos deshumanizaremos a favor de esta nueva *infraestructura*. A cambio podremos estar comunicados en la lejanía, tendremos una vida cada vez más cómoda gracias a la robotización, y la alfabetización será mayor, más gente sabrá leer y escribir, lo cual no quiere decir que lo vayan a hacer mejor. El pueblo, sin darse cuenta, irá acostumbrándose a la nueva vida y delegará sus secretos más íntimos. Sin embargo, el Estado, pese a sus esfuerzos por mantener su estatus y su privilegiada independencia con la ciudadanía, recibirá el golpe de culata tras el tiro de escopeta y también perderá su privacidad, le resultará cada vez más difícil gobernar sin la opinión de la prole y cualquier irregularidad podrá ser detectada. Se irán automatizando las operaciones jurídicas y administrativas sencillas, y la tecnología invadirá los parlamentos. El presidente de gobierno, al igual que los ministros, deberán asumir una condición sin precedentes: renunciar a su privacidad en su labor. Cualquier firma, transacción económica o movimiento bursátil que realicen será de dominio público, los periodistas tendrán libertad total para informar sobre sus decisiones y actividades, y los secretos de Estado dejarán de existir. Asimismo, dicha presión también será ejercida sobre las entidades financieras y multinacionales, la transparencia será total, y el público tendrá el poder de cesar de su cargo a cualquier gobernante de forma inminente si así lo considerara necesario mediante obligadas votaciones populares.

Teniendo en cuenta nuestra naturaleza codiciosa y egoísta es necesaria esta vigilancia constante sobre los gobernantes, como afirmaron Marx y Engels será un nuevo Socialismo en el que el Estado sufrirá la dictadura del pueblo, y al contrario que en los comunismos del s. XX, gracias a la máquina, se solucionará el problema de la sobreburocratización (si mi hipótesis principal es cierta). Las democracias deliberativas serán viables en un mundo interconectado y llegar a acuerdos políticos será una actividad cotidiana para el ciudadano. Las decisiones de gobierno serán siempre objeto de crítica y revisión, y será de obligado cumplimiento que el pueblo esté debidamente informado y que pueda incidir en el curso de las actividades políticas.[9]

Existe por lo tanto una segunda hipótesis de obligado cumplimiento para que se cumpla la hipótesis principal: tanto los bancos centrales como el hardware (incluidos los datos) de la *Big Data* deben hacerse —totalmente— públicos, o, lo que es igual, todos —y cada uno de— los ciudadanos deben ser socios cooperativistas de los mismos. Así, las ideologías se extenderían no por *acciones racional-teleológicas* movidas por intenciones de poder, sino por *acciones comunicativas* cuyo fin sea la negociación de las definiciones que permitirían el acuerdo, dando paso a políticas populares en forma de democracias participativas; siendo la *democracia deliberativa* una buena opción.

Aunque las fuerzas que luchan en contra de esta afirmación son poderosas, se producirá en un futuro no muy lejano, ya que, como bien he dicho antes, la *Ética de la Plusvalía* está creando un problema

---

[9] véase Habermas, *Aclaraciones a la ética del discurso,* p. 20, donde se identifica la justicia como "la libertad subjetiva de individuos que no pueden delegar su representación en nadie".

adicional: la sobreexplotación de los medios naturales está provocando un deterioro notable en el ecosistema y en las próximas décadas el Cambio Climático causará graves trastornos en los *modos de producción*, y a medida que su impacto vaya evidenciándose, la *Ética de la Plusvalía* entrará en crisis.

El propio San Agustín vaticinó este problema en su estudio sobre la cuestión del mal, aunque sus objetivos fueran otros. Él quería dar una respuesta al hecho de que existiera la maldad en el mundo y a su vez quería reforzar el papel de Dios, ya que muchos creyentes y no creyentes se preguntaban por qué si Dios existe y es tan piadoso permite el mal en el mundo, lo cual ocasionaba fuertes escepticismos hacia la religión cristiana. En su análisis vio que el mal es el camino al no-ser y todo aquello que proviene de él, y distinguió dos tipos: el mal físico y el mal moral. En la primera categoría, entre los males físicos, se encuentran los desastres naturales y las enfermedades (pestes, terremotos, inundaciones...); y los males morales los provocamos nosotros mismos al pecar (egoísmo, codicia, soberbia...). Del primero de ellos Dios no es el culpable, todo lo que Dios creó es bueno, y, asimismo, es buena la degradación de los cuerpos. La muerte es un bien tan preciado como el nacimiento y gracias a ambos es posible la renovación de las almas. Ahora bien, Dios tampoco es culpable de los males morales ya que como otro preciado bien nos concedió la libertad de elegir (el libre albedrío), y si elegimos la maldad y la corrupción del alma es porque así lo hemos deseado nosotros, por ello somos los únicos responsables de su existencia. Además, los males físicos son causados por los morales como respuesta y castigo, y en cada pecado cometido ayudamos a que el mal físico ocurra. Lo peor es que, pese a la pérdida de fuerza por parte de la Iglesia, esta visión encaja con la actual, pues hemos de admitir que el mal moral (la *Ética de la Plusvalía*) y el mal físico (Cambio Climático) están directamente relacionados, siendo el propio ser humano el único y verdadero culpable de su posible extinción y, nunca, Dios (San Agustín 96-7 y 336-7).

El Capitalismo actual está emparentado con la sociedad del bienestar y esta última se basa en el consumismo, así, cuanto más extremo sea el capitalismo más desmesurado será el consumo. Lo importante es comprar, compramos cosas inservibles porque sin ellas no podemos ser felices, y envidiamos al que puede acceder a productos mejores. Endeudamos años de trabajo por una casa y un coche mejor porque envidiamos el del vecino, y nos da igual quién caiga mientras seamos beneficiarios de una buena paga. El capital necesita sobreexplotar los recursos naturales y orientará todas las inversiones hacia la mejora del índice de rentabilidad o a la investigación de nuevos recursos beneficiosos —monetariamente—. Compramos ropas fabricadas en países tercermundistas donde ríos y parajes naturales quedan contaminados por los tintes, y mientras exista un beneficio para esa empresa seguirá contaminando. Ahora sí, aun sabiendo que es necesario instalar una depuradora, ningún inversor pondrá dinero para ello al considerarlo un costo inútil que no va a tener amortización, pero estará de acuerdo en una inversión de automatización todavía más contaminante que reduzca el coste y mejore el índice de rentabilidad al prescindir de algunos de sus asalariados. Con este simple ejemplo vemos cuál es el déficit de la *Ética de la Plusvalía*, al intentar mejorar el beneficio, ella misma mina el propio Capitalismo al incidir negativamente en el poder adquisitivo del ciudadano medio que lo sustenta, y, al mismo tiempo, se muestra indiferente ante las evidencias científicas que afirman la agresividad de su actividad sobre el ecosistema, poniendo en riesgo sus propios *modos de producción*.

Ante esta conducta los gobiernos democráticos verán necesario hacer grandes inversiones que palíen el impacto medioambiental de la sobreexplotación y estarán obligados a ofrecer un subsidio a todos sus ciudadanos para que el propio sistema que protegen no sucumba. Pero la presión de las grandes entidades financieras y multinacionales con las que se endeudan no les facilitará el trabajo, los gobiernos estarán entre una población contrariada cada vez más unida en la lucha por la abolición de la usura, y las entidades que la practican y exigen la devolución de la deuda. La lucha será cada vez más radical, pero los acontecimientos que sobrevienen a causa del Cambio Climático no son nada halagüeños y el propio sentido común hará prever que la plusvalía no puede caer en manos privadas, y que debe invertirse en estrategias para la implantación e implementación de recursos sostenibles. En otras palabras, la ganancia no podrá servir para que unos pocos se aprovechen de ella, sino para realizar investigaciones en materias científicas y tecnológicas que permitan preservar el ecosistema. Pero para ello ha de cambiar un sistema político obsoleto que no se corresponde con los actuales evolucionados modos y relaciones de producción. ¿Cuáles han de ser entonces las características de este nuevo modelo superestructural?

Este nuevo sistema debería ser un híbrido entre Capitalismo y Comunismo, es decir, un término medio entre ambos que recoja lo mejor de cada uno y, a su vez, deniegue sus partes negativas. Su componente capitalista debería retroceder a sus orígenes, de hecho la ley de la oferta y la demanda ha de asignar los precios, pero el objetivo no debe ser la plusvalía, debe ser la satisfacción de las necesidades humanas, siendo la sostenibilidad del planeta su máxima moral. A este respecto, serán los hábitos económicos del ciudadano los que decidan que esta moral se lleve a la práctica o que exista o no un grupo que gobierne globalmente de forma absolutista (Keynes 63-4).

Al mismo tiempo este sistema híbrido debiera acabar con el problema de la *alienación* como pretende el Comunismo, para lo cual se instauraría un liberalismo real, no formal como el actual, en el que el ciudadano, al tener sus necesidades cubiertas con una renta básica universal, podría aceptar (o no) un trabajo en buenas condiciones para mejorar su calidad de vida sin temor a morir de hambre o miseria. En el liberalismo actual (libertad formal) algunos trabajadores deben elegir entre un contrato precario o la pobreza total, es cierto que él elige, pero si la elección es trabajar en malas condiciones o morir de hambre no existe libertad real. Solo en un liberalismo real podría darse una democracia deliberativa sin coacción. Asimismo, el parado no tendría derecho a una propiedad y viviría en casas públicas habilitadas para dicho colectivo a cambio de un número mínimo de horas dedicadas a trabajos sociales, mientras que el trabajador próspero que se autorrealiza mediante su actividad laboral tendría derechos de propiedad, podría ser dueño de su trabajo (no viviría alienado) al tomar parte en las decisiones empresariales y tendría el privilegio de poseer un poder adquisitivo más alto. Si el derecho al trabajo fuera otorgado a todos los ciudadanos por igual, solo quedarían marginados del sistemas aquellos que en plenas facultades físicas y mentales no cumplieran con su obligación de trabajar.

No es conveniente una sociedad plana que no premie el esfuerzo, ha de haber una jerarquía, no debe cobrar lo mismo un médico que un camarero debido a la dedicación y responsabilidad que su trabajo ataña. Si no fuera así, si el talento no fuera recompensado, la sociedad caería en la desidia y la desilusión, y la pereza desgastaría la sociedad. Ahora bien, no podemos irnos al otro extremo en el que se castiga al pobre con la exclusión social pese a su esfuerzo mientras que el rico tiene el privilegio de no dedicarse a nada. Los derechos y libertades deben ir a la par con las obligaciones, el compromiso que la sociedad adquiere con cada ciudadano ha de ser consecuente con el que el ciudadano asume con ella, y el sistema, para ser justo, valorará sus merecimientos en función de sus aportaciones. Asimismo, esta sociedad debe considerar los límites físicos e intelectuales de cada individuo y realizar políticas de integración sin olvidar el derecho fundamental a la vida y las libertades ideológico-religiosas y de libre expresión.

Espero que el lector no tache esta sociedad que describo de utópica, es más, no creo que esté tan distante de la actual. Es cierto que la condición humana no es tan bondadosa y misericordiosa como pretenden algunas teorías ingenuas como el iusnaturalismo, la teoría de la iluminación o el intelectualismo moral, y poseemos un lado salvaje, egoísta y malvado que intenta imponerse al prójimo como defiende el irracionalismo. Sin embargo, el impacto de la ciencia y la tecnología es tal que corremos graves riesgos si no conseguimos evitar los males morales y ecológicos de los que somos responsables, y debemos usar esa misma tecnología para hacer frente a nuestra propia maldad ideando sistemas políticos participativos que puedan controlarla y evitarla. Pero, para que este modelo llegue es totalmente necesaria la lucha del proletariado.

Antes de la llegada del Socialismo, Marx predijo el colapso del sistema capitalista tras una crisis sin precedentes, cosa que podría ocurrir si desapareciese la clase media, ya que los pobres, al ver mermado su poder adquisitivo, no tendrían acceso al mercado de consumo, y al descender la demanda de los productos que el empresario pretende vender también bajarían tanto sus precios como los márgenes de beneficio, provocando un período deflacionario o recesivo. Si ante el problema la patronal quisiera mantener la ganancia bajando aún más el sueldo del trabajador al tiempo que los inversionistas estuvieran ansiosos por vender sus acciones, se agravaría notablemente la situación propiciando el colapso. Pero el problema no es el colapso, hemos de reconocer que han ocurrido de manera regular en la historia —1929, 1987, 2008 y 2020—, tras un colapso el sistema puede reactivarse si las políticas excluyen una parte de la población, y se hace bajo la promesa de que en un futuro cercano esa masa de pobres encontrará un camino a la integración social. El problema es que cada vez se acumula más gente en el saco de las promesas rotas y todavía más gente debe ser ignorada en cada nuevo rearme del sistema, lo cual puede formar un ejército de individuos dispuestos a romper con las políticas y economías tradicionales al ver ignorado el contrato social. Pero, ¿qué armas tiene el proletariado para romper con las políticas actuales? Sólo una: el consumo corporativo.

El mercado funciona por selección, pero no natural, por selección del consumidor. El hecho de comprar un producto en la estantería de un supermercado permite que ese producto perdure en esa estantería, y coopera para que el establecimiento que lo contiene siga abierto. Para que vengan democracias participativas es necesario que el proletariado seleccione lo que compre formando asociaciones de consumidores, deben verificar que los beneficios de sus compras vayan a un conocido, que acaben en manos de esforzados trabajadores. Si el producto que se quiere comprar no pertenece a una empresa cercana, el pueblo ha de unirse y comprar al por mayor a las multinacionales para sacar mejor precio, a la misma empresa al comienzo, hasta que sus competidoras se vean obligadas a bajar el precio, y después a la que más haya abaratado el producto. La ciudadanía debe formar también empresas cooperativistas —fuertemente asamblearias—, todas las que se pueda, y que las asociaciones de consumidores les den un trato prioritario. Deben extenderse en el mercado y en el espacio, ocupar todas las tierras alejadas de las grandes urbes en un movimiento agrícola y ganadero sin precedentes, el proletariado debe hacerse con el sector infraestructural más importante: el alimentario. Una vez que el movimiento se consolide, ante el cierre de empresas privadas, deben comprarlas y alentar el consumo cooperativo de lo que fabrique. Ha de formarse un monopolio de cooperativas y asociaciones —industriales, sindicales y de consumo—, que no importe si al principio estuviesen más caros los productos, bajarían a medio y largo plazo por expansión del modelo político-económico; los grandes monstruos económicos necesitan pobres para que compren sus productos —más baratos—, pero el proletariado ha de hacer un esfuerzo de cooperación evitando los monopolios y las grandes firmas. Han de formarse pequeños bancos que no hagan otra cosa que asegurar que el dinero está a buen recaudo —100 % de coeficiente de caja en patrón oro o plata—; si no se salvaguarda el dinero lo harán las mafias. Que (esos bancos) tengan terminantemente prohibido especular con los ahorros de sus clientes poniéndolos en riesgo, y, si lo hicieran —aun con el consentimiento del grupo— hay que evitar que los beneficios sean privados. Sería un banco que en vez de dar préstamos se asociaría con los colectivos emprendedores con el permiso de todos los accionistas, que son, a su vez, todos los clientes. Asimismo, el fin último sería que la mentalidad cooperativista y la automatización del trabajo se extendieran hasta las formas superiores de la *superestructura*, impregnando los gobiernos y las entidades financieras.

Es cierto que el ámbito internacional va a seguir siendo el mismo, van a seguir apostando fuerte por el capitalismo, pero, si la clase trabajadora se uniera en un movimiento antiabsolutista —a través del consumo asociado y democracias participativas—, apilando su dinero en bancos obligados a poseer el 100% en patrón oro (emitiendo monedas fabricadas en oro —o plata— que posean intrínsecamente su valor), servirían de condensadoras del flujo monetario, ya que evitarían que un determinado volumen de dinero entrara en el ámbito de la especulación en las etapas inflacionistas y servirían de fuente de liquidez en etapas deflacionarias o recesivas, creando un sistema financiero estable y duradero sin fuertes fluctuaciones.

Recuerden las consecuencias de las palabras de Marx y Engels antes mencionadas, a saber: que el proletariado no podrá imponer ninguna ideología si antes no se hace con una parcela de los bienes materiales. O, al hilo del tema de este artículo, que no es posible una democracia deliberativa si el pueblo no posee los poderes económicos necesarios para hacer frente sin coacción a las ideas de la clase dominante.[10]

La crisis del covid-19 y los nuevos retos del s. xxi

Hasta ahora la hipótesis más audaz que he mantenido es que una infraestructura sustentada en los nuevos adelantos tecnocientíficos provocará una profunda transformación en los sistemas socio-políticos vigentes: la automatización de la *superestructura*. Los argumentos filosóficos que he utilizado provienen del *Materialismo Histórico* y de la vertiente irracionalista del s. XIX, y adelantan la improbabilidad de que un gobierno humano no vigilado obre en base a códigos morales

[10] véase *Manifiesto comunista*, p. 44, donde se afirma que "el primer paso de la revolución obrera será la conquista de la democracia". Para ello, han de formarse partidos políticos basados en los principios deliberativos que posean líderes sujetos a mandato imperativo —no representativo— . Dichos partidos políticos deben invadir los parlamentos representativos ordinarios —por sufragio— para luego promover su transformación.

orientados al bien común. En base a esta evidencia históricamente verificada y teniendo en cuenta el daño que la *Ética de la Plusvalía* está provocando en el ecosistema, es de imperante urgencia implantar un sistema alternativo que disponga de dispositivos de control sobre gobiernos y entidades financieras, obligándolos a mantener políticas de sostenibilidad que tengan el beneplácito tanto de los ciudadanos como de la Ciencia. El Estado, que ha de representar el *yo colectivo*, debe satisfacer las normas científicas para la sostenibilidad (el superyó colectivo) y las necesidades fundamentales de los ciudadanos —para el desarrollo de su *yo genuino*—. Pero, ¿cómo puede llevarse a la práctica?

En 1980 Joseph M. Bessette acuñó el concepto *democracia deliberativa*, desde entonces filósofos y politólogos como Jürgen Habermas, Jon Elster, Carlos Santiago Nino, John B. Rawls o Javier Gallardo han contribuido a desarrollar la concepción deliberativa de la democracia (Habermas, [*Aclaraciones*] 37). Bajo este paradigma el término *democracia deliberativa* pretende coordinar el concepto clásico de democracia representativa con un procedimiento colectivo de toma de decisiones que incluya la participación activa de todos los potencialmente afectados, lo cual implica la discusión pública de las diversas propuestas (Habermas 36). Se han dado regímenes políticos que incluían actividades deliberativas, en la antigua Grecia (durante el próspero siglo de Pericles) en forma de democracia directa, en las asambleas cantonales suizas, en los órganos colegiados de las grandes universidades o en los debates nacionales de algunos estados democráticos. James S. Fishkin propuso los "sondeos democráticos", que son pequeños foros formados por ciudadanos elegidos al azar y que dialogan, se informan y adquieren una opinión acerca del tema de discusión, son una herramienta excelente de consulta a la ciudadanía, mucho más eficientes que el sondeo clásico, y al tener como finalidad encontrar un consenso entre todas las partes en vez de una votación, evita el problema de la "tiranía del pueblo" (Habermas y Rawls 131). Además, al ser necesaria la justificación de las propuestas, aquéllas que sean injustas o interesadas quedarían en evidencia y se mantendrían al margen, garantizando un mayor grado de imparcialidad en la toma de decisiones.

Esta concepción ha recibido algunas críticas importantes: 1. El posible tráfico de influencias por parte de gente ajena a la deliberación para conseguir un voto que favorezca sus intereses particulares y no el bien común. 2. Otra crítica posible es que no todos están preparados cultural o intelectualmente para ganar una discusión o simplemente pueden tener falta de interés por participar en política, por lo que pueden no entender bien qué es lo mejor para todos o preferir no intervenir. 3. Puede ocurrir que la mayoría intente excluir alguna minoría y llegue a ser separatista, intolerante o incluso cruel.

Sin embargo, aunque son problemas posibles en una democracia deliberativa, en peor grado lo son en los sistemas representativos ordinarios: 1. En las democracias representativas se puede dar el tráfico de influencias para las votaciones electorales en favor de intereses particulares, y tras ellas el gobierno queda blindado para cuatro años. 2. En las democracias representativas hay mucha gente con el suficiente nivel cultural como para deliberar, pero queda excluida y no puede tomar parte activa en las decisiones políticas; el que no quiera participar puede no hacerlo, en una democracia deliberativa sería un derecho y no una obligación. 3. En numerosos sistemas democráticos representativos han gobernado partidos extremistas que han excluido o discriminado otros grupos en función de su etnia, género o nivel socioeconómico, y para más inri han blindado su gobierno; recordemos que el nacionalsocialismo ganó democráticamente en Alemania y Austria, y que nos encontramos ante una Europa cada vez más xenófoba y elitista.

Creo que estamos en el camino de un gobierno mixto socialista basado en una *democracia deliberativa* en la que un comité científico elegido por concurso de oposición y méritos analice con rigor las consecuencias de nuestras actividades productivas, ofreciendo diferentes alternativas para regular el impacto medioambiental; en base a ellas políticos electos se dedicarían a emitir diferentes alternativas socioeconómicas viables que respeten los informes del comité científico y las transformen en Decretos Ley, pero sin competencia para aprobarlas. Tras este proceso de elaboración legislativa, para que los paquetes decretados puedan ser ejecutables necesitarían la aceptación de los ciudadanos a través de "sondeos democráticos", grupos deliberativos laicos elegirían de entre todos los paquetes presentados los que crean más adecuados, y tendrían la potestad para aportar enmiendas o proponer algún paquete nuevo que no haya sido contemplado. Además, los gobiernos serían revisados y puestos a prueba por el pueblo en plazos cortos de tiempo (no más de un trimestre), serían eliminados los miembros que no consiguieran la aprobación general y estarían automáticamente relegados del puesto los que no hubieran cumplido los objetivos o las normas de transparencia exigidas, evitando el blindaje del Estado. Clase política y clase trabajadora, en una constante dialéctica de igual a igual, irían adoptando las medidas más eficientes y dejando de lado las que no funcionan en un proceso falsacionista al más puro estilo popperiano, tal y como sugiere el socialismo científico de Engels antes mencionado.

Los adelantos tecnológicos pueden ayudarnos a implantar una *democracia deliberativa* eficiente que no caiga en largos procesos burocráticos y administrativos, y puede ayudarnos a crear un sistema político que deje atrás la EP, que tome en consideración las evidencias científicas y que adopte políticas sostenibles. Ya la historia nos dio un pasaje similar en el siglo de las luces, en el que se generó un movimiento antiabsolutista que para desgracia de muchos gobernantes tuvo gran calado, culminando su andanza con la revolución francesa; ¿cómo no?, gracias al interés de la burguesía en desplazar a la aristocracia, muy bien acuñada en Francia. ¿Podría nacer hoy un movimiento similar? Sin duda es necesario para que se cumpla mi hipótesis principal, pero no puede depender de líderes poderosos como en todas las revoluciones habidas en la historia hasta el día de hoy, cuando el odio es canalizado y liderado por los poderosos surgen conflictos. Este movimiento debe ser solidario y altruista —y deslocalizado para ser duradero—, surgiría de la *acción comunicativa* general y, aunque avanza lento, llegará tarde o temprano. Es urgente necesidad por dos razones fundamentales: 1. Somos animales destructores de la Naturaleza y ella permite nuestra existencia, y estar obligados a cuidarla es una responsabilidad que el ser humano no había asumido nunca antes; es por ello necesario poner en contraste todos los posibles puntos de vista y tomar en consideración todas las propuestas para renovar la sociedad a formas menos lesivas, y, además, poder entrar en el debate sirve como fuerte herramienta de concienciación hacia los principales problemas sociales (cambio climático, racismo, pandemias...). 2. La *Big Data* —bien usada— es un escenario virtual que permitiría comunicarse para hacer negociaciones, recogida de datos, elaboración de enmiendas, llegar a acuerdos en la elaboración de una nueva Carta de los Derechos Humanos, nuevas constituciones lógicamente computables... la *Big Data* es, en definitiva, ideal para la práctica de sondeos democráticos, políticas participativas y, además, permitiría cumplir las utopías de Montesquieu y Habermas de *separación de poderes* y *acción comunicativa,* respectivamente (Prieto 143-5).

Pobres y trabajadores de todo el mundo, disfruten de sus yoes, de sus personalidades, piensen libres. Participen en la sociedad, pero de forma real, no pierdan el contacto. Manténganse unidos y compartan, que nadie ni nada rompa sus lazos, nadie puede controlar a los que se aman. Formen grupos pequeños y deliberen en paz y armonía, saquen conclusiones, hagan caso al que más sabe. Analicen críticamente el sistema y los medios de comunicación, aprendan lógica y lean la Constitución, vean sus contradicciones con sus propios ojos. Exijan sus derechos: que el coeficiente de caja de los bancos sea del 100%, el derecho a un trabajo digno, que no haya ningún tipo de trato de favor ante la ley, poder disfrutar de una pequeña propiedad; y, además, exijan nuevas reformas, tales como que la constitución no atente al principio de no contradicción, que los bancos centrales dejen de ser privados, la custodia de la *Big Data* y un régimen político más abierto en el que la aprobación de leyes —o grupo de leyes— necesite el sí de un amplio grupo deliberativo popular. El que ignora la política será ignorado por ella, por ello formen partidos políticos basados en la participación activa de todos sus militantes, pero no se manifiesten demasiado, es algo parecido a un baile para la lluvia; hagan reuniones privadas, comprendan su situación de vulnerabilidad ante los monstruos económicos y políticos y autoorganícense en el ámbito económico con el recurso antes mencionado: el consumo corporativo.

Seamos francos, la ética (rama de la filosofía) debe cambiar por necesidad, y ella (la nueva ética) junto a la lógica deben regular y computar el futuro derecho. Muchos puestos de trabajo se han perdido en la *infraestructura* debido al progreso, y ahora, como evolución lógica, le toca a la *superestructura* perderlos (en el ámbito administrativo, judicial y político). Pero sean prudentes, existen fuerzas dentro del ser humano que pueden provocar que el cambio sea inestable debido a conflictos de clases: clase opresora contra clase oprimida y, los más peligrosos, entre clases supremas que arrastran a las masas hacia guerras sin sentido con fines materiales.[11] Este último tipo de actuar debe desaparecer por completo, y para prevenirlo deben hacerse dueños de su trabajo. La nueva política debe regular la economía —de forma

---

[11] véase Orwell, *1984*, p. 215 en adelante, donde explica las luchas de la clase media para desplazar a la clase alta.

automatizada— para que cada individuo del planeta tenga los medios económicos necesarios para ejercer sus libertades, para desarrollar su personalidad (Habermas [*Aclaraciones*] 118), para asociarse con quien quiera y todo ello en una sociedad que le ofrezca —automáticamente—: una enseñanza, un trabajo bien remunerado, un hogar y una actividad que dé sentido a su vida; y todo ello respetando el medio ambiente. Parece imposible, ¿verdad? Pero no es inviable, es algo que va a ocurrir tarde o temprano; de hecho, algo ha pasado que puede acelerar el proceso. Un acontecimiento sin precedentes ha azotado el mundo con devastadoras consecuencias el año 2020, hecho que preconiza un posible cambio social en todos los ámbitos humanos, para bien o para mal.

En 2020, el mundo global se ha enfrentando a una terrible pandemia provocada por un organismo de la familia del coronavirus denominado COVID-19. Lo que al principio se definió como una simple gripe ha provocado una alarma sanitaria sin igual en la Historia, no porque haya sido la más letal, sino por la cantidad de recursos que está obligando a desplegar. Los primeros retos a los que nos enfrentamos son un confinamiento generalizado, el parón de las actividades no esenciales y la consecuente crisis económica cuyo alcance todavía se desconoce y que ha hecho caer el precio del petróleo, llegando a tener un precio negativo en momentos puntuales. Muchos ciudadanos han perdido algún familiar y/o el trabajo, todos hemos perdido temporalmente el derecho de libre circulación y debido a ello todo lo que está ocurriendo quedará marcado en el *superyó colectivo*. Esta tragedia mundial nos obliga a hacernos varias preguntas para tomar medidas de cara al futuro:

1. La primera de ellas concierne a nuestra privacidad, muchos países están utilizando un sistema de geolocalización excusados por tan extraordinaria situación, y, debido a las secuelas que el miedo colectivo al coronavirus va a dejar, viene para quedarse; la vigilancia vía Internet va a ser cada vez más frecuente y agobiante. Además, con el confinamiento el uso de redes sociales y aplicaciones chat se ha disparado, plagándose de *fake news*, pero también de grabaciones y críticas incómodas para los gobiernos defensores de la *Ética de la Plusvalía*, que para blindarse emitirán leyes y decretos que permitan hacerlas desaparecer; las "mentiras" en las redes estarán

en busca y captura, y, para estar bien informados, creeremos las "verdades" de las fuentes oficiales. Es más, todos nuestros "movimientos virtuales" (mensajes, publicaciones, vídeos...) serán controlados por computadores inteligentes capaces de detectar todo tipo de "acciones delictivas".

2. Si la ciudadanía no toma parte en las decisiones políticas y en la emisión de las normas de prevención (confinamientos, mascarillas...) le resultará más difícil cumplirlas, ya que es mucho más difícil acatar lo impuesto que cumplir las leyes en cuya deliberación se ha tomado parte. Foros populares donde se decidan el protocolo de actuación son ideales para la concienciación del pueblo y permitirían establecer medidas razonables y susceptibles de ser cumplidas.

3. El sistema financiero actual es incapaz de soportar un parón sin que se resienta la economía, por lo tanto, es necesario instalar un botón de pausa que permita congelarla durante un tiempo evitando las fuertes crisis que cada cierto tiempo azotan el mundo. Las instituciones dedicadas a la usura no están dispuestas a dejar de ganar pese al sufrimiento humano que produzcan, no están prestas a "perder" ni un solo céntimo, ni un solo mes, y su manera de arreglar los problemas de las crisis (que en ocasiones ellos mismos provocan) es ofrecer demoras en el pago y préstamos en "buenas condiciones", nunca una cancelación, lo cual se acumula en la deuda de los gobiernos, pymes, autónomos y ciudadanos; una vez más es la *Ética de la Plusvalía* la que impide la pausa.

4. Estamos viendo cómo diputados emiten votos telemáticos desde sus casas y nos preguntamos por qué no podríamos hacerlo nosotros, mientras el aparato del estado está haciendo un despliegue de autoritarismo sin igual para reprimir nuestro derecho de libre circulación, quedando aún más lejano nuestro deseo a intervenir activamente en las decisiones políticas. El ejército en las calles, la policía multando en nombre de la solidaridad, guardianes en los balcones, profesionales sanitarios en la vanguardia, referencias bélicas para describir el estado de alarma... El Gobierno sigue un nuevo proceso de blindaje y sacralización, se está erigiendo como nuestro salvador, y todos estamos admirados por las funciones tan necesarias que están cumpliendo las fuerzas del Estado. El nuevo proceso rompe la etapa de desacralización producida

desde la transición hasta el día de hoy,[12] aunque en esta ocasión la desacralización de los poderes del Estado pueden converger en su propio sometimiento.

En concordancia con estas cuestiones hay indicios de que la *Ética de la Plusvalía* va a sufrir una fuerte crisis tras la alarma sanitaria en favor de un sistema sostenible deliberativo con base científica; son los siguientes:

1. La asunción por parte de la ciudadanía de los sistemas de control por Inteligencia Artificial obligará a los gobiernos a someterse a ellos también, mejorando la transparencia y acelerando las reacciones y críticas de la opinión pública ante delitos políticos y decisiones dudosas.
2. En los países subdesarrollados han surgido graves conflictos ciudadanos para obtener alimentos, y si no hubieran estado garantizados en los países desarrollados el confinamiento habría sido más que difícil. La humanidad se está preparando para lo que pueda venir, y para evitar conflictos en futuros desastres conviene poner una renta universal (en todos los países del mundo). Además, una renta universal es buen paliativo para el actual retroceso vertiginoso del propio Capitalismo. Permitir que la clase pobre pueda acceder al consumo mejoraría la eficiencia económica y garantizaría la facturación de las empresas. Como es normal, la clase dominante expone sus reticencias alegando que no se puede premiar la vagancia e inactividad, pero, al igual que pasó con el mínimo salarial que estableció Henry Ford, el resultado, una economía saneada y estable (sin crisis periódicas), podría ser más que convincente.
3. La sacralización y blindaje que ahora está ocurriendo ya no tiene componentes religiosos o de sublimidad, son de carácter científico. Se ha tomado una medida basada en hechos observacionales verificables que justifican el protocolo de actuación, y por primera vez dicha medida es global. Cuando ocurra la desacralización las decisiones políticas se tomarán por consenso general y serán justificadas por las ciencias tanto naturales como sociales.

---

[12] ver: "Ideia eta balioen bestelako historia laburra", *boterearen desakralizazioa,* Hartsuaga, 2016.

Por todo lo dicho en este artículo —y si la hipótesis principal es cierta— deben cumplirse tres condiciones para que se dé un sistema político global que deje atrás la *Ética de la Plusvalía*:

1. Las condiciones materiales e infraestructurales, es decir, la completa tecnificación de la sociedad y el tejido productivo.
2. La subsiguiente crisis capitalista y la toma de conciencia de la clase obrera, que se enfrentaría a su situación.
3. La toma de conciencia de la clase dominante hacia sus responsabilidades para/con el medio ambiente y hacia sus subyugados, a quienes tiene que rendir cuentas por sus anacrónicos delirios de dominación.

El estado de alarma está acelerando la tecnificación de la sociedad y el tejido productivo al obligar a muchos ciudadanos a trabajar telemáticamente, y además ha traído una crisis económica sin precedentes tras el escarmiento del 2008, satisfaciéndose las dos primeras condiciones.

Sólo falta la tercera.

CONCLUSIONES

Ideologías como el Comunismo o el Nacionalsocialismo han traído nuevas morales al mundo, pero no han conseguido desplazar los modos de producción de la moral capitalista, que ha hecho perdurar la *Ética de la Plusvalía*. Ninguna ética ha sido capaz de crear estructuras sociales tan fuertes y duraderas. Sin embargo, debido a sus consecuencias sobre el entorno, una nueva está pugnando contra ella en las nuevas sociedades, a saber: la *Ética Ecológica*. Está desplazándola y amenaza con romper los afianzados lazos que el actual humano tiene con el valor del dinero, y se enfrenta a un problema difícil pero no irresoluble, necesita crear una nueva estructura social económicamente viable que oriente los adelantos tecnológicos hacia sistemas sostenibles y establezca nuevas normas para la división del trabajo. Esta nueva sociedad, a medio camino entre Capitalismo y Comunismo, debe ser fruto de la *acción comunicativa* y ha de superar el principio del mayor beneficio económico, ya que es motor y causa de las actividades agresivas contra el entorno. Deberían priorizarse las máximas de perdurabilidad y ahorro.

Las sociedades se dividirán entre aquellos que defienden la *Ética de la Plusvalía* frente a aquellos que luchan en pro de una *Ética Ecológica*. Las nuevas tecnologías van a ser decisivas en este enfrentamiento, pues en el corazón de esta lucha se encuentra el camino hacia sociedades más justas y cooperativas que avancen hacia la transformación de la *Big Data* en una entidad reguladora de carácter internacional, una *superestructura global* que medie entre *infraestructuras* de manera equilibrada y justa, y que otorgue a todo individuo del mundo los medios materiales y espirituales para su desarrollo, incluidos los seres vivos no humanos. Esta entidad mediaría en las relaciones humanas para evitar todos los males morales de los que somos responsables.

Ya San Agustín dio el primer paso hacia una *Ética Ecológica* en su análisis del mal al identificar el mal moral como la causa de los males físicos, consecuencia del castigo divino. Sin embargo, según el antropomorfismo de Feuerbach, este Dios no es más que la proyección que el ser humano hace de sus propias características, y sobre él intenta que recaigan las cualidades más puras y perfectas que desea para él mismo, para que sirvan como ejemplo de nobleza y virtud. Del mismo modo, Hegel creía en un espíritu absoluto que ayuda al ser humano en cada momento histórico, un espíritu del que Nietzsche apercibió su fin, al igual que el de Dios y, basándose en las ideas darwinistas, vaticinó la llegada del superhumano, que traerá a "este mundo" una moral antes edificada en el "más allá". Sin embargo, ¿cómo el ser humano podría traer al mundo una nueva moral sin un ejemplo idealizado de bondad y justicia?

Nietzsche comprendió que la sociedad había matado a Dios, pero su "cadáver todavía caliente", tal y como metafóricamente indica el Nuevo Testamento, sufrirá su resurrección, y será reencarnado en una máquina que mediará entre los seres humanos para protegerlos de su propia maldad. Y por la fe en el poder de este nuevo ser, los nuevos creyentes serán también resucitados y serán redimidos para que puedan gozar de una renovada forma de vida. O, en otras palabras, aquel Dios misericordioso que el ser humano creó primero en su imaginación, será materializado por él mismo con el fin de proteger y perpetuar todo lo viviente. Y, a través de él, la persona individual comprenderá por fin que el mejor mundo *para mí* y el mejor mundo *para todos* son la misma cosa.

Llegará un momento en el que creas que todo ha terminado. Ese será un nuevo comienzo.

Epicuro de Samos, 341-270 a.c.

OBRAS CITADAS

Engels, Friedrich. *Del socialismo utópico al socialismo científico*. Madrid, fundación Federico Engels, 2006. Páginas 8-9 y 66.

Feuerbach, Ludwig. *La esencia del cristianismo*. Prólogo de Manuel Cabada Castro. Madrid, editorial Trotta, clásicos de la cultura, 2002. Páginas 53-64, 85-91, 322-323, 342-349.

—. *La esencia de la religión*. Edición de Tomás Cuadrado. Madrid, editorial páginas de espuma, 2005. Páginas 52-59, 87-90.

Freud, Sigmund. *Esquema del psicoanálisis*. Madrid, Debate editorial, 1998. Página 173 en adelante.

Fromm, Erich. *El miedo a la libertad*. Barcelona, Paidós Studio, 1995. Páginas 57-112, 150-185 y 202-245.

Gallego, Mario. *La ruleta fría, relatos del ser*. Valladolid, Ed. Páramo, 2016. Quinto relato.

Germani, Gino, introducción al libro *El miedo a la libertad* de Erich Fromm, p.10-11

Habermas, Jürgen. *Aclaraciones a la ética del discurso*. Madrid, editorial Trotta, 2000. Páginas 13, 20, 37, 118 y 231.

—. *Acción comunicativa y razón sin transcendencia*. Buenos Aires, Barcelona, México, ediciones Paidós Ibérica, 2002. Páginas 47, 56-59 y 90.

Habermas, Jürgen; Rawls, John. *Debate sobre el liberalismo político*. Barcelona, Paidós I.C.E/U.A.B, 1998.

Hartsuaga, Juan Inazio. *Ideia eta balioen bestelako historia laburra*. Navarra, Pamiela, 2016. Segundo capítulo.

Horkheimer, Max; Adorno, Theodor W. *Dialéctica de la Ilustración, fragmentos filosóficos*. Madrid, editorial Trotta, 2018. Páginas 31, 140-144, 173, 189 y 191.

Kant, Immanuel. *¿Qué es la Ilustración?* Madrid, Alianza editorial, 2013.

Keynes, John Maynard. *Breve tratado sobre la reforma monetaria. Escritos (1910-1944)*. Madrid, editorial Síntesis, fundación ICO, 2009. Páginas 19-20, 50-51, 63-84.

Marx, Karl; Engels, Friedrich. *Manifiesto comunista*. Sauce Editorial, 1999. Páginas 24 y 43.

Nietzsche, Friedrich. *Ecce Homo*. Buenos Aires, editorial Losada, 2004.

Ortega y Gasset, José. *Meditaciones del Quijote*. Madrid, editorial Calpe, 1921. Página 35.

Orwell, George. *1984*. Barcelona, editorial Debolsillo contemporánea, 2013. Páginas 215 en adelante, con especial atención a las 227-228.

Prieto Navarro, Evaristo. *Jürgen Habermas: acción comunicativa e identidad política*. Madrid, Centro de Estudios Políticos y Constitucionales, 2003. Páginas 143-145 y 337-392.

San Agustín. *La ciudad de Dios*. Edición de Salvador Antuñano Alea. Madrid, Tecnos, 2010. Páginas 96-97, 336-337 y 356-357.

Weber, Max. *La ética protestante y el espíritu del capitalismo*. Madrid, edición Jorge Navarro Pérez. Ediciones Akal, básica de bolsillo, 2013. Página 95 en adelante.

Este libro se publicó
en marzo de 2021
entre la esperanza
del cambio y
la certeza de
la derrota